LAROUSSE
de la Jardinería

PLANTAS DE EXTERIOR

LAROUSSE

ES UNA OBRA

LAROUSSE

EDICIÓN ORIGINAL

Obra colectiva realizada bajo la dirección de
Patrick Mioulane

Dirección editorial: Catherine Delprat
Edición y coordinación: Agnès Dumoussaud
con la colaboración de Cécile Edrei
Idea gráfica: Marie-Astrid Bailly-Maitre

Asesor de redacción
Marc Gueguen

Redactores
Alain Delavie: de 16 a 19, de 52 a 55, de 58 a 71,
de 302 a 313, de 346 a 381, de 446 a 461, de 470 a 475
Catherine Delvaux: de 282 a 301, de 314 a 345,
de 382 a 445, de 462 a 469, de 478 a 495

Patrick Mioulane: 3, de 10 a 15, de 92 a 281,
de 496 a 499
Michel Rocher: de 22 a 31, de 34 a 45, de 48 a 51,
56-57, de 74 a 91

Paginación
Nadine Grosvalet, Aris Lapeyre

Ilustraciones
Fotografía: © Agence MAP/Mise Au Point
Estilista: Anne Valéry

EDICIÓN ESPAÑOLA

Dirección editorial: Núria Lucena Cayuela
Coordinación general: Jordi Induráin Pons
Edición: Laura del Barrio Estévez

Realización: Digital Screen, servicios editoriales
Maquetación: Digital Screen, servicios editoriales
Traducción: Dommo Serveis
Asesoría técnica: Antoni Nadal Amat,
doctor ingeniero de Montes
Preimpresión: Digital Screen, servicios editoriales
Cubierta: Francesc Sala

© 1998, LAROUSSE/BORDAS
© 2004, ÉDITIONS LAROUSSE
© 2006, LAROUSSE EDITORIAL, S.L.
para la versión española
Reimpresión (2006)

Mallorca, 45, 3.ª planta - 08029 Barcelona
Tel.: 93 241 35 05 Fax: 93 241 35 07
larousse@larousse.es ■ www.larousse.es

ISBN: 84-8332-572-1
Depósito legal: NA. 851-2006
Impresión y encuadernación: Gráficas Estella, S. A.
Impreso en España - *Printed in Spain*

dornar con plantas y flores el espacio desnudo y frío que ofrecen normalmente los balcones, los marcos de las ventanas y las terrazas es fundamental para embellecer nuestro espacio vital. Transformar el universo de piedra y hormigón en un auténtico jardín significa que hacemos prevalecer lo vivo sobre lo inerte. Conseguimos expresar belleza y pureza. Si los 74 millones de espacios censados oficialmente que podrían tener flora acogieran una sola planta o in-

cluso la más pequeña de las flores, el ambiente cotidiano de las ciudades se convertiría en un ambiente de fiesta. «Una planta, un árbol o una flor embellecen la vida.» Este eslogan es cierto. Pero aún más.

Cultivar en macetas y jardineras, mantener las plantas, cuidarlas y hacerlas crecer, es adoptar una actitud que nos aproxima a la naturaleza. Los incontables ejemplos ilustrados y los consejos prácticos de las siguientes páginas se convertirán en su guía en esta búsqueda de belleza y armonía. Esta obra tiene como objetivo hacerle pasar momentos deliciosos de descanso y de placer con las plantas, con sus plantas...

SUMARIO

1 - AJARDINAR SIN JARDÍN 7
Organizar volúmenes, formas y colores 8
Estructura y acondicionamiento 20
Escoja los mejores recipientes 32
Los secretos para plantar 46
El mantenimiento diario 72

2 - VENTANAS CON FLORES 119
Festival de colores 122
Blancura radiante. 126
Oro en sus ventanas. 128
Color rosa 130
¡Verde que te quiero verde!. 132
Hojas de todos los colores 134
Gusto por lo exótico 136
Leyendas de otoño. 138
Ventanas apetecibles 140
Buenas hierbas. 142
Cestos colgantes. 144

3 - UN JARDÍN EN EL BALCÓN. 149
La fiesta de la primavera 152
Cálidos colores del verano 156
Balcones de otoño 160
Balcones de invierno 164
Ternura rosa 166
Destello de oro y sol 168
Rojo dominante. 170
Fantasía azul 172
Dúo de colores. 174
Profusión de color 178
Toque de originalidad 180
Suavidad de las hojas 182
Sueño exótico 184
Bajo el sol del sur. 186
Balcón de golosinas 190
Jardineras de hortalizas 192
La exuberancia de las lianas 196
El rincón de las jardineras de hierbas. 200
Un salón al aire libre 202

4 - TERRAZAS COLGANTES 205
Un auténtico jardín en el tejado 208
La madera, una tendencia para las terrazas 212
Una terraza convertida en salón. 216
Terrazas próximas al mar 220
Un rincón del paraíso 222

5 - LOS PATIOS **227**
Intimidad florida 230
Un remanso de verdor 232
Líneas, volúmenes y formas 234
El gusto por lo natural 236
Evádase 238

6 - FACHADAS CON JARDÍN **241**
Bienvenido al jardín 244
Paredes vestidas de verde 246
La fiesta de las flores 248
Profusión de follaje 250
Ideas que vienen de lejos 252

7 - PLANTAS PARA MACETAS Y JARDINERAS **255**
450 Fichas ordenadas alfabéticamente . . . . 256 a 449

8 - CALENDARIO **451**

Enero 452
Febrero 453
Marzo 454
Abril 456
Mayo 458
Junio 460
Julio 462
Agosto 463
Septiembre 464
Octubre 466
Noviembre 468
Diciembre 469

Índice general 470
Créditos fotográficos y agradecimientos 480

AJARDINAR SIN JARDÍN

Organizar volúmenes, formas y colores 8

Estructura y acondicionamiento 20

Escoja los mejores recipientes 32

Los secretos para plantar 46

El mantenimiento diario 72

ORGANIZAR
VOLÚMENES, FORMAS
Y COLORES

Un pequeño espacio o incluso una simple maceta pueden transformarse en un jardín. Para ello sólo es necesario respetar los principios de equilibrio de las formas, los volúmenes y los colores que rigen las leyes del arte paisajístico, y aplicarlos adecuadamente a un contexto. ✣ *Decorar una jardinera presenta, a pequeña escala, los mismos desafíos que el acondicionamiento de un parterre. Hay que evitar los alineamientos rígidos y las disonancias cromáticas, respetar el desarrollo de los vegetales, armonizar las siluetas y crear un ritmo gracias a la disposición de las plantas.* ✣ *En la práctica, es simple pero complicado a la vez. Esta simplicidad proviene del hecho de que las macetas y los diferentes recipientes se encuentran situados en lugares más accesibles que en un jardín, facilitando, así, su mantenimiento.* ✣ *No requieren de un trabajo pesado y, salvo el transporte de los sacos de tierra, no son necesarios grandes esfuerzos. En contrapartida, la escasa superficie disponible, el contexto artificial del cultivo en macetas y las condiciones climáticas particulares de los jardines colgantes generan problemas que debe tener en cuenta.* ✣ *A nivel estético, las decoraciones en las ventanas, balcones y terrazas deben ser impecables, porque su riqueza se aprecia desde cerca. La falta de perspectiva impide tener una vista panorámica de todo el espacio decorativo.* ✣ *En su mente, deberá recortar visualmente la presentación en pequeñas escenas diferentes. Cada una debe expresar, para que sea seductora, una personalidad, un equilibrio y una armonía. Toda la gracia está en conseguir la perfección del más mínimo detalle y, por lo tanto, nada debe dejarse al azar.* ✣

OCUPAR EL ESPACIO

La decoración vegetal de un balcón o terraza se asemeja a un puzzle en el que todas las piezas, en principio inconexas, se acaban ensamblando y formando un conjunto homogéneo y armonioso. A continuación le damos algunas nociones sencillas, pero esenciales...

▲ Las macetas y las jardineras se combinan para crear un efecto más voluminoso jugando con las diferentes alturas.

Consejo: Para conseguir una buena decoración en un balcón o terraza, hay que ser generoso. Varios jarros dispersos no siempre pueden garantizar un buen efecto visual. Basta simplemente con reagruparlos para crear un efecto de masa y obtener un resultado totalmente distinto. Si no dispone de los medios suficientes para decorar todo el balcón, dedique sus esfuerzos a hacerlo en la parte más visible.

Decorar un balcón, una terraza o una ventana con plantas es crear un cuadro en tres dimensiones: longitud, altura y profundidad. Esta idea debe tenerla presente constantemente y utilizarla en todas sus composiciones, pues condiciona el resultado final y el efecto visual.

A menudo, los balcones están decorados de forma lineal y dan cierta sensación de monotonía.

Ante todo, volumen

Cuando se tienen en cuenta la altura y la profundidad al mismo tiempo, se genera una sensación de volumen en el conjunto de sus plantas.

Una solución práctica consiste en colocar las macetas o jardineras a diferentes niveles intentando evitar las alineaciones monóto-

◄ Cuelgue algunas macetas sobre las vallas.

nas. Los recipientes deberán tener dimensiones diferentes y no deberá repartirlos sobre una misma línea, sino sobre una superficie.

Este consejo también sirve para la decoración de barandillas. En estos espacios lineales, siempre se tiende a colocar las jardineras de forma regular y con las plantas alineadas, generando así una sensación uniforme.

Basta con considerar que cada recipiente es un jardín con vida propia, con su decorado particular; el cambio es notable.

Si además intercala una maceta redonda con otra cuadrada, animará la composición. Y para dar el toque final, añada una planta trepadora (puede ser una anual, como la cobea o el guisante de olor) para darle un punto de fantasía.

Algunos recipientes con arbustos romperán la línea de la barandilla y le darán cierto ritmo.

En una misma jardinera es conveniente mezclar diferentes plantas de alturas asimétricas. La clave del éxito está en jugar con diferentes asociaciones que eviten la sensación de uniformidad. Pero cuidado, hay que dosificarlas correctamente y tener en cuenta, siempre, la armonía. Evite la confusión buscando cierta homogeneidad en los colores y repitiendo, eventualmente, algunos motivos.

La puesta en escena

Es el arte de colocar los diferentes elementos decorativos y las plantas formando un conjunto armonioso.

En primer lugar hay que elevar los recipiente, especialmente cuando se carece de una perspectiva adecuada para ver las plantas. La visión de arriba abajo (en picado) tiene un efecto espectacular.

Las macetas y jardineras de menor tamaño acentúan la sensación de pequeñez. La solución consiste en elevarlas unos 10 cm con un pedestal, una estantería o una maceta colocada al revés, y el espacio ganará en amplitud.

Así mismo, no se olvide de colgar macetas en paredes vacías, vallas y separadores. Colocadas a diferentes niveles crearán un fan-

▲ Cree volumen con plantas en diferentes niveles.

tástico efecto cascada. Para acentuarlo utilice enredaderas como el geranio trepador y algunos híbridos de las petunias. Para obtener un efecto de volumen intente colgar algunas plantas.

Una pérgola siempre es un elemento rígido, hasta que decidimos que sirva de soporte para un bonito cesto de flores. Éste ocupa un espacio que normalmente queda libre y proporciona un dinamismo que será acentuado por el balanceo que produce el efecto del viento.

Puede optar también por algunas plantas que rompan la línea visual y que proporcionan cierta estructura al espacio.

▲ Aquí, la frondosidad viene de las plantas talladas.

Plantas espectaculares

Se suele decir que «La naturaleza tiene horror al vacío». Esta máxima también la podemos aplicar en la decoración de terrazas, jardines y balcones. Conviene dejar algunos espacios libres, sobre todo el de acceso a la casa, ya que le dará una perspectiva que permitirá ver el jardín en su totalidad. Por el contrario, para crear un efecto de abundancia junte las macetas.

Si quiere ocultar el entorno gris y hostil de la ciudad, utilice plantas altas que formen una barrera natural y, en primer plano, coloque algunas flores.

DAR SENSACIÓN DE AMPLITUD A UN BALCÓN

Un balcón con una decoración muy densa puede dar, a la larga, sensación de ahogo.

Si dispone de una vista agradable al exterior, sería una verdadera lástima desaprovecharla. Si fija su mirada en un punto situado más allá de los límites del balcón, olvidará los tabiques y las estructuras que le rodean.

Para obtener este campo de visión, sólo tiene que dejar una pequeña abertura entre sus plantas o bien colocar una pérgola o arco, cuyo centro servirá de punto de fuga. El revestimiento del suelo puede crear cierta perspectiva por sus dibujos con líneas directrices (por ejemplo, en forma de V). Es conveniente dejar libre el espacio central para que la mirada se deslice hacia la lejanía y reforzar los laterales con más plantas.

Las plantas verticales y los cestos dan efecto de volumen y de grandeza, al igual que las celosías en forma de trampantojo.

Ejemplo de perspectiva bien realizada. ▶

CREAR INTIMIDAD

Como verdaderos jardines secretos, la terraza y el balcón se abren al exterior mediante discretas aberturas colocadas estratégicamente entre flores y plantas. Son promontorios desde los cuales podemos ver sin ser vistos, resguardados del viento y de las miradas indiscretas por vallas o separadores decorados.

 Consejo: Es preferible evitar las pantallas totales porque generan una sensación de opresión e impiden la circulación del aire. La brisa pasa por encima de los paneles impenetrables, mientras que, cuando pasa a través de mallas finas o de la vegetación, se ralentiza.

▲ Las plantaciones elegantes y variadas protegen de las miradas de los vecinos a los ocupantes del balcón.

«Para vivir feliz, pasa inadvertido», dice el proverbio. Si damos crédito a este refrán, los propietarios de balcones y terrazas deben ser gente feliz.

En efecto, es difícil encontrar jardines elevados con grandes aberturas hacia el exterior, pues en general constituyen más bien pequeños espacios de recogimiento, para estar con los amigos tranquilamente, y lejos de las miradas indiscretas de los vecinos.

La particular disposición del balcón y la terraza nos lleva, por fuerza, hacia una ocultación parcial o total.

Esto se debe principalmente a la presencia indispensable de la barandilla. Mide como mínimo 1 m de altura, por razones de seguridad para evitar posibles caídas, y cumple la función de delimitar y enmarcar el espacio del jardín.

◀ Un encañizado vertical compartimenta eficazmente.

▌ Barreras visuales

El propietario de un balcón o terraza no tiene como objetivo principal esconderse de la gente.

Cuando el entorno es agobiante (por ejemplo, por la presencia de edificios muy altos), el jardín del balcón nos aísla un poco del tumulto de la ciudad. La intención es crear un pequeño rincón verde utilizando flores y plantas. Para conseguirlo, hay que utilizar barreras.

Las esterillas, cañas, brezales, encañizados de mimbre o de bambú pueden ser de gran utilidad ya que, además de evitar la sensación de pesadez, están fabricados con materiales naturales. Los protectores de plástico son muy eficaces y de larga duración, pues resisten bien a la intemperie y no se estropean con la contaminación ambiental. Pero estéticamente dejan mucho que desear.

REVESTIR LOS MUROS

En un balcón o terraza lo que se busca es obtener un ambiente de jardín. Hay que intentar, entonces, hacer desaparecer los muros bajo la vegetación. Con ello, la construcción se hace menos pesada y pasa a formar parte de la decoración vegetal.

En un balcón normalmente los muros tienen tanta presencia que es necesario poner una celosía en la que las plantas se puedan sujetar para ocultarlos. Mejor si ésta es bonita, porque en invierno quedará al descubierto. Utilice los modelos de malla cuadrada de 10 cm. Son estándar pero elegantes.

Si tiene la posibilidad de plantar sobre tierra en la terraza, opte por las plantas trepadoras más fuertes como la viña virgen, la hortensia trepadora *(Hydrangea petiolaris)* o la hiedra.

El manto vegetal que recubre los muros da a su casa un toque personal y original. No obstante, es necesario vigilar que las ramas largas no sobrepasen las tejas del techo, y que no atasquen los desagües.

También es conveniente podar en invierno para igualar las ramas.

▲ *Hortensia trepadora y viña virgen para cubrir paredes.*

Menta y clemátide cubren una celosía de madera. ▶

Plantas abundantes

Si queremos que una barrera visual sea agradable y decorativa, tiene que complementarse con un revestimiento vegetal. Las plantas trepadoras y sarmentosas son, evidentemente, el complemento ideal para vallas, celosías y separadores, aunque no debe olvidarse de colgar algunas macetas o jardineras mediante el uso de apliques. En los modelos más sólidos podemos poner un pescante para colgar un cesto con flores.

Para crear un óptimo efecto visual los elementos constructivos nunca deben dominar por encima de la decoración vegetal de un balcón o terraza.

Tampoco conviene cerrarlo demasiado. Si la vegetación es muy densa, puede dar sensación de ahogo.

Es absolutamente necesario que el sol pueda entrar dentro de su pequeño dominio para iluminarlo, calentarlo y crear un ambiente agradable.

Tenga en cuenta la orientación en la disposición de los protectores y no olvide reservar un pequeño punto desde el que pueda mirar hacia el exterior, y a ser posible desde su rincón preferido.

Las barreras parciales

Estos modelos dejan pasar la luz y es posible ver a través de ellos. De lejos, parece que estén totalmente ocultos, pero si nos acercamos, podremos mirar a su través. Esta particularidad se da en los separadores y en las celosías que, al mismo tiempo, sirven de soporte para las plantas trepadoras. Recomendamos su uso ya que son decorativas y no son cargantes.

Preferiblemente, se aconseja utilizar los modelos de madera natural tratada por impregnación, que no necesitan ningún tipo de mantenimiento a diferencia de las de madera pintada.

El doble muro aísla perfectamente esta terraza. ▶

CÓMO COLOCAR LAS MACETAS

Si la elección de las plantas es determinante en la decoración del balcón o la terraza, también lo es el papel de los recipientes; el material, la forma y el color definen un estilo determinado, dependiendo de su disposición en el decorado.

Consejo: Para evitar la monotonía en un balcón o terraza, coloque las macetas y tiestos de forma irregular, como si el suelo fuera un parterre y cada recipiente una planta por colocar.

Aunque sus plantas sean muy bonitas, si coloca las macetas en hileras, nunca logrará dar una sensación de elegancia y de armonía a su balcón o terraza. Intente reunirlas formando un conjunto elegante y original.

Formas y volúmenes

Macetas, jardineras, pedestales y demás elementos que forman parte del decorado deben colocarse teniendo en cuenta las mismas reglas que empleamos para los vegetales: ritmo, movimiento y fantasía.
El ritmo se obtiene cuando evitamos colocar recipientes idénticos uno al lado del otro, a no ser que queramos obtener un efecto de simetría.
El efecto de movimiento lo conseguimos utilizando macetas de diferentes volúmenes y alturas.

Un conjunto de macetas decora el ángulo de una terraza. ▶

▲ Diferentes tipos de macetas formando un arriate variado.

La fantasía está relacionada con la variedad de formas, acabados y materiales utilizados. Para conseguir un óptimo resultado es conveniente alternar macetas de madera, de plástico y de tierra cocida, de colores diferentes, pero sin llegar al extremo de coleccionar cualquier tipo de recipiente.

No olvide crear efectos con los colores, colocando algunas macetas esmaltadas. Estas últimas deben pasar el invierno bajo techo.

La distribución en el suelo

Es la más corriente y también la más común. Esta distribución debe evitarse en balcones, ya que la falta de perspectiva hará que tengamos una percepción desde arriba de todas las macetas. Los recipientes de menos de 30 cm de altura pasan inadvertidos y el decorado pierde majestuosidad.

Por el contrario, en una terraza, los tiestos colocados en el suelo forman un todo con el material del revestimiento y las plantas.

Las macetas que están en el suelo deben disponerse según sus dimensiones y conviene agrupar las más pequeñas. Si quiere crear ritmo, alterne los recipientes grandes con los pequeños. No los ponga alineados, pero sí de manera que los podamos ver individualmente. En este caso es ideal una distribución en función de la altura.

La utilización de soportes

Las columnas, los pedestales o incluso unas piedras llanas constituyen algunas de las opciones para elevar las plantas que están en las macetas.

Su utilización es indispensable para realzar los vegetales con tallos colgantes. Además crean volumen.

Normalmente, todos los recipientes llanos como las copas, jarrones o tarros ganan mucho al estar en posición elevada. Pero atención, la altura del soporte debe ser siempre proporcional al recipiente y a la planta.

Por ejemplo, una copa redonda de 20 cm de altura que contenga flores de 20 o 30 cm debe estar sobre un pedestal entre 30 y 50 cm de altura.

LAS ESTANTERÍAS

Las estanterías, ideales para agrupar macetas pequeñas, están de moda actualmente. La mayoría de los diseños para balcones o terrazas son de hierro forjado. Suelen inspirarse en creaciones de la época victoriana y modernista, que hicieron furor a finales del siglo XIX y en la década de 1920.

También se encuentran estanterías de listones de madera, pero se utilizan más para interiores, igual que las de mimbre.

Algunas estanterías están formadas por un armazón metálico que aguanta horizontalmente placas de policarbonato transparente sobre las cuales se colocan los tiestos.

El principal inconveniente de este sistema es que en períodos de lluvias abundantes se puede acumular el agua y producirse así un exceso de humedad.

Son preferibles las estanterías tipo empalizada que favorecen la ventilación de las raíces. Intente elegir estanterías de medidas amplias porque de lo contrario no podrá colocar macetas de más de 20 cm de diámetro y las plantas se dañarán.

▲ Estantería de metal en ángulo, con tres estantes.

Un modelo en semicírculo y cuatro niveles. ▶

Si la copa contiene un arbusto de 50 o 60 cm, habrá que limitar la altura del soporte a aproximadamente unos 20 cm. Pruébelo antes, es una cuestión de óptica y de sentido de las proporciones. Es incongruente colocar una copa pequeña encima de un pedestal muy alto. Pero tampoco conviene elevar mucho una planta muy voluminosa.

Una jarra debe descansar siempre sobre una base. ▶

LA ELECCIÓN DE LOS COLORES

La belleza de un balcón o una terraza está estrechamente vinculada con la agrupación de colores, creando conjuntos relajantes y mezclas con contrastes estimulantes.

Si elige sus colores preferidos y los asocia correctamente, dará una personalidad propia a su jardín de macetas.

Consejo: Evite las mezclas de muchos colores ya que dan una impresión de disonancia y son poco estéticas, sobre todo en espacios pequeños. Para una maceta o jardinera, elija como máximo dos colores, a los que podrá añadir la proporción de blanco o verde que más convenga.

▲ Aquí el verde realza las vivas manchas de color de los girasoles *(Helianthus annuus)*.

Encontrará flores y hojas de todos los colores. Pero no piense que es más fácil decidir cuáles combinaciones conformarán su jardín o terraza que diseñar la estructura de éste. Aprenda a conocer lo que expresa cada color antes de asociarlos entre ellos.

El verde, neutro y tranquilizante

El verde, a menudo abundante, pero pocas veces dominante, es un color aparte en el decorado: neutro y tranquilizante. Existe una gama de verdes que va del más suave, de las hojas más tiernas, al más oscuro, casi negro, de las hojas de algunas coníferas.

Para resaltar la gran variedad de tonos y matices de este color, asocie los más claros con los más oscuros. Juegue también con las texturas de las hojas, colocando hojas mates al lado de otras brillantes. El verde se puede mezclar con todos los colores, ya sean fríos o cálidos. También se utiliza para atenuar los colores demasiado vivos.

▼ Busque el contraste entre las formas y las texturas.

◄ El verde del follaje acentúa la sensación de tranquilidad.

LA IMPORTANCIA DE LAS HOJAS

Para dar vida a un balcón, terraza o ventana no son imprescindibles las flores. Las hojas, por su variedad de formas, texturas, dimensiones y colores, son muy atrayentes durante muchos meses o incluso todo el año.

Las hojas grandes aportan un toque exuberante y exótico. Las hojas rígidas y encintadas dan magnitud vertical, mientras que las hojas finas y recortadas potencian un efecto de ligereza. Gran número de hojas nacen con una tonalidad rosa, púrpura, amarilla o con mezclas, pero generalmente estas marcas desaparecen. En primavera, los brotes jóvenes son de color verde claro y, en verano, adquieren tonalidades más fuertes.

Muchos vegetales se colorean en otoño. Tenga en cuenta estas variaciones cuando coloque sus macetas o jardineras. Las hojas perennes son muy útiles para crear un fondo permanente o para disimular de forma persistente las imperfecciones arquitectónicas. Son fáciles de mantener y durante el invierno se convierten en protagonistas.

Combina armoniosamente con amarillos y azules. Por el contrario, contrasta vivamente con el rojo, su color complementario.

El verde no es exclusivo de las hojas; algunas flores pueden presentar este color, aunque es raro. Las alchemilas, las heleborinas, algunos tabacos de flor (*Nicotiana* x «Lime Green» o *Nicotiana langsdorffii*), las lechetreznas (*Euphorbia policroma, characias* o *amygdaloides* variedad r*obbiae*) y la zinnia gigante con flores de dalia «*Envy*» son plantas preciosas con flores verdes. Se integran muy bien en las composiciones y permiten crear una transición a través de los colores más contrastados. El verde también se utiliza mucho en mobiliarios y accesorios (macetas, soportes, regaderas, etc.), para que pasen más inadvertidos, pues se camuflan fácilmente entre la vegetación que los rodea.

El blanco, dulce y luminoso

El blanco, otro color neutro, aporta un toque dulce y de calma. Inerte, no afecta a los colores que le rodean. Al contrario, se asocia perfectamente con cualquier tono, resaltando su intensidad o delicadeza. Aporta luminosidad y brillo a las composiciones florales, en particular al atardecer, cuando los colores más oscuros se difuminan poco a poco y tienden hacia el negro.

Es muy apreciado en las zonas de sombra ya que las aclara dulcemente. El color blanco de las flores se altera con el sol. Para darle un poco de textura y cuerpo, resalte las flores blancas con un simple fondo de hojas verdes.

También combina muy bien con hojas plateadas o con diferentes tonalidades blancas. El color blanco se degrada en una infinidad de matices: del blanco más puro al color crema. Con este color se puede construir un decorado monocromo. Para ello, utilice una amplia gama de matices y juegue con las formas, las dimensiones y las texturas de los vegetales para evitar cierta monotonía. Atención, corre el riesgo de cansarse fácilmente, pues el ambiente monocromo y esta bella composición refinada requieren muchos cuidados.

Retire sin falta las flores marchitas que adquieren una tonalidad marrón y alteran el efecto de pureza que se desprende de este decorado.

El blanco es un color clásico para el mobiliario, celosías o estructuras permanentes, como los muros o recipientes, pero su resplandor puede monopolizar la atención. Modere su utilización, sobre todo en lugares soleados.

Los tonos grises y plateados combinan con el blanco. ▷

▲ Una refinada composición de suaves monocromos.

▲ El blanco refuerza el efecto luminoso de la terraza.

El amarillo, calor y luz

El amarillo es el color más luminoso, y el ojo lo capta rápidamente entre los otros tonos. Vivo y cálido, a veces violento sin llegar a ser agresivo, es un color frecuente en primavera y en invierno, con la renovación de la vegetación. El amarillo produce en una composición un bonito efecto de luminosidad y, contrariamente al blanco, se utiliza en lugares soleados. Las flores y las hojas amarillas combinan con los verdes tenues, gris plateado y pardo. Evite combinar el amarillo con el rosa pálido, pues este último se vería alterado por la fuerza del oro. Obtendrá unos resultados excelentes si mezcla colores complementarios al amarillo, el azul o el violeta. El contraste que se obtiene es muy armonioso siempre y cuando domine el amarillo en una proporción de 2/3 a 3/4.

Tonos anaranjados, calurosos y vivos

Este color cálido y vistoso resulta de la mezcla de dos colores primarios: el amarillo y el rojo. Ricos e intensos, los tonos anaranjados son difíciles de combinar con

◁ El rojo, muy dinámico, se utiliza sobre todo en verano.

otros colores y normalmente no se obtiene un buen resultado. El naranja vivo es ideal para finales de verano y otoño. Combínelo con hojas de tonos cobrizos y con floraciones cálidas en tonos violeta, amarillo o rojo.

Puede atenuar la vivacidad de un anaranjado si lo combina con plantas que tengan hojas o flores de color crema o bronce. Las tonalidades pastel de este color aportan más dulzura y son más penetrantes, aunque conservan un aspecto cálido, agradable. El naranja crema o el bronce reavivan los lugares un poco oscuros de forma más eficaz que los tonos blancos. Difíciles de combinar, estas tonalidades se mezclan muy bien con los amarillos suaves, los rosas amarillentos o las hojas doradas.

El rosa, suavidad y feminidad

Este color es el resultado de la mezcla de rojo y blanco. Por este motivo, distinguimos dos grandes familias de tonalidades rosa, según si el rojo primario contiene azul (da lugar a rosas frescos o rosas liliáceos) o amarillo (rosas asalmonados más cálidos).

El rosa, tono cálido que evoca dulzura, es tranquilizador. Existen infinidad de matices, no siempre evidentes, ya que el color evoluciona según el entorno. El rosa combina bien con el blanco y el malva. Estos tonos claros y surtidos se entremezclan formado un conjunto pastel encantador. Algunas flores rosas de tonos más oscuros reforzarán la composición que el sol, demasiado intenso, podría volver insípida.

Las flores rosas no destacan mucho entre las hojas verdes que atenúan su resplandor. Pero puede hacerlas destacar si las pone con hojas púrpura oscuro, grises o blancas con tonos plateados. La combinación con el rojo es mucho más difícil.

El rojo, brillante y agresivo

Normalmente es el color que más destaca en una composición con plantas. Directo y provocador, el rojo domina y atrae la mirada. Si las colocamos en pequeños ramilletes, las flores rojas realzan una composición poco atractiva.

Existen dos grandes grupos de rojo: el de los escarlata y bermellón, con matices cálidos, contiene una parte de amarillo; mientras que el carmín, con matices más fríos y tintes azules, tiende hacia el violeta. En una jardinera con flores rojas, es preferible combinar sólo los tonos carmín o bermellón, ya que si combinamos ambos obtendremos un mal resultado. Complete el decorado con hojas grises, bronce o rojo opaco; combinando los dos últimos con verde básico logrará un ambiente claro y dulce. Las tonalidades ciruela, burdeos y granate tienen un aspecto más apagado que el rojo intenso. Quedan bien con flores de color rosa, ho-

▽ Los colores rosas quedan bien en los rincones de descanso.

jas plateadas o verde intenso y se integran fácilmente en composiciones multicolores. Intente combinarlos con hojas verdes, amarillas o grises, es fantástico. Piense en jugar con las texturas de las hojas, aterciopeladas, brillantes o mate para dar un toque refinado.

Azul y violeta, sutiles

Estos colores fríos pero reposados a menudo carecen de luminosidad y brillo, sobre todo cuando los combinamos con el verde. Para dar un toque de alegría a estos tonos, conviene asociarlos con colores cálidos y vivos, como el amarillo. Las flores azules destacan entre hojas doradas o gris plateado.

Atención: el azul se apaga cuando en verano hay un exceso de luz. El violeta es, junto con el púrpura, el tono más oscuro. Este matiz eclipsa las composiciones en las que está inmerso, pero da lo mejor de sí mismo cuando está solo. Intente darle

▲ El amarillo, cálido y luminoso, es el gran amigo del sol. Aporta un sentimiento de alegría y potencia a los otros tonos.

un efecto de masa en una maceta o en una jardinera. La asociación de violeta oscuro y rojo intenso es muy potente. Resérvela para tiestos decorativos en verano o en otoño.

Un grupo de flores azul oscuro puede ganar en claridad si le ponemos una o dos plantas con floración naranja cálido.

Para crear una suave armonía, agrupe el violeta con tonos lilas o lavanda, azul y rosas azulados, pero tenga cuidado con los diferentes grados de azul. Dos matices próximos pero diferentes pueden perjudicarse. Generalmente los violetas suaves pasan inadvertidos. Es mejor colocarlos con otros tonos menos agresivos. Si quiere introducir el azul de un modo permanente en su balcón o terraza, piense en el mobiliario y los accesorios.

Una celosía, un tonel, una pérgola, un banco o un tresillo de jardín pintados de azul pueden convertirse en decorados suntuosos. Haga diferentes pruebas sobre un cartón a plena luz del día y, entonces, decida qué tono es más adecuado para su mobiliario.

▼ Existe una infinidad muy variada de azules y violetas.

COMBINAR LOS COLORES

Existe una gran gama de colores, pero en espacios pequeños la discreción es fundamental. Aunque opte por mezclar varios colores, es importante que uno de ellos domine sobre los otros. Es preferible que un mismo tono cubra la mitad o un tercio de la maceta o jardinera. Las mezclas en las que dominan los tonos pastel dan sensación de tranquilidad, así, es mejor colocarlas en un rincón de descanso. A lo largo de las estaciones, varíe y cambie los colores de su decorado.

En invierno y en primavera, juegue con los azules, los rosas, los blancos y los amarillos. En verano, utilice los rojos, amarillos, rosa intenso o los anaranjados.

El otoño es época de violetas, rojos cálidos, anaranjados, cobrizos y dorados, que encontrará en crisantemos y brezos, de hoja cambiante.

◄ El amarillo, el azul y el rosa son tonos primaverales.

ESTRUCTURA
Y ACONDICIONAMIENTO

Un jardín no transmite su personalidad sólo a través de lo que plantemos en él. Las plantas son una presencia indispensable y, por ello, casi normal. ✿ No nos sorprende su profusión en los balcones, es hasta necesaria. ✿ Pero sin la disposición adecuada, la abundancia de plantas es inútil porque rápidamente crea desorden. Un jardín en un balcón o en una terraza es un ornamento. ✿ Empiece por la estructura, otorgándole cierta unidad, y luego decórela con plantas y flores. El más mínimo detalle es importante porque contribuye a dar una impresión de unidad y armonía. ✿ De igual modo, todos los elementos de la estructura ganan cuando son del mismo material. La madera se utiliza cada vez más, ya que es un material vivo, cálido, elegante, refinado, ligero en el uso y, además, tiene una gran resistencia cuando ha recibido el tratamiento adecuado. ✿ La madera puede encontrarse en las rejas, las persianas y las rejillas; también en los pavimentos, las pérgolas, las barandillas y los muebles de jardín. ✿ Todos estos elementos transforman totalmente nuestro balcón en un jardín, lo construyen, definen las líneas y juegan con los volúmenes. Incluso en la menor de las superficies, debemos prever un mínimo de estructura, ya sea para ocultar el apartamento contiguo, resguardarse del viento o sencillamente para colgar un cesto florido. ✿ En una terraza, el orden estructural tiene una importancia destacada que puede comportar, a veces, una inversión nada despreciable. Nunca hay que tratarlo a la ligera y, si es necesario, debe realizar los trabajos en etapas sucesivas. ✿ Tómese su tiempo, opte por la calidad y por una ejecución impecable. Se juega su bienestar futuro y el placer que sentirá cuando pase el tiempo en un universo florido y confortable. ✿

LAS PÉRGOLAS

Elementos decorativos que ofrecen volumen y presencia al balcón o a la terraza, las pérgolas sirven también para dar sombra agradable durante el verano.

Consejo: Escoja una pérgola de madera tratada por impregnación profunda con el fin de reducir su mantenimiento al máximo. Una aplicación de barniz incoloro cada 3 o 5 años es suficiente para garantizarle una larga vida. Si ha pintado usted la estructura de madera, líjela y después déle dos capas de pintura cada 5 años más o menos, en función del clima. Las partes metálicas requieren pulirlas y repintarlas cada 10 años. Solamente los modelos de aluminio no requieren mantenimiento.

▲ En un balcón pequeño, la pérgola sirve de marco para la decoración, además de ofrecer volumen y prestigio.

◄ La estructura de la pérgola puede realizarse con ladrillo.

Las pérgolas se caracterizan por su ligereza. Son construcciones pequeñas cuya estructura, compuesta por vigas horizontales o arqueadas, se apoya en pilares. La pérgola puede estar formada por un arco simple o puede conjugarse con celosías y listones para formar un conjunto más complejo. Se distingue del cenador porque tiene una estructura menos redondeada y normalmente son de madera.

Múltiples usos

La pérgola es un elemento acogedor. Su arquitectura entrelazada crea un voladizo en un espacio que normalmente es reducido y compensa las formas demasiado horizontales del balcón o de la terraza, al equilibrar los volúmenes. La pérgola sirve de apoyo a las plantas trepadoras, cuyas ramas ascendentes se enrollan alrededor de los postes, para formar un jardín vertical que confiere una nueva dimensión a la terraza. Ésta, al estar cubierta, se convierte en un elemento que protege y garantiza que el viento no sea muy fuerte y el calor sea moderado. Las pérgolas crean también un lugar de reposo en el que se puede comer. Resguardado en ella, podrá disfrutar de la bonanza del verano sin sufrir los asaltos de los rayos solares demasiado directos. La pérgola proporciona un lugar tranquilo y cómodo donde evitará los vientos demasiado fuertes, que siempre lo son más en las alturas que en los jardines que están a ras del suelo. La pérgola contribuye a adornar el perfil de una terraza porque combina volúmenes y formas. Para suavizar un rectángulo de ángulos demasiado obtusos, coloque cantoneras dispuestas lateralmente y así modificará la perspectiva. La pérgola también permite esconder un muro ciego o estropeado a través de la complicidad de un enrejado que se acabará cubriendo de vegetación.

También puede crear un decorado según su imaginación. Los elementos para construirlas se venden conjuntamente y pueden montarse sin mayor complicación. Todo depende del espacio que usted disponga. No sobrecargue su terraza o balcón hasta el punto que desaparezcan cubiertos por un ejército de vigas y postes. La pérgola debe ser sobria y esbelta, pero debemos tratar que esté bien sujeta para que pueda resistir los vientos violentos que se dan en los pisos superiores. Las vigas verticales pueden doblarse o disponerse en cuadrado para servir de apoyo y de base a los tiestos.

Los materiales

Las pérgolas pueden ser de madera, de hierro o aluminio. A veces tienen una estructura vertical de piedra en forma de columnas redondas o cuadradas. Éstas, debido a su peso, hay que reservarlas para las terrazas de un único nivel. Con la misma idea, pero para obtener un resultado más rústico, se pueden construir con ladrillos.

Los modelos de madera son los más comunes. Su instalación no requiere ninguna habilidad especial y su peso las hace manejables. Estas pérgolas vienen ya en paquetes ordenados por módulos, listas para montar, y permiten infinidad de combinaciones.

Los elementos de madera son compatibles entre ellos gracias a los machihembrados pretallados. Se fijan con tornillos inoxidables. Puede ponerle rejillas en los laterales o en la parte superior. Respete siempre las dimensiones: deben tener una altura de entre 2,10 y 2,70 m. Si excedemos estas proporciones dejará de respetarse el equilibrio con relación a las construcciones del entorno.

▲ Las pérgolas actuales se montan por piezas.

▲ Una pérgola de madera en ángulo.

EL MONTAJE DE UNA PÉRGOLA

Como no podrá realizar un agujero en el suelo para fijar los postes verticales, deberá recurrir al empleo de piezas metálicas de sujeción. Si la pérgola va adosada a una pared, deberá taladrar las patas en forma de L o de U en el hormigón o la piedra, y siempre a igual distancia. Cuando se trate de una construcción sin apoyo, hay bases cuadradas metálicas o soportes de piedra en los que puede encastrar el poste. Estas bases se deben fijar de un modo sólido al suelo. Procure que los elementos estén en la posición vertical correcta y que tengan una solidez adecuada. Opte por los tornillos galvanizados, ya que ofrecen mejor resistencia a la intemperie. La pérgola no debe superar la altura de la vivienda y debe armonizar con las aberturas, puertas y ventanas que dan al balcón o a la terraza. Los travesaños horizontales que unen los postes deben tener una longitud de 2,10 a 2,20 m. Esto permite garantizar una sujeción suficiente para resistir los vientos. Los postes tendrán un diámetro de 7 a 10 cm, para los travesaños bastará una anchura de 5 cm. Trabaje con alguien que le ayude, le resultará más fácil.

▼ Las estructuras se atornillan por la base.

▼ Hay que taladrar la parte superior.

▼ Es mejor ser dos para colocarla.

SEPARADORES Y CELOSÍAS

Destinadas a crear divisiones o con una función de revestimiento de los muros, estas construcciones bien distribuidas juegan un papel decorativo de primer orden en los balcones y las terrazas. Existe una gran cantidad de modelos que combinan con todos los estilos y son un apoyo inmejorable para las plantas trepadoras.

 Las celosías son también elementos decorativos que sirven para vestir paredes, realizar columnas o bases de tiestos.

Consejo: Nunca deje una pared desnuda en un balcón o en una terraza. Vístala con una celosía para conseguir un efecto decorativo y disminuir los problemas producidos por la reverberación de los rayos solares. Los modelos de malla de 5 cm de ancho son ideales.

Los separadores son elementos planos formados con listones intercalados que forman un tabique con finalidades decorativas. Esta estructura realiza una función de paraviento y de persiana. Originalmente los separadores eran de cerámica, ladrillo, hormigón o de tierra cocida. Para realzar su es-

tética, pueden tener una anchura lateral entre 10 y 15 cm. Esto representa demasiada carga por m² para una pequeña superficie. Por ello, no se aconseja colocarlas en terrazas y balcones. Es preferible reservar estos modelos más sólidos para aquellas terrazas que estén a ras del suelo.

MODELOS PARA TODOS LOS GUSTOS

Los separadores y las celosías pueden realizarse a medida, por encargo, pero existen también paneles listos para su colocación. Puede elegir entre los conjuntos hechos de láminas con espacios de 10 cm de separación, que se colocarán en forma de cuadrado o de rombo. Estos tipos de dibujo son perfectos para hacer crecer plantas trepadoras. También puede optar por la colocación de paneles realizados con materiales naturales: leños, cañas, palos, bambú, juncos o enea. Las celosías realizadas con mallas de plástico son interesantes por su ligereza y facilidad de instalación. La creatividad no tiene límites en este ámbito y siempre puede llamar a un paisajista si busca mayor originalidad.

▼ *Una preciosa valla de juncos trenzados.*

▼ *El bambú aporta un toque exótico.*

▼ *Un separador de listones de madera.*

▼ *Una celosía de láminas de madera.*

El problema del peso puede resolverse instalando separadores formados por elementos modulares de madera o plástico. Dichos módulos son listones que pueden colocarse como tabiques independientes, tienen una fijación directa al suelo y se pueden encajar con otras estructuras, sobre todo con pérgolas. Ciertos modelos disponen de jardineras en la base. Esto permite una sujeción mejor y además plantar diferentes plantas. Los catálogos de muebles de madera utilizan el término separadores cuando se refieren a los listones o a los paravientos. De hecho, son los mismos productos.

Las celosías

Se trata de un conjunto de láminas en forma de red. Las celosías pueden estar realizadas con diferentes materiales: madera mate o abrillantada, de abeto o de especies exóticas, de bambú y hasta de plástico. Existe una gran gama de colores para que combinen a la perfección con el entorno. Si posee usted celosías suficientemente compactas puede realizar separadores con ellas. Se pueden encontrar en forma de paneles fijos o de mallas con diseño cuadrado o romboidal. Sus dimensiones son de 0,30 a 2 m de ancho y alto. Existen también frontones de arco, trampantojos, formas redondas del tipo ojo de buey o triángulos. Combínelos a su gusto, todos los modelos son compatibles entre sí. Las diferentes formas son extensibles, así se puede realizar un entramado aún más grande. Pueden abrirse como usted quiera para realizar mallas compuestas por rombos o cuadrados. La ventaja de estos entramados es que se pueden adaptar al tamaño del muro para una correcta decoración.

La colocación de las celosías

Las celosías se pueden fijar directamente en la base sirviéndose de cáncamos para unirlas con la pared o, también, se pueden fijar con las patas. Esta última solución permite retirar la celosía para su posterior limpieza y conser-

▲ Una celosía en forma de trampantojo crea profundidad.

▲ Celosía de rombos de bambú para decorar una pared.

▲ Una lila de California embellece una celosía romboidal.

LA ILUMINACIÓN, ELEMENTO BÁSICO

Prolongue sus estancias en el balcón o en la terraza instalando luces exteriores. Estos lugares requieren de una luminosidad fuerte que no se obtiene sólo con una corriente de 220 v. Esto implica tomar ciertas precauciones para la instalación eléctrica. En la caja eléctrica hay que colocar un diferencial reservado para el exterior. Coloque también un interruptor que tenga un testigo luminoso. Elija lámparas que cumplan las normas CE y protegidas contra las infiltraciones de agua, que se identifican con dos triángulos que tienen una gota de agua en el centro.

▲ Efecto mágico en una terraza iluminada de noche.

vación. Nos parece que es la solución más versátil porque permite modificar la decoración sin correr el riesgo de estropear la pared. La celosía gana cuando está separada del muro. Para ello, usaremos tacos de unos 5 cm de ancho directamente atornillados en la pared. Este sistema facilita el crecimiento de las plantas trepadoras cuyas ramas más ligeras pueden enroscarse entre la malla y la pared. Para su mantenimiento debe pulir y pintar las laminillas de la celosía cada 10 años. Los modelos realizados con maderas naturales exóticas tienen una mayor durabilidad.

LOS MUEBLES

Un balcón o una terraza nos invitan a la relajación y a soñar rodeados de plantas. Para que pueda sacar partido de su entorno florecido, tiene a su disposición una gama muy amplia de muebles de jardín de diferentes estilos y precios para adaptarlos según el espacio.

 Consejo: **Antes de comprar un tresillo exterior para el balcón, hay que resolver los problemas de distribución. De hecho, estos muebles sólo se usan durante el verano. El resto del año conviene que el balcón tenga un espacio libre mayor para aprovechar mejor el decorado floral. Para ganar espacio elija muebles plegables.**

▲ Los muebles de jardín de teca se adaptan a todos los estilos gracias a su sobriedad. Se muestran inalterables a la intemperie.

Existen diferentes formas y tipos de materiales que podrán satisfacer su gusto para los muebles de exterior. La tendencia actual prefiere aquellos muebles más versátiles y que pueden usarse tanto en el interior como en el exterior. En general, las terrazas tienen suficiente espacio para poder dar cabida a un tresillo de jardín clásico. En los balcones, es mejor tener muebles plegables fáciles de ordenar. Piense también en su mantenimiento. La madera exótica se trata con aceite de teca. El esmaltado puede reavivarse con el empleo de aerosoles o con una limpieza con agua y jabón. Para los muebles metálicos es necesario que cada 4 o 5 años se realice un pulimento profundo y darles una capa de pintura. Se deberá poner aceite en las bisagras de los muebles plegables antes de guardarlos en invierno.

◄ El mobiliario metálico es una buena opción.

Si son de buena calidad y se tratan correctamente, estos muebles nos servirán durante mucho tiempo. Sólo las grandes marcas garantizan una continuidad de sus modelos.

 ▼ En invierno deben resguardarse los muebles de enea.

La madera, elegancia y suavidad

Es el material noble por excelencia y el que mejor se integra entre los vegetales. Para los muebles se emplean diferentes maderas: pino, abeto, haya, maderas exóticas como el iroko o el asobé y la teca de los bosques asiáticos. Esta última siempre se encuentra con acabados naturales y de color ámbar. A lo largo de los años va adquiriendo un color gris que no altera su imputrescibilidad. Para conservar su color original, aplique cada año un aceite protector con un paño suave. Los muebles fijados con tornillos siempre son mejores que aquellos cuyas partes están pegadas. Una madera sin nudos presenta una estructura más compacta y sus bordes son más resistentes. Podemos encontrar muebles, también, realizados con maderas naturales o pintadas de origen europeo. Estas maderas requieren de un mantenimiento que consiste en un pulido intenso y la aplicación de dos capas de pintura cada dos o tres años.

El plástico, fácil mantenimiento

Las grandes marcas fabrican productos de calidad. Opte por modelos sólidos para poder apoyarse con tranquilidad. Siéntese en las partes de los muebles indicadas para ello. Si las patas se separan por la presión que ejerce el peso, corremos el riesgo de que la vida de los muebles se acorte. Los muebles de plástico presentan dos ventajas: la ligereza, que los hace muy adecuados para los balcones, y el bajo mantenimiento.

El metal, creatividad

El mobiliario de metales fundidos o forjados vuelve a estar de moda. Los precios normalmente son superiores a los de los muebles de madera o plástico, pero la variedad de estilos es muy extensa y tienen una fuerte personalidad. Su mantenimiento se reduce a una capa de pintura cada cinco o seis años para los muebles de hierro. Aquellos que sean de materiales fundidos o de aluminio no requieren un mantenimiento especial. Muchos modelos son plegables, como las antiguas sillas de *square*. Existen butacas que combinan metal y madera, su estructura puede ser de acero o hierro y tienen los apoyabrazos y los respaldos de madera noble.

Las sombrillas

Si su balcón o terraza no disponen de un toldo, puede considerar la opción de poner una sombrilla. Ésta tiene que ser lo suficientemente grande para ser eficaz, pero también estable y fijada en una base. La fuerza del viento en los pisos superiores o las azoteas exige tomar mayores precauciones que en un jardín. Los modelos con el mástil descentrado tienen la ventaja de que no rompen el espacio y pueden apoyarse a la pared. Existen también sombrillas que pueden clavarse en las paredes cuya tela se puede plegar. Los mástiles normalmente se realizan con maderas exóticas. Existen armazones de aluminio muy interesantes que confieren solidez a la vez que ligereza y gran facilidad de manejo.

ARRIÉSGUESE CON LOS COLORES

En el balcón se puede aprovechar el aspecto decorativo del mobiliario porque lo podemos guardar siempre después de su uso para protegerlo de la intemperie.

Puede escoger muebles de enea para pintarlos y dar una nota de color original, como en la imagen.

Existen modelos ya pintados que dan mucha personalidad al entorno. Los colores muy vivos resultan alegres e inesperados, pero no se debe abusar de ellos para que el conjunto no resulte escandaloso. Esta opción por el color puede también realizarse con muebles metálicos.

▼ Armonía de colores entre el sillón y los tiestos.

▼ Los tresillos en pasta de resina tienen precios interesantes.

▼ Las grandes sombrillas de lino están de moda.

▼ El metal permite crear motivos muy decorativos.

LOS ACCESORIOS DECORATIVOS

▲ Elija una bella estatua, cincelada finamente, con aires románticos para un balcón con celosías de madera.

Para dar personalidad o para crear un ambiente en un balcón o en una terraza sólo basta un pequeño toque. Para ello, se pueden emplear infinidad de objetos decorativos. Elíjalos con cuidado y colóquelos a conciencia.

Consejo: **A no ser que se pretenda crear un efecto espectacular definido con anterioridad, considere el factor sorpresa y deje para el final la selección de objetos decorativos. Coloque una estatuilla, por ejemplo, entre macetas. ¡Es genial!**

Los accesorios decorativos permanecen en las terrazas y balcones durante todo el año y contribuyen a darles personalidad. Evite los artículos de acero que estén mal cuidados u oxidados, las maderas blandas y los materiales deteriorables.

No sobrecargue el espacio y opte por ser original anteponiendo la calidad a la cantidad. Se trata de su imagen, el reflejo de su carácter y comportamiento.

Los objetos decorativos

Podemos empezar por los cojines colocados en los muebles. Los conjuntos están de moda. Un dibujo común a todos los elementos incluyendo las servilletas y los manteles de mesa.

Colgados de la pared, los termómetros, barómetros e higrómetros proporcionan, además de una vertiente decorativa, una función práctica, porque muestran la temperatura o la previsión del tiempo. Si su

terraza está bien expuesta, puede poner un cuadrante solar de piedra o metal. Verifique que está orientado al sur y no ponga vegetación a su alrededor, para que el sol le llegue correctamente.

Los cestos y baúles de mimbre tienen una buena resistencia a la intemperie. Además son elementos decorativos muy atractivos. Atraiga a los pajarillos del barrio colocando un comedero en la pared. Tendrá que tenerlo lleno de grano, sobre todo en invierno.

Para presentar macetas de tamaño pequeño, elija estanterías de hierro como las que se encontraban en los antiguos ultramarinos. Las hay en las quincallerías, y algunos

Esta cesta de frutas de barro cocido combina delicadamente con las macetas realizadas con el mismo material. ▶

◀ Las formas de animales de piedra o bronce están muy de moda.

fabricantes realizan copias de los modelos antiguos.

Entre otros muchos objetos decorativos piense en las estatuillas que encontramos en los centros de jardinería. Las estatuillas de diferentes animales de piedra o metal están muy de moda.

El rincón de los niños

En un balcón hay que prestar más atención a la seguridad de los niños que en un jardín. Evite que los juguetes caigan mediante la instalación de cañas o pantallas totales en las barandillas.

En un cubo de 1 m² y 20 cm de profundidad puede instalar, para los más pequeños, un espacio lleno de arena decorativa. Colóquelo encima de una lámina de plástico lo suficientemente grande para poder recuperar la arena que salga del cubo.

Decore el rincón reservado a los niños delimitándolo con macetas con flores o coníferas o a través de un pequeño tabique. Si ocultamos el espacio de este modo, crearemos un universo para ellos, pero su altura

▲ Los relojes de sol son muy elegantes.

no tiene que impedir que los pueda vigilar. Ofrézcales juguetes que puedan ordenarse rápidamente.

El área de descanso

Sillas, una mesa baja y un trinchero con ruedas nos invitan al descanso y a contemplar las plantas. Estos objetos, que forman parte del decorado general del balcón o de la terraza y que influyen desde el punto de vista de la estética, deben integrarse con discreción. Piense en instalar una hamaca que se pueda fijar a los postes de la pérgola o fijar con soportes metálicos independientes.

Los invernaderos pequeños

Si no dispone de una galería en la que pueda dar abrigo a las plantas más frioleras durante el invierno, piense en instalar un pe-

▲ Lechuzas de terracota muy divertidas.

queño invernadero en el balcón. Algunos modelos de madera o metal proporcionan una bella estética. Si va a plantar, hay también pequeños invernaderos inspirados en los antiguos modelos que se pueden poner encima de las mesas. Conseguirá que sus plantas crezcan inmediatamente.

EL AGUA EN EL DECORADO

Una pequeña fuente o un recipiente que sirva de estanque otorga vida y movimiento. Un grifo con un filtro bastará para que no se hiele el agua. Una bomba eléctrica sumergida facilitará el reciclaje del agua y proporcionará un pequeño chorro de agua que servirá de atractivo para los pajarillo.

Las fuentes de fundición, que copian los antiguos modelos y que tienen grifos de estilo, permiten vestir la pared y las entradas de agua. Puede crear un estanque pequeño cortando longitudinalmente en dos un tonel. Refuerce los círculos de metal en la parte elevada para mantener las láminas de madera bien sujetas y evitar fugas de agua.

▼ Los toneles partidos por la mitad sirven de estanque.

▲ Una pequeña estantería metálica.

▲ Una estatua escondida en medio de un grupo de macetas.

LOS PAVIMENTOS

La primera impresión que tenemos de un balcón o de una terraza nos la da la armonía de todos los elementos. En este sentido, el suelo tiene un papel predominante porque ensalza el valor de las plantas y los aspectos estéticos del conjunto.

Consejo: Utilice materiales ligeros para la terraza del balcón o de los áticos. De hecho, sería una lástima verse obligado a reducir la cantidad de plantaciones por causa del peso de las losas, por ejemplo. Basta con pintar la superficie de hormigón de color marrón o verde para obtener un resultado satisfactorio.

▲ Las láminas de madera son excelentes para las terrazas modernas en las que domina este material.

Los pavimentos del suelo garantizan la estanqueidad, contribuyen a la decoración y a los acabados, además de permitir nuestro paso por el balcón o la terraza. Los materiales que se utilicen tienen que ser de fácil mantenimiento, no deslizantes y resistentes a la intemperie. La elección debe efectuarse en función de su gusto, de la armonía del conjunto y del presupuesto.

La madera, moderna y cálida

En algunas regiones los balcones se realizan en madera, hecho que no desmerece su elegancia. Su duración puede superar los veinte años si están realizados con ma-

deras exóticas o con pino tratado por impregnación. Atención, éste es deslizante cuando llueve. Le aconsejamos que utilice losas de madera, cuadradas o hexagonales, de 40 o 50 cm de ancho. Las losas se colocan encima del hormigón o se fijan a vigas de sujeción. La madera es muy estética, sin embargo, el precio por metro cuadrado es bastante elevado.

La piedra, inusual pero pesada

Este excelente material natural va adquiriendo un aspecto refinado con el paso del tiempo. Debemos colocar las lozas de piedra directamente encima del hormigón. Las losas deben tener un grosor entre 15 y 20 mm, y según el peso deberemos reser-

◄ El césped sintético es ligero y de fácil mantenimiento.

EL MANTENIMIENTO DE LAS BALDOSAS

▲ *El riego a presión elimina las marcas del jardín.*

Excepto el césped artificial, todos los revestimientos de los balcones y de las terrazas se limpian con agua. Puede utilizar un limpiador de alta presión para extraer la suciedad más incrustada.

Evite, siempre que sea posible, emplear detergentes, son productos que las plantas normalmente no toleran.

En contrapartida, puede ser muy útil que aplique de vez en cuando un producto contra el musgo y los líquenes porque, de lo contrario, las baldosas se volverían resbaladizas.

Las tarimas también deben desmontarse una vez al año para limpiarlas y asear todo lo que se ha ido depositando debajo (hojarasca, tierra, suciedad, etc.).

---

varlas para las terrazas de jardín. Es preferible la presentación en opus romano (piezas cuadradas o rectangulares) porque una vez instaladas son más elegantes que el opus incertum (piezas muy irregulares).

El hormigón, un precio atractivo

Una solución satisfactoria es dejar el hormigón original sin pulir. Pero se agrieta rápidamente, absorbe el polvo y no es demasiado estético, excepto cuando está pintado. Las losas de hormigón tiene una relación calidad-precio muy buena y son una alternativa interesante. En estado bruto son de color gris y cogen una pátina a lo largo de los años que les confiere un aspecto de piedra.

▲ *Las losas de piedra son muy elegantes para los jardines.*

El ladrillo, rústico y duradero

El ladrillo más utilizable es el de terrazo que mide $11 \times 22,5 \times 5,5$ cm y presenta las tonalidades del fuego. El ladrillo sólo se utiliza en las terrazas a ras de suelo. Para evitar la uniformidad puede combinarlo con otros materiales.

Su color cálido combina con la madera o la piedra y ensalza la belleza de las plantas. El ladrillo se recubre con musgo en los ambientes húmedos, por ello, puede resultar resbaladizo.

Los materiales artificiales

Más ligeros que las losas de madera, las losas de plástico son inalterables al aire libre. Su instalación es muy fácil y se pueden cortar con un cortametales. Son ligeras, baratas y normalmente se encuentran de color verde. No suponen ningún problema de sobrecarga para los balcones. Las moquetas que imitan el césped tienen la ventaja de que son fáciles de colocar. Se cortan con unas tijeras y pueden adoptar muchas formas. Pero su aspecto es artificial.

La piedra reconstruida se obtiene a partir de pequeños fragmentos de piedra aglomerados con resina u hormigón.

Los matices, aspectos y estructuras de la piedra natural o del ladrillo se reproducen fielmente.

La regularidad del espesor facilita su colocación. Su precio es bastante atractivo.

▲ *Las losas de hormigón cogen una pátina con el tiempo.*

▲ *Una excelente asociación de losas y piedras.*

Los cuadrados de gres dan un aire rústico. ▶

ESCOJA LOS MEJORES RECIPIENTES

Hoy en día existe en el mercado una inmensa variedad de recipientes: copas, jarrones, balconeras, jarras, maceteras, vasijas, cántaros, jardineras, tinajas, cubos, apliques... ❧ Estos recipientes son la esencia de la decoración del balcón. Acogen plantas y les permiten crecer dado que contienen un sustrato rico en el que se pueden desarrollar las raíces. ❧ El recipiente no es una finalidad en sí mismo, no debe ser la estrella en detrimento de las plantas, al contrario, debe realzarlas y aportar un sencillo toque de elegancia o de originalidad. ❧ El aspecto, las dimensiones, las formas y los motivos decorativos de los recipientes han evolucionado mucho. Actualmente, cada vez hay más colecciones nuevas que aparecen año tras año y se erigen en auténticas tendencias; se trata de modelos que se diseñan cada temporada. ❧ Los recipientes esmaltados están en auge y también los de gran volumen, además de las jarras y artesas chinas. ❧ Los motivos y los colores evolucionan, pero las formas se siguen inspirando en los recipientes florentinos del Renacimiento. Es decir, la perfección de estas creaciones seculares continúa integrándose perfectamente en nuestros decorados contemporáneos. No nos podemos desprender de su perfil sensual, de la silueta, de la pureza de sus líneas y de la fineza de sus tonalidades. ❧ Aunque el barro sigue siendo el material preferido por causa de su estética, el plástico ha ganado la batalla de los precios. Actualmente, se trata del material más utilizado, sobre todo cuando imita a las macetas originales. ❧ Los fabricantes han sabido crear líneas muy contemporáneas que ofrecen notas de diversidad y modernidad. ❧ Pero no olvidemos la madera y la piedra reconstruida, que tienen también una gran cantidad de adeptos ávidos de nuevas ideas. ❧

CARACTERÍSTICAS DE UN RECIPIENTE

*Existe una gran variedad
de recipientes cuyas formas,
dimensiones, materiales, colores
y precios varían ostensiblemente.
Su elección debe efectuarse
en función de las plantas
que vaya a plantar, sin dejar
de lado el estilo, los colores
y las proporciones que deben
estar en armonía.*

Consejo: Si tiene que desplazar un gran recipiente que no esté equipado con ruedas, coloque una tabla con maderos redondos debajo, ponga el recipiente o la vasija encima y haga rodar el conjunto hasta el nuevo lugar. También puede utilizar una carretilla.

▲ Las macetas de barro combinan con cualquier estilo.

La primera virtud de un recipiente destinado a ser colocado en un balcón o una terraza debe ser su estabilidad. Como en los pisos superiores se encuentran expuestos a las corrientes de aire, tienen que mantenerse en su lugar sin que exista la posibilidad de que vuelquen y puedan producir daños de los cuales usted sería el responsable. Los grandes tiestos permiten plantar plantas de gran crecimiento. En estos casos, el viento les dará en mayor medida. El problema es menos grave cuando se trata de materiales pesados: piedra natural o reconstruida y cemento. Las jardineras y los recipientes de plástico, al ser más

▼ Incluso sin plantas, las tinajas son muy estéticas.

▼ Existen macetas de todas las formas, dimensiones y colores; gracias a ello podemos variar las composiciones.

ligeros, requieren una sujeción sólida. Compruebe que están bien sujetos una vez al año. Las coníferas pueden estar mucho tiempo en los recipientes. Para no tener que realizar trasplantes debido a la rotura de la maceta, procure que los recipientes sean sólidos para que duren cuanto usted desee. No se deje tentar por los precios económicos que esconden, la mayoría de las veces, calidades mediocres. Es preferible un material sólido y duradero.

Cada material tiene sus propiedades

Los materiales que se utilizan son muy diversos y, analizándolos por separado, todos presentan ventajas e inconvenientes. La calidad de un material puede variar en función del proceso de fabricación y los acabados. Las macetas de barro artesanales a menudo presentan un aspecto más cálido que las realizadas con moldes industriales. Los acabados de los recipientes son diferentes. Cada tipo corresponde a su uso específico, ya sea por la decoración o por el grado de resistencia. Algunos productos fabricados con colores se ablandan enseguida y pueden verse afectados por el musgo o el salitre.

Los materiales plásticos modernos imitan a la perfección el resto de materiales y su peso es inferior. El aspecto estético es lo que dicta la elección cuando se trata de recipientes de igual calidad. Si no puede resguardarlos de las heladas del invierno, infórmese del grado de resistencia de los materiales.

La madera y el plástico no son problemáticos. El barro de calidad resiste el hielo, pero, por si acaso, intente que no se humedezca mucho y envuélvalo con papel de periódico o con una tela compacta a fin de protegerlo. Las dimensiones dependen del tamaño de la planta que va a acoger. El volumen de la tierra tiene que ser el apropiado para el crecimiento confortable de las raíces. Para las plantas comunes, anuales, aromáticas y vivas

Macetas de barro cocido de textura incomparable. ▶

LAS ESTANTERÍAS

Las estanterías permiten poner una gran cantidad de macetas en un espacio limitado, pues se pueden colocar a diferentes niveles. Las plantas reciben mejor luz y pueden cubrir una pared poco agraciada. Los modelos de estanterías de madera requieren un mantenimiento continuo porque se deterioran con la humedad. Es preferible instalar estanterías metálicas. Los centros de jardinería ofrecen modelos de hierro forjado con una capa de pintura époxy. La moda son los metales oxidados barnizados, pero protegidos con una capa de pintura antioxidante negra o verde. Estas estanterías quedan bien en cualquier lugar. Cuando ponga las macetas encima, busque la máxima estabilidad. No elija recipientes

Las estanterías permiten agrupar diferentes macetas. ▶

demasiado anchos que excedan el tamaño de la estantería, se podrían caer. Disponga las plantas teniendo en cuenta su futuro desarrollo y vigile que las plantas de crecimiento colgante no cubran aquellas que se encuentran en los peldaños inferiores. No coloque ejemplares de gran tamaño, quedan mejor sobre el suelo. A falta de estanterías, puede reciclar una escalera de madera o un pequeño taburete para las plantas trepadoras o para los tiestos de siembra.

Un olivo secular plantado en un jarrón chino. ▶

basta con un recipiente de 15 a 20 cm; las coníferas, los rosales y las trepadoras deben plantarse en macetas de 30 a 50 cm. La anchura o el diámetro deben ser iguales que la profundidad. La longitud depende del espacio del que disponga y de la cantidad de plantas que quiera plantar. Ante todo, no olvide que las macetas deben tener un agujero como mínimo para el drenaje (de lo contrario, sería un cubremacetas). No acepte aquellas macetas que tienen una marca que muestra donde se debe realizar el agujero porque se corre el riesgo de romperlas.

▼ Los recipientes pueden crear bellos decorados en el jardín.

LOS DIFERENTES MATERIALES

La gran variedad de materiales, formas, colores y texturas de los recipientes permite tener un poco de imaginación cuando se trata de combinarlos. Pero tenga cuidado y no sobrecargue el conjunto para evitar la sensación de exceso y pesantez. Intente jugar ante todo con las formas y dimensiones.

Consejo: El grosor de una maceta es importante ya que refuerza su resistencia al hielo y a los golpes. A veces, los precios se justifican por este motivo. La alfarería tradicional es más duradera que la industrial.

CÓMO ENVEJECER UNA MACETA

Los tiestos de barro cocido no tratado pueden ser demasiado perfectos en lo que concierne a su textura y presentar una tonalidad demasiado viva.

Para ofrecerles rápidamente una pátina, sumérjalos durante algunas semanas en un cubo lleno de tierra de jardín y turba mezcladas con agua. También puede frotarlos con esta mezcla, suavemente, para no rayarlos. Aún más sencillo, recubra el tiesto con una fina capa de yogurt (de 3 a 5 mm) y déjelo secar durante una semana al aire libre. Se cubrirá de musgos y líquenes rápidamente.

▲ Izquierda, jarrón mexicano de barro secado al sol. Centro, tinaja esmaltada. Derecha, maceta de alfarería florentina.

Los vegetales son elementos que predominan en la decoración de los balcones y las terrazas. La función de los recipientes es el buen desarrollo de las plantaciones. Tienen que colaborar en la calidad estética del conjunto, pero no llamar demasiado la atención. Las formas geométricas redondas, ovales, cuadradas o rectangulares son más sencillas de combinar. Rechace los colores chillones si no quiere que le tilden de tener mal gusto. Las posibilidades de elección de los materiales y las formas son suficiente-

▼ Los tiestos colgados en las fachadas dan un aire rústico.

▼ Los jarrones chinos están cada vez más de moda.

mente amplias como para encontrar lo que nos interesa y poder personalizar los espacios. A pesar de optar por un único material, intente combinar macetas, vasijas, jarrones y jardineras, y varíe el nivel de colocación.

La alfarería, elementos básicos

El barro cocido ofrece una gran cantidad de formas, dimensiones y dibujos. Es el material más clásico y el que mejor se adapta. Garantiza un perfecto equilibrio entre el sustrato, el aire, el agua y la planta. Su porosidad permite la transpiración adecuada para las raíces y crea una temperatura agradable. Debe regarse con más frecuencia porque el barro absorbe el agua y tiene una superficie de evaporación superior.

El exceso de nutrientes no consumidos se evacua a través de las paredes del recipiente creando manchas blancuzcas, que seguramente ya habrá visto en alguna ocasión. Se trata de las sales minerales que se secan al contacto con el aire. Para recobrar el color natural, frote la maceta con agua y vinagre. El principal inconveniente del barro es su débil resistencia al hielo. Se puede hinchar con el agua y romperse fácilmente. Para evitar este efecto resguarde los tiestos durante el invierno en una galería o protéjalos del frío con telas de hibernación.

▼ Macetas decorativas de colores y esmaltadas.

Elegancia moderna de una jardinera de madera esmaltada. ▶

La resistencia al hielo depende, sin embargo, de la calidad del barro y de su cocción. Un poco más resistentes son los tiestos esmaltados o barnizados recubiertos con sustancias vitrificadas a 1 000 °C. Este sistema permite obtener adornos originales. Los tiestos recubiertos con pintura plástica se muestran inalterables a los golpes y a las heladas.

El inconveniente del barro cocido es su peso. Los tiestos de grandes dimensiones, reservados para las terrazas a nivel del suelo, son complicados de transportar una vez que están llenos de tierra. El precio de los tiestos artesanales es bastante elevado, pero cabe decir que algunos son auténticas obras de arte.

La madera, un estilo rústico

Los tiestos y las jardineras de madera generalmente son de gran porte. Pueden estar fabricados con roble, castaño o maderas exóticas imputrescibles como la teca. Hoy día hay grandes jardineras de pino tratado por impregnación. Pueden resistir más de diez años en la intemperie sin necesitar un cuidado especial. Los toneles cortados por la mitad son recipientes excelentes, pero ¡cuidado, son estancos!

▼ La alfarería tradicional no es irreemplazable.

▼ Un tonel partido por la mitad es un excelente recipiente.

▼ Las macetas decoradas con guirnaldas están de moda.

◀ Una jardinera de plástico con un recipiente para el agua.

todo el barro y la piedra reconstruida. La principal ventaja del plástico es su ligereza, que permite utilizarlo en cualquier lugar, sin que haya un riesgo de sobrepeso. En contrapartida, los recipientes pequeños no tienen mucha estabilidad.

Este material no requiere de mucho mantenimiento, sólo basta un paño húmedo para sacarles el polvo.

Las macetas y jardineras de plástico se muestran inalterables a las variaciones climáticas. Las macetas rotomoldeadas resisten temperaturas entre –65 a +85 °C; por el contrario, los modelos inyectados no resisten las temperaturas inferiores a los –20 °C. Como sus paredes no son porosas, la evaporación es menor en verano y la tierra se mantiene húmeda durante más tiempo.

La paleta de colores es muy grande, pero

El plástico, muy barato

Los recipientes de plástico tienen diferentes calidades en función del proceso de fabricación, la materia prima empleada y el acabado del molde. Su duración y aspecto estético sufren bastante. Al ser poco densos, se deforman rápidamente por causa del peso de la tierra y los colores pierden intensidad por culpa del sol una vez que han pasado dos temporadas. Los recipientes de plástico fabricados en PVC, polietileno o resina sintética garantizan una mayor calidad.

Existen dos modos de fabricación en el mercado actual. El modo de inyección ofrece un acabado brillante y liso, el aspecto clásico del plástico, mientras que el modo de rotomoldeado es una técnica más reciente que permite obtener productos de color que imitan otros materiales, sobre

Esta jarra de fundición con asas es casi una pieza de museo. ▶

▼ El plástico cede con la presión de la tierra.

MACETAS CON RESERVA DE AGUA

Estos recipientes están dotados de un sistema que humidifica permanentemente el sustrato por capilaridad. La mezcla de las tierras se asienta en una red que la separa del compartimiento que contiene el agua. Este compartimiento se llena a través de un canalillo. Una o varias mechas están mojadas en el agua y ofrecen la cantidad nece-

saria para la planta. Existe una capa intermedia entre la red y el agua para garantizar la ventilación gracias a una chimenea de ventilación. Esta técnica permite espaciar el riego y ausentarse durante una o dos semanas según la estación. En el exterior, el inconveniente de estas macetas es que la lluvia las riega de un modo incontrolado y la tierra se satura. Es necesario situarlas

bajo un techo durante el invierno. Espere hasta que se vacíe la reserva de agua y deje que pasen algunos días antes de llenarla nuevamente para que las raíces se sequen y se aireen.

Utilice agua templada. ▶

domina el blanco brillante o mate. El color del barro cocido es el predominante en los productos rotomoldeados.

Los recipientes de plástico no se fabrican en tamaños grandes, a pesar de que los modelos recientes rotomoldeados permiten modelos con diámetros hasta 110 cm.

La piedra, gran duración

A excepción de los modelos antiguos tallados en piedra natural, inaccesibles por causa de sus precios, el resto de modelos que denominamos «de piedra» están fabricados con piedra reconstruida, una mezcla de cemento y de resina con mármol y cuarzo.

Las formas que se inspiran frecuentemente en modelos antiguos se fabrican con moldes que tienen motivos decorativos muy elegantes. Los precios de los recipientes más bellos son bastante elevados, pero su longevidad es muy grande y su mantenimiento es nulo.

Debido a su gran peso, la piedra reconstruida no es aconsejable para los balcones y las azoteas. En contrapartida, ofrece un gran glamour en los jardines y los patios, sobre todo cuando consigue cubrirse con una pátina y se le incrustan musgos y líquenes. Para favorecer este «envejecimiento», vea los consejos del recuadro de la página 36.

El gres industrial esmaltado

Este material se obtiene por vitrificación del caolín en hornos a más de 1 200 °C. Puede ser esmaltado con plomo para obtener una mejor resistencia a las temperaturas gélidas. Su solidez es superior a la del barro cocido, del cual proviene, y sus colores son muy variados, aunque predomina el marrón. Su precio es alto, pero el gres puede utilizarse tanto en el interior como en el exterior. Su aspecto se asemeja al de la alfarería esmaltada. En gres, principalmente, se realizan macetas y jardineras de pequeñas dimensiones.

De metal fundido, más elegantes

Este material, un poco olvidado hoy en día, vivió sus días de gloria en los jardines de la época victoriana donde reinaban las grandes jarras con adornos finamente trabajados. La única ventaja que ofrece es su aportación decorativa, casi ilimitada. Los recipientes de metal fundido se realizan a partir de moldes que les confieren formas muy complejas. Hoy en día, los tiestos y jarrones forjados se consideran como objetos artísticos fabricados individualmente por artesanos especializados. Éstos forjan las lámparas del jardín y las estatuas de mayor calidad. Tenga cuidado, los metales fundidos son muy pesados.

LAS MACETAS RECICLADAS

Para dar un toque personal y divertido a las plantaciones, puede reciclar diferentes objetos, según su imaginación. Un caldero viejo, un jarro metálico, un viejo fregadero, una jofaina de aluminio o una regadora de zinc pueden servir.

Compruebe que tengan un orificio por el que el agua pueda pasar para que las raíces no se pudran. De no ser así, perfore el fondo con uno o dos agujeros sirviéndose de una broca. Las plantas con caída o de poco crecimiento se sentirán muy a gusto. Un tonel en desuso sirve de excelente recipiente; si lo parte en dos, refuerce los aros que lo cubren para evitar que las láminas se separen. Coloque en el interior una película de plástico y llénelo de agua para poder poner plantas acuáticas. Colóquelo encima de 3 o 4 ladrillos a fin de aislarlo del suelo.

▼ Este viejo caldero de fundición es muy elegante.

▼ La piedra reconstituida logra una bella pátina con el tiempo.

▼ Las jarras de cerámica deben resguardarse en invierno.

▼ Los recipientes de hormigón imitan bien la piedra.

TODAS LAS MODALIDADES DE MACETAS

La diversidad de formas y de recipientes tiene nombres bastante definidos. Es bueno conocerlos para poder hablar con más precisión con los vendedores, en las tiendas y para escogerlos mejor en los catálogos.

Consejo: En el mercado existe una gran variedad de modelos de recipientes; los podemos encontrar con el mismo color o con igual motivo decorativo en toda la gama de artículos posibles. Es una buena idea para componer un conjunto variado, pero a la vez homogéneo.

▲ La gran gama de recipientes existente permite acoger plantas muy diversas, como estas plantas vivaces.

La elección de los recipientes depende de su aspecto decorativo, pero también del lugar que ocupe, del estilo en general del balcón y la terraza y, evidentemente, de la planta que acoja. El modelo tiene que ser diferente para una planta de tallos colgantes, una conífera recta o para una especie de grande o pequeño crecimiento. La masa de las raíces, al ser casi siempre proporcional al volumen de las hojas, debe tenerse en cuenta para escoger el tamaño de la maceta y para poner la cantidad necesaria de tierra para alimentar correctamente a la planta. La duración de ésta también tendrá

que considerarse. Las plantas de duración anual se pueden colocar en las jardineras de contención débil porque sólo estarán vivas en verano.

▼ Modelos de jardineras de madera y plástico.

▲ Las macetas con asas son muy originales.

▲ Podemos encontrar macetas florentinas de gran tamaño.

▲ La canasta, entre maceta y jardinera.

▲ El macetero redondo o cuadrado, siempre de gran porte.

▲ Macetas, maceteros y jardineras, un conjunto armonioso.

Las jardineras, alargadas

Las jardineras son recipientes de forma rectangular cuya longitud es como mínimo el doble de la altura. Existen de muchos materiales. Los modelos más pequeños que se encuentran se denominan «balconeras». También pueden colocarse en las ventanas y en la barandilla del balcón. En general, la balconera no presenta aspectos decorativos en su superficie.

Las dimensiones tienen que respetar cierto equilibrio: la longitud no será más de tres veces su anchura. La profundidad máxima será de 15 cm.

Una anchura de 15 cm permite instalar y ordenar plantas situadas una al lado de la otra. Para plantar en dos hileras, necesitaremos como mínimo 20 cm. La longitud no tiene límites, excepto por el peso del conjunto. Elija jardineras de 1 m de longitud como máximo.

Los maceteros, una cierta comodidad

Normalmente son cuadrados pero también los hay redondos o de láminas cortadas en forma hexagonal u octogonal. Combinan muy bien con las jardineras rectangulares y ocupan un lugar destacable en las esquinas de las terrazas y balcones.

Los modelos más altos que anchos son los mejores para los arbustos y las plantas trepadoras.

La forma cuadrada ofrece una buena estabilidad y un buen equilibrio. Los maceteros de invernadero combinan a menudo los travesaños de metal con la madera de los laterales y la base. También los hay de aluminio, que se distinguen por su ligereza y solidez y su casi ausencia de mantenimiento.

Los maceteros redondos acostumbran a tener forma de copas o de jarras idénticas en su altura y diámetro. Su silueta es elegante pero ocupan más espacio que el resto. Utilícelos para los ejemplares aislados situados, preferentemente, en el centro de la terraza. Los maceteros redondos resaltan el valor de los rosales, las azaleas o las coníferas, además de las plantas de tallos colgantes, como los pelargoniums.

Las canastas, para las flores

Más abiertas que las macetas, menos largas que las jardineras y de profundidad reducida, las canastas son, generalmente, de barro cocido o de plástico. Su forma se inspira en la de los cestos. En ellas se plantan, normalmente, flores de temporada. Son un buen recipiente para realzar las tulipas, los narcisos y los crocos.

LAS JARDINERAS CON RESERVA DE AGUA

Aunque los modelos que existen son muy limitados para utilizarlos en el exterior, las jardineras con reserva de agua son interesantes, sobre todo en las regiones donde llueve menos. Utilice una tierra bien aireada (mezclándola con bolitas de arcilla) y cultive en estos recipientes aquellos vegetales que requieran de más agua, como las plantas anuales (petunias, scaevolas) o las plantas de textura suave (impatiens, coleus).

▼ Las plantas aromáticas requieren humedad.

Algunas tinajas antiguas son decorativas, aún vacías, por su pátina y forma escultural.

Las flores, tímidas, dejan el estrellato a esta copa.

Los cestos permiten crear vivas composiciones.

Las fuentes y las copas

Estos recipientes redondos, de forma esférica o ensanchada, tienen un pie que realza y afirma su silueta. Las más trabajadas se encuentran en los jardines palaciegos a la francesa y se sitúan estratégicamente en los cruces de los paseos, o al principio de las escaleras monumentales, para así acentuar la perspectiva de sus formas elegantes y para dar estructura a los embalses. Adórnelas con plantas anuales (petunias, *impatiens*, bidens, dalias enanas, crisantemos) o bianuales (crocos, muscarias, tulipas botánicas).

Como el fondo de estos recipientes, al no estar perforado por causa del pie, requiere de un buen drenaje, disponga una capa de 10 cm de gravilla gruesa recubierta con un fieltro agrícola para impedir que las raíces penetren. Compruebe la estabilidad de estos recipientes decorativos. Al ser más altos que anchos, tienen una mayor superficie de exposición al viento. Los más pesados, como los forjados, tienen mayor estabilidad. Los demás pueden volcarse durante las primeras tormentas otoñales. Para paliar dicho inconveniente rodee el pie con un alambre discreto y sujételo con un cáncamo clavado al suelo. No conviene juntar las fuentes y copas ni tampoco colocarlas junto a las paredes. Podrán ofrecer lo mejor de ellas de un modo aislado, en un lateral del balcón o en el centro de una terraza encima de un pedestal. Los modelos de piedra reconstruida imitan a la perfección las antiguas fuentes. Al ser decorativos puede que recarguen la decoración y, por ello, se aconsejan para las grandes terrazas.

Las tinajas, formas curvilíneas

Más altas que anchas, las tinajas tienen la misma forma que los recipientes romanos y griegos que servían para conservar el aceite y el grano, resguardados de la luz y al fresco.

Las tinajas se enterraban, generalmente, hasta la mitad en la tierra de las bodegas. De ahí, se explica su forma tan original, barrigudas y con una base más estrecha. Como algunas no son muy estables, para evitar que se caigan, puede instalarlas en un ángulo entre dos paredes, enterrar la base unos 10 cm o colocarlas encima de un soporte de hierro forjado en el que introduciremos la base.

Las tinajas pueden albergar una cantidad de tierra nada despreciable. Su orificio superior, al ser más estrecho, limita la cantidad de vegetales que se pueden plantar. En ellas se plantan sin problemas especies de tallos colgantes, surfinias o lotos, por ejemplo. Hay modelos actuales que tienen orificios en los laterales para poner plantas pequeñas en ellos.

Las tinajas con asas, cuya utilización original servía para plantar fresas, se denominan consecuentemente «freseros». Este recipiente es muy decorativo y acepta todo tipo de plantas: verbenas, ageratuns, coleus, begoñas o plantas aromáticas cuyo desarrollo no sea muy grande.

Los jarrones, elegancia

Estos recipientes clásicos de forma ensanchada se conocen desde la Antigüedad. Presentan una superficie lisas bien trabajada, decorada con motivos de bajorrelieve. La solidez de los jarrones de barro cocido depende sobre todo del espesor de sus laterales. Sus dimensiones son muy diversas y su diámetro alcanza los 70 cm o incluso más en los jarrones de plástico.

En los modelos más pequeños se pueden plantar las plantas más jóvenes, los cactus enanos o sembrar esquejes. No hay de madera, en contrapartida, los hay de cristal que son copias de los jarrones para flores de interior. Considérelos como objetos decorativos frágiles porque no soportan el hielo y se rompen con el más mínimo golpe. Las formas clásicas de los jarrones permiten integrarlos en cualquier lugar. Incluso, a veces, pasan inadvertidos porque realzan muy bien el valor de las plantas que acogen.

Los recipientes colgantes y los cestos

Estos modelos permiten presentar flores en espacios impensables y vestir las paredes desnudas o poco estéticas. En el balcón, los cestos y los recipientes colgantes pueden colocarse por todos lados. Compruebe que no incomodan al pasar. Estos recipientes deben ser ligeros, normalmente se fabrican de plástico y pocas veces se encuentran realizados en barro, aunque los hay de cestería. Si en el lugar que hemos escogido para colgarlos no puede derramarse el agua, piense en colocar una película de plástico en el fondo de la maceta. Pero tiene que saber que el riego será bastante complicado.

El exceso de agua, como no puede evacuarse, puede asfixiar a las raíces. Los ingleses son unos grandes aficionados a las plantas colgantes. Como ellos, juegue con las alturas de fijación para utilizar el máximo espacio y no olvide que estos recipientes deben ser accesibles para poder regarlos cómodamente.

Los apliques

Son la variante fija de los recipientes colgantes. Los apliques permiten decorar una pared, una valla o un separador, además de fijarlos en una celosía. Las plantas las elegiremos en función de la poca tierra que pueden contener dichos apliques. Por ejemplo, plantas de roca, plantas anuales con poco desarrollo y pequeños bulbos.

Las artesas, de piedra rústica

Es el reino de las plantas de roca por excelencia. Las artesas tradicionales son de piedra. Existen reproducciones excelentes de piedra reconstruida, menos caras que las artesas tradicionales. Deje que crezca el musgo en la superficie del material, creará la pátina que requiere todo recipiente nuevo y que forma parte, a lo largo del tiempo, de la decoración. El único defecto que tiene es su elevado peso.

El musgo esconde el material que retiene la tierra. ▶

LAS RUEDAS SON PRÁCTICAS

Dote los maceteros de madera con ruedas. Los moverá fácilmente para resguardar las plantas del frío o ponerlas a la sombra cuando el sol sea intenso en pleno verano. Además, podrá limpiar la terraza más cómodamente o cambiar el decorado cuando se le antoje.

▼ Elija ruedas que se adapten al peso del macetero.

▼ Los apliques visten las paredes y las barandillas.

▼ Las artesas realzan las flores más sencillas.

ACCESORIOS ÚTILES

*A veces basta con sólo un simple
detalle para realzar una maceta,
una jarra o una jardinera.
Ligue lo útil con lo agradable,
combinando el aspecto decorativo
con lo práctico, para facilitar
el mantenimiento y la belleza
de la presentación. Esto es lo que
le proponemos que descubra aquí,
a través de objetos muy interesantes.*

Consejo: Todas las macetas deben tener el fondo agujereado para
permitir el drenaje del agua
en exceso. Para evitar filtraciones al suelo o a los vecinos,
es indispensable ponerla encima de otro recipiente.

△ Los colores y las formas combinan discretamente y realzan los suaves colores de los vegetales.

◁ Esta piña de barro cocido es símbolo de bienvenida.

La presencia de un objeto decorativo en un balcón o en una terraza se justifica si realza las plantas. Pero aún lo apreciaremos más si puede ofrecer algún servicio. Por ejemplo, un cesto florido puede colgarse de un gancho. Este último puede tener forma de pájaro, de flor o de mariposa para salir de su marco estrictamente funcional.

Los recipientes que no tengan ningún interés decorativo pueden cubrirse con un cubremacetas decorado, normalmente barnizado o esmaltado. Un cubremacetas nunca tiene un orificio en la base, por lo que es necesario comprobar que la maceta no se encuentra sumergida en agua ya que podría ser perjudicial para las raíces.

Los platillos solucionan mejor este problema ya que el nivel de agua excesivo puede verse a simple vista. El material y los colores de éstos tienen que ser parecidos a los del recipiente, las mezclas estridentes no son nada estéticas. Para evitar que el agua no se vierta nunca, y guardar una propor-

LOS SOPORTES DE LAS JARDINERAS, ACCESORIOS INDISPENSABLES

El hecho de colgar balconeras en las barandillas está prohibido. Instale los recipientes colgados hacia la parte interior del balcón. Puede escoger

entre diferentes modalidades de fijación metálicas, fijas o regulables. Hoy día hay balconeras que están dotadas de sujeciones de plástico integradas en el recipiente. Poseen una pestaña para que se mantengan derechas una vez instalado el soporte. Mida las tres dimensiones principales. En caso

◄ Un soporte de hierro forjado muy estético.

de duda, opte por una fijación que regule la altura. La largura varía de 45 a 100 cm. Compruebe, además, el peso que puede soportar la fijación, sobre todo cuando se trate de colocar balconeras de barro cocido. Hay diferentes modelos de seguridad dotados de brazos metálicos pivotantes que se introducen en la tierra de la maceta para mantenerla fija en el lugar. Las macetas redondas se pueden apoyar en una base

Seguridad complementaria. ►

de hierro adaptada al tamaño de éstas. Se pueden fijar contra las paredes, colgar de las láminas de los postigos, en las celosías o en las batientes de las ventanas. Cambie las fijaciones cada año.

ción de equilibrio, el diámetro de los platillos debe superar en una quinta parte el diámetro de la maceta.

Si crea un conjunto de tamaño pequeño, coloque una bandeja rectangular; es una solución práctica.

Los pedestales y columnas ensalzan los jarros y las copas. Cuide la estabilidad de los soportes y de los recipientes. La presencia de estos soportes sirve también para dar volumen a la decoración. Evite los modelos que tengan decoraciones demasiado barrocas y que estén al límite del mal gus-

Las bases son mayores que los tiestos. ►

to. Los accesorios ganan con la sencillez. Para garantizar una buena ventilación de las macetas, las cantoneras estilizadas o que representan animales son una buena solución. Coloque tres cuando se trate de recipientes redondos y cuatro cuando sean maceteros cuadrados.

Las esferas solares, los apliques, las estatuillas y las lámparas pueden convertirse en objetos decorativos al igual que las lámparas de aceite o las mesillas de servicio.

▼ La columna realza una jarra fresera.

▼ Un modo elegante de alzar las macetas.

▼ Las etiquetas pueden convertirse en objetos decorativos.

LOS SECRETOS PARA PLANTAR

Los cultivos de plantas en macetas se renuevan con más rapidez que los de los jardines, lo que le obligará a plantar más a menudo. ❀ *Es un momento de placer intenso pues es cuando se construye el decorado que toma forma según nuestra fantasía. También es la ocasión de entrar en contacto íntimo y sensual con la tierra y el vegetal que acogemos en nuestras manos. La técnica de colocación de una planta en una maceta es idéntica a la colocación directa en el suelo de un jardín.* ❀ *Lo importante es que las raíces estén en contacto con el sustrato y que no se formen bolsas de aire. En los recipientes torneados, no siempre es fácil, porque es difícil deslizar las manos entre la tierra y las paredes del recipiente para compactarlo todo correctamente.* ❀ *El truco consiste en usar palillos de bambú que, a través de los movimientos de vaivén, harán penetrar la tierra en los rincones más escondidos.* ❀ *En los maceteros, a veces la plantación se dificulta por los vegetales que ya están colocados y que han desarrollado un amasijo de raíces que muchas veces dudamos si hemos de podar.* ❀ *No tema nada y limpie adecuadamente el espacio en el que va a instalar a su nuevo inquilino. Al poner tierra totalmente nueva, estimulará la estabilización de las plantas que podrían haber salido perjudicadas por esta nueva plantación. Se puede plantar durante todo el año en el balcón. Este hecho tan peculiar ofrece un enorme placer.* ❀

B U E N A S   C O M P R A S

La oferta de plantas y artículos para jardín es muy amplia y se reparte en diferentes medios de distribución. Para realizar una buena compra, no hay nada como dirigirse a las tiendas especializadas que le podrán garantizar una amplia y variada selección, además de muchos consejos.

Consejo: Para sacar partido a los consejos de los vendedores especializados, visite las tiendas entre semana. El personal está más disponible y podrá dedicar más tiempo para aconsejarle. Le recomendamos que vaya a media mañana, es mucho mejor que por la tarde o a primera hora.

▲ Los centros de jardinería son lugares divertidos y agradablemente decorados, repletos de buenas ideas para comprar mejor.

Puede realizar sus compras en tiendas especializadas (tiendas de grano, viveros, centros de jardinería), en las tiendas de decoración, en las secciones de jardinería de las tiendas de bricolaje o en la estantería de «plantas» de las grandes superficies no especializadas, sin olvidar la venta por catálogo. La primera norma que hay que respetar es no sucumbir ante la tentación de una promoción. Es necesario reflexionar sobre lo que se quiere comprar en función de las necesidades, de sus preferencias, del clima, del período de plantación y del espacio que vaya a adornar con plantas y flores.

◄ Una presentación práctica para las plantas vivaces.

Los centros de jardinería, la elección

En los centros de jardinería encontrará recomendaciones, variedad, calidad y continuidad del producto. Este último punto es importante porque no hay nada más frustrante que no poder volver a comprar un producto de jardinería, debido a que la promoción o la temporada se han acabado. En este tipo de establecimientos, los responsables deben dar una respuesta a la petición, sea cual sea. Además, hay una gran variedad de productos propuestos que no se limitan sólo a los artículos de temporada. En los centros de jardinería, que están bien organizados, trabajan vendedores especializados, titulados en horticultura y, por ello, grandes consejeros con relación a la elección y al cultivo.

EL TRANSPORTE Y LA ENTREGA

Si compra por correspondencia, vigile que los plazos de entrega sean muy reducidos y sólo compre durante las épocas de buen clima. Desempaquete las plantas nada más lle-

gar a casa para comprobar su estado y controle si los tiestos no se han roto. Rechace dichos paquetes si llega el caso. Para transportar las plantas que hemos comprado desde el punto de venta, colóquelas en el maletero para que se mantengan derechas. Dispóngalas en una caja de cartón o de madera sujetándolas para que no se caigan. No es aconsejable que en el maletero haya productos de-

◄ *Coloque las plantas en una caja de cartón para transportarlas.*

tergentes o lubricantes, ni siquiera en un trayecto corto. Cuando se trate de plantas de gran tamaño, envuelva las hojas con un plástico o con papel de embalar, pliegue los respaldos de los asientos y túmbelas. No transporte plantas que tengan las raíces al descubierto en la baca, salvo si están muy bien empaquetadas. No podrían soportar el viento, el frío o el sol. No ponga las plantas en los asientos traseros.

▲ Las barquillas floridas permiten escoger los colores.

Los horticultores, la especialidad

Estos productores venden directamente las plantas que cultivan. Tienen como objetivo ofrecer calidad. Son unos apasionados de las plantas y cultivan especies originales. Por ello, pueden ofrecer ejemplares sorprendentes, aunque puede que la gama sea limitada.

Los mercados, el flechazo

A pesar de que no es muy frecuente encontrar plantas en el mercado, algunas veces nos deparan sorpresas que hay que aprovechar rápidamente.

La venta por catálogo

La venta por catálogo permite escoger desde casa, tranquilamente, y comparar los precios. Los colores de las fotos, a veces, no son fieles a la realidad. En ocasiones, el embalaje deja mucho que desear.

Las grandes superficies, los precios

Los precios son atractivos, pero el mantenimiento de las plantas durante su estancia en

Se pueden obtener buenas ideas en las ferias de plantas. ▶

las grandes superficies es pésimo. Aproveche el primer día de promoción y no espere grandes milagros con relación a la calidad.

Las tiendas de bricolaje

A menudo disponen de una buena sección de jardinería, sobre todo de herramientas, productos y accesorios básicos. Sus precios no siempre son los más baratos.

Un buen embalaje es garantía de una empresa seria. ▶

LAS COMPRAS DE TEMPORADA

Las estaciones pasan y las flores siempre son diferentes.
No se precipite en realizar las compras demasiado pronto y aproveche las promociones más interesantes. Naturalmente que usted tiene derecho a permitirse ciertos caprichos. Pero para que duren las plantas, elíjalas en el momento adecuado.

Consejo: Si compra plantas, arranque los primeros brotes de las flores para que las raíces absorban al máximo el abono y se puedan desarrollar adecuadamente. El crecimiento de la planta será más correcto y la floración durará más. Abone las plantas un mes después de haberlas plantado.

▲ Compruebe la calidad de las plantas y el estado de las raíces cuando compre barquillas de floración anual.

◀ Las primaveras es mejor comprarlas en invierno.

■ En primavera todo es bello

Es la estación del despertar de las plantas que nos invita a adornar los balcones y las terrazas con flores para los meses siguientes. A partir de ahora puede sembrar capuchinos, phlox de Drummond, guisantes de olor, caléndulas, verdolagas, zinnias, chirivitas. Es la solución que ofrece más ventajas, pero tiene el inconveniente de dejar la tierra desnuda hasta que no se desarrollan las plantas.

Las bolsitas con las simientes contienen las instrucciones necesarias para plantarlas, léalas con atención. En primavera los centros de jardinería proponen una oferta sensacional de plantas en pequeños recipientes y listas para obtener una decoración inmediata.

Si va a utilizar esta técnica, elija *impatiens*, geranios, coleus, begonias, petunias, ageratums, claveles, mimulus, calceolarias, verbenas. Estas compras las realizaremos cuando desaparezca la posibilidad de heladas e incluso podremos comprar anthemis y fucsias.

Frecuentemente, las flores de verano se ofrecen a principios de primavera. Pero es mejor si esperamos hasta mediados de abril para comprar estas plantas. Al haber crecido en invernaderos puede que la vegetación no se desarrolle correctamente una vez que las hayamos plantado en las macetas. No se preocupe. Mantenga la tierra siempre húmeda y fertilícela correctamente, el crecimiento volverá a reiniciarse después de una o dos semanas de habituación. Los bulbos de verano se compran también en primavera: anémonas, begonias, gladiolos enanos, sparaxis, tigridias e incluso haemanthus o sprékélias para aquellos que prefieran ser originales.

Tenga en cuenta que deberá renovar la tierra durante esta estación. Es bueno renovar el sustrato de las jardineras cada dos o tres años.

La primavera también es la estación más adecuada para abonar y aplicar los tratamientos.

En verano, plantación inmediata

Es el momento para efectuar las plantaciones de sustitución de aquellas especies que terminan muy pronto su floración (mimulus, godetias, becerras). Sustitúyalas por plantas más tardías como las dalias enanas, celindas, reinas margaritas o, incluso, los primeros crisantemos de flores pequeñas.

Si aún no ha instalado el riego automático para proteger las plantaciones durante su ausencia, es un buen momento para pensar en ello.

Para sustituirlas, mientras espera que llegue la época de plantar otras especies, puede encontrar aún en los puntos de venta especializados geranios y otras plantas de verano de larga duración. Vale la pena que escoja ejemplares de gran tamaño para que combinen con aquellas que ya están plantadas.

En otoño, el trabajo duro

Desde finales de septiembre, encontrará en las tiendas una selección de bulbos bastante voluminosa para plantar durante el otoño y que florezcan en primavera. Por ejemplo, tulipanes, narcisos, jacintos, crocos, alliums y fritilarias. Tanta abundancia puede ser un problema.

Elija bulbos de gran tamaño, sanos y firmes. Cómprelos pronto para encontrar más elección dentro de todas las varieda-

Brezos y coníferas enanas garantizan la decoración invernal. ▶

Compre las bouganvillas cuando no haya riesgo de heladas. ▶

des, pero no los plante demasiado pronto. Si el final de la estación es suave (veranillo de San Miguel), podrían crecer antes de haberse beneficiado del descanso invernal. A la espera de plantarlos, almacénelos en un lugar fresco, aireado, claro y al abrigo del frío.

El otoño también es el período de plantación de los arbustos, los rosales y las coníferas. Aproveche las ferias que se celebran durante esta época para descubrir plantas originales o colecciones, y charlar con los especialistas. Pueden enseñarle muchas cosas.

Prepare las jardineras de otoño con diferentes crisantemos, brezos, cinerarias y, sobre todo, arbustos con frutos decorativos como las penettyas y las skimmias, que crean un efecto de gran belleza en las jardineras.

Durante el invierno reconstrúyalo todo

Los balcones y las terrazas a veces se dejan de lado durante este período. Sin embargo, es el momento de replantearse completamente la decoración. Pasee por las tiendas especializadas en busca de la decoración original que dará un toque de distinción. Compruebe las sujeciones de las balconeras. Pinte aquellas celosías que lo necesiten. Sustituya los recipientes envejecidos o deteriorados, y aproveche para cambiar la tierra. Siempre que no hiele, aún se pueden plantar arbustos en recipientes o parterres. ¿Y por qué no plantar un árbol de Navidad?

▼ Los centros de jardinería ofrecen gran variedad de macetas.

▼ Piense en crisantemos de flores pequeñas para el otoño.

LA TIERRA

La tierra es a la vez el sustento y la fuente principal de nutrientes para todas las plantas cultivadas en macetas o jardineras. La elección de la mezcla de tierras es fundamental para obtener el desarrollo ideal de las plantas, aunque éstas sólo duren un verano o varios años.

Consejo: La tierra de las macetas y de las jardineras constituye la fuente de nutrientes de las plantas. Pero rápidamente pierde todos los elementos nutritivos, porque se disuelven o las raíces los absorben. Hay que reestructurar esta reserva aportando materia orgánica y abonos.

▲ El sustrato ideal para una buena plantación se produce a partir de la mezcla de diferentes componentes.

▲ Sin una buena tierra... ¡olvídese de las plantas!

No hay una mezcla de tierra que sea totalmente versátil, cada tipo de planta exige unas características determinadas. Desde el principio, sea previsor y procure un sustrato suficientemente rico y equilibrado para evitar tener que cambiar la tierra con frecuencia.

La aportación de nutrientes

Basta poner un fino sustrato en los tiestos, suspensiones y jardineras, para que las plantas estén satisfechas; por ello, es tan importante que haya una tierra que contenga todos los elementos nutritivos esenciales para el crecimiento de las plantas cultivadas. Las principales sustancias nutritivas presentes en la tierra son el nitrógeno (N), que favorece sobre todo el crecimiento de las hojas; el fosfato (P), que regula el crecimiento y la nutrición de las plantas, y el potasio (K), que actúa en el desarrollo de las flores y las frutas. Además de estos tres elementos principales, el suelo contiene también oligoelementos que están presentes en pequeñas cantidades y son indispensables para la supervivencia y el crecimiento de las plantas. Se trata de hierro, manganeso, azufre, boro, yodo, etc. Para que la tierra de sus recipientes se mantenga siempre equilibrada, hay que aportar, en el momento de la plantación, y después una vez al año como mínimo, humus (en las tierras comerciales se encuentra en grandes proporciones), composts o estiércoles animales bien descompuestos.

Las cualidades fisicoquímicas

Al igual que la tierra del jardín, la tierra de las macetas también reacciona químicamente. La medida de esta reacción viene definida por el pH, o potencial de hidrógeno, que puede ser neutro (7 en la escala de valores), ácido (por debajo de 6,5) o básico (cantidad superior a 7,5). Es aconsejable que conozca el pH de su tierra para que pueda elegir y cultivar plantas que se adapten correctamente. Muchas plantas se benefician de las tierras con un pH comprendido entre 6 y 7. Existen instrumentos de análisis de tierra, como los reactivos de colores, que permiten determinar el pH del sustrato con una gran precisión. La naturaleza física de la tierra que emplee es muy importante también. Una tierra demasiado ligera, con una cohesión débil, no puede fijar sólidamente las raíces de los vegetales sometidos a vientos violentos. Por el contrario, una tierra pesada y compacta es problemática por causa del peso, sobre todo en los balcones, debido al poco aguante de éstos. Para mejorar la capacidad de retención del agua en la tierra y para aligerarla, incorpore a su mezcla terrosa turba o materiales inertes como la arena de río, perlita, vermiculita o puzolana.

LAS TIERRAS QUE SE VENDEN EN LAS TIENDAS

En las tiendas encontrará una gran gama de sustratos para el cultivo listos para usar: tierras universales, tamices, tierras para geranios (que sirven para las otras plantas anuales), tierras de relleno, tierras para esquejes o tierras para las siembras. En general se trata de mezclas de turba oscura, tierra, estiércol descompuesto, elementos fibrosos y materias orgánicas. Algunas variedades contienes, además, elementos de retención del agua como bolitas de arcilla expandida (tierra para macetas con recipientes para agua). Estas mezclas preparadas son una solución fácil y práctica para jardineras que no duren más de dos temporadas. Para las plantaciones que tengan que durar más, haga usted mismo su propia tierra. Un buen sustrato se obtiene a partir de la combinación de componentes que garantiza una aportación de nutrientes suficiente para compensar el escaso volumen de tierra, un buen drenaje y también una correcta retención del agua, además de la cohesión del suelo para fijar aquellas plantas que se encuentran, a menudo, expuestas a los fuertes vientos. No existe una sola receta, cada tipo de planta tiene sus exigencias específicas.

El drenaje

El agua del riego o de la lluvia tiene que poder circular a través del sustrato en el que hemos plantado el vegetal y no se debe estancar al nivel de las raíces. La tierra tiene tendencia a compactarse debido al efecto de los riegos seguidos. Antes de plantar, ponga una capa de drenaje (bolas de arcilla expandida, cubos de arcilla) de 2 a 3 cm de grosor en el fondo del recipiente. Después recúbrala con un fieltro que servirá para mantener los elementos más finos de la tierra que puedan obstruir los orificios de evacuación de la maceta. Evite utilizar un sustrato demasiado pesado y compacto que pueda asfixiar a las raíces.

▲ La tierra con pH neutro conviene a la mayoría de las plantas.

◄ El éxito de la plantación depende de la elección del sustrato.

TIERRA PARA SIEMBRAS

ARCILLA

TURBA RUBIA

FIBRA DE COCO

TIERRA DE BREZO

TIERRA PARA TRANSPLANTE

TIERRA DE JARDIN

ARENA

LOS MATERIALES BASE

Diversos sustratos están a su disposición en los diferentes comercios, bajo formas de mezclas de diferentes materiales en estado puro. Todos tienen sus ventajas y sus inconvenientes y usted debe conocerlos para garantizar el bienestar y la perennidad de las plantaciones en maceta.

Consejo: No confunda el mantillo con el abono, aunque las materias primas sean las mismas. El abono es el sustento del cultivo en el que las plantas crecen directamente. El mantillo es una mejora del suelo que se debe mezclar con el sustrato. Las respectivas proporciones varían según la naturaleza del abono y según las plantas.

Para realizar una mezcla que se adapte a sus plantas, consulte las páginas del «Diccionario de las plantas», donde encontrará todas las indicaciones para utilizar correctamente los diferentes substratos de cultivo.

▲ Agrosil.

La tierra de jardín

Está compuesta por una mezcla de arcillas, arena, caliza y humus que pueden variar de proporción según su origen. Analícela antes de incorporarla en la mezcla de tierras. Así, podrá usted modificarla correctamente. Atención, muchas veces la tierra de jardín contiene semillas de malas hierbas.

Los mantillos

Contienen una cantidad importante de humus, producto de la descomposición de las materias orgánicas animales y vegetales. Este humus retiene una gran cantidad de agua y nitrógeno, y favorece la asimilación de una gran cantidad de elementos fertilizantes que se encuentran en la tierra. Un buen mantillo, ya sea de hojas o de estiércol, debe contener una parte de deshechos vegetales que no estén descompuestos. Cuando se emplea en estado puro, se apelmaza y cubre los pequeños orificios de eva-

▲ Cortezas.

cuación de agua del recipiente. Al incorporarlo en un sustrato pesado, lo aligera y hace que sea más permeable y, si lo mezclamos con arena, conseguiremos una mezcla con más cuerpo.

Las turbas

La turba rubia es un sustrato fibroso ácido y pobre en contenido nutritivo. Se impregna de agua con gran facilidad sin dejar de estar aireada. Se utiliza para aligerar las mezclas de mantillo y para facilita la mejor retención del agua. La turba morena es un sustrato muy ligero que, cuando está seco, difícilmente se rehidrata. Se encuentra en la mayor parte de las mezclas que se comercializan, que ya están listas para usar.

La arena

Este material es fruto de la erosión de las rocas de silicio. Formada por pequeñas partículas cristalinas totalmente disgregadas, es muy

▼ Fibras de coco.

▼ Estiércol.

▼ Mulcao.

▲ Perlita.

▲ Puzolana.

▲ Arena.

▶ Tierra de jardín.

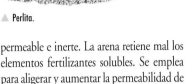

permeable e inerte. La arena retiene mal los elementos fertilizantes solubles. Se emplea para aligerar y aumentar la permeabilidad de un sustrato pesado y apelmazado.

La perlita

Este material inerte es una arena expandida que pesa entre 60 y 100 g por litro. Se emplea en lugar de la arena para aligerar y airear un sustrato de cultivo demasiado denso en las macetas grandes. En la mezcla de tierra no ponga más de un 20% de perlita para conservar una perfecta cohesión.

La vermiculita

Este otro material inerte desapelmazante está formado por minerales laminados. Es ligero y pesa entre 90 y 100 g por litro. No contiene ningún elemento nutritivo y tiene la misma función que la perlita.

El agrosil

Compuesto en un 45 % de silicio, en un 2% de nitrógeno ureico y en un 20% de anhídrido fosfórico, el agrosil aumenta la capacidad de retención del agua del sustrato y fija las sales y los metales pesados, lo

que disminuye los riesgos de intoxicación de las plantas. Tiene una acción de larga duración y una eficacia de seis a nueve meses como mínimo. Incorpórelo a todas las plantaciones o como complemento fertilizante en primavera y otoño.

La puzolana

Esta roca volcánica, porosa y relativamente ligera, se añade a las mezclas de tierra para airearlas y hacerlas más permeables. Si se mezcla con el mantillo, evita que el suelo se apelmace.

Las cortezas

Las de pino son las que más se utilizan. En los comercios se pueden encontrar dos tipos de cortezas: las que tienen líber y las que no lo tienen, más regulares y sin polvo. Al descomponerse producen humus. Las de gran tamaño sirven de recubrimiento de la superficie.

Las fibras de coco

Esta materia prima de origen vegetal se utiliza como la corteza para crear un sustrato ligero, permeable y aireado.

El mulcao

Se obtiene al triturar las mazorcas del cacao. Este material sirve para componer los abonos o sustentar los cultivos. El mulcao, cuando está molido grueso, sirve para recubrir superficies como las cortezas.

El estiércol

El estiércol que se obtiene a partir de los excrementos de los animales de granja, contiene entre un 28 y un 30 % de materias orgánicas. Tiene nutrientes en proporciones bastante bajas. Además, aporta humus y mejora la calidad física del sustrato en el que se incorpora. En las tiendas podemos encontrar estiércol en forma de polvo o en granillo deshidratado. Son inodoros y se pueden dosificar y extender con facilidad, además de ser apropiados para su uso en balcones.

▼ Turba rubia.

▼ Turba negra.

▼ Vermiculita.

TODAS LAS TIERRAS

Algunas plantas necesitan sustratos específicos, que respondan a sus necesidades de aire y agua, y adaptados a una estructura particular. Puede acondicionar las mezclas pero seguramente encontrará en las tiendas tierras ya preparadas que darán respuesta a sus exigencias.

 Consejo:

El sustrato del cultivo tiende a apelmazarse conforme lo vamos regando y puede que con el tiempo aparezca una fina capa blancuzca, fruto de las sales minerales que se encuentran disueltas en el agua o que han sido expulsadas por las mismas plantas. Debido al peso y las dificultades del transporte, no siempre es posible desplazar una planta para cambiar la tierra. Para renovar la composición de la misma, es aconsejable escarbar con un rastrillo hasta 2 o 3 cm de profundidad, según el tamaño del recipiente, luego retire esta capa inerte y sustitúyala por una capa de la misma tierra que usó en el momento de la plantación.

Las explicaciones que se encuentran en los productos indican la función de la tierra y el cultivo o planta para los cuales está indicada. Diversifique sus provisiones o compre pequeñas cantidades para no tener que almacenarlas. Una vez que se hayan abierto los sacos, éstos deben utilizarse rápidamente para que el producto no pierda sus cualidades al entrar en contacto con el aire.

Tierra universal

La tierra «universal» aunque en principio está destinada a cualquier uso, no tiene en cuenta las necesidades específicas de cada planta. Esta denominación esconde, la mayoría de las veces, una composición corriente que sirve para todo y que se ofrece como producto de promoción o de reclamo. Esta tierra puede apelmazarse rápidamente por causa de su débil granulado y

▲ Tierra universal.

crear una capa en la superficie que impida el intercambio de agua y aire, además de la absorción de las materias fertilizantes.

Tierra de mantillo

En principio se trata de un producto que proviene de la descomposición de la hojarasca de los bosques. Su escasez, debido a su gran uso, comporta un control muy estricto de recolección. Normalmente se sustituye por una tierra que imita al mantillo. Ésta es una mezcla de turba ácida y de arena a la que se incorporan cortezas de pino descompuestas. Esta tierra es ligera y poco nutritiva, y requiere regarla con frecuencia. Su acidez hace que sea indispensable en las plantas acidófilas, azaleas, rododendros, camelias y helechos.

▼ Tierra de brezo.

▼ Tierra para macetas con reserva de agua.

▼ Tierra para balcones y terrazas.

▲ Tierra para geranios.

▲ Tierra para trasplantes.

▲ Tierra para siembra.

Tierra para siembras

Su interés principal es su ligereza y correcta ventilación. Está compuesta por turba fibrosa a la que se añade, según la composición, vermiculita u otro elemento inerte. Favorece el desarrollo adecuado de las siembras o el crecimiento de esquejes, al estimular el arraigo de las jóvenes plantas.

Tierra para trasplante

Cuando se trate de un cambio de recipientes de las plantas verdes o de flor, conviene usar esta tierra porque favorece el enraizamiento. Está formada por turba rubia con elementos inertes como la puzolana, vermiculita o cortezas de pino. Cuando realice esta operación, siempre a finales de invierno, no olvide restablecer una capa de drenaje en el fondo del nuevo recipiente de un espesor de 2 o 3 cm. Cada vez que usted vea que su planta está cansada conviene trasplantarla, es decir, cuando tenga un crecimiento lento, una disminución de la floración o abundancia excesiva de raíces que salen por el recipiente.

Tierra para balcones y terrazas

Su composición la convierte en una tierra excelente para retener el agua, a pesar del drenaje. Se compone de turba rubia, además de tierra vegetal, arena y estiércol con compost. Algunas especialidades incorporan silicatos en forma de gránulos, que ori-

ginariamente se denominaban «granos de agua». Éstos se hinchan de agua cuando se riegan, y la van desprendiendo en función de las necesidades de la planta.

Tierra para macetas con reserva de agua

Está pensada para garantizar una buena capilaridad que permita la subida del líquido a través de las mechas, desde la reserva hasta la planta. Está formada por turba rubia corriente (la morena se apelmaza rápidamente y se rehumedece con dificultad una vez que se ha secado), cortezas de pino enriquecidas, bolas de arcilla expandida o vermiculita.

Tierra para geranios

Contiene entre un 10 y un 20 % de tierra de jardín arcillosa para mantener al máximo la humedad del sustrato. Esta característica permite disminuir las veces que los regamos, dado que es una planta que no necesita mucho agua. Deje que la tierra se seque durante cuatro o cinco días después de haberla regado dos veces, conseguirá una floración excelente, y aún más si le pone abono cada dos veces que la riegue. La mezcla se completa con turba rubia y a menudo con cortezas de pino enriquecidas o con puzolana.

Cortezas enriquecidas

Existen diferentes granulometrías en función de si se utilizan mezclándolas en el interior de los recipientes, para garantizar la correcta ventilación y dar ligereza al conjunto, o si sirven para cubrir superficies. En este último caso, su función consiste en mantener cierta humedad en la superficie.

Tierras especiales

Las tierras para cactus y plantas crasas están enriquecidas con arena para obtener una mezcla muy porosa y facilitar el drenaje del agua, enemiga principal de estas plantas.

La tierra para orquídeas, por otro lado, contiene cortezas, musgos y bolitas de polietileno. La turba desmigada privilegia la ligereza para las plantas colgantes.

La tierra para los bonsáis está compuesta por tierra vegetal, turba, hojarasca y gravilla.

◀ Cortezas enriquecidas.

57

A CADA PLANTA SU RECIPIENTE

Sea cual sea el espacio del que usted disponga, siempre encontrará macetas, suspensiones o jardineras para que las plantas crezcan en las mejores condiciones y para realizar composiciones con encanto que pueden modificarse y transformarse a lo largo de las estaciones y en función de su inspiración.

Consejo: Las macetas y jardineras con reserva de agua son muy útiles si tiene que ausentarse a menudo durante períodos breves de ocho a diez días. Estos recipientes, que permiten disminuir la frecuencia del riego, deben instalarse al abrigo de la intemperie para evitar que la reserva no esté anegada continuamente.

▼ Combine diversas plantas aromáticas en una sola maceta.

▲ La plantación en macetas con alturas diferentes aumenta la sensación de relieve.

Cuando trate de escoger un recipiente, tenga en cuenta las necesidades de la planta que va a cultivar. Las plantas voluminosas deben plantarse en macetas profundas para que tengan un crecimiento ejemplar y puedan conseguir una total estabilidad en caso de fuertes vientos. Tal vez lo más complicado sea elegir ante una variedad tan grande de macetas y jardineras, dado que se pueden encontrar realizadas en una infinidad de materiales, formas y colores. Procure que los recipientes sean sólidos, prácticos y estéticos, y cree una unidad con tonos que sean armoniosos. Haga que sus macetas y platillos combinen con el estilo global de su casa.

Las macetas de barro cocido

El encanto de los recipientes de barro cocido permanece inalte-

Combine la forma de la maceta con las de las plantas. ▷

rable. Son bastante onerosos, a pesar de que los hay de diferentes tamaños y precios. El barro cocido, al ser poroso, permite una buena ventilación del sustrato y de las raíces. La tierra en estos recipientes tiende a secarse con rapidez durante las épocas secas y soleadas, por ello, hay que regar a menudo y abundantemente. Por desgracia, todos estos recipientes tienen una frágil resistencia a las heladas y a

los golpes. En invierno, compruebe que el agua circula correctamente a través del orificio de drenaje, y proteja los recipientes cubriéndolos con una película plástica para evitar que estallen durante las heladas.

Los recipientes de plástico

Son muy ligeros, manejables y de fácil mantenimiento, además de bastante económicos. Mantenerlos no es nada costoso, pues basta con limpiarlos con una esponja y detergente. Al ser impermeables, limitan el secado rápido del sustrato. Estos recipientes, en contrapartida, suelen durar poco porque se deforman con facilidad. Desde hace algunos años, su calidad estética ha mejorado considerablemente gracias a su mayor parecido con los realizados con barro cocido o madera. Los colores vivos y brillantes ceden el paso a los mate más naturales (arcilla, piedra gris o rosa, color marfil o gris oscuro).

Atención, el plástico blanco amarillea rápidamente. Las jardineras y los recipientes de pequeño tamaño tienen poco peso y resistencia, por lo que, a menudo, caen por el viento.

Una maceta ancha es útil para las plantas densas. ▷

Los recipientes de hormigón

Son recipientes en general muy pesados, poco estéticos y caros. Restrinja su empleo en las terrazas que están a ras del suelo.

La madera

Este material se emplea mucho en los recipientes de alta gama. Frecuentemente son muy pesados y poco manejables. El castaño y el roble resisten mejor a la intemperie, pero son más comunes el pino tratado y las maderas exóticas (teca). La madera ofrece la ventaja de combinar con el resto de materiales. Es elegante y necesita un cuidado constante para mantener su bello aspecto y protegerla de los deterioros causados por la humedad.

Es preferible usar recipientes de madera en balcones y terrazas al resguardo de la intemperie. Evite las jardineras demasiado largas porque las láminas del fondo tienden a deformarse.

La piedra reconstruida

Sustituye a la piedra real que es muy escasa. Los recipientes, sólidos y resistente, tienen una superficie finamente granulada que adquiere una preciosa pátina con el tiempo, pero tienden a cubrirse de musgos y líquenes cuando se encuentran en ambientes húmedos y sombríos. La piedra es demasiado pesada para la mayor parte de los balcones. Empléela en las terrazas ajardinadas de las plantas bajas.

Elija bien

Las formas anchas son menos sensibles a las heladas que los recipientes abombados y con cuello estrecho. Para las plantas con ta-

llos colgantes y densas, elija recipientes anchos. Las formas cúbicas y cilíndricas son apropiadas para las coníferas piramidales o cónicas y para los arbustos de un tallo. Antes de plantar definitivamente, aprovisiónese de accesorios (ruedecillas, tiradores abatibles) para desplazar los grandes recipientes. Atención, cuanto más pequeño sea el recipiente, más frecuentes deben ser los cuidados que debemos proporcionar a las plantas que acoja. Un mínimo de 30 a 50 cm de diámetro y de profundidad es lo que necesitan las plantas trepadoras, los arbustos y las grandes matas anuales.

▽ Una maceta cúbica combina con una conífera estilizada.

◁ Recipientes pesados para plantas de gran porte.

CÓMO COMPONER BIEN UNA JARDINERA

Una jardinera no es simplemente una acumulación de vegetales situados los unos al lado de los otros.

Al contrario, del mismo modo que en un parterre, hay que combinar con gusto formas, texturas y colores.

A continuación le explicamos los secretos y le damos algunas ideas para que las realice usted mismo.

▲ Las asociaciones más sencillas a menudo aportan resultados muy atractivos.

Consejo: **Plante vegetales con hoja caduca y perenne en proporciones 1/3-2/3 para obtener una decoración atractiva.**

◄ Esta jardinera de bulbos brilla con todo su esplendor en primavera.

Puede dar rienda suelta a su imaginación asociando las plantas con los recipientes más bellos y las jardineras que usted disponga. Pero antes de adquirir sus plantas, vele por su desarrollo y tenga en cuenta el espacio que ocuparán rápidamente en el futuro. En caso de colocar plantas en las ventanas descarte las que crezcan más de 50 cm y aquellas que se desarrollan desmesuradamente en todos los sentidos. Además, evite plantar especies de tallo fino y débiles en las terrazas y balcones en los que haya fuertes vientos. Atención, debe recordar siempre que las plantas crecen en el sentido de la luz. No ponga demasiados vegetales de tallos colgantes en un balcón porque no podrá sacar partido de su vistosidad; en cambio, ¡será la alegría de sus vecinos de abajo! Juegue con los períodos de florecimiento.

Una plantación de jardinera debe ser densa para que cree un efecto de profusión y abundancia. Al desbordarse generosamente del recipiente, parece que los balcones y las terrazas se hundan en el verdor y el color de las flores y plantas.

En contrapartida, para realzar la silueta específica o la forma original de una planta, aumente la distancia entre ellas y reduzca la cantidad de plantas del conjunto.

Al igual que en un jardín, coloque las plantas más pequeñas en primer término, delante de los ejemplares más altos.

No se recomienda asociar los vegetales demasiado dispares de tamaño. Respete cierta armonía de proporciones. A veces no siempre da buenos resultados tener una gran variedad de plantas. Una jardinera con una sola especie, da también excelentes resultados.

La elección de un tipo de decoración debe tener en cuenta el entorno donde se ubique la jardinera. Y si, a menudo, el aspecto visual de la jardinera prima, no deje de lado el follaje y las flores perfumadas porque aportarán un encanto complementario a su jardín.

Sin embargo, evite las mezclas de diferentes olores fuertes. Opte por la sutileza y la discreción.

Ocupar todo el espacio

Cuando compre plantas, elija un surtido en el que haya plantas de diferentes portes. Las que tengan un aspecto expansivo o colgante sirven para recubrir el borde y los lados de los recipientes o los pies de las otras plantas que son más altas y menos densas en la base.

En el balcón o en las ventanas, garantizan una decoración hacia el exterior de la cual usted no se beneficiará mucho. Las plantas bajas y compactas, en forma de mata densa o cojín, están indicadas para los primeros planos y los bordes. Los vegetales más altos se aconsejan para el centro y los segundos planos de las composiciones. Ofrecen un aspecto menos achaparrado a la composición.

Cuando el espacio sea reducido, plante algunos vegetales de tallo, como los anthemis, los hibiscos y las fucsias. Su base desprovista de vegetación cede su espacio para poner algunas plantas anuales poco tupidas. De este modo obtendrá diversos tipos de floración.

Plantación «en monte»

En el centro de la jardinera se plantan los vegetales que alcanzan una mayor altura. A un lado y a otro, coloque plantas cada vez menos altas, intentando crear un desnivel progresivo de alturas desde el centro al exterior. Evite esta disposición regular en las ventanas, porque la vegetación taparía toda la visión hacia el exterior e impediría que la luz entrara en la casa. Cuando los vegetales hayan alcanzado su desarrollo máximo, tenga cuidado cuando trate de cerrar los postigos de las ventanas.

En los balcones, podemos repetir esta sencilla disposición tantas veces como deseemos, teniendo en cuenta, siempre, el espacio disponible.

Esta disposición permite crear una pequeña separación discreta entre los vecinos y, al mismo tiempo, variar la perspectiva y los ángulos de visión.

Disposición en «V»

Esta disposición es la opuesta a la descrita anteriormente. Las plantas más pequeñas se colocan en el centro de la jardinera y, hacia los lados, se plantan los vegetales en sentido creciente. Los más altos deben situarse en las extremidades de la jardinera. Esta disposición es adecuada para las ventanas.

Disposición repetida

Esta disposición se obtiene a través de un patrón original, compuesto por un conjunto de vegetales ordenados de un modo preestablecido, y que después sirve de modelo para repartirlo sucesivamente a lo largo de toda la jardinera.

Esta decoración sólo puede realizarse en un recipiente grande que tenga más de 80 cm de largo. De hecho, hay que poder repetir, como mínimo, dos veces el patrón para conseguir el efecto deseado.

No busque grandes dificultades, los modelos sencillos compuestos por dos o tres plantas diferentes permiten obtener una bella jardinera.

▲ Otorgue importancia a las plantas compactas y bajas.

▲ Siembre plantas anuales a los pies de los arbustos.

▲ Plante de modo compacto para lograr un efecto de masa.

Evite la simetría, es fuente de monotonía. ▶

PLANTAR DIFERENTES VEGETALES

A menudo es un flechazo lo que nos hace comprar las plantas que vamos a colocar en las ventanas, en el balcón o en la terraza. Pero para obtener una decoración original y armoniosa que evolucione de un modo agradable a lo largo de las estaciones y según sus deseos, hay que reflexionar sobre lo que queremos plantar.

 Consejo: El éxito de su decorado depende de la diversidad de plantas que utilice, evite la monotonía.

▲ No compre una planta sólo por su aspecto. Piense que hay que integrarla en el decorado existente.

La primavera (en los meses de abril y mayo) es el momento ideal para plantar gran cantidad de plantas vivaces, las hortalizas de verano, las plantas aromáticas y, claro, todas aquellas plantas anuales más sensibles al frío, incapaces de resistir las heladas. Los bulbos de verano, que se abren de junio a noviembre, deben plantarse entre abril y mayo, cuando ya no hay riesgo de heladas. Algunas plantas exóticas (hibiscos, daturas, solanums) o mediterráneas (laurel rosa, anthemis, agave, aloe) pueden instalarse en una terraza o un balcón durante la estación de las flores. Como no son plantas rústicas, las debemos plantar cuando no existe ningún riesgo de hielo, hacia mediados de mayo. Las plantas de bulbo que florecen en otoño (cólquicos, algunos tipos de crocos, sternbergias) deben colocarse en las macetas a partir de finales de verano para obtener la

floración durante los meses siguientes. En general, las plantas bianuales se venden en macetillas a finales de verano y otoño. Se plantan antes de los grandes fríos y florecen a principios de primavera, o a finales de invierno, cuando aparecen las primeras bonanzas. Las plantas de bulbo de floración primaveral deben colocarse a principios de otoño. Evite los problemas de conservación y colóquelas en macetas inmediatamente después de haberlas comprado. Plántelas en setiembre o en octubre. Tenga cuidado porque las coronas imperiales deben plantarse en maceta a partir de mediados de agosto. Todos los arbustos y los árboles de raíz desnuda deben plantarse en octubre y noviembre. Realice esta operación cuando el clima sea suave y no haya riesgo de heladas. Estas mismas plantas, cuando se cultivan en recipientes, pueden plantarse durante todo el año y no hay riesgo de que no enraícen correctamente.

◁ Un bello ejemplo de plantación por niveles.

Combinaciones acertadas

Podemos encontrar una gran variedad de plantas que pueden adaptarse correctamente en los balcones y las terrazas. Para obtener un conjunto bien combinado, hay que realizar buenas asociaciones y saber integrar bien las nuevas adquisiciones a lo largo de las estaciones. A menudo no podemos dejar de sucumbir a la tentación de comprar nuevas plantas en los centros de jardinería o por catálogo.

Evite «coleccionar» plantas sin ton ni son, diferentes las unas de las otras. Compre por lotes de un mínimo de tres ejemplares. La coherencia de tonalidades es mucho más espectacular y el efecto que se obtiene, más bello. Para planificar mejor sus compras y plantaciones, realice un mapa de su balcón o de su terraza e indique cuidadosamente el lugar que ocuparán las macetas y jardineras, además de las especies que plantará en ellas. Coloque en una misma maceta o jardinera aquellas plantas que tengan las mismas exigencias de cultivo (tierra, abonos, luz y riego). Es preferible, además, que plante especies que tengan un crecimiento más o menos similar o complementario, para evitar que haya alguna que invada el espacio de las demás y asfixie a sus vecinas, con un desarrollo más lento. Conjugue plantas que tengan un mismo ciclo de vida; por ejemplo, las bianuales y los bulbos con floración primaveral, por un lado, y por otro, lechugas, tomates y claveles de indias. Respete las distancias apropiadas para la plantación.

Al comprar, elija bien

Compruebe el estado del raigambre de los árboles y arbustos que tengan las raíces al descubierto. Éstas no deben estar ni secas ni rotas. Los vegetales que están cultivados en recipientes o en macetas deben tener un buen enraizamiento, caracterizado por la

Plante los bulbos de primavera lo más pronto posible. ▷

En una jarra, plante todas las hierbas de cocina. ▷

homogeneidad de las raíces y la radícula alrededor del sustrato. Evite las plantas que tengan un cepellón denso de raíces estropeadas en el fondo de la maceta. Al estar cultivadas durante mucho tiempo en el mismo recipiente es difícil que vuelvan a agarrar. Las plantas que se encuentran en cepellones pequeños evitan las largas etapas de siembra y trasplante. Compre plantas con follaje sano, vigorosas y con la tierra húmeda.

En el caso de las plantas vivaces y anuales se puede tener la tentación de comprar plantas que ya estén floridas. Aunque tiene la ventaja de poder elegir los colores que se desean, es preferible comprar plantas que aún estén «verdes» o que tengan algunos brotes florales recientes, para que arraiguen mejor en la tierra. Vigile cuando compre los bulbos de flores. Elija los que tengan un aspecto inmejorable, sin ninguna señal de haber sufrido golpes ni ningún tipo de deformación o moho. Rechace aquellos bulbos marchitos o aquellos que tengan un tallo verde muy desarrollado. Los de mayor tamaño garantizan una vegetación más abundante y una floración más rica (ya sea por el tamaño de las flores o por la cantidad de éstas, según las especies).

▼ No entierre el injerto.

PREPARE CORRECTAMENTE LA PLANTACIÓN

La colocación de los cultivos en macetas o jardineras requiere preparativos de la plantación y del modo como se realizará esta operación. Aunque es bastante sencilla, tiene una gran importancia. No lo haga deprisa y corriendo. Tómese el tiempo necesario para realizar los pasos de un modo continuado, porque está en juego el resultado de sus macetas.

▲ Antes de plantar, cerciórese de que dispone de todo lo necesario y de todas las plantas.

Consejo: **Instale los accesorios y las plantas en una gran lona de plástico para no ensuciar el suelo de la terraza o del balcón.**

Avituállese de todo el material que necesite: recipientes, tierra, plantas, bolas de arcilla para el drenaje, plantadores y trasplantadores, regadera, tijeras, etiquetas, etc. El primer paso es el de controlar el drenaje del reci-

piente. Si no tiene un agujero para la evacuación del agua, hágale uno en el fondo. Esta operación es bastante sencilla si se realiza en una jardinera de plástico, pues éstas disponen de marcas para hacer los agujeros.

◀ En algunos recipientes nuevos deben efectuarse los agujeros de drenaje.

▼ Un trozo de barro cocido o una piedra grande evitan la obstrucción del agujero del drenaje.

▼ Ponga en el fondo del macetero una capa de drenaje de bolas de arcilla de 3 a 5 cm de espesor.

▼ Cubra la capa de drenaje con una capa de fieltro para evitar que se mezcle con la tierra.

Corte el opérculo de plástico con un cuchillo puntiagudo para retirarlo completamente. También puede perforarlo con la punta de un destornillador grande. Las macetas de barro cocido exigen una mayor prudencia para no resquebrajarlas. Haga con una taladradora un único agujero en el centro de la base del recipiente. Un orificio de 1 cm es suficiente para un recipiente de 14 cm de diámetro. Para ello, es necesario una taladradora con adaptador de velocidades. Empiece lentamente y pase después a la velocidad superior. Para evitar que el sustrato se escape del tiesto, disponga un pedazo de éste encima del agujero de drenaje. La siguiente etapa, la del rellenado del recipiente, debe empezarla colocando una capa de drenaje que ocupe una décima parte de la profundidad del recipiente. Para ello, utilice bolas de arcilla expandida, pedazos pequeños de recipientes de barro cocido o arena de granulado medio. Coloque, a continuación, un trozo de fieltro de jardín encima de la capa de drenaje. Esta capa retendrá los elementos finos del sustrato que podrían escaparse arrastrados por el agua del riego y saturar los orificios de evacuación del agua cuando se riega. A continuación, rellene el recipiente con dos tercios de sustrato y ya estará listo para plantar.

Bulbos en piso

Para obtener una maceta con bulbos de primavera bien tupida, puede plantar varias especies en un mismo recipiente. De este modo, obtendrá una composición florida durante tres o cuatro semanas. Elija una maceta de 30 cm de profundidad y de igual diámetro. Disponga una capa espesa de drenaje (como mínimo 5 cm) en el fondo y rellene la maceta con un sustrato arenoso. Coloque los bulbos con 1 cm de distancia e intente que no toquen las paredes del recipiente. Luego instale una primera capa de tulipanes (a una profundidad mínima de 15 cm). Cúbrala con el sustrato y a continuación disponga una capa de bulbos de

jacintos o de narcisos y altérnelos con los bulbos de tulipanes. Después cubra esta nueva capa con tierra y plante encima los bulbos más pequeños (crocos, anémonas, iris, escilas). Igualmente puede plantar en una maceta de 20 a 24 cm de diámetro 20 crocos, 20 narcisos y 16 tulipanes. Un festival de primavera garantizado.

En una maceta, plante los bulbos en varios niveles. ▶

LAS DISTANCIAS DE PLANTACIÓN			
Las indicaciones que se ofrecen a continuación sirven para las plantas que son más bien altas que anchas. Adapte las distancias de plantación al volumen concreto de las plantas. Redúzcalas por las formas alargadas y estrechas de algunos coníferas. Aumente el espacio para las plantas de nivel bajo y tapizantes.			
(Altitud de las plantas)	(Distancia de plantación)	(Altitud de las plantas)	(Distancia de plantación)
PLANTAS ANUALES		**ARBUSTOS**	
Menos de 30 cm	10 cm	Menos de 60 cm	40 cm
De 30 a 50 cm	20 cm	De 60 a 100 cm	50 cm
De 50 a 80 cm	30 cm	Más de 100 cm	100 cm
Más de 80 cm	40 cm	**ÁRBOLES FRUTALES**	
PLANTAS VIVACES		Menos de 200 cm	100 cm
Menos de 20 cm	15 cm	Más de 200 cm	150 cm
De 20 a 40 cm	20 cm	**BULBOS DE FLORES**	
De 40 a 60 cm	35 cm	Menos de 20 cm	1 a 2 cm
De 60 a 100 cm	45 cm	De 20 a 40 cm	3 a 5 cm
Más de 100 cm	60 cm	Más de 40 cm	7 a 10 cm

▲ Coloque los bulbos con una separación adecuada encima de un lecho de tierra arenosa y recúbralos sin dejar nada de aire.

BUENOS HÁBITOS PARA PLANTAR CORRECTAMENTE

Todo está a punto para empezar la etapa final de la plantación; ahora es el momento decisivo para el buen desarrollo de sus maceteros. Atención, no basta con poner bajo tierra todas sus plantas para que crezcan. A continuación, le damos algunos consejos prácticos muy valiosos para que no cometa errores ni deslices.

Consejo: Para que sus plantaciones sean un éxito, evite los días de sol radiante. Trabaje cuando el cielo esté cubierto, haga una temperatura suave y la humedad sea alta.

▲ Para plantar en un gran tiesto conviene trabajar acompañado.

▼ Saque las plantas girándolas, sin partir la pella de tierra.

Antes de empezar con la colocación definitiva de los vegetales, sumerja las plantas en una vasija con agua clara para humedecer las raíces. Saque las plantas cuando no se formen más burbujas al sumergirlas.

Deje escurrir el excedente de agua y después extráigalas cuidadosamente de los respectivos recipientes sin romper el cepellón. Para ello, dé un golpe seco en la base del recipiente mientras mantiene la planta mirando hacia el brazo. A veces, cuando las raíces forman un cepellón demasiado denso en la base del recipiente, hay que desenredarlas delicadamente con un tenedor para suprimir las raíces que son demasiado largas, las que ya están muertas y las secas. Recubra las raíces de las plantas que las tienen «desnudas».

Utilice un abono ya preparado mezclado con tierra y de fácil empleo. Esta operación estimula el desarrollo rápido de las nuevas radículas que son útiles para una

▼ Corte las raíces que sobresalgan.

▼ Desenrede el cepellón de las raíces.

▼ Elimine las raíces compactas.

correcta adherencia. Para disminuir las pérdidas de agua por evaporación y facilitar la adherencia, puede reducir las grandes hojas de las plantas, suprimiendo la tercera parte terminal del limbo. Haga un corte limpio para favorecer la cicatrización.

Esta operación se realiza con una gran cantidad de especies de hortalizas, como las lechugas y los puerros. Para los vegetales de flor, quite todas las flores abiertas porque retrasan la adherencia. De este modo, la planta será más vigorosa y la siguiente floración será aún más abundante. Lo mejor es comprar plantas jóvenes con pequeños capullos.

La profundidad adecuada

Sólo los bulbos deben enterrarse completamente bajo tierra. Cuando los entierre, gírelos un poco sobre ellos mismos para que se adhieran correctamente al sustrato. Para los cultivos en terrones, compruebe que cubre con tierra la planta hasta el cuello. La altura de la tierra que debe cubrir dependerá de la especie de bulbo.

Calcule 4 cm para los ranúnculos y las anémonas, 6 cm para los eranthis y las chionodoxas, 8 cm para los crocos, oxalis, erythronums, narcisos de las nieves, alliums, eremurus y escilas, entre 10 y 12 cm para los jacintos, los tulipanes y los narcisos, 16 cm para las flores de lis y 18 cm para los bulbos de coronas imperiales. En el momento de la plantación de vegetales leñosos no hunda el pie de los rosales y de los árboles injertados.

Las plantas con raíz desnuda deben plantarse hasta la zona de separación entre las raíces subterráneas y los tallos aéreos, denominada cuello. En contrapartida, los tomates, pimientos y clematitas prefieren tener una mayor parte del tallo aéreo enterrado.

Procure plantar los vegetales de temporada bastante juntos porque deben ofrecer un aspecto decorativo máximo durante un pe-

▲ Las plantas a raíz desnuda deben ponerse en remojo.

▲ Riegue la base del cepellón para humidificarlo.

ríodo breve del año. Sin embargo, las plantas vivaces, las frutas pequeñas, los árboles frutales y los arbustos requieren estar más espaciados para poder desarrollarse de un modo óptimo y producir abundantemente.

Sepa plantar correctamente

Las raíces nunca deben comprimirse en un agujero muy estrecho, enrollarse conjuntamente o ser colocadas hacia arriba. Con un plantador, realice un agujero suficientemente grande para que quepan las plantas que han crecido en vasitos y para poder extender con comodidad las raíces cuando estén desnudas. Rellene los espacios vacíos entre las raíces con el sustrato apretando ligeramente. Termine de rellenar el recipiente.

▲ Sumerja los cepellones de las plantas en vasitos (15 min.).

▲ Reduzca el limbo de las hojas de las plantas.

Compactado y riego

Se garantiza una buena sujeción de las plantas mediante el correcto contacto entre el cepellón de las raíces y el sustrato. Cuando haya terminado de rellenar la maceta, compacte con cuidado la tierra alrededor de las plantas instaladas para que no quede ningún tipo de espacio aireado y para estabilizar correctamente el vegetal.

Riegue en abundancia pero con suavidad, para compactar el sustrato y permitir una adherencia perfecta entre el suelo y las raíces de las plantas.

Cuando el agua se haya filtrado, compruebe el buen estado de las plantas y recoloque aquellas que están un poco torcidas. Si el nivel de la tierra ha bajado considerablemente, añada sustrato hasta que consiga el nivel inicial.

▲ Haga un agujero grande para plantar.

▲ Rellene la maceta con tierra.

▲ Iguale la superficie de la tierra.

▲ Apriete la tierra contra las raíces.

Tutores y empalizadas

Algunas plantas de gran desarrollo o de constitución un poco frágil necesitan un apoyo para evitar que caigan encima de las plantas adyacentes o que las ramas se rompan por el efecto del viento y de las corrientes de aire. Esto es importante en particular para todos los vegetales cultivados en tallo, sobre todo durante los primeros años, en los que el tallo principal es aún enclenque y frágil en comparación con la masa de hojas y flores que debe soportar. En el momento de la plantación, disponga un tutor eficaz pero discreto.

Para las plantas de bulbo, es preferible que instale los rodrigones en el momento en que planta los bulbos con vistas a no estropearlos instalándolos de manera incorrecta en el sustrato.

Fije sólidamente la planta contra el tutor, pero no apriete mucho las sujeciones porque no se deben poner obstáculos al posterior crecimiento de los tallos. Como medida de precaución, envuelva la parte superior puntiaguda de cada tutor con un caperuzón para evitar posibles pinchazos al estar trabajando con los cultivos. Desde el momento de la plantación hay que empalizar las plantas trepadoras para dirigirlas en el sentido deseado.

Deje siempre un poco de espacio entre el tallo y la sujeción porque no es necesario que esté muy apretada.

Colocación definitiva de la jardinera

Una vez terminado el proceso de plantación, a veces es útil realizar una pequeña limpieza del recipiente para eliminar las manchas de tierra de los bordes y las paredes exteriores. Sólo es necesario pasar una esponja húmeda para acabar con los trazos tan poco estéticos que dan un aspecto descuidado al recipiente.

A continuación, compruebe una vez más los elementos de sujeción y las bases donde dispondrá la jardinera. Si cabe, coloque un platillo para recoger el agua del riego. En caso de que el recipiente, una vez lleno, sea muy pesado, el transporte será difícil y

RENOVAR UNA JARDINERA

Para variar la decoración a lo largo de las estaciones, basta con cambiar algunas o todas las plantas de su jardinera.

En primer lugar, separe las hojas que estén enredadas. Después, arranque delicadamente la planta que vaya a renovar y separe sus raíces con un plantador para evitar arrancar del cepellón una cantidad demasiado grande de tierra y para no herir las raíces de los vegetales vecinos.

Atención, cuando instale plantas nuevas en un recipiente que ya contenga plantas, intente obrar con cuidado para no dañar las raíces de las plantas vecinas.

Si corta sin querer algunas raíces de una planta, reduzca el follaje y suprima la floración.

Cuando se trate de una renovación parcial, intente hacerse con plantas

lo suficientemente desarrolladas para que se integren correctamente en la decoración existente.

Acabe la plantación regando en abundancia.

Evite dañar las raíces de las otras plantas. ▶

complicado. Para instalarlo definitivamente pida ayuda, sobre todo, cuando trate de colocar la jardinera en la parte exterior de la barandilla del balcón.

Espere algunas semanas para que la vegetación muestre síntomas evidentes de buena adherencia antes de poner los primeros abonos, siempre y cuando la tierra esté bien humedecida.

El trasplante

Las plantas de las macetas que componen un decorado permanente agotan rápidamente todas las reservas de nutrientes que están en la tierra. Las menos voraces sólo necesitan de una aportación de abono en primavera y durante todo el verano. Las más vigorosas rápidamente llenarán el recipiente de raíces y alcanzarán dimensiones desproporcionadas en relación con el soporte del cultivo.

En estos casos, es necesario cambiarlas de maceta porque ésta deja de tener espacio suficiente para la planta. En el caso de los vegetales con crecimiento rápido como las daturas, los pelargonios y las plantas vivaces, esta operación debe efectuarse cada año. La mejor época es la primavera, justo antes de la aparición del follaje.

A veces se tiene la tentación de plantar el vegetal en una maceta mucho más grande para evitar tener que trasplantarla a menudo. Sin embargo, no es una buena idea porque el volumen de tierra es demasiado grande y retiene el agua de un modo excesivo y las raíces podrían sufrir al no poder soportar tanta humedad.

De hecho, lo ideal es disponer de un recipiente que tenga un diámetro 1 o 2 cm más grande que el tiesto anterior. Esta amplitud es suficiente para obtener un nuevo crecimiento y una floración bella.

Proceda del mismo modo que con una plantación en jardinera. En primer lugar, disponga una capa de drenaje en el fondo del nuevo recipiente y, seguidamente, ponga sustrato recubriendo las paredes del tiesto.

Coloque la planta en su nuevo emplazamiento y sujétela para que quede derecha, intentando que el cepellón quede recto para acabar de cubrirlo con tierra. Colme los espacios vacíos con sustrato, sin dejar espacios con aire.

Atención, no hay que rellenar el nuevo recipiente hasta arriba del todo. Deje, como mínimo, 1 o 2 cm para poder poner agua en abundancia.

Compacte la tierra alrededor de las raíces con un palo o taponando suavemente el recipiente con el borde de la mesa. Finalmente, coloque la planta en su lugar definitivo. Riegue en abundancia.

El tratamiento de la superficie

Esta operación debe realizarse en los recipientes que, por causa de su volumen y su peso, no se pueden trasplantar. Se realiza en la misma época que el trasplante (a finales de invierno y principios de primavera). Simplemente consiste en retirar unos centímetros de la capa superficial alrededor del tallo, intentando no estropear las raíces de la planta.

Elimine la tierra «vieja» y sustitúyala por un sustrato rico, adaptado al tipo de vegetal cultivado. También puede añadir un poco de abono orgánico para estimular el crecimiento.

Tal vez, lo mejor es retirar el sustrato suavemente con la mano o sirviéndose de un tenedor o de un cultivador de mano. Atención, no rasque demasiado las raíces. Termine regando abundantemente.

Desde hace un tiempo podemos encontrar en en el mercado sustratos especiales denominados «regeneradores de superficie», especialmente estudiados para sustituir la tierra superficial de las jardineras. Estos sustratos contienen tierra nueva, enriquecida con abono orgánico y de asimilación rápida que aportará un golpe de energía inmediato a las plantas para empezar con buen pie la primavera.

▽ Trasplante en macetas más grandes.

▽ Reajuste el nivel del terreno.

▽ Ponga tutores en las plantas de tallo largo.

▽ Riegue después de la plantación.

¿POR QUÉ NO SEMBRAR?

Incluso si las plantas floridas que encontramos en el comercio son prácticas y a menudo irresistibles, piense también en la siembra. Le ofrecerá la alegría de hacer nacer plantas jóvenes y ver cómo pasan por todos las etapas del crecimiento. A continuación le ofrecemos algunos consejos y métodos para producir una gran cantidad de bellas plantas que decorarán su balcón o terraza.

▲ Al realizar la siembra, puede controlar todas las etapas de la vida de las plantas.

Consejo: Si por falta de tiempo o de experiencia no ha podido sembrar las semillas precoces, siembre directamente plantas de crecimiento rápido (capuchinos, ipomeos, clarkias, pensamientos). Para no tener que trasplantarlas y ahorrar semillas, tenga cuidado y extienda las semillas entre 15 y 20 cm.

Sembrar es el mejor medio de obtener una gran cantidad de plantas con un coste reducido. Además, la cantidad de especies y variedades que se encuentran en forma de semillas es superior a las que se pueden encontrar en forma de plantas.

Como ejemplo, tenemos las hojas de tabaco decorativo gigante, que a veces no se pueden encontrar en los centros de jardinería, las *impatiens,* de colores extraños; los cosmos, con colores poco frecuentes;

las flores campestres, que son tan fáciles de hacer crecer a partir de las semillas y con las que podremos hacer ramos en verano.

Las mejores condiciones

Hay bolsitas de semillas que contienen entre diez y más de cien semillas. Pero tal vez usted no necesite tantas. Cuando las semillas sean bastante grandes como para cogerlas con la mano, siémbrelas una a una

◄ Repique las plantas jóvenes cuando tengan 2 o 3 hojas.

▼ Humedezca la turba compacta.

▼ Alise la superficie.

▼ Siembre las semillas una a una.

en vasitos o en pastillas de turba para ganar tiempo al trasplantar. Para ello, busque terrinas, botes o materiales reciclados (cajitas de polietileno, etc.). Los invernaderos pequeños con una cobertura de plástico transparente permiten obtener excelentes resultados.

Sea cual sea el recipiente seleccionado, tiene que estar limpio. Tenga etiquetas, un lápiz, una pala para allanar la tierra, un tamiz, tierra especial para siembras y un pulverizador.

Una planta que germine rápidamente siempre tendrá mejor calidad. Según las especies, la germinación se obtiene a partir de temperaturas superiores a los 12 o 15 °C. Si siembra en el balcón, espere hasta que no haya más heladas. Para las siembras tempranas, consiga un invernadero con un pequeño calefactor o coloque las cajetillas en un radiador dentro de casa. Utilice sustrato poroso para evitar que las semillas se estropeen. La mejor mezcla es la formada a partes iguales con turba rubia y arena de río. Cuando las plántulas salgan de la tierra, colóquelas bajo una fuente de luz potente para que no se marchiten. Si se trata de siembras de interior, ofrézcales luz artificial.

La técnica de la siembra

Compruebe que las terrinas o los pequeños tiestos tengan agujeros para el drenaje. Coloque una capa muy fina de drenaje, de

---

> **LAS PLANTAS DE SIEMBRA**
>
> Con la llegada de las plantas floridas a las floristerías, una gran cantidad de flores que se multiplican sólo por siembra han caído en el olvido. Algunas de ellas merecen estar en su jardinera.
>
> Es el caso, por ejemplo, de los orovales de frutas preciosas con forma de linterna japonesa, las gazanias cuyas flores se cierran de noche, las godetias de colores pastel, las lavateras enanas con franjas blancas o rosas, la verdolaga con flores dobles y de porte tapizante, caléndulas con vivos colores, arañuelas de Damasco con flores finamente dentelladas, anemófilas de copa azul, gonphrenas con pétalos violáceos, sanvitalis de margaritas minúsculas amarillas con el centro negro.
>
> También, a través del sembrado se multiplican todas las plantas trepadoras anuales, ideales para recubrir un separador o un pilar de una pérgola. Las capuchinas crecen sin esfuerzo, la cobea demuestra un vigor sorprendente, y el guisante de olor florido aguanta durante meses sus rasgos multicolores. Piense también en plantar habas cuyas vainas son totalmente comestibles. Esto nos permite una transición hacia las verduras de siembra que no se trasplantan como los rábanos, los nabos y las remolachas (variedad redonda).

---

1 o 2 cm, en el fondo del recipiente. Rellénelo colmándolo con tierra de semillas y extiéndalo con una espátula para conseguir una superficie homogénea y plana. La superficie tiene que estar sólo a 1 cm por debajo del borde del recipiente.

Disponga espaciadamente las semillas. Salvo aquellas que sean más finas, recubra las demás con una capa muy fina de tierra. Compacte ligeramente y después aspersione con agua. Cubra la siembra con una tapa transparente.

El cuidado después de la siembra

Nada más aparezcan las plántulas, airee la siembra en un lugar cubierto. Retire la tapa y aplique el máximo de luz. Si el cultivo está detrás de una ventana, gírela todos los días para que las plantas no crezcan en la misma dirección.

Riegue regularmente sin ahogar el suelo. Trasplante las plantas jóvenes que tengan ya dos hojas. Esta fase obligatoria permite a cada plántula encontrar suficiente luz, espacio y alimento necesarios para su crecimiento. Trasplántelas en pequeñas macetas llenas de una mezcla de tierra, arena y turba. Arranque delicadamente cada planta sin tirar de las raíces. Trasplante sólo las más vigorosas.

Entierre profundamente las plántulas hasta los cotiledóneos. Empape y cubra los cultivos más frágiles hasta los primeros síntomas de recuperación.

▼ Cubra las semillas con tierra.

▼ Airee cada vez más las siembras para endurecer las plantas.

▼ Repique la planta en su tiesto.

EL MANTENIMIENTO DIARIO

Transformar una ventana, un balcón o una terraza en un pequeño paraíso de flores y plantas resulta, seguramente, más fácil de lograr que en un jardín. ❧ *Esto se debe al contexto, ya que las dimensiones reducidas limitan los esfuerzos y concentran las actuaciones. La proximidad de la casa crea un microclima favorable para el desarrollo precoz y generoso de las plantas.* ❧ *Los cultivos en tiestos, macetas o jardineras no necesitan grandes esfuerzos, como labrar o abonar en grandes cantidades. Otra ventaja es que los elementos decorativos en general están elevados y esto permite trabajar en posiciones más cómodas.* ❧ *En un jardín colgante, tenemos la ventaja de que «los riñones no se resienten». Las herramientas se limitan a un conjunto básico de manejo simple, también se pueden utilizar algunos utensilios de cocina, como tenedores, que pueden servir de rastrillos para airear la tierra de la superficie de las macetas, o cuchillos, que eventualmente pueden sustituir a las tijeras de poda para retirar las flores marchitas.* ❧ *A pesar de estas facilidades, no crea que las plantas crecerán como por arte de magia. Los cultivos en un balcón necesitan más agua que los de jardín. La poca cantidad de tierra de la que disponen hace que se sequen más rápidamente.* ❧ *Las enfermedades parasitarias son mucho más virulentas en plantas que están en macetas, ya que son menos resistentes que las cultivadas en tierra. Las finas paredes de los recipientes no garantizan la protección total contra las tan temidas heladas.* ❧ *En resumen, los cultivos en un balcón son a menudo más efímeros que en un jardín, aunque este aspecto tiene también su encanto.* ❧

LAS CONDICIONES CLIMÁTICAS

La intensidad del sol y la temperatura varían de un lugar a otro y en función de la hora del día o la época del año. Evidentemente, no podemos cambiar la orientación del balcón o la terraza, pero podemos sacar partido del entorno y hacer del clima nuestro aliado.

Consejo: Si la comunidad de vecinos y las ordenanzas municipales lo permiten, puede cubrir el balcón o una parte de la terraza con un ventanal y creará una galería donde resguardarse cuando haga mal tiempo.
Podrá elegir gran variedad de plantas, y éstas resistirán mejor al invierno.

▲ Un estor tendido encima de los ventanales que dan al balcón genera una sombra agradable.

Jugar con la luz

El sol se encuentra en su punto más elevado en junio y en el más bajo en diciembre. Entre estos dos períodos, ni sale ni se pone exactamente por el mismo lugar. Algunas zonas del balcón tendrán mucho sol en verano, pero les faltará luz, por ejemplo, en octubre. Para atraer el sol puede utilizar recipientes de color claro, que conservan durante más tiempo el calor, o instalar un espejo grande o un panel reflectante en uno de los laterales y orientarlo de manera que envíe la luz hacia la zona de sombra.

Si, contrariamente, lo que desea es atenuar los efectos del sol en su balcón, haga una

OCULTAR Y DECORAR

El balcón y la terraza deben considerarse lugares habitables. Su tranquilidad puede verse turbada por los vecinos indiscretos. Para protegerse, existe gran cantidad de materiales de ocultación, ya sean naturales o artificiales, que puede encontrar en los centros de jardinería. Los productos de polietileno deben tener una protección anti UVA. Tienen una función utilitaria.

▼ La pantalla total está compuesta por un armazón de polietileno que sostiene un tejido opaco e imputrescible. Protege el balcón de las miradas, pero es poco estético.

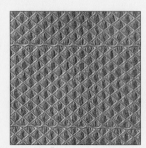

▼ La celosía extensible se adapta a todas las dimensiones, ya que juega con la amplitud de las mallas. Este modelo de plástico es de color verde «mal teñido». No precisa de ningún mantenimiento.

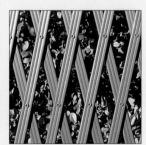

▼ La valla de mimbre natural aporta un toque rústico y ofrece una ocultación del 95 % y un efecto cortavientos. Este tipo de material resiste unos diez años en el exterior sin mantenimiento alguno.

pantalla con una celosía y coloque plantas trepadoras o coníferas alineadas.

Frenar el viento

A menudo el viento causa importantes daños a los cultivos de un balcón. Reseca el terreno, rompe las flores, inclina las plantas y ralentiza la vegetación.

Cuanto más elevado sea el piso, más expuestas están las plantas, sobre todo, en las zonas costeras, donde sopla más fuerte el viento. Para atenuar estos efectos, coloque pantallas a lo largo de la barandilla o en los laterales. Los mejores paravientos son aquellos que dejan pasar un poco de aire. Se aconseja instalar una celosía de pequeñas mallas o un seto formado por arbustos de hoja perenne.

El calor

Los rayos solares aportan calorías que serán retenidas por los materiales más claros. Esto puede producir una sensación de ahogo en caso de que la ventilación no sea la adecuada. Este hecho se da en aquellos espacios que tienen una orientación sur. La lista de plantas que pueden aguantar esta situación sin quemarse es muy reducida. Para atenuar este efecto invernadero, la mejor solución consiste en instalar un tol-do que se desplegará al mediodía y se plegará cuando haga más fresco al anochecer.

La contaminación

En la ciudad, la proximidad de fábricas, chimeneas o calles muy transitadas provoca una contaminación atmosférica contra la cual no existe remedio alguno. La única solución es limpiar las hojas de las plantas a menudo. Así evitará que se acumule la suciedad.

El vecindario

¿A quién no le han molestado alguna vez los árboles del vecino? Tapan los rayos de sol, sus hojas atascan los desagües y el pavimento de la terraza se vuelve resbaladizo al llover.

En principio, un vegetal de más de 2 m debe plantarse a esta misma distancia del muro de separación. Pero, desafortunadamente, el reducido espacio de las superficies urbanas no siempre permite que se cumpla esta norma. Lo mejor es que se ponga de acuerdo con su vecino para que sus árboles sean de una altura razonable. Ni se le ocurra podar las ramas por su propia cuenta, cometería un grave error.

▲ Existen toldos muy sofisticados y decorativos.

▲ Un fino enrejado colgado en la barandilla oculta la vista.

El enrejado y la plantación densa hacen las veces de abrigaño. ▶

▼ Un enrejado extensible de madera a menudo es de maderas exóticas o de teca. No se aconseja pintarlo, pues el mantenimiento será más delicado. Puede aguantar unos quince años en el exterior.

▼ Un separador realizado con brezo seco permite una gran privacidad y a la vez se integra muy bien con las plantaciones. La irregularidad del material sirve de base para las plantas trepadoras.

▼ La celosía extensible de bambú es una versión decorativa que aguanta mejor las plantas trepadoras, porque es más rígida que los listones. Complementa los arbustos, que cortan viento del balcón.

Los productos de polietileno no son decorativos, aunque imiten materiales naturales.

Los elementos totalmente herméticos son menos eficaces contra el viento que los materiales calados.

Lo importante es ralentizar el desplazamiento del viento y no ponerle obstáculos cerrados, que acabará por rodear.

Actualmente existen diversos kits de fijación que permiten una sujeción rápida para las barandillas de los balcones.

CLIMAS Y MICROCLIMAS

La orientación del balcón es determinante para la elección de las plantas, dado que esta parte de la casa está expuesta al sol y a los vientos. El entorno y la proximidad de otros edificios tienen un papel muy importante, ya que crean un microclima que hay que tener en cuenta para poder aprovecharlo al máximo.

Consejo: **Para aprovechar los rayos de sol y tener un ambiente agradable en verano, ponga en la barandilla una persiana de láminas orientables (estilo veneciano). Cuando estén paralelas al suelo, el sol y el aire pasarán sin problema, pero si desplaza las láminas hacia arriba, frenará su entrada.**

▲ Esta terraza mediterránea, orientada hacia el sur, no contiene muchas plantas, ya que en verano el calor es inaguantable.

Según la región en la que usted se encuentre y su orientación, el balcón estará bajo los efectos de un clima concreto. Es un punto que cabe tener en cuenta cuando elija las plantas, porque es más sencillo adaptarlas a una situación climática que tratar de alterar estas situaciones que a veces se presentan repentinas y cambiantes. No intente lo imposible. Si pretende adaptar plantas de clima mediterráneo en una zona fría cometerá un grave error y se llevará un disgusto. Personalice su decorado con plantas adaptadas a la región en la que usted vive.

Orientación norte

En principio, la orientación norte es la peor situación. Las plantas necesitan luz para desarrollarse. Sin luminosidad, se marchitan y pierden colorido. Para las zonas de orienta-

◄ En el norte son preferibles las plantas de sombra.

ción norte, busque plantas que se adapten a la sombra, como las impatiens, los helechos y las saxífragas. Puede decorar un balcón mal orientado con coníferas, arbustos de hoja perenne, como las aucubas o laurel japonés, mahonias o curas de Oregón y cotoneasters o durillos. Siempre serán plantas en las que predominen las hojas sobre la floración. Puede jugar con las mezclas o los colores de las hojas, los tonos dorados se adaptan muy bien a la sombra.

Orientación sur

Hay ciertas áreas geográficas en las que la orientación sur es la idónea porque recibe el máximo de radiación solar sin que ésta sea excesiva. Las zonas de orientación sur son excelentes para los geranios y para colocar plantas en las ventanas o recipientes colgantes. Las surfinias, petunias en cascada o verbenas colgantes son ideales. Las salvias o anthemis también son adecuadas, como la mayoría de plantas ornamentales con flor. De todos modos, intente alejar las jardineras de las paredes orientadas hacia el sur porque éstas están demasiado expuestas al calor. En las zonas mediterráneas, el sol es muy agresivo con la orientación sur. Hay que atenuar los calores tórridos mediante la instalación de una sombrilla, un toldo o un encañizado. Se recomiendan las plantas tropicales, los cactus y las plantas carnosas.

Orientación este

Es una buena orientación que se beneficia del sol matinal, por lo tanto, el calor es más suave que el del mediodía. Es la orientación más recomendable en regiones con veranos calurosos o zonas costeras.

En regiones de clima continental, un balcón orientado este-oeste es muy frío, lo que repercute en el crecimiento de las plantas. Se recomienda utilizar protecciones invernales.

Orientación oeste

Esta orientación, a diferencia de las anteriores, recibe los efectos directos del viento y la lluvia. Tenga especial cuidado con las fijaciones y con las plantas de gran tamaño. Es indispensable poner vallas o celosías. Las floraciones son difíciles.

▼ En plena ciudad, la exposición natural es menos importante por la presencia de grandes edificios alrededor.

CREAR UN AMBIENTE SOMBREADO

Para protegernos del sol, los toldos tienen la ventaja de que los podemos colocar en la posición que queramos, abiertos o cerrados, según el momento del día o del año. Son de tela y se despliegan horizontalmente, con una barra o un cordón. Su instalación debe hacerse a conciencia, ya que, si sopla viento fuerte o hay tormenta, deben resistir los embates. Se aconseja contar con la ayuda de un especialista para su instalación. A su vez, podemos conseguir un ambiente de sombra con las hojas de algunas plantas de crecimiento rápido, por ejemplo, el bambú, que debe colocarse en una jardinera de 50 cm de profundidad. Sus hojas perennes son decorativas a lo largo del año.

En una terraza grande puede colocar una pérgola, recubierta con una planta trepadora de crecimiento rápido y amante del sol, como una cobea, que puede alcanzar hasta los 5 m de altura en sólo una temporada, o un lúpulo dorado.

En una celosía, quedan muy bien las matas de judías. Producen una sombra difusa y agradable. En zonas más cálidas también puede utilizar la buganvilla y la pasiflora o pasionaria.

▼ El toldo es el mejor sistema para obtener sombra.

▼ En verano, ponga una esterilla de paja sobre la pérgola.

EL RIEGO MANUAL

El agua es vital para las plantas. Representa un 90 % de su peso y sirve para transportar a través de los tejidos las sales minerales que nutren a las plantas. Las macetas limitan la extensión de las raíces y éstas no pueden extenderse en busca de agua, como harían en un jardín. Hay que regarlas a menudo porque la evaporación reseca rápidamente el sustrato.

▲ En los cestos con flores y las jardineras, la pulverización es beneficiosa por la tarde, después de un cálido día de verano.

Consejo: Para conocer las necesidades de agua de sus plantas, golpee ligeramente la maceta con una herramienta. Si suena hueco, la tierra está seca. Otra posibilidad es colocar en la maceta una sonda-test que funciona con pilas. Le indicará el grado de humedad de la tierra y la cantidad de agua necesaria.

El riego es una actividad más frecuente en los balcones y las terrazas que en los jardines. En una maceta, la planta no puede encontrar agua en las profundidades de la tierra, ni puede aprovechar el rocío matinal porque es muy escaso. El viento y las corrientes de aire la desecan y forman una costra en la superficie de las macetas. Los aportes de agua deben ser regulares, casi diarios, según las especies y el calor ambiental. Pero cuidado con los excesos: nunca tiene que haber agua estancada debajo de los tiestos, en el platillo.

◀ Una simple boquilla con acople automático es muy práctica para la pulverización.

El momento oportuno

La frecuencia de riego varía en función de la estación. En invierno, la mayoría de las plantas, necesitan un aporte de agua quincenal, excepto cuando hiela. En primavera, el crecimiento está en su punto álgido; en verano, la transpiración y la evaporación son más intensas y la necesidad de agua de la planta aumenta. Conviene regarlas casi todos los días.

El aspecto de la tierra es un buen indicador. Cuando está seca y granulada es que necesita agua. Algunas plantas muy sensibles, como las impatiens, se marchitan rápidamente. Pueden recuperarse si no pasa más de un día. Por el contrario, las anthemis marchitas no recuperan su turgencia. La clave es estar atento.

Las regaderas antiguas son ideales para decorar. ▷

La cantidad adecuada de agua

De media, el riego debe aportar 1 l de agua por 10 l de sustrato. Riegue preferentemente por la noche, sobre todo en verano, para evitar una gran pérdida por evaporación. El fresco de la noche permitirá sacar el máximo provecho al aporte de agua.

Las macetas con reserva de agua no siguen la regla general. Se debe esperar a que el reservorio esté en su nivel más bajo y que la superficie del recipiente esté seca durante unos tres o cuatro días antes de volverlo a rellenar. Este período de tiempo permite que las raíces se ventilen.

La calidad del agua

El agua de la lluvia es ideal para regar las macetas. No siempre es fácil obtenerla, a no ser que coloquemos un gran recipiente en el exterior para recoger el agua de los canalillos. En principio, las plantas de los balcones toleran el agua del grifo, excepto las especies de tierra arenisca y mantillo, que no aguantan la cal. Para dichos casos, diluya unas gotas de producto antical en el agua para modificar el pH.

Atención, las plantas que viven en macetas no aceptan muy bien el agua filtrada. De hecho, contiene sales que se concentran muy rápido y en exceso en el sustrato. Evítela en lo posible.

La regadera, indispensable

Las regaderas son un objeto obligatorio del material básico de jardinería. No elija una muy grande, porque le será difícil transportarla cuando esté llena y, aún más, si tiene que regar plantas que estén a cierta altura. Una regadera que tenga una capacidad de 3 a 6 l será suficiente.

Opte por aquellos modelos que disponen de un brazo largo a los que se les puede adaptar una alcachofa. Así, podrá regar con

△ El pulverizador es idóneo para un efecto de lluvia fina.

más precisión las siembras recientes. Las de brazo largo permiten verter el agua directamente sobre la tierra, ya que éste puede pasar por entre las hojas sin mojarlas. De este modo, evitará la aparición de enfermedades en el follaje.

Para mayor precisión utilice una manguera con brazo largo. ▷

LOS ACOPLES

Sirven de unión entre la manguera y el terminal, la boquilla, la pistola o la alcachofa. Normalmente, es raro instalar un regador en un balcón o una terraza. Los acoples deben poder separarse fácilmente del terminal y deben ser herméticos cuando encajan en la manguera. Los acoples rápidos, muy prácticos, son a menudo de plástico, aunque también hay de latón. Póngalos a cubierto durante el invierno para evitar que estallen con el hielo. Aunque aparentemente sean diferentes, los acoples de casi todas las marcas son compatibles. La renovación de existencias no representa ningún problema. Los más prácticos están equipados con un sistema que corta el paso del agua cuando se desconecta el terminal. También puede comprar una tuerca de ajuste que pondrá en el grifo y le permitirá el rápido acoplamiento de la manguera. Un punto de llegada de agua es indispensable para el mantenimiento práctico del balcón o de la terraza. Es una pena que los arquitectos no lo tengan en cuenta en el momento de la construcción.

▷ Existen muchos modelos con acoples automáticos.

▲ El riego es una tarea que agrada a los niños.

▲ El riego por absorción es adecuado para plantas jóvenes.

◀ La ducha de las hojas es beneficiosa después de la canícula.

pone abono en polvo o en pastilla. El caudal de agua que pasa por este recipiente disuelve los elementos fertilizantes y permite una dosis continua.

Las mangueras tienen diferentes diámetros interiores, aunque los más corrientes son los de 13, 15 y 19 mm. Cuando compre accesorios, tenga en cuenta su instalación (sobre todo los conectores). El grifo puede tener un surtidor de rosca o liso. Encontrará adaptadores que pueden colocarse en un surtidor redondo (grifos de fregaderos) enroscando un tornillo que aprieta una arandela. Antes de comprar cerciórese del diámetro de su grifo. Normalmente son de 20 o 27 mm.

Opte por una manguera ligera y flexible, pero que no se tuerza con el uso y que sea resistente al hielo y a los rayos ultravioleta. Puede optar por comprar sólo la manguera y equiparla según sus necesidades, con conectores y terminales, o puede encontrar kits totalmente equipados. En la mayoría de los casos las mangueras son demasiado largas para usarlas en los balcones, normalmente miden 15, 25 o 50 m de longitud. Puede cortarlas según su criterio, o puede utilizar un carrete fijado a la pared para enrollarla, cerca del grifo.

El inconveniente de la manguera siempre es recogerla después de su uso. Existen unos mecanismos equipados con una manguera plana de 12,5 m o 20 m, que se enrolla automáticamente con unas bobinas eléctricas para que ocupe menos espacio. El inconveniente es que hay que desenrollar toda la manguera para poder utilizarla.

Riego por absorción

Cuando una planta acaba de ser trasplantada debe regarse abundantemente para que la tierra pueda compactarse y, de este modo, evitar la aparición de bolsas de aire a nivel de las raíces. El método por absorción es a menudo una buena solución para empapar completamente una maceta o jardinera, siempre y cuando el recipiente tenga,

Los modelos de plástico son más ligeros y los podrá dejar en el exterior sin peligro de que se oxiden. Las regaderas metálicas son más estéticas pero también más difíciles de encontrar.

Mangueras y terminales

En una terraza o en un balcón puede instalar un grifo para conectar una manguera y, de este modo, regar todos los cultivos con la boquilla, la alcachofa o la pistola. Estos terminales deben regularse según queramos obtener una pulverización fina o un chorro de agua potente. Lo más importante es que rieguen suavemente.

La boquilla pulverizadora con alargo es práctica para llegar a las macetas colgantes o a otras plantas elevadas, sin tener que bajarlas cada vez. Hay un modelo especial para este uso, que ofrece un caudal débil. También existen pistolas pulverizadoras con un difusor para abonos: se coloca una cajita cerca de la empuñadura y en su interior se como mínimo, un agujero. A menudo, antes del trasplante, es necesario sumergir durante unos minutos la planta en un cubo con agua. Cuando ya no suban burbujas de aire a la superficie, retire la planta. Es muy importante realizar esta operación en plantas jóvenes, cultivadas industrialmente en turba, ya que se trata de un material difícil de humedecer. Sin este paso previo, sucede que plantas recién trasplantadas se desecan, aunque se haya regado abundantemente la jardinera.

La absorción permite que la maceta recupere su humedad después de habernos olvidado de regarla. En un caso así, sumerja el recipiente hasta la mitad en un cubo con agua y retírelo cuando la tierra empiece a humedecerse por arriba. Sólo se puede usar este método con recipientes pequeños, fáciles de transportar.

Pulverización

La higrometría de un balcón, sobre todo si está orientado al sur, es a menudo escasa para la mayoría de las plantas. Resulta muy útil, principalmente en verano, vaporizarlas a última hora del día. Así, las hojas absorberán directamente la humedad y las plantas tendrán una sensación de frescor muy agradable. Cuando se trate de arbustos y plantas resistentes, conviene pulverizar con una boquilla o pistola. Vaporice las plantas frágiles con un pulverizador. Aplique una fina película de agua encima de las hojas, sin olvidar el reverso. Es el método más eficaz para humedecer los tiestos sembrados sin dañar las semillas.

No se deben pulverizar las plantas con hojas aterciopeladas *(Helichrysum)* o aquellas que enferman fácilmente (rosal, tomatera). Para producir un efecto de llovizna que caiga suavemente sobre las plantas, utilice una pistola pulverizadora y dirija el chorro hacia arriba. Esta técnica está reservada para plantas trepadoras y arbustos.

En verano, riegue las plantas preferentemente de noche. ▶

Consejos eficaces

Riegue las plantas floridas de un modo superficial. Se deben regar las hojas pero nunca las flores, para evitar la propagación de enfermedades y evitar que por causa del peso del agua puedan caerse. Para poder realizar esta operación con éxito, se aconseja usar una regadora de boquilla larga porque facilita una precisión de riego impecable. Podrá llegar fácilmente a todos los lugares que necesite regar, sin correr el riesgo de causar daños y sin exceder los límites del recipiente. Compruebe que el platillo, indispensable para proteger el pavimento, no está lleno de agua. Si así fuera, pare de regar rápidamente y espere a que el nivel baje, gracias a la absorción por capilaridad. No olvide nunca que una maceta o una jardinera no tienen que quedar anegadas, vacíelas cuando llueva mucho en caso de que no dispongan de un sistema de evacuación. Piense que está en juego la ventilación de las raíces y, por tanto, la salud de las plantas.

Las jardineras sin drenaje se deben vaciar. ▶

▲ La pulverización es vaporizar agua sobre el follaje.

EL RIEGO AUTOMÁTICO

Durante los meses de verano, el riego diario se convierte en una pesada carga. Existen diversos sistemas de riego automático que realizan un trabajo preciso y fiable. Además le serán de gran utilidad en el período de vacaciones. La instalación debe ser cuidadosa.

▲ La instalación de un sistema por goteo con microaspersión es ideal para el riego de una terraza.

Consejo:

A principios de invierno vacíe la llegada de agua instalada sobre el muro exterior para protegerla de las heladas. Tenga en el interior de la casa una llave de paso provista de desagüe. Cuando empiece el frío, corte el circuito y vacíelo totalmente. Abra también el grifo exterior. Esta operación, rápida y simple, le evitará que estalle cualquier elemento con el hielo.

Para evitar sorpresas desagradables a la vuelta de las vacaciones, instale un mecanismo de riego automático: por goteo, microaspersor o manguera perforada. Si lo programa, obtendrá unos resultados excelentes.

▌ Por goteo

Según nuestro criterio, el goteo es sin duda el sistema más adecuado para el riego de las plantas del balcón, la terraza o incluso de las ventanas.

Consiste en nutrir las plantas mediante unos goteros muy discretos (miden entre 2 y 3 cm de largo), los cuales

◀ No moje las hojas de los pelargoniums.

son capaces de liberar entre 2 y 4 l de agua por hora.

Estos goteros están conectados a una manguera de diámetro pequeño, que queda perfectamente camuflada entre los recipientes y entre las plantas.

El sistema por goteo funciona mediante una central de riego a baja presión que reduce el caudal a 1,5 bares. Contiene un filtro cuyo objetivo es evitar que los goteros se atasquen con diferentes impurezas. En cada recipiente puede haber uno o más goteros. Se puede variar el aporte de agua según las necesidades de la planta, regulando cada gotero.

Este sistema, preciso y regular, permite ahorrar hasta un 50 % de agua, ya que prácticamente no hay evaporación. Existen kits de riego por goteo.

LA PROGRAMACIÓN

Gota a gota, el tubo poroso hará que se olvide de sus preocupaciones si instala un programador en el grifo que rija adecuadamente la llegada del agua. Este accesorio es muy fácil de colocar y de programar. Permite iniciar de uno a seis riegos cada día, con una durada regulable, e intervalos previstos desde el inicio. Sin duda, se trata de un sistema muy fiable y eficaz.

◄ *El temporizador es muy sencillo.*

Manguera perforada

Se trata de una manguera que libera agua poco a poco. Está alimentada por un grifo, con un caudal que tiene una presión de 0,5 bares. Su caudal es de unos 9 l/m por hora. Este sistema es muy adecuado para las jardineras largas o para grandes macetas de terraza. Se puede variar la posición de la manguera en cada recipiente.

Entre cada maceta o jardinera, se utiliza una manguera normal que se conecta mediante un empalme. De este modo, sólo se humedece la planta que nos interesa y no se esparce agua por el suelo. Este sistema por goteo y la manguera perforada tienen la ventaja de que llevan el agua hasta la base de la planta, sin mojar las hojas.

Riego automático

Un transformador con una tensión de 16 V y con un minutero incorporado, hace funcionar una bomba inmersa en un recipiente lleno de agua.

Todos los días, y durante un tiempo determinado, se dispara el sistema de riego. Se envía el agua a unos distribuidores que alimentan pequeñas mangueras colocadas en los maceteros y tiestos que hay que regar. Estas mangueras están fijadas con grapas de plástico clavadas en la tierra.

El microaspersor

Como complemento de los goteros, o en sustitución de los mismos, se pueden colocar pequeños aspersores. Riegan en círculo o semicírculo, pulverizando. Para las plantas más frágiles, utilice pulverizadores de bajo caudal que dispersan una fina película, ideal para refrescar las plantas en noches de mucho bochorno.

Desatasque los goteros con un objeto afilado. ▶

▲ *El microaspersor refresca las plantas al anochecer.*

INSTALACIÓN DEL RIEGO POR GOTEO

Diseñe un esquema exacto del sistema de riego que quiere instalar. Calcule la cantidad de jardineras, el volumen de tierra que hay que regar y la longitud necesaria que deberá tener la manguera. Reparta en este esquema los codos y bifurcaciones que necesitará.

Los kits de instalación para balconeras incluyen un reductor de presión, una manguera de diámetro pequeño con un tapón para el extremo de la red, algunos goteros, accesorios y soportes para la manguera. Sólo tendrá que añadir un programador. Coloque todos los elementos necesarios en cada jardinera y compruebe que todos los recipientes están bien equipados y acoplados.

El material puede camuflarse en las macetas bajo una capa de cortezas decorativas. Una vez la instalación esté lista, hágala funcionar inmediatamente para comprobar que los goteros funcionen y que todo esté como es debido.

Atención a los escapes, que pocas veces son graves, pero a la larga salen caros.

▼ *La central reduce la presión del agua.*

▼ *Ajuste la longitud del tubo.*

▼ *Fije los goteros en el tubo.*

▼ *Al final se coloca un tapón.*

LOS PRINCIPIOS DE LA FERTILIZACIÓN

El volumen de tierra de una maceta es limitado y las reservas de nutrientes se acaban rápidamente. Es necesario renovarla con un fertilizante, es decir, con un nutriente equilibrado para las plantas. La composición de los abonos y su presentación es muy variada: orgánicos o minerales, de acción rápida o retardada, líquidos o en polvo, granulados o en barritas...

Consejo:

En primavera, mezcle un tapón de abono líquido en una regadera con 10 l de agua y utilice esta solución, no muy concentrada, en el riego permanente. Es la manera más aconsejable de acelerar el desarrollo de las plantas, sin riesgo de quemar las raíces.

▲ Los abonos solubles, como las pastillas que se acoplan en la pistola, son los más prácticos para las terrazas.

Los abonos listos para usar que se encuentran en los comercios contienen los tres elementos básicos: nitrógeno (de símbolo N), ácido fosfórico (P) y potasio (K). Siempre se presentan en este orden y su porcentaje está especificado. De este modo, un fertilizante 10.10.10 contiene un 10 % de cada uno de estos elementos base NPK. Estos fertilizantes «completos» a menudo están enriquecidos con oligoelementos.

El nitrógeno, para el crecimiento

El nitrógeno (N) es uno de los elementos fundamentales de la materia viva. Permite el crecimiento del vegetal y la elaboración de la clorofila. Su carencia se manifiesta en

◄ Las barritas fertilizan durante tres o cuatro meses.

LOS OLIGOELEMENTOS

Son elementos químicos: hierro, cobre, manganeso, zinc, boro, etc., que se encuentran en la tierra en pequeñas cantidades y que favorecen el desarrollo armonioso de las plantas. Su ausencia es sinónimo de carencia y decoloración. Complementan a los abonos en dosis infinitesimales.

▼ La falta de hierro se manifiesta en forma de clorosis.

forma de hojas verde pálido y un débil crecimiento. Sólo el nitrógeno de nitratos, soluble pero inestable, puede utilizarse directamente en los vegetales. Su aporte se recomienda en primavera.

El ácido fosfórico, para la floración

El fósforo (P) estimula la nutrición de las plantas. Estimula el desarrollo de las raíces y la rigidez de los tejidos. Activa la floración y acentúa la resistencia a las enfermedades. El déficit de este elemento se traduce en un color amarillento de las hojas y un retraso en el crecimiento, con una débil floración.

El potasio, para la resistencia

El potasio (K) completa la acción del nitrógeno en el crecimiento. Actúa en las raíces y en los tejidos y tiene un efecto endurecedor. Este elemento aumenta la resistencia al frío y a la sequía. Influye en la coloración y en la longevidad de las flores y en la calidad gustativa y el crecimiento de los frutos.

Los elementos secundarios

Además de los tres «alimentos mayores» NPK, un fertilizante completo debe comprender otros elementos llamados «secundarios». El azufre (S) combina su acción con la del nitrógeno. El calcio (Ca) mejora la fisiología de la planta. El magnesio (MgO) entra en la composición de la clorofila, y es particularmente apreciado por las flores y los rosales.

Le sigue una lista de oligoelementos que intervienen de forma compleja, pero con un peso importante, en el desarrollo de los vegetales.

La utilización del abono

La frecuencia de su utilización depende de los componentes y la presentación de los productos. Se incorporará en la plantación un abono de fondo rico en P y K cuando se vaya a trasplantar. Los abonos nitrogenados, de acción rápida, tendrán que renovarse a menudo porque se asimilan rápidamente y desaparecen con el agua del riego. Hoy en día la tendencia son los abonos de liberación lenta, que se dispersan progresivamente según las necesidades de la planta. En un balcón se recomienda la utilización de este tipo de fertilizante, en forma de barritas o granulado.

El riego automático puede contener un difusor de abono soluble, que permite una nutrición regular y no precisa de su intervención. Ganará tiempo y evitará correr el riesgo de un olvido.

En un balcón utilice abono para «geranios» para las flores, abono «tomatera» o «fresal» para las verduras y los frutos y abono «rosal» para todos los arbustos con flores.

Los abonos orgánicos

Estos productos los proporcionan los seres vivos vegetales o animales. Pueden ser simples (sólo un elemento fertilizante): huesos secos o triturados, sangre seca, restos de plumas de aves, cuero de bovinos, etc., o compuestos (varios elementos fertilizantes): torta de orujo, guano, residuos de remolacha, etc.

La acción de los abonos orgánicos es lenta, porque sólo pueden ser asimilados tras ser transformados por los microorganismos del suelo.

Los abonos de síntesis

Los llamados «abonos químicos» son los más corrientes y fáciles de utilizar. Muy equilibrados, se adaptan a las necesidades específicas de los cultivos y, a veces, incorporan insecticidas.

La liberación de nitrógeno puede ser rápida o retardada.

Pastilla de larga duración: seis meses de nutrientes. ▷

▼ Respete la dosis recomendada por el fabricante.

▲ El abono para las hojas se presenta «listo para el empleo».

LOS DIFERENTES TIPOS DE ABONO

*Los centros de jardinería
proponen un abanico muy
completo de abonos destinados
para plantas en macetas.
Aunque los fertilizantes líquidos
parece que sean los de más fácil
utilización, las otras fórmulas
también ofrecen ventajas, según
las condiciones de uso, el volumen
de los recipientes, su accesibilidad
y las plantas que contengan.
Elija un amplio surtido
de abonos para cubrir todas
sus necesidades.*

▲ El abono líquido es el que más se utiliza en balcones, ya que es fácil de emplear y el recipiente es muy práctico.

Consejo: Respete las dosis indicadas por el fabricante que aparecen en el embalaje. Una dosis más elevada no será beneficiosa para la planta; por el contrario, puede ser fatal. Cuando prepare una solución con polvo o líquido, utilícela como máximo durante los 8 o 10 días siguientes.

Los abonos líquidos

En el caso de los recipientes con reserva de agua, vierta el producto en la abertura destinada al agua, el abono caerá en el depósito y se mezclará con ésta. Para los cultivos más clásicos, puede diluir el abono líquido en una regadera y repartirlo directamente sobre la tierra.

Otra opción consiste en vaporizarlo sobre las hojas con un pulverizador, en este caso se trata de abonos foliares. La dosis depende de la composición y de la marca pero, en general, se aconseja poner uno o dos tapones por cada 5 l de agua. Una vez por semana es suficiente.

◀ Los abonos sólidos son de acción lenta.

Los abonos solubles

En principio son más concentrados que los anteriores y se encuentran en forma de polvo o pequeños cristales que se diluyen en el agua.

Estos abonos se aplican al regar directamente en la base de los vegetales o aplicándolos sobre las hojas. Es necesario agitarlos bien antes de su uso. Una variante consiste en una pastilla colocada en el capuchón del vaporizador o en el receptáculo de una pistola pulverizadora.

También puede ser efervescente y se diluye en el agua de la regadera. La frecuencia de empleo es más o menos la misma que la de los abonos líquidos. Aplíquelos de forma progresiva durante el período que va de marzo a octubre.

Abonos en barritas

Su utilización es aún más simple, pues sólo debe clavar la barrita en la tierra de la maceta y su eficacia dura unos dos meses. Su principal defecto es que todo el abono se concentra en un punto y, si no se riega a menudo, no se esparce bien.

Muchas barritas son nutritivas e insecticidas al mismo tiempo, así, a la vez se lucha contra los parásitos.

El número de barritas necesarias va en función del tamaño del recipiente (generalmente una por cada 15 cm).

Estos abonos son adecuados para macetas con un volumen medio, así evitará tener que colocar gran cantidad de ellas. Para las jardineras utilice barritas más duras y más grandes.

Dados aglomerados

Este sistema lo utilizan los profesionales desde hace mucho tiempo, y ahora también está disponible para las plantas en macetas.

Consiste en unos dados pequeños compuestos por bolitas de abono endurecidas y aglomeradas en forma de cono truncado. Se hunden en la tierra de la maceta, como las barritas, y van soltando los elementos

nutritivos según las necesidades de la planta. No se inquiete si su aspecto parece no variar a medida que van pasando los meses. Los dados siguen compactos pero distribuyen el abono eficazmente.

Los abonos granulados

Son bastante económicos y se utilizan mucho para jardines y macetas o jardineras de gran capacidad.

Primero se esparcen sobre la tierra húmeda del recipiente e inmediatamente hay que regarlos y enterrarlos con un cultivador. De este modo, se favorece su dispersión. Su conservación es más delicada que la de los abonos líquidos. Para mantener todas sus propiedades, utilice un embalaje una vez abierto el paquete.

Los abonos minerales

Son sustancias minerales extraídas del suelo, como el potasio o los fosfatos naturales. No tiene sentido utilizarlos en jardineras, puesto que es preferible adquirir estos elementos asociados a fórmulas de abonos completos que ya se encuentran listos para emplear.

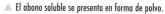

▲ El abono soluble se presenta en forma de polvo.

▲ El abono soluble se coloca en la pistola de pulverización.

▲ La sangre seca es un abono natural con mucho nitrógeno.

◄ Un fertilizante completo mineral de síntesis: el abono «geraniums» en polvo.

LOS ABONOS DE LARGA DURACIÓN

Reciben este nombre aquellos abonos que liberan lentamente o de forma retardada el nitrógeno. Esta técnica permite que la planta se autoabastezca de los elementos nutritivos en función de sus necesidades, sin que haya riesgo de quemaduras. La mineralización se produce progresivamente y la pérdida, al regar, es mínima. Los abonos que antiguamente se llamaban «retardadores» ahora se llaman de «liberación lenta» porque contienen modalidades diferentes de nitrógeno de mineralización progresiva. Su utilización es interesante ya que limita los aportes. La duración de nutrición de la planta varía según la fórmula, pero normalmente es de tres a seis meses. Estos abonos se utilizan en el momento de la plantación o en primavera. En este caso, sólo necesitan renovarse en otoño en plantas vivaces y arbustos. Son completos y contienen, a menudo, aportes en oligoelementos.

◄ Aporte de abonos granulados de lenta difusión.

LAS HERRAMIENTAS

El kit básico para el perfecto jardinero de balcón o terraza no debe constar de un gran surtido de materiales sofisticados. El cultivo y mantenimiento a menudo se practican a escala humana. Necesitará artículos de tamaño pequeño, lo que le facilitará su posterior empleo y almacenamiento.

▲ Tiene a su disposición gran cantidad de herramientas y accesorios para trabajar agradablemente en la terraza.

Consejo: Una toma eléctrica exterior parece indispensable en un balcón o terraza. Servirá para la iluminación, pero también para enchufar las herramientas eléctricas, como un aspirador o una podadora de setos. Elíjala hermética y con toma de tierra.

◄ El plantador es muy útil para los bulbos.

Una decena de herramientas son suficientes para mantener y acondicionar el limitado espacio de un balcón o terraza. En el caso de un antepecho de ventana, el material se reduce a la mitad.

El precio de estas herramientas es asequible; intente evitar el empleo de tenedores o cuchillos de cocina.

El desplantador

Tiene la forma de una pequeña pala y sirve para remover la tierra, plantar y trasplantar. Utilícelo para desplazar pequeños vegetales sin dañar el terrón y las raíces.

A final de temporada, le servirá para vaciar la tierra de la jardinera, evitando así manipulaciones incómodas.

Cuando se disponga a plantar, sostenga la herramienta verticalmente, orientando la parte cóncava hacia usted. Húndala hasta el mango, tire hacia usted y deslice la planta hacia el agujero.

Después, rellene el agujero con la tierra y comprímala con los dedos.

Los modelos más sólidos son de acero forjado, y sus máximos competidores son los de resina sintética y fibra de vidrio, muy resistentes, más ligeros y de fácil mantenimiento.

El plantador

Es una herramienta en forma de cono alargado que sirve para el trasplante de plantas jóvenes con raíces desnudas o para la siembra de semillas grandes.

Para los bulbos, utilice un plantador plano y así no formará en la tierra una cavidad en forma de cono, que dejaría la base de la «cebolla» en el vacío, sin contacto directo con la tierra.

El plantador de bulbos

De forma cilíndrica, su base tiene muescas para penetrar mejor en la tierra. Permite cavar un agujero redondo, con fondo plano, y

LOS ACCESORIOS ÚTILES

Son pequeños detalles que le facilitarán las cosas. Tenga siempre a mano un paquete de sujeciones para fijar una rama que se cae o atar un ramo a un tutor. Etiquetas de madera o de plástico, con su lápiz correspondiente, que le permitirán recordar la época de plantación o las diferentes plantas. Apunte en un pequeño bloc las fechas y características de sus cultivos, y no olvide anotar los aportes de abono, los tratamientos y sus proyectos para la próxima temporada.

▼ *Las sujeciones automáticas siempre sirven.*

▼ *Las etiquetas son útiles y decorativas.*

Un cesto sirve para transportar las herramientas más útiles. ▶

quedará en el interior de la herramienta la tierra que se ha retirado. Una vez colocado el bulbo, agite el plantador para que la tierra caiga sobre la «cebolla» y la tape nuevamente.

Existe un modelo articulado muy práctico: la empuñadura se abre al presionar con el pulgar y entonces libera la tierra.

La azada y el cultivador de mano

La azada está formada por un hierro rectangular, perpendicular al mango. Se utiliza para mover la tierra en la superficie y mullirla.

El cultivador está formado por tres o cinco dientes curvados que sirven para limpiar la tierra, airearla y arrancar las raíces de las malas hierbas.

A finales de año, estas herramientas le permitirán retirar la capa de tierra muerta y la costra de sales minerales que da un aspecto blanquecino a la tierra.

Existen algunos modelos que pueden combinar las dos funciones, con un elemento en cada extremo del mango. Sólo tendrá que girar el objeto para utilizar una u otra herramienta. En este caso recibe el nombre de almocafre, y tiene por un lado dos o tres dientes y por el otro una lámina rectangular o puntiaguda.

Las tijeras de poda

Es la herramienta básica del jardinero. Sirve para cortar las ramas y los tallos estropeados, demasiado abundantes o mal colocados.

Elija un modelo manejable y ligero, pero fíjese en que las hojas no estén integradas en la herramienta, pues las tijeras de poda de una sola pieza son de dudosa calidad.

Existen tijeras con un sistema de reducción del esfuerzo (como las de la fotografía) que se aconsejan para todos los aficionados.

▲ El desplantador, para colocar las plantas jóvenes.

▲ El plantador de bulbos: para las «cebollas» grandes.

◀ Las tijeras de podar deben adaptarse a la longitud de su mano.

◀ Utilice las tijeras para bonsáis para cortes precisos.

El rastrillo

De pequeñas medidas, permite uniformizar la tierra, recoger los restos vegetales, las hojas y las flores marchitas. No lo elija demasiado ancho, los que tienen cinco dientes ya son suficientes, pues pueden pasar entre las plantas sin estropearlas.

Igual que el cultivador, sirve para mullir la tierra, pero en la superficie (1 o 2 cm, no más). Para una terraza, utilice un modelo común, con trece dientes, ya que las superficies son más importantes. El rastrillo puede llamarse «escoba» si consta de dientes planos y flexibles. Entonces, su uso va dirigido a la recogida de restos, sobre todo de hojas muertas.

El pulverizador

Puede utilizarse para las vaporizaciones, pero también para los tratamientos. Use el mismo pulverizador para regar y para los tratamientos, pues en un balcón prácticamente no utilizará los productos químicos para desherbar.

Elíjalo en función de la magnitud del lugar y la importancia de las plantas. Para una ventana es suficiente un vaporizador de

Tijeras de jardín

Menos finas, pero más precisas que las de cocina, las tijeras de jardín sirven para cortarlo todo.

Son el complemento de las de poda y pueden utilizarse para cortar las partes más flexibles o poco duras.

Algunos modelos disponen de un sistema para cortar alambres. Son muy útiles para el balcón, sobre todo en el momento de colocar vallas o paravientos.

Las tijeras de jardín no deben abandonar nunca su bolsillo, ya que las necesitará constantemente, incluso para cortar las flores marchitas.

También puede utilizar tijeras para bonsáis, que tienen la ventaja de realizar cortes precisos y limpios, gracias a sus hojas cortas y puntiagudas. Estas tijeras, dotadas de mangos que rodean los dedos, son de fácil manejo. También existen modelos más pequeños que pueden utilizarse para cortar ramas pequeñas o muy apretadas.

Elija los modelos que provienen de Japón, son los únicos que ofrecen una excelente calidad.

▲ Las tijeras de jardín son perfectas para cortar flores.

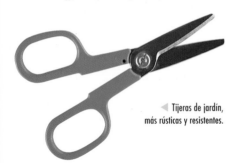

◀ Tijeras de jardín, más rústicas y resistentes.

> **GUARDAR CORRECTAMENTE LAS HERRAMIENTAS**
>
> Aunque no ocupen mucho espacio, las herramientas deben estar bien ordenadas, resguardadas y al alcance de la mano. Utilice un mueble pequeño, una maleta o un cofre viejos a los que se les haya aplicado un tratamiento para resistir la intemperie. Colóquelo en un rincón de la terraza, en un lugar accesible pero camuflado, o dentro de casa, cerca de un lugar de paso. El mueble le permitirá guardar los productos tratantes, los abonos y los restos de tierra. Tal vez le acabará resultando pequeño.

MANGO INTERCAMBIABLE

Muchas marcas proponen herramientas con mangos intercambiables que cubren las diferentes tareas que se realizan en espacios reducidos de un jardín.

Es una gama de herramientas con diversas funciones como el almocafre, la escoba, el cultivador, el desplantador o, incluso, la sierra. Todas se adaptan a un mismo mango, hecho que nos facilita mucho las cosas. Este mango puede tener, según las herramientas, una longitud de 20 a 30 cm, de 80 cm o incluso de 100 a 170 cm.

Existe un modelo especial regulable, que abarca desde los 45 a 75 cm y otro de los 58 a los 98 cm.

Los sistemas de sujeción varían según las marcas. A un extremo, la herramienta tiene una parte plana con una cavidad que se acopla al mango y queda fijada. Emplean el mismo sistema que los cinturones de seguridad de los coches, con un botón a presión. Otra versión consiste en una parte redondeada que se encuentra en la base de la herramienta, la cual se acopla a la cavidad del mango y se fija, gracias a un botón con muelle que se aprieta fácilmente.

Pruebe diferentes modelos y elija el que más le convenga, sepa que todos son resistentes.

▲ Un pulverizador es indispensable para los tratamientos.

▲ El rastrillo descompacta superficialmente la tierra.

0,5 a 1 l, siempre y cuando disponga de un cabezal de calidad para asegurar la distribución de los líquidos antiparásitos. Si no, opte por un pulverizador a presión de 2 o 3 l; o mejor aún, uno de los nuevos modelos eléctricos.

Los tutores

Se presentan en forma de escaleras o arcos de plástico que deberá fijar en la tierra de la jardinera, para sostener las plantas trepadoras.

Para las vivaces, puede elegir entre tutores de bambú, de sección y altura variable, o de plástico, generalmente verde, que tengan un diámetro de 8 a 16 mm y una longitud de 50 a 200 cm.

Algunos modelos son ajustables y pueden «crecer» al mismo tiempo que la planta. Otros están recubiertos con fibras de coco para retener el agua por capilaridad y humedecer las plantas.

Otras herramientas

De utilización menos frecuente, se emplean sólo en casos específicos y puede que ya se encuentren en el kit básico.

Las tijeras para podar setos le permitirán cortar las coníferas y la lavanda, recortar las plantas vivaces o disminuir el volumen de las plantas trepadoras. Deben ser ligeras, flexibles y, sobre todo, tienen que disponer de un tope para evitar causar heridas al cerrarlas.

Si necesita una sierra, elija un serrucho con dientes puntiagudos y que sea plegable; así lo podrá guardar con más facilidad.

La navaja permite a los aficionados realizar con mayor pericia la propagación por esqueje e injertos.

Aquellos que no se quieran arriesgar la pueden usar para cortar hilos, nudos o retirar las flores marchitas. Pero para este uso es preferible emplear unas tijeras que permitan cortar la flor, manteniéndola, después retirar las espinas y aplastar el extremo de los tallos para que se conserven mejor en un jarro.

Las cizallas son muy útiles para dar forma al boj (cono o bola). Pueden utilizarse también para cortar la lavanda, las santoninas y las plantas vivaces demasiado rígidas. Se aconsejan los modelos con hojas tratadas con productos anticorrosivos.

Las tijeras de podar para cortar las plantas vivaces. ▷

▲ El cuchillo para el desyerbe sirve también para mullir.

LA PODA

La poda es una intervención frecuente en la jardinería de un balcón. Siempre hay un tallo, un brote o una flor que hay que eliminar. Poda de limpieza, poda para equilibrar y poda de formación. Sea la que sea, tenga siempre a mano unas buenas tijeras de poda.

Consejo: La posición del nudo por encima del cual corta indica la orientación de la futura rama. Si corta por arriba de una yema dirigida hacia la derecha, la rama crecerá en esa dirección. Indispensable para formar el arbusto.

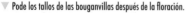
▼ Pode los tallos de las bouganvillas después de la floración.

▲ En un balcón, la poda sirve para limitar el desarrollo de las plantas y para equilibrar su forma.

Para alguien que no sea profesional, podar puede parecer una mutilación inútil. Después de todo, las plantas no sufren por su tamaño. Pero, ¿las ha observado con cuidado? En poco tiempo, un arbusto puede estropearse de la base, presentar una forma asimétrica y llenarse de leña.

En el jardín y, sobre todo, en el balcón, la estética es muy importante. Las plantas deben mostrarse con sus mejores galas. La

LA PODA CON FORMA

El arte de podar dando forma a las plantas consiste, a través del empleo de diferentes técnicas e intervencio-

◀ *Un boj podado en cono es muy elegante.*

nes, en crear siluetas que recuerdan formas conocidas.

Las más simples son las bolas, los conos y las espirales. Pero también se pueden crear siluetas de animales, de figuras de ajedrez u otros motivos. En un balcón aportan un toque elegante pero no abuse de su presencia.

Colóquelos en puntos estratégicos: en la entrada, la salida y

los desniveles. El boj y el tejo son las plantas más utilizadas. Haga dos podas al año, en abril y en octubre.

▼ *Empalizada sobre un armazón.*

poda servirá para eliminar las partes enfermas, muertas o rotas y para limitar el desarrollo de las ramas de proporciones considerables, pero, sobre todo, para estimular la floración o la formación de brotes jóvenes y coloreados en algunos arbustos.

Reglas básicas

Podar provoca una reacción estimulante en la planta, la cual, normalmente, reacciona con un crecimiento más vigoroso. Está comprobado que un buen desmoche acentúa la fuerza de crecimiento.

En consecuencia, podaremos más cortas las plantas menos vigorosas. Aunque pueda parecer extraño, debemos tenerlo muy en cuenta.

La poda se realiza normalmente después del período de floración, de no ser así, se eliminarían gran parte de las flores.

Para podas extremas, la mejor época es la de invierno, cuando la planta se encuentra en reposo vegetativo. Se debe cortar siempre por encima de las yemas.

En las plantas con hojas alternas, por ejemplo las lilas, corte horizontalmente por encima del par de nudos.

En las plantas con las hojas alternas, que son las más numerosas, como el rosal o los frutales, por ejemplo, corte en bisel en el lado opuesto al nudo, de manera que la parte superior del corte esté dirigida en el mismo sentido que el nudo (foto de abajo). Esto permite que el agua de la lluvia fluya sin peligro de ahogar la yema. La parte restante, entre el nudo y el corte, debe medir unos 5 mm.

Utilice siempre herramientas bien afiladas y con hojas desinfectadas regularmente. Esta precaución, aparentemente sin importancia, es una de las mejores maneras para evitar la propagación de graves enfermedades, por ejemplo el chancro.

La poda en el balcón

La intervención más frecuente en un balcón o terraza para limitar el desarrollo de una planta es la poda. El espacio es limitado y cada especie debe contentarse con el emplazamiento que tiene.

Si algunas ramas crecen más de lo necesario y crean problemas de espacio, la mejor solución es cortarlas. Estas intervenciones las puede realizar en cualquier momento porque se efectúan en brotes jóvenes. Es el caso de las plantas trepadoras con más fuerza, como las bouganvillas o las pasifloras.

También conviene podar para suprimir todas las partes marchitas o estropeadas de la planta, de manera que la plantación conserve una estética agradable.

Si observa gran cantidad de leña, debe contemplar la posibilidad de cambiar la planta de maceta o trasplantarla en plena tierra, porque quizás el recipiente es demasiado estrecho.

La poda debe ser sistemática para todos los arbustos que florecen con brotes anuales, como los rosales, la budleya o lila de verano, el hibisco o rosa de Siria, la fucsia o incluso el geranio *(Pelargonium)*. Se realiza a finales de verano con la intención de dejar un mínimo de madera vieja para que la planta siga compacta.

Pode también para equilibrar la silueta de las plantas, respetando su porte natural y cierta simetría. Debe realizarse desde que la planta es muy joven para orientarla hacia una forma equilibrada.

Aproveche también para despejar el centro de la mata, así el sol podrá penetrar y se favorece la formación y el completo desarrollo de los botones florales.

La poda provoca ramificaciones y siempre desempeña un papel importante en la floración.

◁ Corte siempre en bisel, por encima del nudo.

▽ *Un soporte trenzado para la planta de la judía.*

▽ Corte el *Hibiscus syriacus* muy corto a finales de verano.

La poda de mantenimiento

Es una de las intervenciones más importantes para asegurar el éxito de todos los cultivos en macetas.

Consiste en impedir el desarrollo desorganizado de las plantas de manera que se mantengan siempre en cierto equilibrio dentro del recipiente.

La poda de mantenimiento también tiene como objetivo eliminar las partes muertas o enfermas de las plantas, por ejemplo, los rosarios de pulgones que suelen amontonarse en primavera sobre los brotes jóvenes.

También sirve para mantener unas proporciones razonables en el interior de la jardinera, ya sea una plantación monoespecífica (una sola especie representada por varios individuos en un mismo recipiente) o la asociación de diferentes plantas.

En definitiva, es una operación de limpieza, con la eliminación sistemática de flores marchitas y de brotes inútiles o demasiado abundantes.

Puede realizar la poda de mantenimiento en cualquier época del año, aunque ésta es necesaria cuando las plantas la requieran. Se trata, básicamente, de cortar los extremos de las ramas.

Corte los geranios para que se ramifiquen bien. ▷

Para ello tenga siempre a mano unas tijeras de poda, ya que la poda de mantenimiento no es una acción deliberada, sino una reacción ante una situación precisa. Mientras riega sus cultivos o los abona, puede decidir si es necesario podar o no. Es decisión y responsabilidad del jardinero, teniendo en cuenta que no existen dos plantas iguales. Cada jardinera se considerará un jardín que usted podrá modelar a su gusto.

Una cura de rejuvenecimiento

La poda también permite el rejuvenecimiento de los arbustos, ya que elimina las ramas viejas (corteza gris o marrón oscuro, a menudo agrietada), en beneficio de los brotes jóvenes (corteza verde o marrón claro, en general lisa).

En este caso, realizaremos una poda más severa, que es preferible realizar en invierno, ya que en esta época se aprecia mejor la silueta de la planta y los diferentes tipos de ramas.

Las plantas cultivadas en macetas u otros recipientes envejecen peor que las de jardín. Por esta razón, debe eliminar todas las ramas de más de tres años, que ya no forman parte de la estructura de la planta (tronco o tallo principal y ramas madre). El corte a ras de tierra es la poda más dura, pues consiste en cortar toda la parte aérea al nivel del suelo.

Es más frecuente realizar este tipo de poda en un balcón que en el jardín, sobre todo con los arbustos que forman fácilmente retoños (groselleros, forsitias) y las plantas vivaces.

Puede darse el caso que este tipo de poda conlleve la ausencia de floración durante un año, pero es la única forma de conservar el buen aspecto de algunos vegetales que tienden a estropearse por la base o que crecen demasiado.

No debe practicarse cada año, lo aconsejable es cada dos o tres años. Este tipo de poda no suele realizarse en plantas de hoja perenne a las que recortaremos las ramas a medida que se vayan estropeando.

DAR FORMA A UNA PLANTA SOBRE EL TALLO

La poda tiene un papel fundamental cuando se trata de dar forma a las plantas. Para obtener un tallo, hay dos soluciones: o lo podamos o lo injertamos. Este último caso se emplea sobre todo en rosales y árboles frutales. La poda para obtener un tallo estilizado consiste en privilegiar la yema terminal de una planta joven. Esta acción garantiza el crecimiento de la planta.

Elimine todos los brotes laterales hasta que llegue a la altura que usted pretenda. Cuando el tallo esté formado, pince la extremidad para provocar ramificaciones. En las anthemis o margarita leñosa o bien los crisantemos, los pinzamientos se repiten varias veces, para que se forme un ramaje diversificado que dará muchas flores. Para ofrecer rigidez al tallo utilice un fertilizante rico en potasio.

Una bonita anthemis sobre tallo. ▷

Estimular la floración

Uno de los principios más importantes de la poda es el de mantener la ramificación constante de las ramas de los vegetales. Las plantas superiores pertenecientes al grupo de las dicotiledóneas (que incluye a la mayoría de los arbustos ornamentales y plantas vivaces) presentan un tipo de crecimiento dicotómico. Esto significa que normalmente los brotes crecen por parejas.

La poda de una rama representa la aparición de dos brotes laterales (uno a la derecha y otro a la izquierda), formados por los dos nudos situados en la base del corte. Es sólo en invierno cuando estos pares de brotes pueden verse, especialmente en las especies de hoja caduca.

Los brotes laterales son casi siempre los que florecen (y, en consecuencia, fructifican), aunque no son los más fuertes debido a su posición oblicua.

Provocar múltiples ramificaciones es, a menudo, el único procedimiento que resulta eficaz para conseguir una planta más vigorosa y, por lo tanto, hacerla florecer con mayor abundancia.

En los cultivos de balcón o de terraza, este fenómeno no es tan frecuente como en el jardín; sin embargo, debe vigilar el uso de fertilizantes y la riqueza en humus del sustrato, ya que tienden a crear una sobrealimentación de nitrógeno. La presencia de este elemento nutriente estimula el desarrollo de las hojas y los tallos, en detrimento de la floración de la planta.

Se recomienda una poda sistemática en primavera para todas las especies que florecen con brotes anuales. Por el contrario, aquellas que forman los botones florales de una temporada a la otra, como los rododendros, no es necesario podarlas.

LA ELECCIÓN DE LOS TUTORES

Los tutores deben ser elementos muy discretos o decorativos. En los comercios existe gran cantidad de tutores desde los de bambú estándar hasta las arquitecturas más complicadas. Lo importante es que sean sólidos, resistentes a la intemperie y que conjuguen armónicamente con el decorado. Atención a los tutores demasiado delgados, cuesta que se aguanten derechos en las macetas.

▼ *El surtido de tutores es muy amplio.*

▼ *Ideal para las lianas: tres tutores en triángulo.*

▼ *Decorativa: la columna de mimbre trenzado.*

▼ Poda de mantenimiento de un laurel en forma de bola.

▼ Corte y queme los brotes con pulgones.

LA MULTIPLICACIÓN

Aunque la postura más fácil sería dejar en manos de profesionales el cuidado de las plantas de nuestro balcón, a todos nos gusta jugar a ser aprendices y dar vida a diferentes especies que después mostraremos orgullosamente a nuestros amigos.

▲ La propagación por esqueje en el agua (en este caso de una plectranthe) es muy simple, y se aconseja a los principiantes.

Consejo: **Aproveche la operación de poda para utilizar como esquejes las ramas jóvenes que acaba de cortar. De esta manera, evitará mutilar inútilmente sus jardineras y dispondrá de abundante materia prima que le proporcionará grandes satisfacciones.**

Reproducir las plantas es uno de los mayores placeres de la jardinería, porque podemos seguir, paso a paso, la evolución del cultivo; la sensación de éxito, que se tiene cuando crece, es maravillosa.

Los vegetales superiores se propagan sexualmente después de la fecundación de las flores y la formación de las semillas. Se trata de la siembra.

Tienen la facultad de poderse regenerar espontáneamente desarrollando raíces en determinados fragmentos de la planta (propagación por esqueje o acodo), por división del cepellón o a través de injertos.

La multiplicación vegetal permite que las plantas nuevas tengan las mismas características que la planta madre, así, no tendrá sorpresas desagradables.

PROPAGACIÓN POR ESQUEJE DE PRIMAVERA

Las plantas con tallos tiernos como las anthemis, las dalias, los crisantemos, etc., se multiplican fácilmente en primavera (de marzo a mayo). Normalmente, esta técnica recibe el nombre de propagación por esqueje herbáceo, ya que las ramas tienen una textura muy flexible.

Los esquejes se sacan de las plantas madre que teníamos en casa o en la galería (temperatura ambiente media de 15 ºC y riego regular). Los brotes jóvenes que acaban de salir son los que nos servirán de esquejes. Cortados por debajo de una hoja, miden entre 6 y 10 cm de longitud.

Retire las hojas de los esquejes (3/4 de su longitud). Se trata de la preparación. No arranque las hojas, córtelas con unas tijeras pequeñas o con una navaja. Hay que eliminar, más o menos, un tercio del limbo de las hojas que se han conservado. Es importante para que los esquejes carnosos no se marchiten.

Clave cada brote en un sustrato ligero (tierra de siembra o mezcla de arena y turba rubia) y entiérrelos hasta las primeras hojas. En el recipiente, los esquejes deben estar separados unos 10 cm para que no se toquen. Riegue y tape con un plástico transparente.

▼ Corte un tercio de las hojas.

▼ Plante los esquejes profundamente.

▼ Lo ideal es un pequeño invernadero.

LA PROPAGACIÓN POR ESQUEJE DE VERANO

Es una técnica que se realiza desde mediados de agosto hasta finales de setiembre. Este período coincide con el endurecimiento de los tejidos que se lignifican antes del invierno. El esqueje de verano está indicado, sobre todo, para arbustos y coníferas.

Se puede realizar, también, en muchas plantas de balcón, como las fucsias, los pelargonios y los heliotropiums.

Los esquejes se obtienen a partir de los tallos jóvenes, cortados por debajo de una hoja de la cual se extraen 3/4 partes de su longitud. A veces, el limbo se reduce un tercio. En la base de los esquejes disponga polvo de hormonas para estimular la formación de raíces. El empleo de este producto condiciona el éxito de esta operación, sobre todo cuando se trata de arbustos. Clave los esquejes (la mitad de su longitud) en tierras semiarenosas. Riegue y póngalos debajo de una capa de plástico.

▼ *Utilice hormonas.*

▼ *Cree un sustrato ligero, arenoso.*

▼ *Plante cada esqueje en un cubilete.*

Técnicas de propagación por esquejes

La propagación por esquejes consiste en separar de la planta madre algunos fragmentos de tejidos (células, tallos, raíces, hojas) que después se colocarán en determinadas condiciones para que desarrollen raíces y, de este modo, formen una nueva planta autónoma.

Para las plantas de balcón, la propagación por esquejes de ramas es la más corriente. Siempre se trata de partes jóvenes, tomadas de las extremidades de los tallos.

Es preferible que los brotes que utilice como esquejes no hayan florecido. Deben ser rectos, respetar las características de la planta madre (forma y color de las hojas) y, claro está, no deben presentar síntomas de ninguna enfermedad. En función de las plantas los esquejes de ramas miden entre 10 y 20 cm de longitud.

En la práctica, puede hacer que los esquejes arraiguen en un suelo ligero y poroso (una mezcla de arena y de turba, mitad y mitad, es lo ideal) o directamente en el agua. Pocas plantas de exterior lo consiguen con esta técnica.

Pruébelo con impatiens, fucsia, pelargonium o geranio y laurel americano. Obtendrá un resultado excelente si añade en un volumen de un vaso de agua dos o tres gotas de abono orgánico. No deje que las raíces se desarrollen durante mucho tiempo en el agua, su estructura es diferente a la de las raíces que se forman en la tierra (las primeras son más delicadas, translúcidas, con más tendencia a la putrefacción).

Los esquejes se replantan en un sustrato ligero (tierra para la siembra o una mezcla en proporciones de un tercio de tierra clásica, arena y turba). Debe mantenerlos en un lugar resguardado mientras desarrollan nuevos brotes, esto es síntoma de un enraizamiento definitivo.

La propagación por esquejes con hojas no es muy frecuente en los cultivos de exterior. Entre las plantas de balcón, sólo algunas begonias y tolmieas pueden reproducirse de esta forma. Es una técnica muy delicada y que debe realizarse obligatoriamente en casa, en un pequeño invernadero. Los fragmentos de hojas son muy sensibles a la putrefacción, por lo tanto, es imprescindible regular el punto justo de humedad (suelo y ambiente).

La propagación por esquejes con raíces se realiza en plantas vivaces, básicamente amapolas y altramuces. Es fácil coger fragmen-

▲ El laurel americano echa raíces en el agua en dos meses.

El trasplante de esquejes es una operación delicada. ▷

tos de unos 6 o 7 cm de longitud en el momento del trasplante de grandes matas o de su fragmentación. Los esquejes arraigan en la arena.

Los acodos

Se trata de técnicas de multiplicación vegetativa que consisten en provocar el enraizamiento de una parte de una rama sin que ésta haya sido separada de la planta madre. Ésta es la característica que diferencia, en principio, los acodos de la propagación por esquejes.

Es evidente que un acodo tiene muchas posibilidades de éxito, pues la parte que debe reproducirse sigue alimentándose con savia. Pero hay que tener en cuenta que esta técnica no se puede realizar en todas las plan-

EL ACODO AÉREO

Esta técnica se practica sobre todo con philodendros. También ofrece buenos resultados en las lilas. Es una manera de rejuvenecer este arbusto que tiende a crecer demasiado en altura y se estropea por este motivo. Haga una incisión oblicua en la corteza de una rama desnuda, sin cortar la madera más de 1/3 de su diámetro. Ponga polvo de hormonas en el corte y envuélvalo todo con un envoltorio de musgo húmedo.

▼ *Una bolsa de plástico para contener el musgo.*

▲ Seleccione la rama que vaya a acodar.

▲ Elimine las hojas de la parte que vaya a enterrar.

▲ Sujete el acodo en la tierra con un alambre.

▲ Coloque tutores en la extremidad del tallo acodado.

tas y hay que saber que se obtiene una cantidad bastante limitada de nuevas plantas. Los acodos se realizan normalmente en un lecho de tierra, y sólo se utiliza en determinadas plantas como las trepadoras o especies que tienen los tallos muy flexibles. Los profesionales practican los acodos del membrillo, de avellaneros e injertos de manzanos y perales, pero es una técnica apremiante para la planta, que desaconsejamos a los principiantes.

En un balcón, todos los acodos se realizan en macetas o jardineras, pero pueden aplicarse las mismas técnicas para los jardines.

• **El acodo simple de arco** es el que más se practica. Se trata de doblar un tallo en la tierra para que la parte enterrada forme raíces unos meses más tarde.

Quite todas las hojas de la parte del tallo que estará en contacto con la tierra (calcule una longitud de unos 30 cm).

No utilice nunca el extremo del brote porque éste estará siempre al aire libre y ayudando a que la savia circule.

Con una cuchilla de afeitar o una navaja muy afilada, haga una incisión superficial en la corteza, a la altura de las hojas que han sido eliminadas.

Cave unos 10 cm en la tierra de la maceta o jardinera y entierre el acodo. Fíjelo en el lugar con una grapa metálica (una pinza para el pelo puede servir perfectamente), después recubra con el sustrato (un terreno arenoso es ideal).

A continuación, enderece el extremo del tallo y fíjelo a un tutor, sin apretarlo. Finalmente riegue abundantemente.

• **El acodo serpentario** es una variante de la técnica precedente, utilizada en tallos muy largos. Debe realizarse en una jardinera, ya que consiste en enterrar varias veces el tallo, dándole una forma ondulada, como «una serpiente». Cada parte enterrada dará lugar a una planta nueva. Realice la acodadura en primavera y separe los acodos de la planta madre en otoño.

Las siembras

Pocas veces se piensa en las siembras para los cultivos de balcón y, en cambio, es el método más económico para obtener gran cantidad de plantas *(ver páginas 70-71)*. Algunas especies (guisantes de olor, clarkia, capuchina, nigella o arañuela, etc.), que no toleran los trasplantes, se siembran directamente en macetas o jardineras.

La siembra es una técnica fácil y productiva. También se utiliza para los huertos de balcón, pues es la única forma de cultivar la mayoría de las hortalizas.

Para tener éxito, no es preciso sembrar copiosamente y no dude en separar las plán-

tulas jóvenes para que se puedan desarrollar sin molestarse las unas a las otras. Es el caso de los rábanos, ya que si las plántulas están demasiado apretadas, las raíces no crecen. La mayoría de las flores precisa de una siembra y de un trasplante. La mejor solución consiste en esparcir las semillas en un recipiente con tierra para la siembra y cubrirlo con un cobertor de plástico. Le aconsejamos que compre un pequeño invernadero de plástico rígido, es barato y le será muy útil. Cuando las plántulas hayan desarrollado dos hojas verdaderas (las primeras que aparecen son los cotiledones), proceda al trasplante. Retire las plantas jóvenes con una madera bifurcada (no hace falta que los coja con los dedos), haga un agujero con un lápiz puntiagudo y entierre la planta unos 2/3 de su longitud. El sustrato debe ser una mezcla de arena, turba y tierra para geranios.

▲ Siembras de semillas recubiertas en una tarrina.

▲ Una hoja de papel doblado sirve de sembrador.

▲ La siembra en pastillas de turba, para las semillas grandes.

▲ Extraiga las plántulas lo más pronto posible.

LA DIVISIÓN DE LOS CEPELLONES

Esta operación de multiplicación está asociada con el rejuvenecimiento de los cultivos. Puede realizarse con todas las plantas vivaces cultivadas en macetas o en jardineras. Cuando el cepellón se desborde del lugar en el que ha sido emplazado, hay que dividirlo. Esta operación se realiza en primavera o en otoño. Empiece arrancando la planta con tierra y todo. Si las raíces son muy fibrosas y se separan fácilmente, separe los pequeños cepellones con la mano. En la mayor parte de los casos, es necesario cortar por la raíz, como si se estuviera partiendo un pastel. Sólo se deben conservar las partes más jóvenes y se eliminarán los elementos leñosos, duros y secos. Seguidamente replante cada pedazo como si se tratara de un nuevo individuo. Utilice siempre tierra completamente nueva.

▼ A menudo es necesario trocear la raíz.

▼ Se separa fácilmente.

EL SEGUIMIENTO DIARIO

El balcón o la terraza, aunque menos exigentes que el jardín, necesitan una atención diaria para que las plantas se mantengan en su mejor esplendor. Es cuestión de dedicar unos minutos diarios, unos gestos tan simples que se convierten en naturales cuando se sabe observar las plantas.

Consejo: Para el mantenimiento de las plantas en macetas y jardineras no deje que le venza la pereza, aproveche las pausas para beber un café o la hora del aperitivo para tomar aire durante un rato en el balcón. Puede ir a apreciar sus plantaciones y ofrecerles la atención que se merecen.

▲ La supresión de las flores marchitas y de las partes dañadas es un gesto muy sencillo y casi instintivo.

Si lo riega y fertiliza correctamente, una vez plantado, el decorado del balcón prosperará con rapidez.

Las plantas de temporada no necesitan muchos cuidados. Hay que observarlas cada día y probablemente la intuición le será más útil que las técnicas de jardinería más sofisticadas.

▌ *La limpieza, una evidencia*

En un balcón todo debe estar impecable. Las manchas de tierra producidas durante el riego desaparecen, inmediatamente, limpiándolas con una esponja. Lo mismo podemos decir si el agua se desborda del platillo y baña el suelo.

Los recipientes tienen un papel decorativo importante según el material con el que

▲ El hibisco florece durante más tiempo si está limpio.

hayan sido fabricados y también según el color. No obstante, en la ciudad, con la contaminación, suelen deslucirse con gran rapidez.

Los colores recuperarán todo su brillo si los limpia con un paño húmedo. No utilice ningún producto detergente, podría perjudicar a las plantas.

◀ No deje florecer las plantas con hojarasca (coleos).

Suprimir las flores marchitas

La limpieza habitual de las plantas consiste en eliminar las flores marchitas. Estéticamente esta acción es muy importante, pero también lo es el comportamiento de algunas especies.

Por ejemplo, los hibiscos o rosas de Siria tienen flores muy efímeras que, una vez marchitas, se repliegan formando un tapón. Si no las elimina regularmente, estas flores se convertirán en frutos y el ciclo vegetativo se habrá completado.

El resultado será que en lugar de una floración continua durante todo el verano, sólo conseguirá algunas semanas de máxima plenitud.

Si elimina las flores cuando acaban de marchitarse, obligará a la planta a producir más y nuevas, pues es una cuestión de supervivencia. Está «programada» para reproducirse y, mientras las condiciones sean favorables, irá floreciendo hasta que sus semillas se envuelvan con la capa protectora de las fructificaciones.

Puede eliminar las flores marchitas de distintas maneras. La más simple consiste en arrancar la flor pellizcándola con los dedos. Este sistema funciona muy bien con las plantas que tienen el pedúnculo floral articulado sobre una base frágil (por ejemplo, el hibisco o rosa de Siria), o en las que las flores sobresalen del cáliz (petunia). Para estas últimas es preferible utilizar unas tijeras porque, cuando se marchitan, se aja el extremo de algunas ramas y, consecuentemente, lo deberá cortar. En las petunias colgantes verá que a menudo los tallos son pegajosos, es normal, pero poco agradable; en este caso es mejor que utilice una herramienta.

En el caso de las dalias, la mayoría de las vivaces y los geranios, las inflorescencias son bastante rígidas y no se pueden eliminar con la mano. Las tijeras de poda son, en este caso, la mejor herramienta. Realice el corte a nivel de la primera hoja situada en la base de la inflorescencia.

Para los rosales también debe utilizar unas tijeras de podar, pero corte más abajo, por lo menos tres hojas por debajo de la flor. Esta «poda-limpieza» estimulará la aparición de flores nuevas.

El control de las malas hierbas

La lucha contra las malas hierbas es, a menudo, un trabajo arduo en los jardines, pero en los cultivos de balcón o terraza es prácticamente inexistente.

Las tierras que venden en los comercios, normalmente, son indemnes a los gérmenes de las plantas salvajes. La invasión se limita a las semillas que puedan traer el viento o los pájaros.

La mayoría son plantas anuales, especies que suelen desarrollar un sistema de raíces bastante débil. Por lo tanto, se trata de arrancarlas cuando aparecen y su eliminación es total.

Atención, en setiembre, a la vuelta de las vacaciones, hay muchas probabilidades de volver a encontrar algunas hierbas. Pero en los cultivos de este tipo no se pueden usar productos herbicidas.

Descompactar y airear la tierra (paliativo)

El riego frecuente compacta progresivamente la tierra de las jardineras. Este fenómeno de apelmazamiento se ve acentuado con el cambio del sustrato húmedo a seco. En verano, basta con medio día para que toda el agua sea absorbida (sobre todo en los cestos colgantes). La tierra se retrae y se compacta. Las raíces que no están bien ventiladas hacen que las plantas sufran. La retirada de la costra superior con un pequeño rastrillo o con la lengua de un binador, permitirá la entrada de aire hasta la profundidad. También ayudará al agua del regado para que penetre hasta las raíces.

Remueva la tierra en las épocas calurosas y secas. ▶

EL MANTENIMIENTO DE LAS MACETAS

Todos los recipientes que hayan acogido plantas anuales pueden reutilizarse año tras año, para ello es indispensable limpiarlos a conciencia durante el otoño, antes de que acojan nuevos huéspedes. Ya sean de plástico, de terracota o de piedra, sumérjalos durante medio día en una solución de agua con lejía (1 l por 10 l de agua). A continuación, frótelos enérgicamente con un cepillo y enjáguelos con agua clara. En ningún caso deberá usar detergentes ni productos agresivos (azufre o ácido).

▼ Cepille las macetas y los platillos con lejía.

▲ Arranque a mano las malas hierbas.

El acolchado, ahorro de agua

Novedad, el acolchado de colores de madera inerte. ▷

El acolchado es una base sólida de productos de origen natural que se esparce por la superficie del sustrato. Su función es evitar la evaporación del agua, la germinación de malas hierbas y la suciedad de las macetas producida por la tierra que sale despedida en el momento de regar. El acolchado se utiliza mucho en jardines ya que, en verano, se puede llegar a ahorrar un 25 % de agua, reduciendo la frecuencia de riego en un 30 %. Contrariamente, aún no se utiliza demasiado en los cultivos de balcones o terrazas.

Una vez realizada la plantación en las jardineras, hay que cubrir la superficie de los recipientes con alguno de los materiales que presentamos en el recuadro de la página siguiente. El acolchado, normalmente, está compuesto por materiales inertes que no interfieren en los cultivos. La única excepción son los compost, que se pueden utilizar para mejorar la situación de las plantas al incorporarlos en la tierra. Estéticamente no ofrecen el mismo resultado que los otros materiales.

Para los amantes de la fantasía, recientemente han salido al mercado cortezas y virutas de madera, sin taninos y estabilizadas para que no se descompongan. Además están coloreadas con pigmentos naturales. Es una tendencia original, que se integra bien en la decoración del balcón, pero que aún tardará algún tiempo en imponerse. Los tonos azules o amarillos son, según nuestra opinión, los más interesantes, pues combinan bien con los matices de las macetas y contrastan con las plantas.

El único inconveniente del acolchado en las jardineras es que debe retirarse más a menudo que en un jardín, ya que las plantas se renuevan más veces.

Para una mayor comodidad, es mejor frotar la parte superficial con un poco de tierra y eliminarla. Luego proceda a realizar un pulido con la tierra nueva que será beneficioso para las plantas y, finalmente, coloque un acolchado nuevo.

El pinzado, un corte falso

Teóricamente, pinzar consiste en eliminar un fragmento de un brote joven, cogiéndolo entre los dedos pulgar y corazón, y cortándolo con las uñas. Podríamos relacionarlo con cortar, pero la finalidad no es la misma. El pinzado se practica durante la época de crecimiento. Provoca el nacimiento de ramificaciones, que reciben el nombre

▽ Corte los tallos para que echen flores.

▽ Las inflorescencias florales se atan con rafia.

SUSTITUCIÓN A LO LARGO DE LAS ESTACIONES

El encanto de los cultivos y jardineras es que evolucionan a lo largo de las estaciones. Cuando una planta pierde su interés ornamental, puede sustituirse por otra. Esto le permitirá tener un decorado que cambia permanentemente y que se renueva con rapidez. La plantación que ocupa un espacio pequeño nunca es aburrida. Esta técnica de sustitución rápida le permite plantar hasta finales de primavera plantas anuales como dragoncillos, mímulus, godetias, schizantus y sustituirlas en agosto por reinas margaritas, celosías, amarantos, plantas que dejarán lugar para los crisantemos, las cinerarias marítimas y las coles decorativas en otoño. Esta sustitución debe realizarse puntualmente y sólo hay que cambiar un tercio de la plantación, como máximo, para conservar una cierta sensación de unidad y de estructura en el decorado; considere también la posibilidad de las especies con follaje.

El aster marchito se puede remplazar por otras especies. ▷

▲ Pensamiento con tutor y lazo reforzado.

de brotes anticipados, pues, sin esta intervención nunca podrían haber salido. Estos brotes anticipados traerán flores o se ramificarán para que la planta tenga una silueta más consistente. El pinzado también se realiza en las plantas con hojas para que no formen flores. Es el caso de la ruda, la santolina, la cineraria o geranio de California. Esto les permite conservar una forma más tupida porque, cuando florecen, estas plantas tienen tendencia a estropearse un poco. También se realiza el pinzado en plantas vivaces y en los crisantemos, para que desarrollen un gran número de botones florales. Puede realizar esta operación en los pelargoniums y anthemis que sean demasiado vigorosos, en las petunias demasiado largas y en las impatiens que se alarguen desmesuradamente.

El pinzado concierne, únicamente, a las partes herbáceas de las plantas. Cuando se realiza una intervención similar en un arbusto, hablamos de descabezamiento o despunte.

Atar, poner un punto de apoyo

Todas las plantas que tienen los tallos débiles deben atarse a un soporte para mantenerse erguidas. Las plantas trepadoras que no dispongan de artificios para agarrarse, también deben tener una base o un punto de apoyo.

Los diferentes tutores que se citan en la página 91 son los soportes más utilizados. Los que tienen forma de travesaños y los diferentes enrejados también son útiles. Por lo que a ataduras se refiere, puede en-

▲ Ate la *anthemis* con un lazo plástico.

contrar gran variedad en los comercios, desde la rafia (natural o sintética), que es muy adecuada para los tallos pequeños y frágiles, hasta los materiales acolchados con espuma destinados a los árboles. También encontramos alambres plastificados, lazos de plástico con alambres y los diversos collares de fijación rápida que sirven para mantener en posición vertical las plantaciones recientes.

En un balcón siempre hay alguna planta por atar. Tenga permanentemente un surtido de lazos de longitud y diámetros diferentes.

Es muy importante fijar la planta en posición correcta, de manera que pueda crecer sin ahogarse. Uno de los métodos más simples consiste en realizar un nudo, con el lazo, en forma de 8, de este modo, la parte en la que se cruzan las ramitas se encuentra entre el tallo y el tutor. También sirve de amortiguador, puesto que permite cierta flexibilidad pero al mismo tiempo también proporciona un buen soporte. En zonas de mucho viento, las ataduras deben ser más ajustadas, ya que si las plantas se balancean, el tutor no sirve para nada.

LOS ACOLCHADOS

Una capa homogénea de 3 cm de cualquiera de los materiales que se ilustran a continuación garantiza un resultado muy eficaz. La paja y la turba se utilizarán sobre todo en invierno, porque confieren un aspecto protector contra el frío. Estos materiales son muy ligeros, por ello es mejor que se recubran con una tela de invernado para que no se los lleve el viento. Estéticamente, las

▲ La paja de lino, compacta.

cáscaras de cacao, la corteza de pino y la paja de lino son las que mejor se adaptan, por su fineza y su aspecto homogéneo.

▲ La cáscara de cacao, fina.

Las cortezas de pino se pueden encontrar en diferentes grosores. Elija las más finas para las jardineras que acojan plantas de temporada.

▲ Las cortezas de pino, bonitas.

Para los tiestos de arbustos, puede usar cortezas de mayor tamaño. En referencia al compost o al fertilizante orgánico a base de estiércol descompuesto, es mejor tamizarlo y utilizarlo en aquellos recipientes cuyo nivel de tierra se haya visto reducido.

▲ La turba rubia, ácida.

▲ El compost, nutritivo.

Este material enriquece la tierra y estimula activamente su actividad microbiana.

▲ La paja, ligera, aireada.

LOS ENEMIGOS DE LAS PLANTAS

Los científicos los llaman devastadores. A menudo se trata de insectos, aunque son muchos los animales que se alimentan de nuestras plantas. En un balcón, los ataques se extienden rápidamente. Entonces, debe vigilar.

Consejo: Ponga una jardinera más alta que las otras para que el ojo pueda ver la parte inferior de las plantas, pues es aquí donde se colocan la mayoría de insectos. Cuando observe el primer ataque, trate todas las macetas y recipientes.

Los pulgones

Estos pequeños insectos verdes, negros, grises o marrones pululan por todas las plantas. Se amontonan en colonias en las extremidades de los tallos y encima de las hojas. Los pulgones se clavan en la epidermis tierna y absorben la savia, entonces, la planta reacciona ralentizando su crecimiento. Los daños no suelen ser muy graves, pero los pulgones se deben eliminar porque transmiten enfermedades víricas y la fumagina se desarrolla en sus deyecciones azucaradas.

• **Cómo combatirlos:** empiece eliminando los brotes que albergan colonias. Después, espere un intervalo de seis días, trate la planta cuatro veces utilizando dos insecticidas diferentes para una mayor eficacia.

Las arañas rojas

Es el término más empleado para designar diversas especies de ácaros (pequeños animales de ocho patas) de color rojo, amarillo o marrón. Son minúsculos (miden menos de 0,5 cm) y se alimentan de la epidermis de las hojas. La gran cantidad de pequeños mordiscos provocan la decoloración de las hojas y que éstas se vuelvan de color plomo. Otros síntomas son las manchas minúsculas y las finas telas de araña entre las ramas. Hay gran cantidad de plantas que pueden ser atacadas, pero, las coníferas, los rosales, las magnolias y las palmeras son las más propensas.

• **Cómo combatirlas:** los ácaros detestan la humedad, por lo tanto, pulverice abundantemente las hojas sobre todo cuando el tiempo es muy seco y hace calor. Cuando observe los primeros síntomas, pulverice las hojas con un producto especial contra ácaros a base de dicofol. Repita la operación cada ocho días si se mantiene el calor.

▶ Los pulgones verdes de rosal.

La mosca blanca

Son unos insectos minúsculos (3 mm) con alas. Las hembras clavan sus huevos en la parte inferior de las hojas. Cuando las hojas se mueven, salen volando gran cantidad de insectos. Los daños se manifiestan en una textura pegajosa y una mayor lentitud de crecimiento. La fumagina (especie de hollín) aparece a menudo en la melaza de las arañas blancas. Los ataques son más frecuentes en las galerías y los balcones bien resguardados. Las verduras son objetivos prioritarios.

• **Cómo combatirla:** estos pequeños insectos se muestran muy rebeldes a la mayoría de insecticidas. Utilice tres productos con materias activas diferentes, y repita el tratamiento cada semana.

▼ Una colonia de pulgones negros en un abutilón.

▼ Cochinillas en un arce de Japón.

▼ Las moscas blancas son comunes en las fucsias.

▼ Los síntomas de un ataque de arañas rojas.

Las cochinillas

Estos insectos están protegidos por un caparazón y atacan principalmente los cítricos, las palmeras, los laureles americanos, las camelias, las hortensias y las plantas crasas. Las cochinillas se mantienen inmóviles, proliferan a lo largo de los tallos jóvenes y sobre el nervio central, en la cara inferior de las hojas. Se clavan en la planta y absorben la savia. El metabolismo de la planta se ralentiza ya que la saliva de las cochinillas es tóxica. La fumagina invade a menudo la melaza que dejan las colonias.

• **Cómo combatirlas:** el caparazón que las protege las vuelve resistentes a los insecticidas. Los productos de invierno de consistencia aceitosa son más eficaces, pero las plantas ornamentales no los toleran bien (salvo los rosales en invierno). Lo mejor es pulverizar con cerveza (alcohol) para provocar que los insectos se despeguen. Al cabo de una hora tratar con un insecticida. Repetir la operación tres veces con diez días de intervalo.

Las orugas

Son las larvas de diferentes mariposas. Devoran las hojas de las plantas y dejan agujeros en el limbo. En el peor de los casos, cuando los ataques son importantes, pueden llegar a dejar sólo los nervios. Las orugas suelen ser visibles y se pueden eliminar fácilmente con la mano. Los arbustos y las hortalizas son los más amenazados.

• **Cómo combatirlas:** retire con la mano las orugas visibles y quémelas. Póngase guantes, pues la mayoría de las especies tienen pelos urticantes. Si el ataque es muy fuerte, pulverice con un insecticida biológico a base de *Bacillus thuringiensis*.

Las lombrices

Las lombrices están consideradas útiles en un jardín, porque mullen la tierra. Sin embargo, en la maceta descomponen las raí-

▲ Estos agujeros son el resultado de un ataque de orugas.

▲ Las babosas devoran los brotes jóvenes en primavera.

ces, lo que provoca desórdenes en el comportamiento de las plantas. Las tierras que venden en los comercios normalmente son inmunes a los huevos de lombrices. Cuando añadimos tierra de jardín al sustrato, pueden desarrollarse las lombrices con bastante facilidad. Si observa una parada repentina en el crecimiento y síntomas de debilidad, sin causa justificada, no dude en sacar la planta del tiesto y mirar si hay lombrices.

• **Cómo combatirlas:** para hacer salir las lombrices de la maceta sin sacar la planta, esparza en la superficie de un tiesto, de unos 18 cm de diámetro, uno o dos pellizcos de insecticida natural a base de rotenona y riegue inmediatamente. Después recoja las lombrices y llévelas al jardín.

Las babosas

Se podría pensar que un balcón está a salvo de las babosas, pero no es así. Los huevos minúsculos pueden ser transportados por las nuevas plantas que formarán parte de sus creaciones. Eclosionan cuando el tiempo es húmedo y los voraces gasterópodos

▲ Elimine las lombrices de la tierra de las macetas.

▲ Las picaduras de los thrips han decolorado esta hoja.

mordisquean todos los brotes jóvenes o las hojas. Las hostas, delphiniums, lechugas, crisantemos, dalias y tabacos ornamentales son los más propensos. Existen numerosas especies de babosas, pero la pequeña gris es la más temida. Sus ataques se distinguen por hojas perforadas y la presencia de mucus.

• **Cómo combatirlas:** retire con la mano las babosas que vea y coloque granulados especiales en la tierra de las jardineras, sobre todo, cuando el tiempo sea húmedo.

Los trips

Son insectos de 1 mm de longitud que se esconden debajo de las hojas y se clavan en el limbo para poner huevos. Las larvas se alimentan de savia.

De junio a setiembre, las dalias, las palmeras, los crisantemos y las caléndulas pueden verse afectadas. Las hojas se decoloran y toman un color plateado. Las plantas dejan de crecer.

• **Cómo combatirlos:** los tratamientos contra los pulgones son, en general, muy eficaces. Utilice insecticidas sistémicos.

LAS ENFERMEDADES DE LAS PLANTAS

Los hongos que parasitan nuestros cultivos provocan manchas o coloraciones que traducimos con el nombre de «enfermedad». Si las condiciones de cultivo son buenas y el ambiente no es demasiado húmedo, es difícil que aparezcan estas enfermedades. De todas formas no dude en actuar, preferentemente, como precaución.

Consejo: **Las manchas de las plantas no desaparecen con el tratamiento. Impida que las plantas se contaminen y efectúe un tratamiento preventivo cada diez días con fungicidas polivalentes, sobre todo cuando el tiempo sea húmedo.**

El oídio

Es la enfermedad más común. Normalmente se le llama «blanco» porque este hongo desarrolla una especie de hilos blancos grisáceos encima de las hojas. Prácticamente cualquier planta puede ser atacada, sobre todo los rosales, philox, groselleros, begonias, crisantemos, mahonias, etc. El hongo desarrolla «succionadores» en las células y consume a la planta, que reacciona crispándose. Las hojas pueden caer.

• **Cómo combatirlo:** existe una gran cantidad de fungicidas eficaces contra el oídio, incluso hay algunos exclusivamente para atacarlo directamente. Trate la planta cada ocho días hasta que los síntomas desaparezcan.

Las manchas negras

Algunos hongos provocan la aparición de manchas negras o marrones en las hojas. La enfermedad más común es la marsonnia, o enfermedad de las manchas negras del rosal, que aparece sistemáticamente en primaveras lluviosas. La antracnosis provoca manchas

◁ Un ataque fuerte de oídio (blanco) sobre una dalia.

◁ La enfermedad de las manchas negras del rosal, llamada también marsonnia.

más pequeñas, primero marrones y después negras. Ataca a muchas hortalizas, arbustos y árboles pequeños. Esta enfermedad se ve favorecida por la presencia de agua estancada en las hojas en primavera. Recomendamos regar directamente sobre la tierra de la maceta y evitar mojar las hojas de las plantas.

• **Cómo combatirlas:** son imprescindibles los tratamientos preventivos sobre todo si el tiempo es húmedo. Utilice el caldo bordelés, desde finales de marzo, en pulverización sobre árboles y arbustos.

▽ La roya del pelargonium forma pústulas blancas.

▽ El mildiu del tomate marchita toda la planta.

◀ Un tallo de rosa lleno de oídio.

El mildiu

Muchos hongos, más o menos concretos, transmiten el mildiu. Éste comienza con unas manchas irregulares en las hojas y a continuación empieza la decoloración. Las ramas afectadas pueden secarse totalmente. Las plantas más propensas son las hortalizas y la vid, pero algunas plantas ornamentales como el rosal, la prímula, myosotis y los cactus también pueden verse afectadas. Un exceso de humedad y una temperatura inferior a 18 °C favorecen el desarrollo del mildiu.

• **Cómo combatirlo:** existen fungicidas específicos contra el mildiu, que deberá aplicar, en las plantas propensas, como tratamiento preventivo desde principios de la primavera. Arranque y queme las plantas contaminadas.

La fumagina o máscara

Es una especie de carbón negro y da la sensación que las hojas están cubiertas de hollín. Este hongo se desarrolla sobre la melaza de las cochinillas, los pulgones y las arañas blancas.

No es peligroso, pero impide la función clorofílica de la planta, que se marchita y deja de crecer. Los rosales, los rododendros, las palmeras, los cítricos, las camelias, las hortensias y los laureles son los más propensos.

• **Cómo combatirla:** la fumagina no se combate directamente. Primero hay que luchar contra los insectos que la atraen. El único sistema eficaz es limpiar las hojas, sistemáticamente, con agua tibia.

La podredumbre gris

Es una de las enfermedades más graves que pueden sufrir las plantas de balcón. Se debe a dos hongos: Botrytis y Pythium. Cuando se transmite a las semillas o a los esquejes,

recibe el nombre de «podredumbre». Una especie de hilos vaporosos se desarrollan sobre los tallos o los frutos. Las partes afectadas se pudren inmediatamente, las hojas se secan y la planta muere. A menudo ataca a los crisantemos, los cítricos, las tomateras y las lechugas. La humedad continuada y el fuerte calor favorecen la aparición de la enfermedad.

• **Cómo combatirla:** no encontrará ningún fungicida que le pueda ser útil. Cuando la planta ha contraído la enfermedad, ya no hay solución.

La clorosis y las carencias

Más que enfermedades, se trata de reacciones de la planta ante un déficit alimentario. La clorosis, o carencia de hierro, es la manifestación más corriente y más espectacular. Las hojas de las plantas amarillean y sólo los nervios conservan el color verde. El crecimiento es muy lento, ya que la función clorofílica deja de realizarse.

Esta carencia se da sobre todo en suelos calcáreos, que impiden la asimilación del hierro por la planta. Afecta a todos los vegetales llamados «acidófilos»: camelias, azalea, rododendros, magnolia, hortensia e incluso los rosales. Pero las tierras que se utilizan para recipientes, raramente son alcalinas, y el riesgo es menor que en lo jardines.

• **Cómo combatirlas:** evite regar las jardineras con agua calcárea, que puede favorecer la aparición de la clorosis. Utilice un descalcificador.

Víricas

Son las enfermedades transmitidas por los virus. Se manifiestan por diversas decoloraciones de las hojas, a menudo en forma de mosaico, jaspeados o puntitos. Las plantas afectadas tienen un crecimiento más lento. También presentan degeneraciones. Las plantas que reproducimos nosotros mismos por división de las matas o por esquejes son las más amenazadas por las enfermedades víricas.

• **Cómo combatirlas:** no existe un tratamiento directo. Sólo cuando se compran plantas que han sido reproducidas por profesionales puede tenerse la garantía de tener un cultivo sin virus.

▽ La fumagina es una especie de hollín que ataca los cítricos.

▽ Clorosis en una hortensia en tierra calcárea.

▽ La podredumbre gris es muy difícil de combatir.

▽ Un síntoma vírico en mosaico sobre una grosella.

LOS PROBLEMAS DE LOS CULTIVOS

La mayoría de los problemas que sufren las plantas se atribuyen a diferentes enfermedades. Pero muchos casos son errores producidos por un exceso de riego, un mal cultivo o una exposición equivocada.

Consejo: Cuando una planta muestra síntomas de «enfermedad», busque la presencia de insectos. Si no descubre nada, observe la evolución de los daños. Una enfermedad criptogámica pasa por diferentes estadios y se generaliza finalmente en toda la planta. Un problema fisiológico normalmente está localizado y suele caracterizarse por múltiples signos, no siempre bien definidos.

▲ Si las jardineras contienen gran cantidad de plantas apretadas, normalmente se agrietan.

Los métodos artificiales de cultivo a los que se somete a las plantas de balcón favorecen la aparición de diversos problemas que no siempre debemos atribuir a las enfermedades. Antes de iniciar un tratamiento, analice las condiciones en las que viven las plantas.

Agotamiento de la tierra

Una cantidad de sustrato bastante reducida como la que tienen las plantas que viven en macetas no es garantía de una alimentación duradera. Si no añade abono regularmente, los cultivos vegetan, se vuelven en-

LOS SÍNTOMAS

Cualquier error en el cultivo se manifiesta a través de una reacción visible en las hojas. El signo precursor de un problema grave es a menudo su color amarillento. Si se localiza en algunas hojas, no es grave, es normal que las hojas de las plantas envejezcan y se caigan, pero si observa que las hojas verdes se caen, es más inquietante. Si cogen un tono marrón también es signo de alerta y ya no digamos cuando se marchitan. Éste es un signo de exceso o de falta de agua. Las quemaduras indican una exposición demasiado directa al sol o, a menudo, un exceso de abono o una concentración equivocada.

▼ Atención a las hojas amarillentas.

▼ La caída de las hojas es bastante grave.

▼ Un exceso de agua marchita las hojas.

▼ Un exceso de abono provoca quemaduras.

debles y, a menudo, las hojas pierden color. Los aportes de abono deben empezar entre los quince y veinte días después de haber plantado. Se interrumpen de octubre a marzo (período vegetativo).

Compactación de la tierra

Los riegos sucesivos acostumbran a compactar la tierra de las jardineras por la infiltración del agua que tiende naturalmente hacia las profundidades.

Al cabo de unos meses, el sustrato se compacta y las raíces pueden sufrir la falta de aire. Se manifiesta del mismo modo que el exceso de agua: hojas que tienden hacia tonos marronáceos (empieza siempre por los bordes) y ajamiento. El remedio consiste en sacar regularmente, con un pequeño rastrillo, la costra superior de la jardinera y añadir arena al sustrato. Muchas de las tierras que venden en los comercios se ofrecen tamizadas y esto aumenta el proceso de compactación.

Exceso de riego

Es uno de los problemas más comunes en las plantas que se cultivan en macetas (ya sean de interior o de exterior).

Si en un balcón utiliza recipientes con reserva de agua o macetas que no tienen ningún agujero, intente que estén fuera del alcance de la lluvia.

Una primavera muy lluviosa transforma los recipientes estancos en «acuarios» y las raíces se ahogan rápidamente. La planta adquiere una consistencia blanda, aparecen manchas marrones en los bordes de las hojas, y luego se marchita. En este punto, a menudo es demasiado tarde para intervenir, pues los hongos han aprovechado la humedad y la debilidad de la planta para desarrollarse.

Puede intentar realizar un trasplante, sustituyendo la tierra empapada por un sustrato ligero, sin olvidarse de colocar una espesa base que drene en el fondo de la maceta.

La falta de agua

Curiosamente, un vegetal con falta de agua presenta los mismos síntomas de marchitez que uno con exceso de agua. Rascando la tierra de la maceta podrá saber cuál es el verdadero problema.

La desecación es muy frecuente en verano, en las plantas que, después de comprarlas, se han mantenido en la maceta original. Los profesionales utilizan turba rubia, un sustrato bien aireado, pero que se deseca rápidamente y presenta muchos problemas para rehumedecerse.

Las plantas muy desarrolladas en la jardinera, los decorados muy tupidos y los cestos colgantes sufren a menudo de falta de agua, ya que en pleno verano pueden llegar a necesitar dos riegos diarios (por la mañana y por la noche). Una planta que se ha marchitado por falta de agua deberá sumergirse en un cubo de agua durante media hora. A menudo, recuperará su rigidez el día siguiente.

Desperfectos causados por el viento

Además de romper las ramas de los árboles, el viento tiene un efecto desecante sobre las plantas. Si su dirección es constante, tiende a inclinar los tallos en posición oblicua, y esto causa un efecto bastante antiestético. También retarda el crecimiento e inhibe la floración (ver recuadro).

Lo primero que hay que hacer en un balcón o terraza, es poner unos cortavientos. Pueden ser vallas, separadores o setos de coníferas plantadas en jardineras de bastante profundidad.

Uno de los problemas más frecuentes en un balcón son las quemaduras causadas por el sol.

No ponga nunca jardineras en una pared blanca. Un exceso de abono puede producir el mismo efecto.

La lluvia violenta ha estropeado esta flor de hibiscus. ▶

CUANDO LAS PLANTAS NO FLORECEN

Uno de los problemas fisiológicos más frecuentes es la ausencia de floración. Para evitarlo, hay que vigilar la exposición de las plantas, sobre todo en los balcones. Las que se encuentran sometidas a vientos muy fuertes tienen muchos problemas para desarrollar sus botones florales. Los cambios bruscos de temperatura o la falta de luz también perjudican la floración. Atención al exceso de abonos nitrogenados que hacen crecer las hojas, pero no las flores.

La camelia es una planta bastante caprichosa. Teme los vientos fríos. ▶

▲ El marrón es indicativo de una tierra muy compacta.

T R A T A M I E N T O S   Y   C U I D A D O S

Los «intrusos» que atacan nuestras queridas plantaciones nos causan cierto malestar, ya que hemos pasado mucho tiempo cuidándolas y queremos evitar su deterioro. En un balcón, una pequeña epidemia puede propagarse rápidamente. Sea precavido y como dice el refrán: «Más vale prevenir que curar».

En una terraza es aconsejable prever un tratamiento total preventivo una vez al mes, de abril a finales de setiembre.

Consejo: Existe una amplia gama de productos totales que asocian fungicida e insecticida en el mismo tratamiento son muy indicados para balcones. Pulverice todos los cultivos una vez cada mes, durante el período vegetativo, para reducir los riesgos de ataque en más del 80 %.

Los tratamientos deben aplicarse en forma de pulverización.

Aunque la tendencia actual es jugar a los «ecologistas» y rechazar los tratamientos, no debemos olvidar que éstos son muy útiles para eliminar los pequeños «invasores» de nuestras plantas.

Los jardineros principiantes tienen una amplia gama de productos especializados que tienen en común la homologación «jardín del principiante». Esta precisión es importante, ya que implica obligatoriamente una desconcentración de la materia activa para evitar que sean clasificados como tóxicos. Los fabricantes, en los últimos tiempos, han mejorado sus gamas de productos.

Llegará un momento que los productos para principiantes no se clasificarán de forma alguna.

Esto no significa que puedan utilizarse de cualquier manera. Lo primero que hay que hacer es leer detenidamente las instrucciones y respetar escrupulosamente las dosis y condiciones de aplicación que nos da el fabricante. Pensemos que han estado homologadas oficialmente. Aunque algunas dosis puedan parecer muy flojas, no ponga más cantidad que la indicada. El peligro proviene de aquí.

Los insecticidas

Son productos destinados a eliminar los insectos (pulgones, cochinillas, orugas, moscas, etc.).

Normalmente tienen una elevada eficacia y, por ello, no es necesario identificar al invasor con precisión.

◄ Antes de guardar los bulbos para conservarlos, empolvoréelos con un fungicida.

Todos los insecticidas tienen un efecto curativo. Debe aplicarlos en el momento en que los primeros síntomas empiecen a aparecer. Para que sean eficaces, deberá repetir el tratamiento tres veces con un intervalo de cinco o siete días.

Utilice dos preparados con materias activas diferentes, porque los insectos se vuelven resistentes en seguida.

Los fungicidas

Son los productos destinados a erradicar las enfermedades criptogámicas (causadas por los hongos).

Muchos fungicidas tienen un efecto preventivo, es decir, impiden que los hongos se instalen en la planta. Es el caso del famoso caldo bordelés, sin duda el fungicida más antiguo, pero uno de los más utilizados en la actualidad.

Algunos fungicidas reciben el nombre de «curativos». Esto no quiere decir que eliminen por completo los síntomas aparecidos en la planta. Limitan el desarrollo de los

EL ALMACENAMIENTO DE PRODUCTOS

A pesar de que los productos que utiliza el aficionado no son tan peligrosos como los pesticidas para la agricultura, hay que tomar algunas precauciones para conservarlos con toda seguridad. Guárdelos siempre en su embalaje original y no los conserve nunca en recipientes en los que posteriormente se podría guardar agua potable o productos alimenticios. Póngalos en un armario que pueda cerrar con llave y lejos del alcance de los niños. Debe ser un lugar fresco, seco y alejado de las posibles heladas.

▲ Respete los consejos de empleo: dosifique con precisión.

hongos y frenan su progresión, pero, claro está, las manchas o pústulas no desaparecen. Muchos fungicidas curativos reciben el nombre de «sistemáticos». Esto significa que la epidermis de la planta los absorbe y la savia los transporta, por esto son muy eficaces contra los hongos que atacan por el interior.

Un fungicida debe aplicarse varias veces, con un intervalo de ocho a diez días.

Los antiácaros

Son productos específicos contra los ácaros (arañas rojas). Hoy en día sólo el dicofol se puede utilizar en jardines para aficionados. Este producto elimina los ácaros en todas las etapas de su crecimiento, incluyendo las larvas.

Debe emplearse cuando empieza la infección, en tres tratamientos, con un intervalo de cuatro a cinco días.

Los herbicidas

Son los productos que se utilizan para eliminar las malas hierbas. Sólo se emplean en suelos de terrazas para eliminar flora salvaje que se insinúa entre las losas. Por el contrario, no debe utilizar herbicidas para los cultivos en jardineras, incluyendo arbustos, pues, en un volumen de tierra limitado, las plantas no soportarían la concentración de producto.

PULVERIZACIÓN: LA ALTERNATIVA

La aplicación de productos de tratamiento debe realizarse en forma de lluvia fina, para que la materia activa se esparza lo máximo posible y quede sobre la planta en baja concentración. Para el balcón un pulverizador de 2 l es suficiente. Desde hace poco existen unos pulverizadores eléctricos de pequeña capacidad que son muy prácticos, pues no se debe bombear. Atención, la mayoría de pulverizadores con disparador sólo deben utilizarse para la aplicación de productos líquidos. Los polvos que se disuelven en agua necesitan unos conductos especiales. Los fabricantes proponen, desde hace algunos años, productos preparados en pulverizadores. Son muy prácticos, ya que siempre están listos para ser empleados y permiten una dosificación precisa. Se aconseja para ventanas y balcones pequeños, pero igual que los aerosoles sólo deben utilizarse puntualmente.

▼ Ideal, el pulverizador a presión regulable de 2 l.

▼ Los productos listos para su uso son muy prácticos.

▼ El aerosol, sólo para acciones puntuales.

EL BALCÓN EN VACACIONES

Todos esperamos las vacaciones con impaciencia, pero éstas se convierten en un calvario para las plantas de balcón o terraza. El problema es el aporte de agua a las macetas, que necesitan riego casi diario. Todo lo demás puede esperar.

Son suficientes tres o cuatro días de ausencia en verano para que un precioso balcón se seque totalmente.

 Consejo: Para facilitar el mantenimiento del jardín colgante durante las vacaciones, reagrupe todas las macetas, recipientes y jardineras en un mismo lugar, preferentemente lejos de las paredes claras, en un lugar con un poco de sombra. Le será mucho más fácil seguir los consejos que le damos.

Las macetas grandes reducen la frecuencia de riego.

La tradición de las vacaciones de verano se lleva mal con las flores y la vegetación del balcón. Durante los meses de julio y agosto, el período más caluroso del año, los cestos colgantes y las balconeras necesitan de riego diario.

Los rayos de sol calientan la tierra de los recipientes (más que la de jardín) y aceleran la evaporación.

Las macetas y recipientes grandes que contienen arbustos precisan, en esta época del año, como mínimo dos aportes de agua semanales.

Si no encuentra algún voluntario que sea capaz de asegurarle el correcto mantenimiento de sus plantas, seguramente encontrará un desierto cuando vuelva, a no ser que se preocupe por tomar algunas precauciones.

Paliativos de protección

Un lecho de materia orgánica esponjosa, por ejemplo, podría ser un buen compost de jardín o turba rubia impregnada de agua y colocada en forma de capa uniforme de 10 cm de grosor, asegura una protección eficaz contra la evaporación durante tres o cuatro días como mínimo. Si toma la precaución de «inundar» la jardinera justo antes de irse, ésta podrá aguantar una semana sin problema alguno. También puede reforzar la lucha contra la evaporación envolviendo los recipientes con una espuma de poliuretano. Es una forma de aislar la tierra para que no se caliente tan rápido. De este modo gana dos días.

Todas son sencillas medidas preventivas que protegerán sus plantas durante las vacaciones. ¡Y no se preocupe por la estética, pues usted no estará!

El riego por goteo

Evidentemente es el método más eficaz para pasar unas vacaciones tranquilas sin tenerse que preocupar por las plantas de su balcón.

Un sistema por goteo puede conectarse a un programador. Sólo hay que calcular el tiempo de riego necesario en función del caudal de los goteros (utilice 2 l por hora en las jardineras), y de la cantidad. A partir de aquí regulamos el minutero. En verano, para que el riego sea adecuado, calcule que deberá aportar diariamente en agua la cuarta parte del volumen total del recipiente si éste no supera los 20 l de tierra. Si contiene entre 20 y 50 l, una sexta parte, y si es mayor, una décima parte. En la práctica, una jardinera de 12 l recibirá 3 l de agua cada día; una maceta de un volumen de 30 l, recibirá 5 l y un recipiente grande, de 100 l, recibirá 10 l.

En nuestros ejemplos bastará con hacer funcionar cada día dos goteros durante tres cuartos de hora en la jardinera, tres goteros durante el mismo tiempo en la maceta, y cinco goteros durante una hora en el recipiente grande. En seguida vemos que el problema de la automatización se soluciona en función de las dimensiones del recipiente. Para evitar problemas, puede corregir más o menos litros, y sobre todo, divida la instalación en varias redes, según la duración del riego.

La microaspersión

Es el complemento lógico del riego por goteo, con la posibilidad de mojar las hojas, o sea de aportarles un poco de frescor, muy beneficioso después de un día tan caluroso. Si el funcionamiento del goteo puede programarse a cualquier hora del día, el agua distribuida por los goteros camuflados bajo las hojas no se evaporará. La microaspersión debe funcionar preferentemente por la

La microaspersión es la solución más útil. ▷

noche, «cuando refresca», como dicen los jardineros.

Si moja las hojas durante el día, las gotitas se comportarán como minúsculas lupas que amplificarán la intensidad de los rayos solares y podrían provocar quemaduras en las hojas.

Justo antes de salir de vacaciones

Aunque disponga del sistema de riego más sofisticado, tome las siguientes precauciones antes de abandonar su balcón durante varios días.

Descuelgue los cestos y las balconeras y reagrúpelas en el suelo, pues representan un verdadero peligro en caso de tormenta y viento.

Corte todas las flores de las plantas anuales, de los geranios y las fucsias, y deje los brotes a un tercio de su longitud.

Si reducimos la frondosidad, la planta aguantará mucho mejor la sequía.

EL SUEÑO INVERNAL

Al igual que las plantas de jardín, los cultivos en macetas y tiestos tiene su época de hibernación, en un sueño vegetativo total. Pero éstas están más expuestas a la rigidez invernal y requieren de la aplicación de una protección complementaria que resguarde, a su vez, la fragilidad de las macetas.

▲ La nieve es una capa térmica de protección natural. Hay que sacudir las coníferas en caso de que sea demasiado espesa.

Consejo: **Acerque lo máximo posible a la casa todos los cultivos sensibles al frío para que estén menos expuestos a los vientos. Además, las paredes suelen ser captadores térmicos que desprenden al anochecer el calor que han ido acumulando a lo largo del día.**

◄ Los cañizos dejan respirar y protegen a las plantas.

El invierno es una estación crítica para los balcones, porque en esta estación a menudo se producen daños. La combinación de frío y humedad es devastadora, tanto para los materiales como para los vegetales. En este sentido, hay que ser previsor y resguardar todo aquello que no soporte el frío, antes de que lleguen las primeras heladas. A principios de noviembre ya se deben poner las protecciones necesarias en las regiones donde el frío sea más severo.

La nieve

En las ciudades, pocas veces es muy abundante y duradera. En principio, si las capas de nieve no superan los 20 cm no suponen ningún problema a los cultivos en balcón. Incluso es beneficioso, pues la fina capa de nieve constituye una protección idónea porque, de este modo, las plantas se encuentran envueltas en una temperatura que oscila entre 0 y –2 ºC, incluso cuando hiela rigurosamente. Cuando haya caído una gran cantidad de nieve, conviene sacudir los arbustos de hojas perennes y las coníferas, para que el peso que produce la capa de nieve no provoque la caída de las ramas. Cuando nieva, los pájaros tienen problemas para encontrar su sustento, por ello, no dude en ofrecerles un poco de alimento (grano, arroz con leche y alpiste).

El hielo

Cuando la temperatura baja a 0 ºC, hiela. Se denominan plantas «rústicas» aquellas que pueden soportar las condiciones de la región en las que están plantadas. De este modo, la mimosa o las pittosporum o azahar de China son plantas rústicas en el clima mediterráneo, pero son plantas que se hielan en otros climas. En el diccionario de plantas (páginas 280 a 475) encontrará las indicaciones sobre las temperaturas límites que soportan cada una de las especies. También debe saber que todas las plantas son más «sensibles al frío» al cultivarlas en tiestos o

▲ El hamamelis florece en pleno invierno, sus finas arañas doradas soportan incluso estar recubiertas de hielo.

▲ Las galerías son ideales para dejar hibernar las plantas.

▲ Proteja las plantas del viento hasta la primavera.

macetas, sencillamente porque el débil espesor de los recipientes no es garante eficaz de una protección total de las raíces. Sería muy útil, en relación con este aspecto, tener en cuenta que las macetas, los tiestos y las jardineras se deben proteger con mallas de invernado, fieltros de jardín o plásticos con burbujas. De este modo, se protegen los recipientes (como en la fotografía) y las plantas también. Éstas toleran mucho mejor las heladas secas que las húmedas. A menudo, es la humedad la que provoca los peores estragos. El agua, al convertirse en hielo cuando se llega a la temperatura de 0 °C, aumenta de volumen y pasa al estado sólido, por ello, la presión en las paredes de las macetas se incrementa. Esta presión también se da en las membranas de las células de los tejidos vegetales. La sucesión repetitiva de heladas y deshielos es catastrófica para las plantas. Los protectores invernales de los vegetales sirven, por lo tanto, para limitar la intensidad del hielo porque crean un efecto de protección y, además, resguardan las plantas en un ambiente mucho menos húmedo. Por esta razón, desaconsejamos utilizar películas plásticas en contacto directo con los cultivos. Estas hojas estancas generan siempre condensación, muy nefasta en relación con la protección invernal. Más vale envolver las plantas en una o varias capas de mallas invernales (una materia no tejida y que posee una buena ventilación) o colocarlas envueltas en diferentes capas de acolchado, hojas de papel de embalaje, fieltro de jardín, hojas muertas o lana de roca. En el caso que se pronostiquen fríos intensos, cubra estas protecciones ligeras con plásticos con burbujas para reforzar la protección, pero las

plantas no deben estar recubiertas permanentemente con estos protectores improvisados. Hay que destaparlas con la llegada de la bonanza para airearlas e impedir así el desarrollo de mohos y podredumbres. Atención, las plantas siempre deben resguardarse por la noche y nunca deben pasarla sin estas capas de protección.

Almacenar las plantas «frioleras»

Las plantas madres de las fucsias y de los pelargonios, las plantas mediterráneas o subtropicales (palmeras, buganvillas) y los arbustos floridos que pueden agrietarse con el hielo (camelias, hebés) sufren durante el invierno. No soportan el calor seco de la casa y pocas veces toleran temperaturas inferiores a –3 °C. Lo ideal es colocarlas en una galería cuya temperatura sea siempre superior a 5 °C. De lo contrario, coloque en el balcón un pequeño invernadero para resguardar parte de las plantas. Estos pequeños invernaderos están compuestos por una estructura ligera y desmontable que se recubre con plástico. Para una protección mayor, envuélvalo durante los períodos de mayor frío con dos capas de plástico o acolchado. Un último consejo: las plantas en macetas y tiestos necesitan un mínimo riego durante el invierno, sólo una vez al mes.

▲ El hielo ha hecho estallar esta jardinera de barro.

PROTEGER LAS JARDINERAS

Cuando compre productos de alfarería, compruebe que son adecuados para usar en el exterior. La resistencia proviene de la calidad del barro y de la cocción. Los recipientes de origen exótico (sobre todo mexicanos) son sensibles al frío y se agrietan por la acción del frío. Los esmaltados pueden desconcharse y los recipientes envejecidos pueden estallar. Lo ideal consiste en envolver los recipientes con una capa de plástico con burbujas, tres capas de fieltro para jardín o para las jardineras rectangulares, placas de polietileno.

◄ Las placas de polietileno pintadas de colores son muy eficaces.

BALCONES CON TODA SEGURIDAD

Seguramente para usted su jardín colgante es un pequeño paraíso, pero éste no debe ser un estorbo para su entorno. La vida en sociedad nos impone ciertas normas de sentido común que empiezan por respetar la tranquilidad y la seguridad de la vecindad. Respete a sus vecinos y viva feliz entre flores.

Consejo: En una vivienda alquilada, intente no alterar mucho el aspecto de la fachada o cambiar los elementos arquitectónicos. De hecho, al final de su contrato, el propietario tiene el derecho de pedirle que todo esté como antes de haber firmado el contrato. Evite pavimentar o colocar revestimientos en las paredes.

▲ No está autorizado colgar jardineras hacia el exterior en los edificios comunitarios.

Incluso tratándose de una casa particular, el cultivo en balcones presenta ciertos riesgos que vienen dados por la situación elevada de esta parte de la casa. La primera precaución que se debe tomar es, evidentemente, la colocación de una barandilla. Ésta debe fijarse sólidamente para que usted se pueda apoyar encima y se puedan colgar plantaciones. Se deben colocar como precaución básica sujeciones cada 30 o 50 cm. Las barandillas de madera deben ser objeto de una revisión más frecuente que el resto de barandillas porque la madera es un material putrescible (incluso si están realizadas con madera tratada por impregnación).

La mayor parte de los balcones y de las terrazas se encuentran en edificios y, por tanto, debemos tener en cuenta si la floración podría molestar, involuntariamente, a los vecinos.

◀ Un pequeño enganche metálico sujeta la jardinera.

La estanqueidad, problema clave

Se quiera o no, la presencia de cultivos en el balcón comporta rápidamente un problema en relación con las filtraciones de agua. Éstas se producen cuando el riego es excesivo o ha llovido en abundancia.

El agua que proviene de las macetas, en general, está cargada de partículas de tierra que, al filtrarse, pueden ensuciar las paredes de la fachada.

Una buena medida de protección para evitar cualquier problema con el vecindario, puede ser la instalación de una base estanca a lo largo del balcón para impedir cualquier filtración exterior. El agua se recoge gracias a un sistema de evacuación por goteo que debe colocarse en cada balcón en el momento de la instalación.

En los jardines de las terrazas instalados directamente encima del pavimento, hay que

Novedad: la jardinera con un sistema de sujeción que viene integrado en el conjunto.

reforzar obligatoriamente el aislamiento y prever sistemas eficaces de evacuación.

Si vive en una copropiedad (ya sea usted arrendatario o propietario), es mejor que comunique a la comunidad de vecinos que quiere instalar un jardín colgante.

En general, no le pueden negar el derecho a que su balcón tenga flores, porque éste es parte integrante de la casa y, legalmente, usted tiene derecho de disfrutarlo con total libertad.

Aun así, la más mínima queja de uno de los propietarios o los arrendatarios puede privarle de este placer.

Un problema de peso

Es el más importante a nivel técnico, sobre todo en las terrazas. Para realizar un jardín en el pavimento se debe disponer de una resistencia eficaz, de como mínimo 500 kg/m².

En los balcones, la resistencia en general es de 300 kg/m²; esta cifra no debe ser superior a 100 kg/m lineal. En este último caso, debe limitarse a la sujeción de balconeras de plástico que contengan solamente flores.

En contrapartida, podrá instalar recipientes de mayor porte si los sabe sujetar correctamente a la pared de la fachada.

La caída de objetos

Una maceta, incluso de plástico, que se caiga desde el balcón puede convertirse en un proyectil muy peligroso. Los riesgos de caída no se limitan sólo a la rotura de los soportes.

El viento constituye un peligro permanente, al igual que los errores cometidos durante el mantenimiento de las balconeras. Por ello, descuélguelas con cuidado para proceder a un mantenimiento más cómodo. Una rama de cualquier arbusto que se haya cortado en un sexto piso y se caiga por el balcón puede causar una grave lesión a cualquier peatón.

Utilice sobre todo soportes para las balconeras de hierro plano, puesto que son mucho más sólidos que los de hierro redondo. Cambie el soporte y el sistema de anclaje cuando estén oxidados.

En las ventanas, coloque las jardineras y los tiestos sobre una tabla de madera gruesa, fijada al muro por ambos extremos (con tornillos y clavijas).

El platillo recoge el agua de exceso de riego.

La estanqueidad del suelo debe ser perfecta.

Tenga cuidado con el viento y las estructuras grandes.

117

VENTANAS CON FLORES

Festival de colores 122

Blancura radiante 126

Oro en sus ventanas 128

Color rosa 130

¡Verde que te quiero verde! 132

Hojas de todos los colores 134

Gusto por lo exótico 136

Leyendas de otoño 138

Ventanas apetecibles 140

Buenas hierbas 142

Cestos colgantes 144

VENTANAS
CON FLORES

Cuando ponemos flores en una ventana estamos dando un toque de calidez y personalidad a nuestra casa. ❀ Una jardinera bien adornada o una planta colgante bastarán para transformar una fachada. ❀ Cómo se combinen las plantas, su desarrollo y su armonía con el resto de elementos vegetales, son los elementos que hacen de cada balcón una composición exclusiva. ❀ Para sacar el máximo partido de sus composiciones, debe considerar y valorar cada recipiente como un elemento individual, como un universo autónomo. Puede transformar una composición con relieves, volúmenes, tonalidades y dotarla de personalidad. Incluso el más pequeño de los recipientes puede servir para contener plantas. ❀ El secreto del éxito reside en la composición. Si se planta en fila, las jardineras resultan monótonas: por ello es mejor diseñar degradados jugando con la altura y la disposición de plantas en diferentes niveles, colocando las formas redondeadas en el centro y las especies colgantes en los bordes. ❀ Disimule parcialmente la maceta ocultándola con hojas de porte suave. Dé rienda suelta a su imaginación y experimente, haciendo caso de su intuición. Las composiciones que inicialmente han sido menos calculadas son siempre las que tienen mayor éxito. ❀ Sencillamente, respete la armonía de los colores y combine las plantas de rasgos similares. Con riego abundante y buena fertilización, el éxito está garantizado. ❀

Festival de colores

PLENO VERANO

PRUEBE TAMBIÉN

Verbena «Tropical»
Puede utilizar hiedra en lugar de geranios: excelente híbrido de porte ligero que florece hasta la llegada de las primeras heladas. Esta verbena no necesita riego frecuente.

Fucsia híbrido
Puede plantarse para sustituir geranios zonales detrás de una composición. Aporta más ligereza y gracia y, además, garantiza una floración longeva comparable a la de los geranios, pero necesita más agua.

*E*sta jardinera tan sencilla, de 1 m de largo, 30 cm de ancho y 25 cm de alto, combina con raciocinio diferentes plantas, y así crea una sensación de profusión. Los geranios, plantados en dos hileras, aportan un rojo predominante. En segundo plano, se han colocado *Pelargoniums zonales* de flores semidobles tutorados verticalmente con bambúes, que se esconden perfectamente entre la vegetación. En primer plano, se han plantado geranios hiedra (*Pelargonium* x *peltatum*) de flores simples que ocultan el recipiente con su abundante floración.

La línea intermedia de la plantación está compuesta por una combinación de anagallis con flores azules y oenotheres amarillos. Los tallos floridos se entrelazan unos con otros. Será necesario riego diario con una solución fertilizante.

PLANTAS PARA ACERTAR

1 *Pelargonios zonales,* cuatro plantas con flores variadas semidobles.

2 *Anagallis linifolia,* tres plantas distanciadas entre sí 30 cm.

3 *Pelargonium* x *peltatum,* cuatro plantas de geranios hiedra de tallos colgantes y flores sencillas.

4 *Oenothera híbrido,* dos bellas plantas vivaces de flores amarillas.

Otras ideas

▲ SIMPLICIDAD RÚSTICA

¿Cómo dar encanto a una plantación que parece demasiado vulgar? Esta ventana lo demuestra a la perfección. Para reforzar sus características genuinas, se han plantado geranios zonales en macetas individuales. Esto permite apreciar mejor la silueta de la planta, que adquiere un papel más importante en el conjunto. Tres blancos y cuatro de color rosa pálido: una cantidad impar rompe la monotonía. En este caso, el toque distintivo lo confiere el empleo del banco de piedra, que distribuye la composición en dos niveles.

▶ UNA CORTINA DE FLORES

La calidad intrínseca de cada planta y su espectacular desarrollo son los puntos fuertes de esta jardinera. Se ha optado por plantas colgantes, porque el principal objetivo era esconder parcialmente la poco atractiva pared de la fachada. Para ello, se han integrado dos geranios hiedra con flores rosa pálido, uno de color coral, una petunia colgante violeta y dos bidens con estrellas amarillas. Una composición que requiere mucho abono líquido.

▼ INTELIGENTE MEZCLA DE FLORES Y HOJAS

En esta jardinera predomina el follaje de tonos crema de las capuchinas (*Tropaeolum* x «Alaska»), de un 1 m de largo y 20 cm de ancho, concentrando el centro de atención en la originalidad de éstas. Las flores de las capuchinas despliegan tonalidades amarillas, rojas y anaranjadas. Hay tres plantas, separadas entre sí 30 cm.

En segundo plano, dos plantas de hinojo «bronce», un *helichrysum* dorado y el follaje lanceolado de un iris enano completan el decorado. Estas flores transmiten sensación de amplitud.

Este tipo de composición necesita una exposición parcial a la sombra, riego abundante y fertilización regular. Además, conviene tratar las capuchinas contra pulgones: una pulverización cada ocho días.

Consejo: **Regar y fertilizar jardineras con plantaciones desbordantes supone un problema práctico que puede solucionarse cómodamente con una regadera de brazo largo. Para garantizar que el agua se distribuya en la base de las plantas sin que se derrame, intente meter la regadera entre la masa del follaje.**

BUENAS COSTUMBRES

Para cultivar geranios, lo más importante es fertilizar debidamente la tierra. La primera dosis de abono debe aplicarse un mes antes de plantar. Aplicando abono sólido en barritas, su efecto se prolonga durante dos meses. Es una buena opción cuando se prepara la tierra para la primera fertilización. Para las siguientes aplicaciones, se recomienda utilizar abonos líquidos que permiten que la planta se alimente regularmente.

Mezcla armónica

Para transformar una simple jardinera en un auténtico macizo florido, puede alternar rítmicamente plantaciones variadas. En este caso, el color dominante es el rosa, que destaca entre el follaje plateado y dorado de dos variedades de helichrysum. Estas plantas aterciopeladas cuelgan con elegancia en el borde de la jardinera y la ocultan. Dos plantas de geranios hiedra con flores sencillas muy finas aligeran la masa de las petunias. Con el mismo objetivo, se han dispuesto en segundo plano dos plantas de lino. Se trata de un conjunto alegre, fresco y refinado, que necesita riego frecuente con una solución fertilizante para asegurar sus condiciones óptimas.

PÁGINA DE LA DERECHA:
Contraste alegre
Para conseguir resultados maravillosos no siempre habrá que crear composiciones sofisticadas. En este caso, el amarillo dorado de las *Bidens ferulifolia* ilumina el rosa vigoroso de las petunias colgantes.

Blancura radiante

PRUEBE TAMBIÉN

Stachys lanata
Planta vivaz de hojas persistentes de color plateado y consistencia lanosa. La variedad «Silver Carpet» (en la fotografía), forma un magnífico tapiz que puede reemplazar a la hiedra en una jardinera.

Viola cornuta «de París»
Por su tonalidad blanca, esta vivaz planta evoluciona en junio y se emplea para sustituir a los helichrysums. Coloque las plantas en zonas de sombra parcial, separadas 25 cm entre sí.

La combinación de un parterre de jardinera en forma de camafeo es un apasionante ejercicio de estilo que requiere gran sutileza para combinar flores y follaje. La tonalidad blanca crea un efecto de refinamiento sin parangón en esta jardinera de 80 cm de largo por 30 cm de ancho. Para aprovechar al máximo todos los matices, lo mejor es situarla bajo un área de luz tamizada. Este tipo de disposición es más vistosa cuando se contempla de cerca, sobre todo cuando se integra dentro de un ambiente de tonos similares. Las hortensias no pueden pasar más de una estación en la jardinera. Para sustituirlas, puede emplear pensamientos blancos en primavera y geranios dobles blancos en verano. Si quiere asegurar el éxito, deberá plantarlos en un suelo ácido, fertilizado regularmente.

PLANTAS PARA ACERTAR

1 **Salvia oficinal (Salvia officinalis),** con el clásico tallo de color plateado.

2 **Hortensia,** tres plantas jóvenes de invernadero y cortadas a ran del suelo.

3 **Pieris japonica,** una planta de hojas verdes y follaje colorido.

4 **Helichrysum petiolatum,** dos plantas, follaje colgante gris plateado y aterciopelado.

5 **Hiedra de tonos crema,** dos matas que caen por delante de la jardinera.

Otras ideas

▶ **LA SUTILEZA DE LOS GRISES**

A principios de verano, esta jardinera, de 1 m de largo y 25 cm de profundidad, ofrecerá su esplendor con la belleza del follaje gris plateado de las ortigas muertas y de las margaritas leñosas *(Argyranthenum frutescens)*. La composición se emblanquece con el paso del verano, cuando las flores de las petunias, las fucsias y la bacopa *(Stuera difussa)* adquieren su máximo apogeo. Las impatiens toleran la exposición a pleno sol, necesaria para el desarrollo de muchas especies. Esta jardinera estará en flor durante todo el verano, por lo que requerirá riego abundante. La tierra deberá estar siempre húmeda para garantizar una floración regular. Utilice una regadera de brazo largo para que el agua llegue al corazón del conjunto.

◀ **GRAN PUREZA**

Esta jardinera tan florida sigue los mismos principios que la anterior; en este caso se han sustituido las fucsias por *Viola cornuta:* tiene la ventaja de que se abre antes, por lo que sufre menos con las diferencias de temperatura. Esta jardinera eclosionará por completo a finales de mayo, cuando ofrezca una imagen monocroma gracias a la pureza de colores de las variedades seleccionadas. Tome nota del empleo que se ha dado a la hiedra colorida *(Glechoma hederacea «Variegata»)* que cuelga delante de la maceta, para disimular los contornos del recipiente. Al final de la estación, esta planta puede alcanzar 1 m de longitud. Debe eliminar las flores a medida que se marchiten.

Consejo: **Para conseguir una jardinera espectacular conviene sembrar densamente. Para que la plantación evolucione, necesitará un fertilizado regular; además, habrá que limitar el desarrollo de las diferentes especies, en función de los propios intereses. Corte los brotes demasiado largos y elimine con cuidado las ramas que se orientan mal. El corte debe efectuarse siempre por debajo de una hoja o de una yema.**

▶ **UN CESTO DE PUNTO EN BLANCO**

Para crear una jardinera de color blanco se puede emplear un cesto colgante del mismo color. En esta composición se ha optado por surfinias y dragones *(Lobularia marítima* y bacopa *Sutera difussa)* que se asocian a las hiedras coloridas para componer un denso y elegante conjunto, que estará en flor durante todo el verano. Esta composición es reciente y debe duplicar su volumen entre mayo y finales de septiembre si se fertiliza debidamente con abono líquido bien diluido.

Oro en sus ventanas

La decoración y el refinamiento de una ventana alcanza su máximo esplendor combinando una jardinera y un cesto colgante con composiciones semejantes en ambos recipientes. De esta manera, se obtiene un efecto global más intenso y un ambiente que transmite una armonía perfecta. Cuando, además, la composición tiene forma de broche delicado, el éxito de lo refinado será total. Las retamas (*Cytisus* x *kewensis* para formas colgantes y *Cytisus* x *praecox* para elementos centrales) aportan originalidad porque se hace una combinación inesperada de especies. Esta composición no funciona bien en recipientes pequeños, por lo que deberá trasplantarlas al jardín después de su floración. El empleo puntual de arbustos jóvenes para decorar pequeñas jardineras es una idea que se debe tener en cuenta en ciertas épocas del año. En el cesto y alrededor de la jardinera se han dispuesto las mismas hiedras moteadas. Aportan estabilidad al conjunto y transmiten intencionadamente un aire de exuberancia. A largo plazo, pueden llegar a constituir un decorado permanente. La presencia del *helichrysum* dorado refuerza la tonalidad dominante, mientras que los crisantemos ofrecen una nota cálida y soleada indispensable para resaltar la luminosidad del conjunto. Se trata de una decoración efímera, que hay que renovar cada año.

PRUEBE TAMBIÉN

Bidens procera
Muy ligera, puede sustituir a las retamas trepadoras cuando no tengan flores. Esta especie anual florece durante todo el verano.

Pensamientos
Variedad amarilla con corazón negro como el «Sol de invierno», puede sustituir a los crisantemos a principios de primavera.

PLANTAS PARA ACERTAR

1 **Retama precoz (*Cytisus* x *praecox*),** un elemento central en el cesto y en la jardinera.

2 **Retama trepadora (*Cytisus* x *kewensis*),** dos plantas jóvenes.

3 **Hiedra moteada (*Hedera helix* «Chicago»)** tres pies diferenciados.

4 **Crisantemo híbrido,** una planta cada 30 cm.

5 **Abutilón moteado,** dos plantas.

Otras ideas

◀ COMO UN FLASH LUMINOSO

La abundancia es un arma de doble filo: a veces desempeña un papel fundamental en la decoración de las ventanas y, otras, su empleo es erróneo. Aquí se ha apostado por la diversidad para que la masa floral no se imponga de un modo demasiado evidente. En segundo plano, se han colocado mimulus que estarán en flor hasta mediados de agosto; poco a poco, irán dejando paso a las calceolarias y a los pensamientos, que se mantienen durante la transición de primavera a verano. Las capuchinas, cuyos tallos endebles caen por su propio peso, cubren los bordes de la jardinera. Se combinan con hiedras moteadas en cada extremo. Requiere sol tamizado.

▶ UN SUTIL CAMAFEO

Esta jardinera recién plantada combina hábilmente flores y follaje. Los pensamientos, las rosas y los claveles de la India crean el conjunto del segundo plano. Las plantas aún son jóvenes, pero no tardarán en dominar la composición. Tres bellos ejemplares de follaje verde ácido dorado aportan ligereza al primer plano. A uno y otro lado de la jardinera hay un *Helichrysum petiolatum* «Aerum», acompañado en el centro por un *Lysimachia nummularia* «Aurea», envuelto con dos hiedras moteadas de hijas pequeñas. Necesita humedad constante.

 Consejo: Para transmitir sensación de densidad en un cesto colgante, puede dividir las matas de las plantas que vaya a utilizar. De esta manera podrá aumentar la cantidad de plantas y distribuirlas adecuadamente en el recipiente. Con esta técnica podrá combinar mucho mejor las diferentes especies y hacer que adquieran la posición y orientación deseada. Para obtener un resultado óptimo el riego debe ser diario.

BUENAS COSTUMBRES

Para que una retama se conserve correctamente en una maceta o en una jardinera, hay que cortarla después de cada floración. Deben cortarse aquellas ramas que hayan florecido. Con ello, se provoca el crecimiento de nuevos brotes que florecerán al año siguiente. Durante el invierno, asegúrese de que no sufran humedad continua porque se podrían pudrir las raíces. En primavera, preste atención a la aparición de pulgones negros, habituales en tallos jóvenes de abutilones de Río Grande. Si ya han sido afectados, para combatirlos deberá aplicar un tratamiento eficaz; recuerde que cuando se cortan tallos en los que hay pulgones, se elimina también la posibilidad de que florezcan. Para combatir el problema, pulverice cada tres o cinco días.

Color rosa

*E*sta jardinera intenta romper con la monotonía cromática del blanco en ventanas y paredes, sin perder la sobriedad. Las *Lobularia maritima* aportan un toque de blanco, mientras que el resto de la plantación juega con una sutil mezcla de tonos rosa, desde los suaves de las verbenas hasta el violáceo de las lobelias. Parece muy simple, pero está muy pensada. Su exposición es a pleno sol y el riego debe ser moderado.

PLANTAS PARA ACERTAR

1 **Verbena x «Perfecta»,** cuatro plantas colocadas a 25 cm entre sí.

2 **Mastuerzo marítimo (*Lobularia maritima*),** una planta en cada ángulo.

3 **Lobelia (*Lobelia erinus*),** una variedad de porte compacto y colgante.

4 *Pelargonium* x *peltatum* «**Admiral Bouvet**», dos plantas a las que se les ha mantenido su porte ligero.

BUENAS COSTUMBRES

La mejor época para sembrar plantas jóvenes de verbenas híbridas en jardineras es a principios de abril, puesto que estas plantas demuestran cierta resistencia a las temperaturas frescas. Utilice tierra ligera y rica, con buen drenaje.

PRUEBE TAMBIÉN
Petunias e impatiens
Para crear un efecto de masa densa en zonas de exposición parcial al sol, esta asociación crea una imagen luminosa gracias al verde claro del follaje. Requiere riego abundante.

Geranio hiedra y scaevola
La combinación transmite una impresión de abundancia singular. La variedad utilizada es el de «París» que florece abundantemente, incluso en la sombra. Necesita fertilizarse con regularidad.

Otras ideas

▶ TODOS LOS TONOS DE ROSA

La gran dificultad para crear un camafeo es no caer en la monotonía. En esta composición, a pesar de que sólo se han usado dos variedades, con la disposición de geranios, hiedra y petunias se ha conseguido ligereza y brío. Esta elección permite crear una impresión de relieve gracias a las petunias plantadas en el centro. La idea principal es la de abundancia, por oposición a los tapices. Combinando diferentes especies que se complementan perfectamente, se evita que el conjunto se convierta en un tapiz floral uniforme y monótono. Para tener éxito, es indispensable plantar en dos hileras. La exuberancia de las plantas dependerá de su fertilización. Es una composición que puede estar a pleno sol.

▲ GRAN SUAVIDAD

El rosa no es un color fácil de combinar, porque puede crear sensación de algo pasado de moda. Para evitar esta impresión, el rosa se ha combinado en el centro con verbenas blancas y con *Plectranthus coleoides* «Variegata», que aporta la intensidad de tonos de su follaje. Los diferentes tonos de rosa de las petunias, verbenas y geranios hiedra armonizan con gran sutileza. Se puede colocar a pleno sol.

 Consejo: Los ejemplos monocromos que proponemos muestran el principio para tener éxito en las composiciones de jardineras: la homogeneidad. Para ello, resulta indispensable crear motivos decorativos que se basen en la distribución ordenada de las plantas, de manera que unas y otras creen combinaciones armónicas y estéticas.

▼ EL COLOR ES VIDA

Si no se hubieran incluido los geranios zonales de flores dobles, este conjunto sería muy aburrido por la intensidad del verde. El blanco de las margaritas leñosas *(Argyranthenum)* y el follaje moteado de las hiedras terrestres *(Glechoma hederacea* «Variegata») neutralizan este efecto. Las fucsias aportan elegancia y volumen al conjunto. Necesita sombra parcial.

¡Verde que te quiero verde!

TODO EL AÑO

Decorar una ventana sólo con hojas es un buen reto, pero jugar con un mismo tipo de planta es aún mayor. La hiedra *(Hedera)* es un género rico que cuenta con algunas decenas de especies de aspecto muy diverso. Esta característica permite crear conjuntos vistosos y variados. El truco consiste en combinar las texturas de diferentes follajes jugando con las formas definidas de las hojas de las especies más voluminosas, otorgando así protagonismo a motas y colores. Para dar más volumen, se ha añadido un pequeño aro en el centro de la composición.

PLANTAS PARA ACERTAR

1 **Hiedra del bosque** *(hedera helix),* de follaje verde.

2 *Hedera helix* **«Pedata»,** con hojas verdes de perfil muy fino.

3 *Hedera* **«Golden Ester»,** con hojas jaspeadas de amarillo.

4 *Hedera canariensis* **«Gloria de Marengo»,** más friolera, pero con un bello moteado amarillo dorado.

PRUEBE TAMBIÉN

Hedera **«Eugène Hahn»**
Tiene hojas triangulares salpicadas con color crema y varios tonos verdes. ¡Sorprendente!

Hedera **«Parsley Crested»**
Hiedra con hojas verdes redondeadas y nervios amarillos.

Otras ideas

▶ **CONTRASTES ACERTADOS**

Para realzar el impacto visual de esta composición tan luminosa, se han combinado los tonos oscuros del follaje de una hosta y de una hiedra, contrastados con el púrpura oscuro de las dos fucsias híbridas. El toque sofisticado se consigue con la presencia de dos *Allium oreophilum* con umbrelas grises y con el estallo, casi anecdótico, del pelargonio rojo y blanco. Es refinado, tranquilizador y muy moderno. El conjunto necesita un poco de sombra.

◀ **UNA MEZCLA DIVERTIDA**

Para obtener una composición alegre con hojas, puede combinar variedades moteadas. Las estrías, los efectos de mármol, las manchas de color crema o dorado son como un golpe de efecto para la planta. En este caso se han empleado ortigas terrestres *(Glechoma)*, miserias *(Tradescantia)*, geranios zonales con reflejos plateados o cremas y *helichrysum* dorados que combinan con una lisimaquia del mismo color. Es una mezcla apropiada para zonas con algo de sombra y bastante húmedas. Requiere podas regulares para controlar su amplitud.

Consejo: **Las hiedras tienen un crecimiento bastante lento durante sus primeros años de vida. Para realzar su presencia en un lugar determinado puede realizar acodos naturales, para lo cual basta con poner una rama directamente en el suelo y sujetarla con un enganche metálico. Cuanto llegue la temporada del calor, procure mantener el suelo húmedo y vaporice de vez en cuando el follaje. Fertilice dos veces al mes con abono soluble.**

▶ **UN BELLO INVIERNO**

Para dar luz a una *Skimmia reevesiana* de color rojo intenso y a un *brachyglottis monroi* de follaje plateado, se han utilizado dos grandes coles decorativas con hojas de color marfil, que combinan con hiedras moteadas. Es una composición que hay que plantar en otoño y conservar a buen recaudo hasta que lleguen las heladas fuertes. Requiere un suelo ligero y bien drenado, además de mucho sol.

133

Hojas de todos los colores

MAYO-OCTUBRE

PLANTAS PARA ACERTAR

Para crear composiciones originales, los horticultores seleccionan hojas de plantas que adquieren tonalidades sorprendentes. Estas plantas permiten componer conjuntos con encanto, por ejemplo, el de esta jardinera de 60 cm de longitud y 20 cm de profundidad. El contraste creado entre formas y colores del follaje es suficiente. No es conveniente añadir plantas con flores. Para conseguir un efecto visual vistoso es indispensable que las plantas sean frondosas y que estén plantadas muy juntas. Para garantizar su desarrollo, bastará con aportar regularmente una solución nutritiva, sobre todo entre abril y finales de junio. Si es posible, debería colocarse en un lugar con sombra moderada.

1 *Pelargonium zonale* «**Gold Papa**», dos plantas separadas 30 cm. Sus flores son de color rojo vivo.

2 *Hypoestes sanguinolenta,* planta resquebrajadiza con hojas de color verde oscuro y manchas de color rosa. Aquí se han utilizado dos.

3 *Helichrysum petiolare* «**Aureum**», dos ejemplares de esta planta colgante de follaje aterciopelado.

4 *Tropaeolum majus* «**Alaska**», una bella capuchina colgante de hojas jaspeadas en color crema.

5 **Fucsia híbrida,** una variedad de follaje verde bronceado con nervios rojos. Se han empleado dos plantas.

Consejo: Las plantas de follaje colorido no deben colocarse nunca a pleno sol. Lo ideal es potenciar sus colores con una luz tamizada, así, cada especie adquiere su máxima delicadeza. Sin embargo, tampoco hay que situarlas en una sombra demasiado espesa, ya que dificultaría que los tintes más vivos pudieran mostrarse en todo su esplendor.

Otras ideas

▶ **GUSTO POR EL CONTRASTE**

En esta jardinera de 60 cm de longitud y 20 cm de profundidad se consigue un efecto de gran luminosidad, combinando las plantas de tonos plateados con una planta de *Pelargonium zonale* «Contrast», cuyo follaje tricolor refuerza su presencia. El follaje moteado de color crema carbón (*Euonymus fortunei* «Silver Queen») confiere un toque muy especial al conjunto. También se han empleado diferentes hiedras moteadas, dos matas de espárrago (*Aspargus densifloris* «Sprengeri») y una aralia moteada. Requiere exposición calurosa y soleada.

◀ **ORO Y NEGRO**

Para reforzar el impacto luminoso de una planta dorada o de color verde claro, lo mejor es combinarla con un follaje muy sombrío. Aquí, el púrpura casi negro de los forniums y de las begoñas reaviva el verde ácido de la fucsia, que adquiere una tonalidad más dorada. Lo mismo ocurre con el coleus jaspeado del primer plano y con las *Lysimachia congesta* de flores amarillas, que en verano reforzarán el interés de la composición. Este conjunto está plantado en una jardinera de 1 m de largo y 25 cm de profundidad. Requiere exposición parcial al sol, en una zona cálida; las plantas que se emplean son más bien frioleras. La plantación debe realizarse en mayo; estas especies pueden aguantar hasta las primeras heladas.

PRUEBE TAMBIÉN

Plectranthus coleoides **«Marginata»** De crecimiento rápido, friolera y que debe cultivarse como una anual.

Col decorativa De hojas totalmente arrugadas que adquieren coloridos sorprendentes. Ideal para jardineras otoñales.

▶ **PALETA DE PINTOR**

En la naturaleza es frecuente hallar combinaciones muy curiosas que unen colores inimaginables. De hecho, la riqueza de esta jardinera proviene de combinar colores tan dispares como verde, violáceo casi negro y rojo oscuro e intenso; tonos muy distintos que, sin embargo, si se usan bien, se realzan. Además, el color crema del falangero (*Chlorophytum elatum* «Variegatum») aporta la luminosidad necesaria para poder apreciar los matices sutiles del follaje de los coleus. Las hiedras y lisimaquias cuelgan por la parte delantera para disimular la jardinera. Esta composición es ideal para zonas parcialmente sombreadas, pero cálidas.

135

Gusto por lo exótico

MAYO-OCTUBRE

Las plantas crasas ganan en belleza si pasan el verano en el exterior, a pleno sol. Una ventana expuesta hacia el sur es el mejor lugar. Aquí, se han reagrupado las plantas para componer una jardinera generosa y original, con cierto sentido de la estética. Es necesaria tierra muy ligera, que contenga un 50% de arena, como mínimo. Para simplificar, es mejor dejar cada planta en su recipiente individual. Puede rellenar los espacios vacíos empleando corteza de pino o arena, cubierta con gravilla para acentuar la idea de un ambiente seco y desértico. Es necesario resguardarlas a partir del 15 de octubre.

PLANTAS PARA ACERTAR

1 *Verode (Senecio kleinia),* arbusto de tronco ramificado que en Canarias alcanza los 3 m de altura.

2 *Siempreviva arbórea (Aeonium arboreum «Atropurpureumm»),* en zonas costeras, puede permanecer en el exterior durante todo el año.

3 *Echeveria hibridus,* sus hojas en forma de roseta a veces tienen un bohordo floral de color rosa.

4 *Echeveria crenulata,* especie de gran porte con hojas almenadas.

5 *Echeveria agavoides,* cada tallo puede medir hasta 10 cm de diámetro y producir muchos brotes.

6 *Dorotheanthus hybridus,* durante el verano, se cubre de pequeñas margaritas de colores.

7 *Sedum morganianum,* los tallos colgantes pueden tener flores escarlatas.

8 *Carpobrotus deliciosus,* se expande con el sol estival y sus flores son de color rosa y corazón blanco.

PRUEBE TAMBIÉN
Astrophytum myriostigma
Un cactus sin espinas en forma de mitra que en primavera da flores de color amarillo, de unos 10 cm de diámetro. Necesita hibernar en un lugar fresco y seco.

Chamaecerus sylvestri
Una de las variedades de cactus que florece con más facilidad. Crea ramificaciones abundantes y sus tallos espinosos se imbrican unos con otros. Es una planta que resiste el frío y que puede colocarse en una ventana resguardada de la lluvia.

Otras ideas

◀ MEZCLA DE GÉNEROS

Al combinar en esta jardinera de 1 m de largo tres jóvenes cordilinas, se ha dado a la composición un tono marcadamente exótico. Este tono se ve reforzado por la miseria, que también aprecia el paso del viento durante la buena estación.

Para completar la composición se han usado plantas poco frecuentes: mimulus, geranios hiedra moteados y *Sutera cordata* «Snowflake» (bacopa). Requiere una exposición muy soleada y resguardada de vientos fuertes. Alcanzará su máximo esplendor entre junio y septiembre. Es preferible que las cordilinas sigan en su recipiente originario porque requieren riegos menos frecuentes que el resto de especies del conjunto.

▶ LAS BEGONIAS SALEN DE FIESTA

Para conferir alegría y viveza a esta jardinera se han plantado dos bellos ejemplares de *Begonia rex* de sorprendente follaje. También se han combinado tres impatiens de Nueva Guinea para reforzar el exotismo de esta composición para ventana: su follaje púrpura oscuro armoniza perfectamente con el color de las begonias. Geranios zonales y un oxalis con flores amarillas completan el conjunto. Necesita poco riego, exposición parcial (algo sombreada) y fertilización apropiada.

◀ CAMPANILLAS DEL CARDENAL

En esta jardinera de 80 cm de longitud, la especie predominante es un *Rhodochiton atrosanguineum*. Es una planta trepadora originaria de México, que se puede plantar como una anual. Sus flores en forma de campanilla adquieren un color cardenalicio púrpura, que combina bien con el blanco de las petunias y de las bacopas. Requiere exposición total, a pleno sol.

Consejo: Contrariamente a lo que se cree, las plantas crasas y los cactus necesitan un riego regular, cada dos semanas en verano. Lo más importante es evitar que se encharque agua debajo de la maceta. Puede aplicar abono diluido una vez al mes. En estas condiciones, las plantas crecen más rápido.

Leyendas de otoño

DESDE SEPTIEMBRE

PLANTAS PARA ACERTAR

1 *Dryopteris dilatata* «**Crispa Cristata**», dos plantas de 40 cm.

2 *Solanum pseudocapsicum,* planta muy friolera.

3 **Bambú,** para crear sombra.

4 **Hiedra,** para revestir marcos de ventanas.

En otoño hay que buscar tonos cálidos y vivos para crear composiciones armónicas con los colores de la estación. En esta jardinera de 40 cm de largo y 15 cm de ancho, hay elegantes frondas de helecho, cortadas finas y mezcladas con bayas de naranjillo *(Solanum pseudocapsicum)* de tonos anaranjados, para conseguir una composición muy original. El truco consiste en repartir las ramas de cada planta de manera correcta para que se imbriquen con las vecinas. Así se obtendrá una sensación de abundancia. Los frutos del naranjillo duran mucho tiempo en la planta. Si la ventana está bien orientada, los podremos disfrutar hasta bien entrado el invierno. A pesar de ello, el naranjillo no tolera bien el frío y muere a −5 ºC. Con vistas a la primavera puede sustituirlos por pensamientos.

PRUEBE TAMBIÉN

Pimiento

Sus frutos adquieren color desde finales de verano. Aguantan mucho tiempo y perecen con las primeras heladas. Emplear formas ornamentales.

Brezo (*Erica hyemalis*)

Una de las grandes estrellas del balcón otoñal, por sus largas flores tubulares de color rosa asalmonado. No es resistente a las heladas.

Otras ideas

▶ **EL ESPLENDOR DE LOS CRISANTEMOS**

Lejos de las composiciones tradicionales de Todos los Santos, la gran variedad de crisantemos (*Dendranthema* x) permite crear diferentes composiciones de colores, formas y texturas. En este caso, las formas con grandes flores ocupan un segundo plano, mientras que las especies enanas decoran todo el perímetro de esta jardinera de 50 cm de largo y 17 cm de profundidad. Una vez han florecido, los crisantemos ya no crecen más; por lo tanto, si desea un aspecto frondoso deberá plantarlos muy apretados.

◀ **TRANSICIÓN HACIA CASA**

En general, el otoño suele empezar agradable y suave, por lo que suele ser un buen momento para crear composiciones atrevidas, como esta asociación de ciclamen y *Asparagus densiflorus* «Sprenger i». Se trata de plantas resquebrajadizas que agradecen temperaturas más frescas. Mientras la temperatura sea suave, puede poner la jardinera en la ventana, pero deberá sacarla cuando baje. Así, conseguirá prolongar la vida de los ciclámenes; conviene tener presente que la calefacción aporta excesivo calor a esta especie. En cualquier caso, debe evitar mojar las flores.

▼ **COLORIDA TIRA DE CARAMELOS**

Esta maceta está compuesta por tres pernetias *(Pernettya mucronata)*, combinadas con frutos blancos «Alba» y dos rosas «Atrococcinea». Estos arbustos, de apariencia artificial, tienen bayas brillantes con aspecto de deliciosos caramelos. Pero recuerde que son muy tóxicas: no hay que tocarlas. Las pernetias pertenecen a la familia de las ericáceas. Se cultivan en suelos ácidos y a la sombra, como el brezo.

BUENAS COSTUMBRES

Para prolongar la vida de los crisantemos de flor pequeña, suprima las flores marchitas tan pronto como aparezcan. Esta acción preventiva permite que los botones que aún están cerrados se abran sin problemas. Necesitan riego abundante.

Consejo: **Elija crisantemos de flor pequeña que aún no hayan abierto: les podrá sacar el máximo partido. Tan pronto como sea posible, trasplántelos a una maceta más grande con tierra a base de cortezas. Puede enriquecerla con una cucharada sopera de abono orgánico, pues los crisantemos consumen mucho. Es preferible que estén situados en un lugar soleado.**

Ventanas apetecibles

MAYO-AGOSTO

PRUEBE TAMBIÉN

Tomate pera

Esta variedad, muy decorativa y deliciosa, crece sin problemas en una jardinera. Necesita un tutor y abonos de calidad.

Lechuga «Augusta»

Esta variedad es excelente en verano. Si dispone de suficiente sitio en la jardinera, se acogolla sin problema. Requiere riego abundante.

Crear una jardinera con hortalizas es una tarea interesante que intenta conjugar el placer de la vista y el del paladar. En esta jardinera, de 1 m de largo y 25 cm de anchura y profundidad, se ha conseguido un buen resultado. Se ha jugado con la sutileza de los colores, utilizando una variedad violeta de brócoli. La combinación es más ornamental que sabrosa, pero las hojas recortadas ofrecen una presentación impecable. El hinojo aporta ligereza; a pesar de que por su situación no llegará a desarrollar su base, sus hojas servirán para decorar ensaladas y platos de pescado.

En un primer plano, las tomateras se asocian con las capuchinas para recubrir los contornos de la jardinera.

PLANTAS PARA ACERTAR

1 **Brócoli violeta,** tres plantas dispuestas en segundo plano.

2 **Hinojo,** planta de la que se aprovechan las hojas aromáticas.

3 **Tomateras,** plantas que crecen sin tutores para que se inclinen elegantemente hacia adelante.

4 **Capuchina «Alaska»,** que aporta un toque de color.

Otras ideas

▼ EL CESTO DE LAS DELICIAS

Para completar el decorado de una jardinera con hortalizas, puede añadir plantas colgantes, como perifollo, lechuga de hoja de
roble y, en el centro, acelga roja, que aporta
valor estético al conjunto. Se han empleado
plantas jóvenes compradas en un centro de
jardinería. El secreto del éxito está en utilizar tierra de calidad, que no sea muy compacta, regar regularmente, casi a diario, y
aplicar fertilizante en dosis reducidas. La
exposición a media sombra es ideal para
este conjunto.

 Consejo: En plantaciones muy densas
deberá garantizar la nutri-
ción regular de las plantas.
Para ello puede utilizar un
fertilizante líquido para hortalizas y diluir un tapón de
abono por cada 10 l de agua.
Riegue siempre la jardinera
con esta solución y el crecimiento de las plantas será espectacular. No olvide tratar
regularmente las capuchinas
con insecticida contra pulgones. Para garantizar un con-
sumo seguro, libre de tóxicos, emplee insecticidas a
base de pelitre.

▲ TIERNA Y CRUJIENTE

Del mismo modelo que el ejemplo principal, esta jardinera consta de una planta de coli-
flor (variedad miniatura), dos tomateras, tres lechugas «Bowl», una fresera y algunas zanahorias (variedad corta, tipo «Grelot»). Las lechugas serán las primeras que se recogerán,
aunque su forma de crecimiento permite varios cortes sucesivos. Las zanahorias serán las
segundas en recolectarse, pero pueden sustituirse con una siembra de rábanos poco densa. Para la fresera, lo mejor es optar por una variedad que se pueda re-
colectar hasta finales de septiembre. Con vistas a limitar el crecimiento y el tamaño de las tomateras, deberá reducir cada planta
al tamaño de un ramillete de flores.

BUENAS COSTUMBRES

Es conveniente dejar un solo ramillete de
flores en cada tomatera y cortar sistemáticamente todos los chupones que aparezcan en la axila de las hojas. Cuando se
hayan formado los primeros frutos, espere a que un nuevo tallo saque flores. Así
podrá obtener una recolección escalonada y una planta de perfil compacto.

Para hortalizas de tallo alto,
utilice tutores. Los de bambú
son ideales y discretos. Los
lazos de rafia en forma
de 8 no dañan el tallo.

Buenas hierbas

JUNIO-OCTUBRE

La clave del éxito de una ensalada consiste en aderezarla con plantas aromáticas recién cogidas. Si éstas son de su propia cosecha, mucho mejor. Es un lujo que agradecerán sus papilas gustativas. En esta asociación sutil, la satisfacción del sabor se mezcla con el placer estético, jugando con los matices y texturas de las hojas. En este caso la manzanilla dorada tiene una función decorativa, aunque sus flores sirvan también para realizar infusiones digestivas. Contrastan muy bien con las hojas finas del hinojo. Esta jardinera, de 1 m de largo por 25 cm de anchura y profundidad, ha sido rellenada con tierra de calidad. Se recomienda abonar con dos puñados de sangre desecada o estiércol.

PLANTAS PARA ACERTAR

1 **Manzanilla dorada,** dos plantas separadas entre sí 40 cm.

2 **Perejil rizado,** situado en el borde. Déjelo crecer cayendo hacia delante.

3 **Cebollino,** dos plantas. Sitúelas en segundo plano, al lado del hinojo.

4 **Hinojo,** tres plantas bien espaciadas. Pellízquelas regularmente para que no crezcan demasiado.

5 **Tomillo,** situado en el ángulo: la mejor ubicación es en el borde.

PRUEBE TAMBIÉN
Albahaca
Puede sustituir a la manzanilla en aquellas jardineras que albergaban plantas aromáticas. Esta planta no tolera el frío y requiere mucho sol.

Cidronela
Pequeño arbusto de hojas muy perfumadas. Para que crezca compacta deberá cortar las extremidades de los tallos más jóvenes.

Otras ideas

▶ PARA TODOS LOS GUSTOS

Si usted tiene gustos eclécticos, ¿por qué no se inspira en esta ventana en la que cada planta aromática se cultiva en una maceta individual? La clave consiste en variar la forma y el color de los recipientes para conseguir un resultado espectacular. Esta composición permite disponer siempre de plantas que también pueden sustituirse, cuando sea preciso, por nuevas plantas que ya dispongan de pequeños recipientes de plástico.

◀ SOFISTICADAS EXQUISITECES

En esta composición se ha apostado por la armonía estética y el equilibrio entre diferentes especies, en detrimento de la utilidad de esta jardinera de 1 m de longitud y 25 cm de profundidad. Se han plantado dos oréganos dorados y tres matas de salvia; la intensidad de color del follaje y sus tonos se iluminan con el verde oscuro del cebollino y del perejil. Durante el verano, en segundo plano, se abrirá una capuchina que alegrará el decorado con sus flores vivas. Además, mientras las flores todavía estén cerradas en botón, pueden recolectarse y ponerse en vinagre para aliñar ensaladas. Necesita una exposición a media sombra y requiere tratamiento constante contra pulgones.

BUENAS COSTUMBRES

El perejil puede sembrarse directamente en una maceta, entre abril y junio. Se recomienda poner las semillas en remojo en agua templada durante toda una noche para favorecer que germinen. La semilla no debe tocarse directamente con los dedos. Para sembrar, cúbrala con 0,5 cm de tierra tamizada. Aparecerán los primeros brotes a los diez o veinticinco días. ¡Hay que tener paciencia!

La recolección de plantas aromáticas debe realizarse regularmente para que vayan apareciendo nuevos brotes, más tiernos y sabrosos. Los tallos deben cortarse con unas tijeras o un cuchillo de cocina bien afilado, pero no deben arrancarse nunca. El corte supone menos estrés para la planta, que puede continuar su desarrollo vegetativo normal sin riesgo de interrumpir bruscamente su crecimiento.

 Consejo: **Debido a que el desarrollo del hinojo es incompatible con las dimensiones limitadas de esta jardinera, habrá que tallar regularmente; reserve el follaje más joven para condimentar. A los dos meses, más o menos, deberá cortar toda la planta. Será reemplazada por el cebollino, que se había plantado justo al lado del hinojo, y ahora tiene mayor densidad. Corte los tallos más viejos para que no florezcan. Después de la floración, el cebollino pierde su fino aroma. Si el verano es muy caluroso, puede cortar el tallo a ras de suelo para que crezca de nuevo en septiembre. Es muy importante mantener el suelo permanentemente húmedo.**

Cestos colgantes

La presencia de plantas colgantes en una ventana modifica notablemente la decoración de una fachada. Los cestos floridos aportan belleza por su ubicación y por la opulencia de su floración, que se combina con una modalidad de plantación divertida. El ejemplo ilustra a la perfección el rasgo espectacular que tienen las suspensiones. En esta composición, ideal para lugares sombríos, por ejemplo, bajo un porche, se pretende resaltar el efecto de levitación de las plantas; el cesto queda como un elemento secundario que pasa desapercibido.

TODO EL VERANO

PLANTAS PARA ACERTAR

1 **Impatiens híbrida,** dos plantas.

2 **Begonia tuberosa «Péndula»,** dos plantas de flores dobles.

3 **Brachycome,** una planta.

4 **Petunia «Péndula» de flores dobles,** un ejemplar frondoso.

5 **Lobelia «Blue Cascade»,** una planta.

6 **Fucsia colgante,** una planta.

REALIZAR UN CESTO COLGANTE

Para empezar, debe perforar la turba comprimida y revestir la estructura metálica del cesto con musgo para que retenga la tierra que se desprende con el riego. Un recipiente en suspensión debe albergar plantaciones laterales para conseguir la impresión de caída que lo caracteriza. Utilice plantas jóvenes poco desarrolladas para poder introducirlas en los agujeros. Puede envolver los tallos y las hojas en una hoja de plástico bien apretada. De este modo, es más fácil que la planta pase por el agujero sin que se estropee.

Utilice tierra de calidad, rica y bastante densa, para que no se cuele por los agujeros de la maceta. Acabe la decoración de un cesto colocando una planta erguida en la parte central. En la parte superior puede plantar plantas pequeñas colgantes. El riego debe ser generoso.

Otras ideas

▼ VIVA LA SIMPLICIDAD

Con la comercialización de las petunias colgantes, generosos híbridos de petunias, de tallo ligero colgante, se han multiplicado las posibilidades que ofrecen los cestos floridos colgantes. Estas plantas son tan vigorosas que pueden superar los 70 cm de longitud y amplitud. Por sus cualidades, esta especie se puede emplear para crear composiciones espectaculares a base de la misma variedad.

Necesita riego abundante y fertilización continuada hasta mediados de verano. Si compra un ejemplar desarrollado, el resultado será sorprendente. Los más jóvenes suelen tener dificultades para arraigar, lo que comporta un mes de retraso en su crecimiento. Requiere tratamiento contra pulgones.

◀ SENSACIÓN MONOCROMA

En la decoración de este cesto domina una petunia colgante violácea, acompañada por una verbena y una fucsia rosa. Para limitar la reverberación luminosa de la pared se ha colocado una celosía extensible en segundo plano. La falta de agua es el enemigo de este conjunto, puesto que acabaría por secarse. Hay que asegurar el aporte de agua adecuado; puede que en verano incluso requiera riego dos veces al día.

▲ BOLA DE FLORES

Este armónico cesto clásico de forma esférica está compuesto por fucsias, lobelias colgantes e impatiens de flores dobles. Dada la densidad de la vegetación, es necesario descolgar el conjunto y sumergirlo en un cubo de agua para que el riego sea eficaz. Debe comprobar la solidez de los ganchos cada año. En otoño elimine todo el contenido del cesto: plantas, envoltorio, musgo y tierra.

BUENAS COSTUMBRES

La *Tolmiea menziezii*, con hojas aterciopeladas y tallos resquebrajadizos que alcanzan hasta 60 cm de longitud, es una excelente planta para decoraciones colgantes. No es rústica, por lo que en invierno debe ubicarse en el interior de la casa. Es una planta vivípara; es decir, forma nuevas matas en el corazón mismo de las hojas adultas. Por consiguiente, para conseguir esquejes, basta con sacar esta hoja con un fragmento de peciolo y plantarla en una maceta pequeña que contenga tierra para sembrar.

Consejo: **Para componer cestos florales, utilice plantas con períodos de floración similares, ya que resulta prácticamente imposible sustituir una planta en una maceta colgante porque las raíces se enredan mucho más.**

145

La mirada de la primavera

Ligeros, etéreos, fantasiosos en su porte y color, los pensamientos parece que sonrían y nos seduzcan con sus grandes ojos negros. Si se plantan en septiembre, florecen durante gran parte del invierno, siempre que el frío no sea muy riguroso. Con la llegada de las primeras brisas de primavera recobran vida para ofrecer sus encantos con un impresionante festival de colores hasta junio. Son excelentes para un cesto florido.

La delicadeza de las hojas

Esta composición colgante opta por la belleza delicada de un broche de verdes, y emplea únicamente plantas de follaje. Sólo la lobelia ofrece tímidas flores azuladas que alteran la armonía de verdes. El resto de la plantación está compuesta por fucsias, impatiens y miserias.

Pura suavidad

En la página de la derecha, la vegetación abundante de una begonia tuberosa y de una cascada de lobelia ocultan totalmente el cesto que los contiene. En un segundo plano, la composición se completa con un impatiens. El interés de este conjunto reside en la armonía de colores que combina a la perfección rosa suave y azul.

UN JARDÍN EN EL BALCÓN

La fiesta de la primavera 152

Cálidos colores de verano 156

Balcones de otoño 160

Balcones de invierno 164

Ternura rosa 166

Destello de oro y sol 168

Rojo dominante 170

Fantasía azul 172

Dúo de colores 174

Profusión de color 178

Toque de originalidad 180

Suavidad de las hojas 182

Sueño exótico 184

Bajo el sol del sur 186

Balcón de golosinas 190

Jardineras de hortalizas 192

La exuberancia de las lianas 196

El rincón de las jardineras de hierbas 200

Un salón al aire libre 202

UN JARDÍN
EN EL BALCÓN

Los balcones son espacios privilegiados que gozan de un clima excepcional porque no son del todo interiores ni completamente exteriores. ❧ *En los apartamentos suponen un soplo de aire fresco, un rincón refugio en el que poder contemplar la ciudad y aprovechar los días de sol. En una casa unifamiliar, el balcón es el punto desde el que se puede contemplar el jardín en su totalidad.* ❧ *Sea como sea, hay que concebir el balcón como un todo capaz de albergar un fantástico jardín, que se integra en el espacio vital y se convierte en un espacio próximo y accesible. Su limitado espacio favorece su mantenimiento.* ❧ *Transformar totalmente este espacio algo frío en una zona de flores y verdor es una tarea simple. Para empezar, hay que revestir el contorno.* ❧ *Resguarde su intimidad sirviéndose de empalizados: le servirán como resguardo y protección contra el viento. A continuación, cree una estructura arquitectónica para dar volumen.* ❧ *Sólo necesitará un arco de madera, una pérgola pequeña, unas celosías o un mini salón de jardín. Para que su nuevo jardín adquiera vida, coloque algunas macetas y jardineras.* ❧ *Para empezar, apueste por valores seguros: sea clásico. Cuando aflore su pasión y disponga de más conocimientos, podrá arriesgarse con composiciones más complejas, combinaciones más audaces, e incluso con creaciones temáticas.* ❧ *En este punto, habrá convertido el balcón en su zona de relajación preferida: un rayo de felicidad en su vida.* ❧

La fiesta de la primavera

PRINCIPIOS DE ABRIL

PRUEBE TAMBIÉN

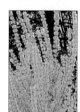

Forsitia (Forsythia suspensa)
En primavera, época en que alcanza su máximo esplendor, la *Forisitia* puede sustituir al membrillo japonés.

Narcisos
Una variedad de flores dobles: diez bulbos colocados en una maceta de 20 cm de diámetro.

Si quiere renovar su balcón en primavera, pruebe a decorarlo con flores precoces, fáciles de controlar. En esta jardinera de 1 m de largo, se plantaron tulipanes altivos entre los días 10 de octubre y 20 de noviembre, sobre una base de arena para que los bulbos pudieran soportar la intemperie. A principios de marzo aparecieron myosotis y se mezclaron entre las primeras hojas de los tulipanes. A principios de abril la jardinera alcanzó su máximo auge. Las flores se han ubicado en una jardinera japonesa que se podrá colocar en la barandilla, según se vaya desarrollando. La madreselva actuará como cortaviento.

PLANTAS PARA ACERTAR

1 **Madreselva** *(Gen. Conícara)*, planta de 2 m como cortavientos.

2 **Clemátide** *(Clematis alpina)*, ejemplar en un tutor piramidal.

3 **Rododendro «yak»**, una planta.

4 **Tulipanes simples altivos,** doce bulbos espaciados 15 cm.

5 **Myosotis,** ocho plantas entre tulipanes, bordeando el contorno.

6 **Membrillo japonés** *(Chaenomeles speciosa)*, una planta.

Otras ideas

▶ PLANTACIONES PROGRESIVAS

Este balcón es todo simplicidad porque las plantas perennes (boj tallado, madreselvas, etc.) se han instalado en macetas individuales. Estas especies persistentes garantizan una decoración permanente que se alegra con jardineras de temporada. En esta fotografía se distinguen primaveras *(Primula denticulata)* a la izquierda, y un conjunto de tulipanes botánicos y saxifragias, a la derecha. En el suelo hay macetas que contienen doronicos del Cáucaso, tulipanes, aguileñas híbridas y jacintos. El conjunto es alegre, agradable y nada sofisticado. Su ventaja más notable proviene de la posibilidad de cambiar de lugar los recipientes, alterando así la estética de la composición. Además, permite variar el ritmo de la composición con nuevas plantas: un balcón con movimiento.

◀ UN RECIPIENTE DEL QUE SALEN FLORES

Esta tinaja agujereada, también conocida como «fresera», normalmente se utiliza para cultivar fresas o plantas aromáticas. En las aberturas laterales se han colocado saxifragias *(Saxifraga hypnoide)* a dúo con tulipanes flor de lis. En el centro de la tinaja, los tulipanes amarillos combinana con myosotis azules del mismo tono que las *Clematis alpina*. Con el sutil contraste de colores se ha conseguido un ambiente equilibrado. Requiere tierra ligera y arenosa.

▶ SOFISTICACIÓN

En esta composición dominan dos plantas tutorizadas: una glicina, a la izquierda, y una lila de hojas pequeñas *(Syringa mocrophylla)*, a la derecha. La maceta de rododendros enanos refuerza la opulencia de la floración. En mayo aparecerá un ramillete de muguete y la alfombra que componen los *Phlox subulata*. Una composición espectacular que durará más de un mes y que aparecerá cada año, si el sol no la quema.

Consejo: ¿Por qué no sacar partido de las propiedades como cortavientos que ofrecen las especies de hoja perenne, en lugar de cargar el balcón con empalizados o separadores? Las plantas trepadoras, como la madreselva y la hiedra, serán la mejor opción.

La primera eclosión

A finales de marzo aparecen los primeros narcisos, algunas *Anemona blanda* ya están en su máximo apogeo y los jacintos todavía no están totalmente abiertos: la primavera despierta en los jardines. En esta jardinera de 50 cm de largo hay también una mata de *Ophiopogon japonicus,* que aporta un toque de fantasía a la composición. La forsythia se planta como un trampantojo, detrás de la barandilla. A la izquierda, el follaje de una madreselva.

Un bello amuleto

Los ramilletes de muguete florecen con sus campanillas perfumadas durante los primeros días de mayo. El muguete al ser vivaz, puede mantenerse en el recipiente. La myosotis es bianual y se puede sustituir por flores de verano, por ejemplo, impatiens. Esta composición tan sencilla, que combina muguete con myosotis, requiere sombra parcial.

Rincón del coleccionista

Como si de un joyero se tratara, esta jardinera de madera, de 1,5 m de largo y 20 cm de ancho, alberga una riqueza botánica muy interesante. Por ejemplo, se ha plantado *Lewisia cotyledon* que da estrellas de color salmón y rosa. Los amantes de las plantas poco comunes apreciarán, también, el joven abeto coreano *(Abies coreana)* y el pino silvestre enano injertado en un pequeño tronco (*Pinus sylvestris* «Nana»).

En la foto, un *Prunus* x *cistena* en flor al que ya se le pueden distinguir sus primeras hojas moradas. A su pie, un jovencísimo *Pinus mugo* «Gnomo». Estas coníferas pueden permanecer en la misma jardinera durante dos o tres años porque su crecimiento es lento.

Explosión de bulbos

Esta jardinera de 50 cm se ha llenado con tierra enriquecida con un tercio de arena; en otoño se plantaron diez narcisos, seis jacintos y algunos muscaris para obtener un festival de flores a mediados de abril. El éxito de la plantación lo garantiza el uso de bulbos de gran calibre, la protección contra el exceso de humedad durante el invierno y la correcta exposición en un lugar parcialmente sombreado. El conjunto se completa con algunas primaveras que, tras su floración, se sustituirán por plantas anuales de floración estival.

Cálidos colores de verano

MAYO-OCTUBRE

PLANTAS PARA ACERTAR

1 **Scaevola,** una planta en una maceta de 25 cm de diámetro.

2 **Surfinias,** blancas y rojas. Cinco matas en una jardinera.

3 *Miscanthus sinensis,* una planta en una maceta grande.

4 *Bidens ferulifolia,* una planta en un cesto colgante.

5 **Anthemis,** una planta con surfinias azules en un pilón.

6 **Diascia,** tres plantas en una maceta.

Bajo el sol veraniego, la opulencia de las anuales llena de flores el balcón. El sol de la mañana dará vida a esta composición y realzará sus contrastes. Bajo la luz de los rayos, el rojo oscuro de las surfinias adquiere alegría y se refuerza por contraste con una variedad blanca; cuando la sombra domina, se impone ésta última manteniendo la profundidad y la intensidad de las flores sombrías. Resulta interesante combinar diferentes recipientes para conseguir un efecto vistoso y una sensación de equilibrio armónico. En este caso, los tiestos juegan un papel secundario. Requiere riego frecuente y abono regular con una solución fertilizante.

PRUEBE TAMBIÉN
**Geranio hiedra
«Rouletta»**
Con su porte colgante, puede sustituir a las surfinias a pleno sol. Tiene colores muy bellos.

Lobelia híbrida
La «Cristal Palace» tiene forma de zarza y puede llegar a medir hasta 40 cm. En esta maceta de 30 cm hay cinco plantas.

Otras ideas

DELICADA SINFONÍA DE MALVAS

Realizar una composición en forma de camafeo transmite siempre una impresión de delicadeza y refinamiento. Este balcón de rosas, malvas y violetas es un buen ejemplo. La composición, muy femenina, aprovecha los matices de la malva y las violetas para realzar la presencia de las rosas. El rosa fuerte de la verbena situado a la izquierda se suaviza con el malva de las scaevolas y de los ageratums. En la jardinera de la derecha domina la unidad cromática, las lobelias casi son del mismo tono que el de las verbenas. Los geranios hiedra realzan el conjunto con una nota de color. La opulencia del conjunto se reaviva con algunas briznas de blanco. Es una composición de temporada que conseguirá su apogeo entre junio y julio; reaparecerá en septiembre, si se eliminan progresivamente las flores mustias.

BUENAS COSTUMBRES

Si compra plantas que tengan muchas raíces, corte el cepellón que se forma en el fondo del recipiente y peine el exterior del mismo para desenredarlo.

En pleno verano, la mayor parte de las jardineras y de los recipientes floridos requieren riego diario. La mejor hora es al atardecer, después de las horas de calor más intenso. Hágalo con agua enriquecida con abono líquido de calidad (un tapón por cada 10 l de agua). Esta solución tan poco concentrada permite estimular el crecimiento y la floración sin sobresaltos para la planta. Además, deberá «duchar» el follaje de arbustos y coníferas para revigorizarlos y evitar que proliferen las arañas rojas.

SABIA ALGARABÍA DE FLORES

Éste es un balcón típico del amante de las plantas que sucumbe ante cualquier tentación. El resultado es muy seductor y se obtiene con una buena disposición de los recipientes: agrupados en diferentes niveles, componen macizos. Destaca en el conjunto la ligereza de las arañuelas azules, el ojo negro de los linos de color rosa intenso y un grupo de diferentes especies de inmortales. Estas plantas se han sembrado directamente con sus recipientes, lo cual abarata bastante el coste y asegura el éxito. Requiere mucha luminosidad.

 Consejo: Para tener éxito en cualquier composición «a dúo», por ejemplo, al combinar surfinias de diferentes colores, conviene distribuir las plantas en la maceta y orientar sus ramas para que se entrelacen. Esta acción es más sencilla cuando las plantas son jóvenes. Para que las surfinias crezcan bien, la tierra debe estar siempre húmeda y, sobre todo, permanentemente fertilizada.

Una profusión con reflejos dorados

El crecimiento generoso de las plantas hace olvidar la existencia de esta jardinera de 1 m de largo que desaparece bajo el follaje y la floración.

A la izquierda, una *Thunbergia alata* que requiere un tutor debido a su vegetación tan voluble. A cada lado se ha dispuesto una lantana a la que le encanta el pleno sol y un poco de sequía. Las plantas que cuelgan son dos *Helichrysum petiolare* «Rondello» con hojas lanosas.

Una buena idea para cambiar

El tabaco rojo decora y domina esta jardinera de 40 cm de largo. Los extremos de este recipiente están cubiertos con una enredadera de flores azules de Mauritania y con una verdolaga híbrida de color naranja. Sencilla y a la vez soberbia.

La preocupación por los matices

Esta balconera de plástico de 1 m de largo desaparece bajo la opulenta vegetación de las salvias blancas y azules, y una impatiens rosa pálido que delicadamente combina con el rosa pujante de la verbena. Los extremos de la jardinera acogen lobelias azules que se asocian con las salvias. Los colores juegan acertadamente con los efectos de sombra y luz para dar una sensación exquisita de color pastel. La densidad de la plantación requiere fertilización abundante y frecuente.

Una nueva planta para que todo cambie

Esta jardinera es idéntica a la que se ilustra en la fotografía inferior de la página anterior. Pero el tabaco se ha sustituido por una lisimaquia globulosa *(Lysimachia congest)*. Basta este cambio para modificar completamente la composición y el ritmo de la plantación, que adquiere así un aspecto más original y una mayor amplitud.

Balcones de otoño

OCTUBRE

Con la llegada del otoño y la última eclosión de colores, las plantas parecen perder vida con la caída de las hojas que anticipa la llegada del invierno. Puede realzar el encanto de un balcón aprovechando los sutiles matices de esta estación. El arce japonés de color cobre es el protagonista central de esta composición. Debe plantarse en una maceta de 40 cm de diámetro, con tierra ácida. Es un arbusto bastante delicado que no soporta el calor estival, por lo que debe emplazarse en un lugar de sombra parcial y aireado. Para completar el conjunto se ha añadido un brezo, un aster y un *Sedum spectabile;* el fino follaje de los carex aporta un toque delicado. Hasta el más mínimo detalle huele a otoño: en una maceta se observa una pequeña col decorativa al lado de algunas manzanas de color. Si las lluvias no son frecuentes, riegue las plantas durante este período.

PRUEBE TAMBIÉN

Pernetia (*Pernettya mucronata* «Lilacina») Este pequeño arbusto de crecimiento lento se encuentra en un recipiente de mantillo. Las bayas parecen caramelos.

Cineraria marítima Existen muchísimas variedades que abarcan todos los tonos de follaje plateado. Combinan perfectamente con las coles decorativas y los brezos y crea un efecto de gran belleza.

PLANTAS PARA ACERTAR

1 **Arce japonés (*Acer palmatum* «Dissectum»)**, un ejemplar de arce japonés.

2 **Griñolera de hoja pequeña (*Cotoneaster microphylla),*** especie persistente y estilizada.

3 **Brezos (*Gen. Erica),*** mezcla de diferentes variedades de floración otoñal e invernal.

Otras ideas

▶ MATICES SUTILES

A pesar de la simplicidad de su estructura, el resultado de este balcón es de lo más sofisticado. El secreto radica en los detalles insignificantes que marcan la diferencia: la cabeza de cerámica, situada en el eje de la decoración, atrae la mirada hacia la masa florida de las reina margaritas *(Callistephus sinensis)* y del brezo *(Erica gracilis)*. El motivo escultórico se repite en otros recipientes para reforzar la unidad del conjunto y generar armonía. La calabaza y los calabacines cumplen la misma función: su sinuosa redondez vegetal expresa cierta sensualidad. A la izquierda, un manzano decorativo se abre con mil frutos dorados que combinan con el cornejo, que está llegando al fin de su ciclo. Esta bonita composición sólo dura un mes.

▲ MODERNISMO Y ENCANTO RETRO

Este decorado de dalias y de gramíneas *(Pennisetum compressum)*, que aprovecha los contrastes de las diferentes estaciones, transmite un aire campestre. Las dalias cactus de grandes flores abiertas aportan el toque de clasicismo en contraposición con las gramíneas que expresan la tendencia contemporánea de emplear plantas «locas, pero domesticadas». Todo vale si se quiere crear un balcón con encanto y cierto aire melancólico. Se han empleado macetas de 25 cm para acoger cada planta. Para conseguir esta frondosidad, hay que abonar generosamente para favorecer el desarrollo de las dalias; puede disimular el tutor entre el follaje.

BUENAS COSTUMBRES

Los carex son plantas de follaje persistente bastante semejantes a las gramíneas. Si las matas parecen estropeadas o secas, córtelas a pocos centímetros del suelo. De este modo la planta crecerá con más belleza en primavera.

Evite que las hojas muertas se queden en las macetas floridas. Además de ser poco estético, la humedad que retienen las hojas favorece la proliferación de hongos que pueden atacar la planta y pudrir las flores de inmediato. Requieren un mantenimiento muy sencillo.

 Consejo: Tras las cálidas jornadas veraniegas, el follaje del arce japonés *(Acer palmatum)* se seca con facilidad. Para solucionar este problema, deberá regar las ramas del árbol cada noche, por debajo de las hojas. Este árbol sufre de sequedad en las raíces; para evitarlo, plante en la superficie de la maceta una alfombra de helxina *(Soleirola soleirolii):* hace el mismo papel que el musgo y conserva la humedad. Controle que no aparezcan cochinillas.

Una fuente efímera

Esta fuente se ha tratado como si fuera un ramo de flores en el que
se han combinado las estrellas del otoño: col decorativa, verónica arbustiva
de follaje moteado, aster (flores blancas), cineraria marítima de follaje
plateado, sédum, brezo y crisantemos. La plantación puede parecer muy densa,
pero hay que tener en cuenta que la mayor parte de las plantas desaparecerán
con la primera helada.

No olvide los complementos

Esta jardinera sería de lo más corriente si no fuera por la magnífica floración de los crisantemos (*Dendrathema* x), del brezo carneo (*Erica carnea* «Gracilis») y por el uso de una salvia moteada que aporta un toque simpático al follaje. Pese a ello, la sutileza del conjunto radica la personalidad y presencia que aportan el cesto de manzanas y membrillos: un pequeño detalle que marca una gran diferencia.

Golpes escondidos

Si se combinan plantas muy diferentes en una jardinera como ésta, de 60 cm de largo, se obtiene una composición que sorprende por su riqueza y opulencia: un manzano del amor y una skimmia para evocar la tentación de la fruta prohibida; un cyclamen para relajar y dos coles decorativas y un brezo para reforzar el color predominante. El follaje perfumado del romero (*Rosmarinus corsicus* «Prostratus») y de la artemisa *(Artemisa splendens)* completan la sutileza de este conjunto.

Balcones de invierno

FINALES DE ENERO

PRUEBE TAMBIÉN

Esquimia (Skimmia japonica)
Un pequeño arbusto persistente con bayas de color rojo vivo. Hasta 50 cm.

Hebe moteado
Compacto, en forma de bola, este arbusto semirrústico da flores azules a principios de invierno. Hasta 60 cm.

Cuando la nieve cubre el balcón, todo el decorado vegetal se convierte en esculturas efímeras. En las regiones en las que la nieve es frecuente, puede optar por crear un verdadero decorado de postal de Navidad. Para conseguir un efecto bello, la composición debe contar con el mayor número posible de plantas de follaje persistente.

Para ello, las variedades coníferas son ideales por su resistencia y la diversidad de formas que darán ritmo al conjunto.

PLANTAS PARA ACERTAR

1 **Acebo (Ilexaquifolium)**, arbusto persistente de 1,5 m.

2 **Tejo (Taxus baccata)**, conífera compacta, de 1 a 2 m.

3 **Picea abies,** ejemplar de abeto rojo; hasta 3 m.

4 **Picea glauca «Conica»,** como su nombre indica, es cónica; hasta 80 cm.

Otras ideas

▶ EL JARDÍN DE LOS COMPLEMENTOS

La nieve no es buena aliada para dar vida a un jardín en invierno. Pero el viento, a menudo inevitable, puede servir para animar objetos colgados y hacer que suenen; ejemplo de ello son estas campanillas de sonidos variados. Para esta composición se han empleado una maceta, una piedra y un cordel. Además, se han colgado piñas para que los pájaros jueguen, y se han protegido con un recipiente. Pero, en cuanto se trata de una composición sin flores, ¿por qué no aportar un toque de color? Colgando unas manzanas bien encarnadas, lo habremos conseguido. Es sencillo y creativo y a los niños les encantará participar en la composición de este jardín.

▼ NAVIDAD EN EL BALCÓN

Para iluminar la decoración nocturna: una conífera, algunos objetos decorativos menudos, rodajas de cítricos secos y frutos de physalis, en lugar de las velas y las típicas bolas de colores. Será el mejor balcón para recibir a los Reyes.

Si además se añade una guirnalda luminosa, se reforzará la magia para los niños y se alegrará el ambiente hogareño.

Consejo: **Para proporcionar algo más de vida a un balcón invernal, una buena opción consiste en instalar uno o varios comederos para pájaros. Es un período duro para las aves y vendrán alegres a alimentarse en su balcón. Puede ofrecerles grano variado, fruta, pan mojado en leche y alpiste.**

▲ UN INVIERNO SIEMPRE VERDE

Empleando plantas de follaje persistente podrá mantener una composición atractiva en las diferentes estaciones. En este caso, se ha apostado por la elegancia clásica: dos bojs podados en redondo enmarcan el decorado. Los arbustos con frutas decorativas (symphorina, pernettya, cotoneáster) aportan colorido y sirven como alimento para los pájaros. No olvide regar cuando el tiempo sea bueno.

Ternura rosa

MAYO-OCTUBRE

PLANTAS PARA ACERTAR

1 Cola de zorro (*Acalypha hispida*), planta colgante que hay que resguardar en invierno.

2 Fucsias variadas, híbridos, y una *Fucsia magellanica*.

3 *Fatsia japonica*, en un recipiente grande. Sensible al frío.

4 *Aristolochia durior*, gran trepadora caducifolia.

A pesar de que la composición apuesta por el empleo de diferentes tonos de fucsia, se ha tenido muy en cuenta que el resultado fuera estético. En este pequeño balcón armonizan todos los matices del rosa para obtener un decorado seductor y sobrio. Gracias a las prolijas fucsias y a la presencia de dos plantas de gran porte, todo es abundancia. En primer plano, la aralia *(Fatsia japonica)*, más resistente al frío que las fucsias, con hojas en forma de palma que pueden superar los 40 cm de diámetro. Situada a la derecha, una aristoloquia *(Aristolochia durior)*: una liana gigante que puede vivir en maceta si se poda con frecuencia. Requiere exposición a pleno sol.

PRUEBE TAMBIÉN

Fuchsia **«Caledonia»**
Una variedad de colección con hojas colgantes muy finas, en pequeños racimos. Ideal si se tutoriza.

Fuchsia **«Abad Farges»**
Una modalidad bicolor de grandes flores sencillas que combinan el malva y el rojo con cierta audacia. Gran floración de porte colgante.

Otras ideas

▶ AMBIENTE MEDITERRÁNEO

La presencia de adelfas *(Nerium oleander)* y de rosas de la China *(Hibiscus rosasinensis)* confieren a este balcón un aire muy mediterráneo. Las *Diascia rigescens* se despliegan en generosas cascadas desde las jardineras. La disposición es muy significativa: su belleza radica en la distribución de plantas en diferentes niveles de vegetación, para ocupar el máximo volumen. Requiere exposición a pleno sol. La mayoría de las especies de esta composición deberán resguardarse con la llegada del otoño.

◀ HOMENAJE A LA VERBENA

Cuando se trata de decorar balcones, a veces las soluciones más sencillas son las mejores. En este caso, la expansión de la verbena híbrida *(Verbena hortensis)* aporta la amplitud deseada. El toque sofisticado se consigue con la *Mandevilla* con campanillas espectaculares; combinada con los geranios del segundo plano, la sensación de densidad es mayor. Sólo por el hecho de colocar las verbenas distanciadas entre sí 20 cm, se refuerza la impresión de vegetación frondosa. Requiere exposición a pleno sol, riegos medios y fertilización regular.

BUENAS COSTUMBRES

Para conseguir que las fucsias tengan un tamaño determinado, en otoño deberá cortar los botones, con los dedos, desde su punto de crecimiento. Además, deberá liberar las ramas, si tienen tutores. Si las plantas no se podan, crean muchas ramas muertas.

Los pulgones suelen atacar a las fucsias, sobre todo en septiembre, al principio de su vegetación. Cuando aparezcan los primeros, combátalos con insecticida y repita la operación tres veces (el tratamiento debe ser continuado).

Consejo: Las fucsias deben resguardarse de las heladas invernales. Para crear un pequeño invernadero, basta con cubrir las celosías con plástico transparente. Durante el período de descanso, el riego deberá realizarse sólo una vez al mes.

Destello de oro y sol

PLENO VERANO

PLANTAS PARA ACERTAR

1 **Girasol (*Helianthus annuus*),** uno por recipiente; hasta 2 m.

2 **Anthemis amarilla,** tres ejemplares separados entre sí de 35 a 40 cm.

3 **Heliotropo,** dos ejemplares.

4 **Sanvitalia,** una planta cada 25 cm, combinada con ageratums.

Como se aprecia en esta jardinera de 1,20 m de largo y 30 cm de anchura y altura, el azul refuerza la luminosidad del amarillo, por contraste. La franja amarilla que domina la composición acentúa todos sus matices con la presencia de heliotropos peruanos a ambos lados de la jardinera. La masa azul oscuro realza los numerosos solecillos de las anthemis (*Chrysanthemum frutescens* «Shone von Nizza»). El recipiente queda oculto por la exuberancia de las plantas del borde. Las *Sanvitalia procumbens* combinan de maravilla con los ageratums. Deben plantarse en mayo, empleando tierra rica. Riegue casi a diario con una solución nutritiva. Hay que eliminar las flores marchitas.

PRUEBE TAMBIÉN

Las capuchinas
En el borde de la jardinera, su variedad enana «Golden Yellow» puede sustituir a las *Sanvitalia*.

Rudbéckia
La especie *hirta* puede sustituir a los anthemis, si se emplaza en un lugar menos soleado. Requiere el mismo tratamiento que las anuales.

Otras ideas

▶ PARA UNA PRIMAVERA DORADA

El amarillo es uno de los colores predominantes en primavera. Con un recipiente de 40 cm de diámetro, este pequeño balcón de abril muestra una floración espectacular gracias a una coreta japonesa (*Kerria japonica* «Flore Pleno») que llegará a superar el metro y medio. El punto sofisticado de esta composición radica en pintar los recipientes para que se confundan con el tono predominante. Destaca una maceta con una *Viola cornuta*, una pequeña hosta y una jardinera con una coronilla. Abajo, a la izquierda, se ha colocado un bonetero moteado, que da volumen a una madreselva de follaje persistente (*Lonicera* x «Hecrotti») que florecerá con tonos amarillos.

BUENAS COSTUMBRES

Las anthemis se pueden propagar muy fácilmente durante la primavera mediante esqueje. Para ello, extraiga ramas de unos 15 cm de longitud, sin arrancar el brote terminal. Plante cada esqueje en una barqueta que contenga la misma cantidad de mezcla de arena y turba. Riegue y cubra con un plástico.

Consejo: Los girasoles *(Helianthus annuus)* confieren volumen a cualquier composición. Siémbrelos directamente durante el mes de abril en un gran recipiente de unos 30 cm de diámetro. Ponga tutores en los tallos más jóvenes para que se yergan correctamente. Para evitar la sensación de crecimiento descontrolado, pruebe a disimular las macetas.

◀ ROSAS DE LA INDIA, REINAS DE LA BELLEZA

Esta jardinera de 70 cm de longitud y 30 cm de profundidad, apuesta por una composición en camafeo amarillo, dominada por una espléndida mata de rosas de la India *(Tagetes erecta)*. Para obtener un efecto similar hay que utilizar una variedad híbrida F1, única que puede garantizar la exuberancia y la regularidad de la floración. Con tendencia a estar decorada en la base, la planta se ha recubierto con calceolarias y dalias enanas para aumentar el efecto de masa. En la parte anterior se han colocado dos *Sanvitalia procumbens* que ocultan la jardinera. Las rosas de la India necesitan tutores y fertilización abundante.

Rojo dominante

PLENO VERANO

PLANTAS PARA ACERTAR

1 *Lobelia cardinalis,* en una maceta de 30 cm alcanza hasta 1 m.

2 *Dalia cactus,* un tubérculo en un gran recipiente de 30 cm.

3 *Salvia coccinea,* tres ejemplares que pueden alcanzar hasta 40 cm.

4 **Lantana** *(Lantana camara),* un ejemplar.

El rojo es un color fuerte y violento que genera sensación de dinamismo y entusiasmo. En este caso, todo su ardor se contrasta con un barandilla de hierro forjado pintada de blanco. Para resaltar el cromatismo del tono oscuro de las flores rojas cuando brilla el sol, se han añadido accesorios. La jardinera de madera, la butaca de enea y la regadera metálica se han pintado con el mismo tono de rojo. Esta elección monocroma es más acertada que combinar dos colores suaves. Para las dalias puede colocar tutores; recuerde que deben tratarse contra los pulgones. Para que florezca mejor, debe podar la lantana.

PRUEBE TAMBIÉN

Rudbeckia roja
Denominada también *Echinacea purpures,* puede sustituir a las dalias para obtener una floración posterior.

Zinnia elegans
Una variedad enana roja como la «Scarlet Gem» florece durante todo el verano y puede reemplazar a la salvia.

Otras ideas

▶ **EL COLOR CON TODA SU SIMPLICIDAD**

Crear una composición bella es muy fácil. Este exuberante balcón florido con geranios hiedra rojos (*Pelargonium peltatum* híbrido) es un buen ejemplo. Para personalizar la fachada y dar una acogida calurosa a los visitantes, la parte florida se ha orientado hacia el exterior del balcón. La apuesta por un tono monocromo y la floración abundante aportan un destello de colorido a un océano de hojas de viña virgen. Para conseguir este efecto y obtener esta profusión continua de flores, plante ejemplares jóvenes en mayo y, en cada riego, fertilícelos hasta finales de verano. El riego no debe ser excesivo para que el follaje no se desarrolle en exceso.

▼ **RESPLANDOR SIN SOL**

Para dar luminosidad a un balcón sombreado, puede optar por una composición en la que domine el rojo, con el escarlata de las begonias tuberosas «Non Stop» y las verbenas híbridas. Este tono se realza sutilmente con el blanco central de un ageratum enano que focaliza la atención. A uno y otro lado de la jardinera, de 80 cm de longitud y 25 cm de profundidad, hay una cascada de lobelias violetas que exaltan la luminosidad de las begonias. El principio que se debe seguir es simple: para que una planta oscura resplandezca en toda su intensidad, puede situarla junto a otra de tonos intensos. Requiere riego moderado.

BUENAS COSTUMBRES

Desde que empiecen a aparecer las primeras flores, coloque tutores en las dalias para que los tallos florecidos no se doblen con las primeras lluvias. Átelos con rafia.

La poda de tallos de plantas anuales o estivales produce ramificaciones de las cuales brotarán nuevas flores. En plantas jóvenes y vigorosas, realice esta operación en primavera.

Consejo: Debe evitar crear un efecto de masa pesada que, con los tonos rojizos, podría dar un efecto agresivo. Utilice sólo plantas de floración en espiga. Necesita una orientación suroeste para que beneficiarse de una luminosidad transparente.

Fantasía azul

TODO EL VERANO

*E*l azul, un tono sutil de efectos tranquilizantes, gana vitalidad cuando se utiliza en balcones que no queden directamente expuestos a los rayos de sol. Pero no es adecuado para zonas sombreadas, porque perdería luminosidad. En esta composición, se ha apostado por conseguir homogeneidad utilizando, sobre todo, plantas mediterráneas. Por ejemplo, el caso del *Plumbago,* del aster azul *(Felicia)* y del *Convolvulus mauritanicus* que, en regiones de clima suave, pueden dejarse en el exterior. Sin embargo, deberá renovar el cultivo cada primavera, además de resguardar los tallos madre en una galería para que no se hielen o se sequen.

PLANTAS PARA ACERTAR

1 **Dentelaria del Cabo** *(Plumbago capensis),* tutorizada alcanza 1,20 m.

2 *Felicia amelloides,* una planta dominante en la jardinera. Hasta 40 cm.

3 **Petunia,** una planta en una maceta y otra en una jardinera. Hasta 30 cm.

4 **Enredaderas de Mauritania,** en recipientes individuales. Hasta 60 cm.

PRUEBE TAMBIÉN

Browallia speciosa
Afloran con preciosas estrellas de color azul radiante, de julio a septiembre. La planta alcanza hasta 60 cm. Debe resguardarse a partir de octubre.

Isotoma grandiflora
Planta bastante nueva, que se enmarca en el abanico de plantas floridas. En verano se cubre con finas estrellas. Requiere sombra parcial.

Otras ideas

▶ SINFONÍA PRECOZ

Para obtener un balcón espléndido entre abril y mayo, se han empleado una maceta repleta de campanillas bianuales *(Campanula medium),* una jardinera con cuernos de violetas *(Viola cornuta)* y un phlox. La presencia de flores blancas y de follajes moteados (laurel y menta) iluminan y realzan los tonos azules, sin alterar el equilibrio de esta composición monocroma. Utilizar plantas poco comunes, como las campanillas, para decorar balcones siempre aporta un toque de fantasía y personalidad al conjunto. De esta manera, se puede conseguir un efecto espectacular y singular, sin tener que recurrir a tendencias tradicionales ni a artificios complejos. En junio, estas plantas deberán sustituirse por especies de floración veraniega.

◀ MISTERIO Y PROFUNDIDAD

En esta jardinera se ha optado por una original combinación de plantas de color azul intenso: *Scaevola aemula* «Blue Wonder», verbena híbrida «Alfombra azul» y la *Lobelia erinus.* El azul es un color relajante y nostálgico que adquiere profundidad bajo el sol.

A pesar de que son composiciones con mucha clase, si se abusa puede llegar a resultar melancólica. El color blanco de la barandilla que despunta en segundo plano sirve para resaltar los tonos azules.

BUENAS COSTUMBRES

Las dentelarias del Cabo y las enredaderas de Mauritania necesitan una fertilización generosa con abono líquido. Entre abril y septiembre, estas plantas de vegetación exuberante requieren dosis de abono muy diluidas, cada vez que se rieguen (un tapón por cada 10 l de agua).

La *dentelaria obelesa europea* tiene largos tallos volubles que hay que guiar en horizontal para que den la mayor cantidad posible de flores. Para que las ramas puedan crecer a gusto, no apriete demasiado las sujeciones.

Consejo: **Durante el invierno, las enredaderas de Mauritania se expanden en las galerías. A finales de verano, conviene retirar los brotes, sobre todo los más jóvenes que no hayan florecido todavía. Reaparecerán sin problemas e incluso podrán resguardarse fácilmente dentro de casa.**

Dúo de colores

MAYO A OCTUBRE

PLANTAS PARA ACERTAR

1 Anthemis *(Chrysanthemum frutescens)*, en una maceta de 40 cm.

2 *Helichrysum petiolare* «Silver», variedad colgante aterciopelada.

3 **Cineraria marítima,** ejemplar de vivaz de follaje plateado.

4 *Dipladenia scandens,* necesitará tutores y exposición a pleno sol.

5 **Dalia,** una planta en una maceta.

*P*ara decorar un balcón, es más fácil combinar dos tonos que conseguir una bella composición monocroma. Bien combinados, ofrecen un sinfín de posibilidades para generar un efecto visual intenso. En este caso, el follaje plateado o moteado de color blanco realzan las flores rosas. Con esta asociación, un tono que habitualmente es neutro, adquiere una nueva dimensión al convertirse en el elemento central. Detalles que se aprecian con el resplandor de las anthemis y el impacto de una cineraria. La finura de los tonos se apreciará mejor con luz tamizada. Oriente las ramas para que se entremezclen con elegancia.

PRUEBE TAMBIÉN
Rosa «Iceberg»
El blanco de una flor delicada que florece en primavera. Debe cultivarse en un recipiente de entre 30 y 40 cm.

Anisodontea capensis
Ejemplar que puede sustituir a las anthemis bajo el sol porque es más resistente a la falta de agua. Se desvanece con las primeras heladas.

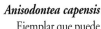

Otras ideas

◀ **CONTRASTE Y ARMONÍA**

El azul y el amarillo combinan con facilidad y se iluminan mutuamente. Esta unión crea un efecto tónico a partir del contraste de estos dos colores básicos. Si ambos tonos se mezclan se obtiene verde: el color neutro de un jardín. En este caso, el amarillo dominante de la izquierda se atenúa con el azul de la derecha. Esta distribución de colores casi simétrica es armoniosa. Para completar la composición se aprovechan las sutiles diferencias de tono de las variedades amarillas (rudkéckias, melampodiums, sanvitalias, cassias y rosas de la India). La maceta azul contiene una enredadera de Mauritania. Para que la composición tenga siempre buen aspecto, elimine las flores marchitas.

BUENAS COSTUMBRES

Las dalias son muy sensibles a los ataques de pulgones negros, sobre todo al principio de su vegetación. Para reforzar la eficacia del tratamiento, pulverice alternando cada semana diferentes insecticidas. Incida, sobre todo, debajo de las flores y en el reverso de las hojas. Respete las dosis que prescribe el fabricante (descritas en el envase).

Aquellos brotes volubles de las dipladenias que no contengan brotes florales en sus extremidades se deben tallar por la mitad. Esta acción estimula el crecimiento de brotes laterales que darán nuevas flores.

▲ **DULZURA PASTEL A LA SOMBRA**

Los tonos suaves y los blancos se aprecian mejor con luz tamizada, incluso debajo de un toldo. Muestra de ello es este precioso balcón que opone tabacos blancos y surfinias rosas en una jardinera central. El blanco se intensifica con los colores del asiento, la barandilla y la regadera; por su parte, la buganvilla enderazada dinamiza el efecto de los tonos rosa. Es un conjunto sencillo, delicado y fresco.

Consejo: **Evite que las matas de anthemis se sequen totalmente. Las hojas que se secan en períodos áridos tendrán problemas para recuperarse. En tal caso, trasplántela rápidamente a un recipiente con una mezcla de base y de tierra de jardín, para retener la humedad del sustrato original. Requiere un buen fertilizado.**

Un efecto luminoso
Coloque cuatro impatiens híbridos blancos entre las flores doradas de las calceolarias, *Melampodium* y *Sanvitalia*, para que la jardinera sea insuperable. Es el blanco lo que realza el rojo sangre de las impatiens de Nueva Guinea.

Sol en azul
Las *Bidens ferulifolia* con mil estrellas doradas iluminan las petunias azul oscuro. Esta combinación tan hábil permite realzar el aspecto aterciopelado de las petunias, además de atraer la mirada hacia la jardinera.

Nieve otoñal

La hilera de flores blancas aster y *Chrysanthemum parthenium* se asemeja a una capa nevada que cubre la cascada de las *Nierembergia repens*. De este modo, se crea un efecto luminoso que realza el tono azul violáceo de las plantas colgantes. Es una excelente idea para finales de verano. Se ha realizado en una jardinera de terracota de 80 cm de longitud.

Un cierto misterio

Contrariamente a la idea que tenemos todos, el rojo es un color bastante sombrío en los jardines. Al combinarlo con el blanco se reaviva pero, a veces, le hace perder intensidad. Para reforzar su cariz más vivo y la profundidad de su luminosidad nada es mejor que contar con la presencia de una malva.

Aquí, la *Scaevola aemula* realza el valor de las impatiens y de los tabacos decorativos.

Profusión de color

TODO EL VERANO

PLANTAS PARA ACERTAR

1 **Calceolaria,** dos plantas. Hasta 30 cm.

2 *Lysimachia congesta,* una planta cada 25 cm. Altura, 30 cm.

3 *Lobelia pendula* «**Saphir**», dos plantas en el borde.

4 *Manettia inflata,* en una maceta de 40 cm, esta trepadora tropical puede alcanzar los 3 m.

Como se ha hecho en este ejemplo, mezclar colores básicos (rojo, azul, amarillo y verde) es siempre una acción osada, ya que puede crear un efecto vulgar. El éxito de este balcón radica, en primer lugar, en la exuberancia de la floración, pero también y, sobre todo, en la sabia aplicación de cada color. El rojo sólo está en la parte central, con las impatiens (dos matas) que resplandecen junto al azul intenso de una lobelia y de un heliotropo. El amarillo domina el resto de la composición, con especial atención a las tonalidades de la *Manettia inflata,* una bella trepadora brasileña. Requiere exposición a plena luz, riego y fertilización abundantes.

PRUEBE TAMBIÉN

Campanillas
Formas en cascada que durante la primavera reemplazan la belleza de las lobelias. Plantar a partir de octubre.

Narcisos
Ofrecen el mismo efecto luminoso que las lysimiaca, pero, en este caso, a partir de abril.

Otras ideas

◄ **ELEGANCIA Y FANTASÍA**

Esta colorista mezcla, un poco atrevida, se atenúa con los diferentes matices de cada color. Si se evitan los tonos chillones y demasiado vivos, se obtiene una paleta agradable, de efecto casi tranquilizador. El amarillo del anthemis tiende hacia los dorados, mientras que el blanco se inclina al marfil. Las petunias púrpuras y la buganvilla violeta son lo bastante oscuras para no destacar en exceso. Una composición hermosa que debe estar a pleno sol.

▲ **COMBINACIÓN EJEMPLAR**

La generosidad de formas y la dulzura de colores son los puntos fuertes de este balcón con salvias harinosas, verbenas híbridas «Cleopatra», impatiens «Accent rose», claveles de la China y lobelias. Para evitar la repetición, se ha distribuido una masa sombría (azules) en el corazón de la plantación. De este modo, se refuerza el estallido de color en las zonas más claras. Sabia armonía.

 Consejo: **Las grandes lianas son sensibles al frío y se benefician cuando se dejan crecer hasta vestir por completo las paredes o las empalizadas que les sirven de apoyo. A finales de octubre puede protegerlas con una capa de plástico transparente, que las cubra totalmente. Para fijar el plástico en el suelo, emplee macetas.**

▲ **DESCANSO, COLORES Y FANTASÍA**

Si se evitan las formas demasiado sofisticadas, por ejemplo, las flores bicolores, y se opta por jugar con colores primarios, se conseguirá una composición divertida y espectacular. Divertida, por las formas superpuestas de las plantas que crecen en función de su porte natural. Espectacular, por la abundancia de floraciones y la intensidad de colores. En el centro, la begonia roja está envuelta por el oro de las melampodiums y de las calceolarias, cuyo estallido se neutraliza con el frescor de los azules de las salvias y de las scaevolas.

Toque de originalidad

MARZO-JUNIO

Coleccionar plantas es una excelente opción que puede ser muy decorativa para un balcón. En esta bella composición se han dispuesto pensamientos *(Viola* x *wittrockiana)* en macetas y jardineras, colocadas en diferentes estanterías. El efecto sorprendente se consigue plantando una única variedad en cada recipiente. De este modo, se obtiene un efecto de masa que equilibra los colores para que todos reluzcan. En consonancia con los colores de los pensamientos, las bolas de cristal translúcido refuerzan la sutil armonía de los tonos. Para esta composición, que se debe plantar a partir de octubre, se pueden utilizar plantas jóvenes floridas que permanecerán abiertas, siempre que el invierno sea suave.

PLANTAS PARA ACERTAR

1 **Pensamientos híbridos,** una variedad en cada jardinera. Una planta cada 20 cm.

2 *Glechoma hederacea* **«Variegata»,** hojas redondeadas y moteadas, tutorizadas para que caigan hasta el suelo. Una única planta.

3 **Hiedra moteada** colgante, cultivada en una maceta de 18 cm.

PRUEBE TAMBIÉN

Begonia ewansiana Una gran begonia que escasea en nuestras regiones. Si se protege con tela de invernadero, sobrevivirá bien al frío invierno en un balcón. Sus bellas hojas son barnizadas en el anverso y rojizas en el reverso. Las flores son de color carne y miden unos 3 cm de diámetro; aparecen en racimos de junio a septiembre. Es una planta muy original.

Primula aurícula Las primaveras han dado estos híbridos tan sorprendentes, como este «St Boswells» cuyas flores parecen cubiertas por el rocío. Las hojas alargadas, en ocasiones grisáceas, a veces están recubiertas de un fieltro blanco, propio de esta especie. No toleran la humedad invernal y deben cultivarse, preferentemente, en pequeños recipientes o terrinas.

Otras ideas

▶ UNA PLANTA EXCEPCIONAL

Las grandes cabezas escarlatas de dos *Hae-manthus multiflorus* dan un toque insólito a esta pequeña jardinera de 40 cm de longitud, recubierta por una ipomea. A veces es preferible integrar una planta excepcional en la parte central de una composición, en lugar de dejarla aislada en un recipiente individual. Al igual que en el ejemplo, se obtendrá un ambiente inesperado, muy seductor. El hemanthus es una planta bulbosa que debe resguardarse del frío y de la humedad en invierno.

▶ PEQUEÑO JARDÍN DE VIVACES

Cuando se haya olvidado la opulencia de las jardineras anuales, se podrá disfrutar de la simplicidad de las flores salvajes. Esta composición demuestra la infinidad de posibilidades que depara el cultivo en balcones. La plantación juega con la transparencia, la ligereza y la gracia aérea de flores y follaje. En el borde, se han plantado jusbarbas *(Sempervivum);* en segundo plano, resalta un lirio híbrido «Jacques S. Digit», cuyas flores revuelan como mariposas; a ambos lados, el oro de una *Achillea tomentosa* realza una malva *(Malva moschata).* Para terminar, un *Linum narbonense* de flores azul cielo.

BUENAS COSTUMBRES

La siembra de pensamientos debe efectuarse entre mediados de junio y principios de agosto, preferentemente en barquillas. Cuando hayan desarrollado dos hojas auténticas, deben trasplantarse en terrinas individuales. La plantación definitiva en recipiente o en jardinera se efectúa en otoño. Siembre el contenido de un sobre de simientes en dos barquillas.

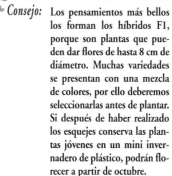

Consejo: Los pensamientos más bellos los forman los híbridos F1, porque son plantas que pueden dar flores de hasta 8 cm de diámetro. Muchas variedades se presentan con una mezcla de colores, por ello deberemos seleccionarlas antes de plantar. Si después de haber realizado los esquejes conserva las plantas jóvenes en un mini invernadero de plástico, podrán florecer a partir de octubre.

▲ FOLLAJES OPULENTOS

Por lo general, el uso de plantas de follaje en un balcón es poco frecuente, pero más si entre las especies hay una aristoloquia *(Aristolochia durior)* y una liana, de vigor escaso, pero cuya fuerza se consigue si se cultiva en tiesto (de 50 cm de diámetro).

A ambos lados, crece una bella hosta en un tonel partido que hace las veces de recipiente. Un mimulus de flores manchadas despunta bajo el asiento. La aristoloquia requiere tutores.

Suavidad de las hojas

TODO EL AÑO

*E*l éxito de un balcón no radica, forzosamente, en el empleo de gran cantidad de flores y colores. Al contrario, es más fácil conseguir que una composición sea variada si juega con los verdes de las hojas y con los cambios de sus tonos en cada estación. Está claro que un balcón sin flores no es tan espectacular, pero es más relajante. Para conseguir un decorado verde, hay que dejar volar la imaginación y utilizar plantas trepadoras que se integren en la estructura del balcón. Esta pequeña invasión de vegetación puede ser molesta para ciertas personas; para otras, será un espacio ideal en el que evadirse del entorno urbano. Puede jugar con las formas, las texturas, los colores y las dimensiones de las diferentes especies. Si vive en el centro de la ciudad, no olvide sacar el polvo de las hojas regularmente.

PLANTAS PARA ACERTAR

1 **Lúpulo** *(Humulus lupulus),* trepadora que sobrepasa los 3 m, en una maceta de 40 cm.

2 *Phalaris arundinacea* **«Picta»,** gramínea muy flexible con hojas de diferentes tonos. Hasta 60 cm.

3 **Rosal trepador,** las variedades modernas, de vigor medio, quedan bien en una maceta de 40 cm.

PRUEBE TAMBIÉN

Hedera colchica **«Sulphur Herat»**
Presenta hojas perennes de diferentes tonos. Su crecimiento es lento.

Miscantus sinensis **«Zebrinus»**
Una gramínea muy opulenta que quedará bien en una maceta grande. Alcanza hasta 1,30 m de altura.

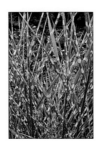

Otras ideas

▶ INSPIRACIÓN VENIDA DE JAPÓN

Este pequeño rincón de balcón ilustra a la perfección las posibilidades creativas que ofrecen los cultivos en macetas. En este caso, se ha creado un verdadero jardín camuflado en el conjunto de macetas, para reducir la sensación de artificialidad y rigidez que imponen los recipientes, focalizando así la atención en la naturalidad de la composición vegetal.

El predominio de las hojas potencia su autenticidad: crea la impresión de que las plantas han crecido espontáneamente. La armonía de tonalidades y el equilibrio de proporciones transmiten tranquilidad. Un entorno que invita a relajarse y a dejar volar la imaginación.

Todas las sensaciones que se desprenden de este decorado son propias de un jardín japonés. Este conjunto evoca el país del sol naciente a pesar de no contener ningún elemento asiático. El arce de Japón, el bambú y la piedra en el pequeño estanque son símbolos inequívocos. Pero el enlosado regular, la presencia rígida de la silla y el pequeño estanque recubierto de madera aportan el toque europeo y contemporáneo. Un conjunto de mantenimiento fácil que precisa sombra y frescor.

◀ OLVIDE LAS ESTACIONES

Si utiliza hojas perennes como base de la composición, como en este caso, el balcón tendrá un aspecto estático y le podrá sacar provecho todo el año. Otra ventaja es su fácil mantenimiento: sólo necesita riego, abono y, de vez en cuando, poda.

◀ NATURALEZA PROTAGONISTA

Para ocultar las estructuras metálicas del balcón se han aprovechado las hojas una glicina atrevida.

Revestir exteriores con plantas es una técnica interesante que permite integrar el balcón en la arquitectura de la casa, como parte de su decoración.

Consejo: **En balcones resguardados de la lluvia, utilice recipientes con depósito de reserva de agua. De este modo, ahorrará mucho tiempo: si llena la reserva de agua con una solución nutritiva, las plantas se podrán alimentar durante unos diez días.**

Sueño exótico

MAYO-OCTUBRE

<P />ara convertir algo corriente en un espacio exótico, sólo tiene que elegir plantas adecuadas. La clave del éxito reside en su dimensión: para que concentren nuestra atención, deben ser tan espectaculares como sea posible. Si se reagrupan en abundantes matas situadas en un ángulo del balcón, servirán para separar espacios y protegernos de las miradas exteriores cuando estemos sentados. Esta composición es muy simple: para colocar las plantas, dé rienda suelta al instinto, buscando la mayor armonía. El contraste de texturas de las hojas, entre, por ejemplo, la delicadeza del papiro y la rigidez de la yuca, recibe un toque de alegría con las trompetas de la datura. En otoño, estas plantas deben colocarse dentro de casa, en una estancia fresca y luminosa.

PRUEBE TAMBIÉN

Cordiline o árbol Ti (Cordyline australis)
Parece una yuca con hojas más flexibles y crecimiento más rápido. Semirrústica.

Pino de Nueva Zelanda (Phormium tenax)
Una mata de hojas perennes, muy coloreada. Hay muchas variedades.

Bambúes enanos
Crean un ambiente exótico por el contorno dorado de sus hojas y talle rústico.

PLANTAS PARA ACERTAR

1 **Yucca aloifolia,** una planta de 2 m en una maceta de 30 cm.

2 **Datura x insignis,** breñosa y ramificada, con flores en trompeta.

3 **Cyperus papyrus,** una gran mata que crece con la base en el agua.

4 **Grevillea hybridus,** hojas recortadas y floración sorprendente.

5 **Echeveria,** una planta crasa.

Otras ideas

▶ LA OPULENCIA DE LAS HOJAS

En este balcón soleado, en el que predominan las palmeras, se ha conseguido un agradable ambiente exótico. En el centro, se distingue una enorme *Washingtonia filifera*. A su derecha, una joven *Phoenix roebelinii* al lado de una *Livistona chinensis*, con largas palmas flexibles. Para completar el aire tropical del decorado, un banano con grandes hojas. Todas estas plantas tienen que pasar el invierno en una galería.

◀ EL PARAÍSO ARTIFICIAL

Un decorado exótico se vuelve incongruente cuando no consigue integrarse o aislarse completamente del entorno. Es el caso de este balcón, en el que se han colocado todas las palmeras de la casa para que pasen el verano. Se oponen visualmente a las plantas anuales que decoran el balcón. Nos encontramos ante un ambiente «ordenado» que sorprende, pero no seduce. Requiere un tratamiento mensual contra cochinillas.

◀ GUSTO POR EL FIN DEL MUNDO

Contrariamente al ejemplo superior, en este caso, mirando las *Hibiscus rosa-sinensis* y la buganvilla, nada impide pensar que se trata de un jardín en Tahití o en Brasil. Las plantas ocupan el espacio como si se tratara de una pequeña «jungla». La disposición de las que descienden del techo permite el paso de luz. Un decorado intimista que necesita mucho riego y fertilizante.

Consejo: **En invierno es difícil conservar el papiro dentro de casa. Por el contrario, a partir de enero, ya puede cultivarse con semillas, en una maceta situada en un lugar cálido.**

BUENAS COSTUMBRES

La yuca es muy resistente al frío. Si la envuelve en una esterilla, puede dejarla en el balcón. Resguarde la maceta de las corrientes de aire. En épocas de lluvia, cúbrala con un plástico.

Bajo el sol del sur

JUNIO-OCTUBRE

PLANTAS PARA ACERTAR

[1] *Trachelospermum jasminoides,* una planta empalizada.

[2] *Bougainvillea glabra,* una mata joven podada en pirámide.

[3] *Lantana camara,* dos plantas separadas 30 cm.

[4] **Limonero (***Citrus limon***),** con frutos; una maceta solitaria de esta especie injertada.

Este balcón orientado al sur goza de gran luminosidad y calor la mayor parte del año. La vegetación se compone de plantas mediterráneas que, para desarrollarse en su plenitud, precisan mucho sol. Es el caso del falso jazmín (*Trachelospermum jasminoides*), cuyas flores embalsaman como las del jazmín y son más duraderas. La buganvilla y la lantana son resistentes a situaciones de sequía. Estas plantas deben ponerse a cubierto en una galería durante el otoño, manteniendo las macetas en seco entre 5 y 7 ºC: temperatura óptima para sobrevivir al invierno en buenas condiciones.

PRUEBE TAMBIÉN

Gazania splendens
Una vivaz que florece mucho cuando está bajo el sol. Para sustituir la maceta de geranios. Una planta cada 30 cm.

Alyogyne huegelii
Una especie cercana al hibisco con flores en forma de hélice de barco. En lugar del limonero.

Otras ideas

◀ **PECADO GOLOSO**

Una preciosa colección de cítricos acompaña una palmera de amplios abanicos (*Washingtonia filifera*). Cada planta está en un tiesto individual para que pueda recibir un trato individualizado. En este balcón soleado y protegido de vientos fríos, maduran sin problemas naranjas asiáticas, mandarinas y limones. También se distingue la floración de color rosa intenso de un cestrum. Es una composición típicamente mediterránea que requiere sol. El riego debe ser moderado y hay que evitar que las hojas de mojen para prevenir enfermedades criptogámicas. Utilice abono con poco nitrógeno para evitar el crecimiento excesivo de las hojas.

▶ **LOS ENCANTOS DEL MEDITERRÁNEO**

Las especies de este balcón nos transportan a orillas del mediterráneo por la combinación de generosas floraciones y la amplitud de formas. Dominan la escena una adelfa (*Nerium oleander*) y una datura arborescente (*Brugmansia arborea*) plantadas en maceta. Dos preciosas macetas florentinas albergan un limonero y una magnífica ismena (*Hymenocallis x festalis*) con grandes hojas inmaculadas, cuya silueta evoca extrañas arañas. A su lado, una enredadera de Mauritania oculta totalmente la maceta con su abundante vegetación. Esta composición, que tiene en cuenta la autenticidad del más mínimo detalle, es muy fácil de realizar. Para que no sea estática, se puede cambiar de emplazamiento cada planta. Con ello, se obtiene un magnífico resultado que se mantendrá durante todo el verano. En invierno deberán resguardarse las plantas en una galería acristalada.

 Consejo: **Los balcones con especies mediterráneas deben disponer de un toldo que las aísle de la lluvia, puesto que estas plantas no suelen tolerar los excesos de agua. Deben cultivarse preferiblemente en macetas que no tengan reserva de agua. Recuerde vaciar los platillos a menudo.**

BUENAS COSTUMBRES

Las buganvillas abren sus hojas en las ramas anuales y, por ello, es conveniente realizar una poda sistemática en primavera y durante el mes de julio, después de la floración. Esta intervención consiste en desmochar los brotes jóvenes, más o menos un tercio de su longitud. Corte siempre por encima de la hoja. Las pequeñas yemas que se encuentran en la base del pecíolo producirán nuevas ramas que se llenarán de flores. Evidentemente, para que crezca con fuerza, necesita fertilizante.

Farniente de colores

Una butaca de mimbre, situada en el centro de una adelfa y de un *Citrus mitis,* nos invita al descanso. Desde este punto la mirada recae sobre la floración generosa del *Solanum rantonnetii,* mientras que una campanilla, en un segundo plano, refuerza la sensación de intimidad con su abundante vegetación. A la derecha de la butaca, dos macetas acogen una *Brachyscome* y una naranja asiática. Es fresco y generoso a la vez.

Idea, movimiento y pasión

Un aro metálico revestido de tallos volubles y las graciosas flores de una pasiflora, colocados en una jardinera rectangular, forman un verdadero jardín. Esta cuna vegetal que la domina crea un incomparable efecto de relieve. El resto de la plantación se difumina en diferentes tonos muy armoniosos, con un pelargonio zonal en el centro, un *plectranthe* a la derecha y una pequeña petunia rosa que florecerá durante todo el verano.

La naturaleza siempre es la más fuerte

Un pequeño balcón, situado entre dos paredes,
se ha transformado en un pequeño paraíso con flores.
Una gran jardinera alberga una enorme mata de
anthemis blancas, y las hojas colgantes de *asparagus*
y de *plectranthes*. Un jazmín azul *(Plumbago capensis)*
reviste la pared blanca con sus tallos volubles
y nos ofrece sus primerizas flores azules.

Una colección con futuro

Un pequeño rincón soleado del balcón acoge macetas
con plantas frioleras: *Cestrum* con hojas color bronce
y flores rojas, naranja asiática con pequeños frutos
ácidos, *Polygala* con flores rosas y *Nicotiana sylvestris*
con largas hojas aterciopeladas. Agrupadas como en un
parterre, estas plantas aprovecharán el verano para
desarrollarse generosamente.

Balcón de golosinas

TODO EL AÑO

PLANTAS PARA ACERTAR

1 Mandarino *(Citrus reticulata)*, uno de los cítricos menos friolero.

2 Limonero, un árbol joven injertado para obtener más frutos.

3 *Citrus mitis*, naranjo decorativo: resistente, pero no comestible.

4 Echeveria, un pequeño centro que debe colocar a pleno sol.

5 Naranja asiática, un ejemplar de poda corta para que fructifique más.

6 Naranja asiática mezclada, una pequeña maceta que requiere, preferentemente, zonas con sombra.

*T*odas las plantas que producen agrios se agrupan bajo el nombre genérico de cítricos (limonero, naranjo, etc.). En esta composición, se han empleado todas las especies que dan frutos en nuestro clima. En invierno deben colocarse en una habitación luminosa, con una temperatura nocturna entre 7 y 12 ºC. A partir del mes de mayo, deben ponerse en un balcón soleado y resguardado del viento.

PRUEBE TAMBIÉN

Grosellero negro *(Ribes nigrum)* Una zarza ancha que se adapta bien a la maceta si se poda anualmente, durante el mes de febrero. Esta variedad negra es la más aconsejada por sus grandes frutos carnosos.

Grosella espinosa *(Ribes uva cribpa)* Una zarza bastante densa, a menudo espinosa, que deberá colocar en una maceta o en una jardinera, en segundo plano. Requiere un lugar soleado; evite mojar las hojas para evitar el oídio.

Otras ideas

▶ FRUTOS PEQUEÑOS Y OTRAS DELICIAS

Es evidente que sólo los arbustos con frutos pequeños o los árboles enanos pueden conseguir un buen desarrollo y plenitud en macetas o recipientes. En este ejemplo, vemos una zarza de arándanos *(Vaccinium myrtillus)* con bayas de color azul que empiezan a madurar. Está plantada en una maceta amplia de 40 cm de diámetro, con tierra de mantillo. A su lado, un grosellero con racimos tutorizados en plena producción. La jardinera situada junto a la barandilla del balcón contiene fresales. A la izquierda, una zarza sin espinas que crece en una maceta. Sus largos tallos flexibles se enrollan en la barandilla del balcón. Estas plantas deben podarse para que mantengan proporciones razonables. La poda también es el único medio para provocar ramificaciones que den frutos. No hay que utilizar abonos ricos en nitrógeno.

▶ COLUMNAS DE MANZANAS

«Ballerina» es un tipo de manzano que desarrolla un solo tallo con pocas ramificaciones. Forma una especie de cordón vertical de reducidas dimensiones. Esto lo hace muy adecuado para el cultivo en balcón en macetas individuales de 30 a 40 cm de diámetro. La fructificación es muy importante.

BUENAS COSTUMBRES

Las cochinillas de la familia de los cóccidos son grandes enemigas de los cítricos. Estos insectos, protegidos por un caparazón impermeable, se multiplican por la cara inferior de las hojas y por los tallos. Elimínelas rascando con el reverso de un cuchillo.

Consejo: Los cítricos, sobre todo el mandarino y la naranja asiática, son más resistentes al frío de lo que pensamos. Si no dispone de una galería adecuada, cúbralos con una triple capa de velo de invernadero. Cuando empiecen a suavizarse las temperaturas, retire la protección durante el día y colóquela por la noche. Para combatir las heladas, puede completar la protección con un plástico o una esterilla.

▲ PROFUSIÓN DE FRESALES

Los fresales son, probablemente, las plantas con fruto más fáciles de cultivar en maceta. En este caso, las plantas se han desarrollado con fuerza después de fertilizar regularmente con una solución nutritiva (1 g de abono por litro). Cada planta crece libremente y con flexibilidad, en un tiesto de 14 cm de diámetro.

Jardineras de hortalizas

MAYO-OCTUBRE

*H*acer crecer hortalizas en un balcón es más fácil de lo que parece. Si compra plantas listas para plantar, ahorrará tiempo. Como podemos ver en este ejemplo, las hortalizas no están exemptas de encanto. Para reforzar su color, se han asociado a algunas aster. Las tomateras y los pepinos se utilizan para revestir el separador de madera que protege la plantación de los vientos fríos. El secreto del éxito reside en una generosa exposición al sol, riegos abundantes cada dos o tres días y una correcta fertilización.

PLANTAS PARA ACERTAR

1 **Tomate** *cherry,* dos matas sin tutelar, en una jardinera de 50 cm.

2 **Albahaca,** una planta con menta y pimiento en una jardinera de 80 cm.

3 **Pepino,** una mata en una maceta de 30 cm de diámetro. Tutorizar.

4 **Tomate híbrido,** una mata y una de pimiento, en una maceta de 30 cm de diámetro. Requiere tutores.

PRUEBE TAMBIÉN

Rábanos
En una maceta de 20 cm de altura, se desarrollan bien si se plantan a una distancia adecuada.

Calabaza larga
Muy decorativa y frondosa, debe tutelarse verticalmente sobre un enrejado.

Otras ideas

◀ **UN VERDADERO HUERTO COMPUESTO**

La mayoría de hortalizas necesitan su propio espacio, por lo que en ocasiones es adecuado emplear cajoneras de madera a modo de cajas de cultivo para obtener un verdadero huerto de balcón. Para garantizar la impermeabilidad al suelo, el interior está recubierto con un plástico. Las hortalizas que precisan gran cantidad de tierra, como las cebollas, deben colocarse en módulos de 50 cm de altura. Para evitar la sensación de pesadez, se puede colocar una cajonera de 25 cm de altura con colinabos en su último estadio de crecimiento, en un primer plano. La jardinera grande de la derecha está reservada a lechugas y coles. El resto de la plantación está compuesta por una serie de macetas individuales que contienen tomates y albahaca.

La parte decorativa de este huerto de balcón se consigue mediante los diferentes niveles de los cultivos que aportan sensación de flexibilidad y fantasía al conjunto. Otros puntos fuertes: la posibilidad de hacer evolucionar los cultivos de una maceta a otra, en función de su desarrollo y de la presencia de flores (ipomea, sanvitalia).

BUENAS COSTUMBRES

Las macetas de fresales, que se caracterizan por sus aberturas laterales, también pueden albergar plantas de condimento o algunas hortalizas, como las lechugas. Llene el recipiente con tierra de calidad y coloque las plantas jóvenes en las macetas.

Colmate con tierra alrededor de las raíces y riegue en abundancia. El agua debe caer lentamente para que el sustrato la absorba y no se disperse por las plantas que hay alrededor.

La maceta que se ha elegido en este caso puede colgarse. En función de su peso, hay que fijar un gancho en la pared que sea capaz de aguantar más de 10 kg.

▲ **JOFAINA DE BUENAS HIERBAS**

Puede transformar los recipientes más insólitos en pequeños huertos. En este caso, se ha utilizado una jofaina esmaltada de 50 cm de diámetro para plantar una composición de menta, perejil, verdolaga y dos lechugas. Resulta original y divertida, con un aire retro, a tono con las hortalizas. Para asegurar el éxito, utilice una mezcla de tierras ligeras, mantenga el suelo húmedo sin empaparlo, y riegue con una solución fertilizante.

Todo es de buen gusto

Hortalizas y plantas aromáticas se asocian sin problemas
en este balcón para formar un conjunto con abundante
vegetación. El secreto del éxito está en la variedad
y colocación de los recipientes, que permiten diversificar
las plantaciones, reuniéndolas en macizos bastante compactos.

PÁGINA DE LA DERECHA
El refinamiento en los detalles
Un pequeño balcón, con una estantería como único
elemento, se transforma en un verdadero minijardín
colgante por la simple presencia de macetas variadas.
En la parte de las hortalizas, los rábanos están listos para
ser recogidos, mientras que el melón en flor es un buen
proyecto para el futuro. Una jardinera con plantas
aromáticas, albahaca y cebollino, completa el decorado
junto con los fresales y el melocotonero enano.

Pimientos cálidos como el verano
Diferentes variedades de pimientos (fuertes y dulces), decorativos
y fáciles de cultivar en macetas, se han colocado en este balcón
soleado. La gran cantidad de colores para elegir (verde, amarillo,
rojo y violeta) permite crear un precioso efecto ornamental.

La exuberancia de las lianas

EN PLENO VERANO

PLANTAS PARA ACERTAR

1 **Cobea,** muy vigorosa, florece tarde. Siembre sobre el terreno.

2 **Abutilón de Río Grande (Abutilon megapotamicum),** tiene campanillas rojas y doradas.

3 **Ipomea,** hiedra azul de vegetación anual. Se siembra sobre el terreno.

4 **Lagenaria,** la calabaza más vigorosa. Sólo ornamental.

5 *Dipladenia splendens,* bonita liana tropical que en invierno necesita temperatura suave (15 °C).

La función de las empalizadas y separadores, se limita en muchos casos a proteger del viento y de miradas indiscretas. En este caso, para crear un efecto de profusión extraordinario se ha optado por una solución vegetal, en la que abundan lianas anuales. Las trepadoras de temporada son muy útiles en macetas porque su rápido desarrollo pronto da prioridad a su parte aérea. Si las raíces disponen de suficientes elementos nutritivos, no habrá ningún problema. El éxito se asegura con un sustrato rico y consistente que ofrezca un buen sustento a estas plantas trepadoras. Para asegurar un desarrollo óptimo, el riego debe contener una solución fertilizante (1 gr de abono por litro de agua).

PRUEBE TAMBIÉN

Pasiflora

Enorme liana tropical, con flores estrelladas muy refinadas, que se suceden durante todo el verano.

Falso jazmín (Solanum jasminoides)

Sarmentosa, reviste muy bien los separadores. Florece de julio a octubre.

Otras ideas

▶ UN MARCO PARA EL DECORADO

Las plantas trepadoras pueden orientarse hacia la dirección deseada; por lo tanto, es lógico que se empleen, como en este caso, para contornear un balcón a modo de marco vegetal. Otorga relieve al conjunto y resalta el resto de plantas, enmarcándolas. Esta composición puede repetirse sin que llegue a resultar cansina.

▼ DIRECTAMENTE DE LOS TRÓPICOS

La exuberancia de las plantas trepadoras evoca la jungla y sus plantas gigantes. En este caso, se han empleado dos especies tropicales para reforzar el exotismo: pasiflora y abutilón. La base del decorado, de bambú y mimbre, se integra perfectamente con este estilo y lo refuerza con elegancia.

BUENAS COSTUMBRES

Las trepadoras anuales son plantas volubles que se agarran al soporte enrollando sus largos brazos flexibles. Para obtener una pantalla vegetal, el primer paso es proveerse de un armazón adecuado. Pueden ser simples trenzados de madera, de plástico o de metal. Para los tallos no se estrangulen con aberturas demasiado estrechas, es aconsejable utilizar mallas cuadradas de 10 cm, como mínimo. Ate los brotes principales para orientarlos correctamente.

▲ MÁXIMO ATREVIMIENTO

La *Aristolochia durior* puede sobrepasar los 10 m de largo y llegar a crecer hasta 3 m anuales. Por sus características puede parecer una especie poco apropiada para un balcón. Pero como demuestra el ejemplo, la mayoría de las plantas se adaptan bien a los cultivos sin suelo. Como recipiente se ha empleado medio tonel de gran capacidad, lleno de tierra rica y consistente. Ello basta a la planta para que autoregule su crecimiento, en función de las posibilidades que le ofrece el terreno.

PÁGINA DE LA DERECHA
Variaciones sobre un tema
Este balcón es el mismo que
el de la izquierda, pero su
vegetación es aún más
abundante puesto que este
año se ha ampliado el
número de plantas de judías
y han podido nutrirse mejor.
La vid empieza a cubrir
la parte superior de la
pérgola. El decorado floral
ha cambiado completamente
y se ha sustituido por unas
dalias rojas que se asocian
con el fucsia. Hay que
destacar también las
jardineras de colinabo y de
acelgas con cardos rojos.

Maná que cae del cielo
Este balcón, enmarcado por una pérgola, se encuentra bajo
la vegetación de las judías y de una vid albilla. El resto
de la plantación tiene un estilo generoso con dos enormes
surfinias y una gran dalia cactus.

Una liana emprendedora
Una madreselva viste de verde la estructura que pone
los límites a este pequeño balcón. Su follaje
persistente garantiza la presencia vegetal en el decorado
a la vez que sirve para detener los efectos del viento.
Sus tallos largos y ligeros invaden la pérgola y hacen
que desaparezca con sutileza entre la vegetación.

El rincón de las jardineras de hierbas

*U*n balcón habilitado como jardín se convertirá pronto en zona privilegiada de juegos para los niños. Para garantizar su seguridad sólo necesitará una barandilla sólida, que puede decorar con jardineras, y unas vallas en los laterales. En éste, para enmarcar el decorado vegetal y crear intimidad, se ha empleado una simple pérgola con escalones de madera, revestida con plantas trepadoras. Las jardineras, sembradas de plantas aromáticas y hortalizas, harán las delicias de los niños, que disfrutarán recolectando sus frutos, y que también pueden ayudar a sembrar el girasol, de rápido crecimiento. Si añade medio tonel lleno de agua, podrán jugar y refrescarse en verano.

PLANTAS PARA ACERTAR

1 *Actinidia chinensis,* una planta de kiwi sujeta en la pérgola.

2 **Lúpulo,** planta joven trepadora que se enreda en cualquier parte.

3 **Tomates** *cherry,* dos plantas en una jardinera de 60 cm de largo.

4 **Petunia reptante** en suspensión.

5 *Helianthus annuus,* una maceta de girasol semienano.

Otras ideas

▼ UNA CABAÑA EN LA JUNGLA

Para que los niños se interesen por el jardín, tenemos que despertarles la imaginación y transportarlos a otro mundo. En este caso, la opulencia de las plantas crea un entorno íntimo, como una verdadera cabaña natural, donde los niños podrán ver sin ser vistos. Necesita escondites y lugares secretos para alcanzar su plenitud. ¿Por qué no combinar el jardín del balcón con el universo de los animales domésticos? En la pérgola podemos colgar una jaula con pájaros, o poner una casa con pequeños roedores (hámsteres, cobayas) que quedará oculta entre la vegetación. Realice el mantenimiento, limpieza y riego usted mismo.

 Consejo: **No olvide poner una pequeña bomba eléctrica en el fondo del tonel: oxigenará el agua y evitará los malos olores. Sin embargo, deberá colocar un aparato repelente de mosquitos, ya que el agua los atrae.**

BUENAS COSTUMBRES

Sandra y Antonio quieren conseguir una composición para la primavera. Con un pequeño presupuesto, han podido comprar una sencilla jardinera de plástico, un saco de bolas de arcilla expandidas y algunas flores de temporada.

Después de verificar que la jardinera dispone de agujeros en el fondo para evacuar el agua correctamente, colocan una base de drenaje en el fondo. Una capa de 3 cm de bolas de arcilla evitará que el sustrato se sature de agua.

Se rellena la jardinera, unas tres cuartas partes de su altura, con tierra de calidad a base de turba, cortezas compostadas y puzolana. A un recipiente de estas dimensiones se le pueden añadir tres puñados de fertilizante orgánico (estiércol descompuesto y algas).
Para colocar las plantas, se empieza por los extremos de la jardinera. Cada niño planta una mata de campanillas ya florecidas, que se pueden encontrar en jardinerías desde el mes de febrero. Estas plantas vivaces están abiertas hasta mitad de mayo.

Supervisados siempre por sus padres, los niños han completado la plantación con dos primaveras y dos margaritas. Estas últimas empiezan a florecer y darán ligereza y volumen al decorado.
Este tipo de jardinera de temporada gana mucho si se es generoso con las plantas. Lo importante es que las flores se mantengan tanto tiempo como sea posible, y no que las plantas lleguen a desarrollarse del todo. En este punto, es el momento de regar: a los niños les encanta.

Para que los niños se interesen por la jardinería, deben tener sus propias responsabilidades y debemos dejar que lleguen hasta el final de su tarea. Colocar una jardinera en el soporte puede ser una operación compleja, por el peso y los movimientos que deben realizarse, así que tenga paciencia y anímelos a terminar el trabajo. Aparte de eso, debemos mostrar confianza a los niños, y decirles que es su responsabilidad y que tienen que ocuparse de la jardinera en todo momento. Orgullosos de ello, se concentrarán y lo realizarán con éxito.

Un salón al aire libre

AGOSTO-OCTUBRE

PLANTAS PARA ACERTAR

1 **Dalia cactus,** un tubérculo en cada maceta de unos 22 cm de diámetro. Los tallos están atados.

2 *Rudbeckia triloba,* una mata en una maceta de 20 cm de diámetro, con una mezcla muy rica.

3 *Panicum virgatum,* gramínea de ligera floración; sus hojas toman una tonalidad rojiza en otoño.

Holgazanear bajo el sol, percibiendo el perfume de las flores, es uno de los magníficos placeres que nos ofrecen los balcones. Por sus reducidas dimensiones, deberá emplear poco tiempo para mantener las plantas en buen estado y dispondrá de más tiempo para contemplar la vegetación y sentarse a descansar. Si hay plantas que superen 1,30 m de altura, al sentarse tendrá la sensación de estar camuflado entre la vegetación. En esta composición, las dalias cactus se han combinado con las flores de una rudbeckia. Con su silueta flexible que se balancea con el viento, la gramínea favorece la relajación. Requiere un riego generoso y fertilización antes de la floración.

PRUEBE TAMBIÉN
Girasol (*Helianthus annuus*)
Con flores de gran diámetro y de rápido crecimiento, puede sustituir a las rudbéckias. Requiere tierra densa, enriquecida con estiércol descompuesto y una maceta de 25 cm de profundidad mínima.

Agapanthus umbellatus
Esta planta vivaz combina bien con las dalias y aporta un color complementario a la composición. Sensible al frío, hay que resguardarla en invierno.

Otras ideas

▶ MURALLA DE FLORES

Las plantaciones de balcones se pueden realzar a gusto del consumidor. Los soportes ofrecen la ventaja de dar relieve y posibilitan la creación de macizos colgantes. Los geranios nunca darían esta sensación de exuberancia plantados en un jardín. Pero, colgados de la barandilla, como en este caso, disimulan las imperfecciones de la valla y crean un ambiente íntimo y agradable alrededor de la mesa. Hoy en día existen multitud de ofertas de muebles de terraza más compactos, que ocupan menos espacio que los modelos clásicos. Un detalle importante en esta composición: el color del mantel es del mismo tono que las flores.

◀ CALMA EN CLAROSCURO

Conseguir cierta sensación de intimidad en el balcón es muy agradable. Para ello, la solución más simple consiste en emplear vallas o paneles, pero éstos tienen el inconveniente de que se pierden las vistas. En el ejemplo que se presenta, se ha optado por jugar con la vegetación para crear un decorado agradable y variado, que protege de miradas ajenas. Elegir hojas ligeras, como las de la palmera (en este caso una quentia, *Howea forsteriana*, que se ha sacado al exterior durante el verano) permite que los rayos de sol se filtren, permitiendo que se aproveche su calor. A lo largo del día, el juego entre sol y sombra adquirirá diferentes matices e intensidades. Entre las plantas distinguimos: petunia, tomatera «Roma», *Thunbergia alata*, lantana y aster.

BUENAS COSTUMBRES

Los muebles de jardín de madera pintada se desconchan con el paso del tiempo, sobre todo si están al aire libre. Para restaurarlos, lo primero es lijar la pintura.

Cuando haya lijado toda la superficie del mueble, podrá pintarlo de nuevo. Antes de hacerlo, puede aprovechar para aplicar con un pincel un producto fungicida. Además, conviene sumergir los pies del mueble en el producto durante veinticuatro horas.

 Consejo: **Es conveniente colocar un tutor para todas las plantas herbáceas que superen los 80 cm de altura en maceta, ya que un golpe de viento, por débil que sea, puede romper sus frágiles tallos. Para no interferir en la composición, los tutores deben ser lo más discretos posible. Ubíquelos en el centro de la maceta, junto a la planta, para que las hojas los recubran lo antes posible. Para atar los tallos sin que se vea la atadura, puede utilizar un lazo verde.**

TERRAZAS COLGANTES

Un auténtico jardín en el tejado 208

La madera, una tendencia para las terrazas . . 212

Una terraza convertida en salón 216

Terrazas próximas al mar 220

Un rincón del paraíso 222

TERRAZAS COLGANTES

Relajarse en un ambiente verde y florido desde donde se domina la ciudad produce un sentimiento de alegría y bienestar. ❀ Una terraza alta es un lugar excepcional, desde allí se tiene una visión panorámica de los alrededores. Es un lugar privilegiado porque no tiene construcciones alrededor ni árboles de la calle que puedan privarla de las caricias del sol. ❀ Suspendida entre el cielo y la tierra, como los famosos jardines de Babilonia, la terraza de un ático es un universo totalmente artificial que requiere de la aplicación de técnicas sofisticadas para que se convierta en un auténtico jardín. ❀ Con todo, habrá que solucionar dos problemas principales: la estanqueidad y el exceso de peso. No hay que dejar que se filtre ni una gota de agua por el pavimento, de lo contrario se podrían producir daños importantes en la construcción que afectarían al vecindario. A su vez, se debe prever la evacuación del excedente de agua, venga ésta de la lluvia o del riego. ❀ En lo que al peso se refiere, las estructuras arquitectónicas soportan el peso hasta ciertos límites. Por esta razón, la mayoría de los profesionales de paisajismo en terrazas utilizan frecuentemente, como sustrato, materiales artificiales muy ligeros a base de musgos sintéticos. ❀ Dichos materiales ofrecen ventajas y ligereza pero requieren un mantenimiento más regular, sobre todo para que el proceso de fertilización se lleve a cabo normalmente ya que las plantas, en este caso, no disponen de elementos nutritivos en sus sustratos originales. Una vez se hayan superado estas limitaciones, la terraza se transformará en un auténtico jardín. ❀

Un auténtico jardín en el tejado

TODO EL AÑO

*L*a terraza de este ático ha sido acondicionada y decorada con plantaciones de gran opulencia. Esta terraza se caracteriza por una vegetación densa destinada a hacer olvidar la ciudad. Una vez resueltos los problemas de la estanqueidad e instalado un sistema de evacuación de agua, se distribuyó uniformemente una mezcla de tierra muy ligera de un grosor de 50 cm. Esto permitió plantar directamente en el suelo árboles y arbustos que desarrollaron sus raíces sin problemas. El resultado fue un crecimiento exuberante conseguido mediante la continua aplicación de abono líquido a partir del mes de abril y hasta mediados de julio. Las plantas se podan en otoño para que mantengan proporciones razonables y armoniosas. El césped es de gramíneas y resiste bien las pisadas (césped de campo de juego). Se poda una vez por semana.

PRUEBE TAMBIÉN

Acebo moteado (Ilex aquifolium)
Para componer macizos densos que protejan contra el ruido y el viento. Muy resistente a la contaminación.

Gingo (Ginkgo biloba)
Como es de crecimiento lento puede sustituir, en las terrazas, al abedul o al liquidámbar. Magnífico color otoñal.

PLANTAS PARA ACERTAR

1 **Liquidambar u ocozol (Liquidambar styraciflua),** un árbol de copa muy alta.

2 **Rododendros,** bosquecillos que florecen en mayo.

3 **Abedul de ramas colgantes (Betula pendula),** abedul llorón.

4 **Acer palmatum,** un arce japonés, de color cobre en otoño.

Otras ideas

▶ EL JARDÍN EXTRAORDINARIO

Esta creación elegante y generosa se encuentra en un ático. El arte del paisajista ha consistido en transformar una simple terraza en un auténtico jardín. Los macizos se elevan a través de pequeñas paredes que se esconden tras floridas matas de lavanda. La mayor parte de las plantaciones se han realizado en grandes recipientes que se cubren con celosías para crear una sensación de unidad. Las hayas y los bambúes constituyen una pantalla eficaz para crear un microclima favorable para el desarrollo del palmito *(Chamaerops)*.

◀ SOÑAR Y EVADIRSE PARA OLVIDARLO TODO

Ésta es otra parte de la misma terraza, es el lugar de descanso y reposo, una glorieta elevada desde donde se domina la ciudad para poder observarla. Esta construcción ligera es un discreto refugio al que se va para relajarse durante un buen rato. Al abrigo de la lluvia y el sol, permite desconectar de los problemas y facilita la evasión de la mente. Se puede estar todo el tiempo que se quiera apreciando las plantaciones que la circundan. El predominio de follaje ofrece un componente relajante gracias al verde, color que tranquiliza. Esta terraza es un gran éxito.

BUENAS COSTUMBRES

Los árboles que se han plantado en esta terraza, al ser caducifolios, generan gran cantidad de hojarasca durante el otoño. Recójalas con cuidado porque pueden estropear el césped. Páselas por el triturador de basuras, así reducirá diez veces su volumen.

Al plantar el césped sobre la terraza es mejor hacerlo por placas. Se trata de cubrir el suelo previamente preparado y perfectamente nivelado con placas o rollos de césped bien desarrollado. Ganaremos tiempo y el desarrollo del césped será casi inmediato. Ocho días después ya se podrá andar por encima.

 Consejo: La tierra se apelmaza bastante rápido en la superficie de las plantaciones realizadas encima del pavimento. Se puede formar una capa dura que impida la penetración del agua del riego y del abono. Una vez por semana, pase, alrededor de las plantas, un cultivador de tres púas para que se airee la superficie. De este modo, eliminará también las malas hierbas que, como en los jardines normales, las traen el viento y los pájaros.

Un pequeño rincón de tierra de brezo

Un arce japonés (*Acer palmatum* «Dissectum»), unos rododendros enanos, una *clethra* y una hortensia joven componen un bello macizo plantados en recipientes de madera tratada por impregnación contra los efectos de la podredumbre. Éstos realzan su belleza gracias al rojo cobrizo de otra variedad de arce (*Acer palmatum* «Osakazuki»). Requieren una exposición semisombreada.

Más fuerte que el hormigón

Esta terraza sirve de ejemplo para la siguiente frase: «Nada puede resistirse al poder de la naturaleza». La vegetación parece liberarse del hormigón hasta llegar a dominarlo. La densidad de la plantación mediante el cultivo de especies persistentes permite crear un microclima que favorece la conservación al aire libre de los *formiums* y de las cordiline *(Cordyline australis)*.

PÁGINA DE LA IZQUIERDA
La naturaleza en la ciudad

Realizada por un grupo de paisajistas, esta terraza integra todas las plantaciones en grandes recipientes colocados encima de un enlosado completamente estanco. Los recipientes tienen una profundidad de 80 cm y por ello permiten la instalación de plantas inesperadas, como esta glicina dorada por los efectos del otoño y esta haya joven que lentamente va adquiriendo amplitud.

La madera, una tendencia para las terrazas

TODO EL AÑO

PLANTAS PARA ACERTAR

1 **Laurel cereza** *(Prunus laurocerasus)*, planta no tallada para dar sensación de amplitud.

2 **Lino de Nueva Zelanda** *(Phormium tenax)*, una mata que deberá resguardarse en invierno.

3 **Rosa «Dama de corazones»**, una planta en un gran recipiente.

4 **Clavel de la India**, diferentes colores en la misma maceta.

5 **Choisia** *(Choisya ternata)*, un bello ejemplar de naranjo mexicano.

Estructurar el decorado de una terraza es bastante fácil ya que los recipientes, los pavimentos del suelo y los elementos del revestimiento de las paredes pueden combinarse empleando un mismo material. Esta terraza se ha decorado siguiendo un estilo contemporáneo, en el que domina la madera. Es pino tratado contra la humedad. Todo se ha creado a medida, a través del montaje de láminas que también se han usado para fabricar los maceteros. Éstos miden 40 cm de alto, por lo que pueden acoger grandes arbustos. El riego automático reduce el mantenimiento. Los arbustos demasiado imponentes deben podarse en otoño.

PRUEBE TAMBIÉN

Lavanda *(Geu Lavandula)*
Ideal para las terrazas que están siempre expuestas al calor. Resiste bien las sequías.

Pieris x *forrestii* «Wakehurst»
Un bello arbusto cuyas hojas más jóvenes son de color rojo ardiente en primavera.

Otras ideas

MACIZOS EN CAJAS ▶

Estas grandes jardineras de madera se han realizado a medida para componer en ellas auténticos y variados macizos, como los de un jardín. Observe que la estructura de dos niveles permite acoger árboles o grandes arbustos en los recipientes más altos. Los rododendros, cotoneásters, abedules, laureles y corazoncillos se ven alegrados por claveles de la India, impatiens de Nueva Guinea y lavandas. Una composición que requiere poco mantenimiento y en invierno sigue siendo decorativa.

◀ LA VEGETACIÓN EN TODO SU ESPLENDOR

Esta gran terraza en forma de pasillo podría parecer monótona de no ser por la astucia de un paisajista que ha sabido cortar el efecto perspectiva mediante el doble arco de madera que sirve de pérgola y mediante la celosía de las paredes. Este panel ofrece un toque de ligereza a la construcción. Al mismo tiempo, permite que las plantas asalten la pared, como es el caso de esta joven glicina. Así, se desarrolla de un modo sencillo la impresión de profusión vegetal. Los maceteros de madera se disponen en línea aunque se deja espacio entre ellos para romper la monotonía. Las plantaciones arbustivas –corazoncillos, espirea, rosales, mahonias– son decorativas durante todo el año. Es necesario tallarlas con rigor a finales de temporada para evitar que se desarrollen demasiado y obstruyan el paso.

BUENAS COSTUMBRES

Las jardineras de arbustos resisten bien la sequía. En verano, bastará con dos riegos por semana. No obstante, conviene mojar el follaje cada noche, después de un día de canícula.

Las celosías de madera pintadas se desconchan bastante rápido por estar expuestas a la interperie. Tras pasar ligeramente la lija en los lugares estropeados, dé una nueva capa de pintura. Es importante para la estética y para la longevidad de la madera.

Consejo: Si el suelo de su terraza tiene un revestimiento de madera, apliquele una capa triple de barniz mate «calidad marina». Reforzará la resistencia de la madera y evitará las manchas provocadas por la humedad estancada alrededor de las macetas. Esta protección debe aplicarse cada tres años, aproximadamente. Se trata del mismo producto que se utiliza para la madera de los barcos.

Banco integrado

Se trata de un conjunto que integra el suelo, los recipientes y un rincón para descansar, componiendo así un banco. Se ha realizado con placas de 10 cm de anchura que se han cortado y encajado a medida. Los laureles rosa, los formiums, las magnolias y las choisyas crecen sin problemas.

PÁGINA DE LA IZQUIERDA

A pleno sol bajo un cielo azul

Esta terraza a pleno sol acoge plantas sensibles al frío como la lila de California (C*eanothus thyrsiflorus* «Repens») o los *Fremontodendron californicum*.

Refinamiento clásico

La celosía que delimita esta terraza está compuesta por diferentes niveles para evitar la monotonía. El plafón redondeado realza la antigua vasija y los recipientes que contienen bellos ejemplares podados en forma de bola.

Una terraza convertida en salón

MAYO-SEPTIEMBRE

PLANTAS PARA ACERTAR

1 **Madreselva,** trepadora que se debe empalizar en la pérgola.

2 **Magnolia** *(Magnolia grandiflora),* árbol joven en una maceta de 40 cm.

3 **Margarita leñosa** *(Argyranthemum frutescens),* tres plantas de anthemis blanco en una gran maceta.

*E*l *dolce farniente*, el ocio, tomar el sol, todo ello es posible en esta magnífica terraza que nos invita a la relajación y al placer con la luminosidad que realzan sus macetas floridas. También es un lugar de encuentro para realizar comidas o cenas al aire libre. La armonía del decorado proviene del uso masivo de la madera, con unos muebles de jardín en los mismos colores que el pavimento y la gran pérgola. La búsqueda de una cierta homogeneidad o de un aspecto dominante es la clave para el éxito en la mayoría de las creaciones paisajísticas. Las grandes macetas floridas de anthemis hacen que este lugar sea muy acogedor y que desplazándolas se pueda transformar el decorado. Es una terraza aún joven, pero dentro de unos años tendrá una buena sombra gracias a la madreselva.

PRUEBE TAMBIÉN

Rosal «Rimosa»
Excelente variedad trepadora que puede cultivarse en un recipiente de 40 cm. Empalizar en una columna de la pérgola.

Solanum rantonnetii
Una mata muy densa que se cubre, durante todo el verano, de flores de color azul intenso y con el centro dorado. El arbusto puede dirigirse a través de tutores. Debe protegerse del frío.

Otras ideas

▶ UNA COMIDA ENTRE AMIGOS

La situación privilegiada de esta terraza que domina la ciudad (es la misma que la de la página anterior, pero desde otro ángulo) hace que este rincón sea un lugar privilegiado para estar con los amigos. Se disfruta de la vista panorámica sobre los edificios que se disimulan plácidamente entre la vegetación. Al situarse en un piso bastante elevado, esta terraza está resguardada del humo de los coches y del ruido de la calle. Es un placer que comparten los invitados y las plantas. El mantenimiento se garantiza mediante el riego automático. Pode de vez en cuando y fertilice.

◀ BAJO LA CARICIA DEL SOL

Las terrazas situadas en el último piso de un gran edificio ofrecen la ventaja de no ser vistos por nadie. En ellas se tiene la posibilidad de tomar el sol sin tapujos. Se ha instalado una gran sombrilla para obtener un poco de sombra en las hora más cálidas del verano. Su base es de hormigón, muy sólida, que refuerza aún más su estabilidad con una maceta que se ha colocado encima. Es un detalle muy importante porque las terrazas siempre están más expuestas a los vientos violentos que los jardines. Cada vez que se marche del lugar cierre la sombrilla para evitar cualquier problema, es lo más prudente.

BUENAS COSTUMBRES

La mayor parte de los arbustos de floración estival como los hibiscos, las budleyas o lilas de verano, los caryopteris, las lantanas o budleya de hoja de salvia e incluso los laureles rosa necesitan tallarse después de la floración. De hecho, estas plantas desarrollan sus botones encima de los brotes anuales (en la extremidad de las ramas). Si no se realiza una talla anual, el tronco crece y pierde la floración en la base; en consecuencia, se obtiene un arbusto alargado y con una silueta poco estética. A principios de otoño, pode todos los brotes aproximadamente hasta unos 5 cm de la madera más antigua. Lo ideal es conservar dos yemas o dos hojas en la rama. Se trata de una talla muy espectacular a la que no debemos temer, porque la planta se embellecerá en primavera. Elimine, también, las ramas más viejas para que los nuevos brotes que aparezcan en la base del tronco puedan hacerlo más cómodamente.

Consejo: En las terrazas más espaciosas, utilice macetas de gran tamaño, preferentemente de materiales pesados (barro cocido, madera, piedra reconstituida), así no tendrá que atarlas para evitar que la fuerza del viento las vuelque. Hay plantas densas, como las anthemis que, por su tamaño, reciben mucho el impacto del viento y pueden caerse frecuentemente, por lo que su crecimiento puede verse alterado, además de que pueden sufrir un riesgo mayor de rotura.

El lujo en estado puro
Vista incomparable, decorado
vegetal refinado, originalidad en las
cenefas de las losas, mobiliario con
estilo, todo hace que esta terraza
sea un lugar de fastuosos placeres.

Sencillamente, contemporáneo
Muebles con líneas de gran
sobriedad, pavimento,
separadores y jardineras
de madera. El ambiente es cálido
sin ser pretencioso.

Tranquilidad en casa

A medio camino entre un gran balcón y un auténtico jardín en una terraza, este espacio de descanso se encuentra en un segundo piso de un edificio del centro de la ciudad. El empleo coherente de los arbustos de follaje perenne (rododendros y magnolias), además de los bambúes, garantiza la presencia de la vegetación durante todas las estaciones. Los muebles de jardín de mimbre son sencillos pero cómodos. Es un lugar bien resguardado que invita al descanso.

Totalmente como un jardín

Esta gran terraza ha conseguido el reto de hacer olvidar completamente el entorno urbano. La plantación se beneficia de estos grandes recipientes que se han revestido con una celosía y se han colocado de forma escalonada como si fueran auténticos macizos de jardín. Como disponen de una gran cantidad de tierra, las plantas y los arbustos crecen cómodamente.

Terrazas próximas al mar

TODO EL AÑO

Al beneficiarse de una vista incomparable del mar, esta terraza de cactus y de plantas crasas consigue un ambiente exótico. El microclima tan privilegiado que reina en este lugar se debe a la influencia del mar y a la exposición al sur de las construcciones. La bahía está completamente protegida de los fuertes vientos, excepto de aquellos que provienen del sur o del suroeste, que por su calidez propician el crecimiento de las plantas crasas. Estas últimas se plantan directamente en las bolsas de tierra que se han dispuesto entre la roqueda. A causa de las débiles precipitaciones, las raíces nunca llegarán a pudrirse. Las plantas crecen con toda naturalidad y sólo de vez en cuando requerirán protegerse con una lona durante el invierno, sobre todo cuando llueva mucho o arrecie el frío. El jardín de la terraza está plantado directamente encima del pavimento. El «césped» es *Dichondra repens*.

PRUEBE TAMBIÉN

Mimosa
Este árbol de hojas persistentes y de floración invernal puede vivir mucho tiempo si se talla todos los años tras la floración.
Puede exponerse a pleno sol.

Buganvilla (*Geu Bougainvillea*)
La trepadora por excelencia del Mediterráneo. Florece de mayo a octubre. El cultivo en recipientes no es complicado en un clima cálido.

PLANTAS PARA ACERTAR

1 Chumbera, este cactus, además de ser rústico, tiene frutos comestibles.

2 Lechetrezna arbustiva (*Euphorbia resinifera*), planta crasa espinosa.

3 Aloe, planta crasa con hojas espinosas y flores rojas.

4 Lavanda, indispensable para los bordes y las exposiciones a pleno sol.

5 Pitosporo o azahar de China (*Pittosporum tobira*), bello arbusto redondo de flores perfumadas.

Otras ideas

◄ UN JARDÍN EN EL MEDITERRÁNEO

Este edificio escalonado en una población costera ofrece excelentes espacios para las terrazas. Algunas de ellas tienen el aspecto de un auténtico jardín plantado en el pavimento, con césped y macizos. Aquí, tenemos un *Cordyline australis* acompañado por una mata de anthemis blancos y lavandas. A la izquierda, el principio de un estanque. Una terraza para descansar al sol.

▼ EVASIÓN HACIA EL EXTERIOR

Una terraza transformada en jardín puede ser un remanso de verdor para protegerse de un entorno hostil o, como en este caso, para abrirse hacia el exterior, para tener la sensación de espacio y aprovechar las bondades del clima. En esta terraza, no se ha dudado en dejar espacios entre la vegetación, para que la mirada se escape hacia el infinito.

Consejo: Las plantaciones de cactus entre las rocas permiten prolongar el ambiente húmedo después de regar, dado que la piedra absorbe el agua ligeramente. Es muy beneficioso para estos vegetales durante el verano, pues, al contrario que la idea generalizada, requieren agua para desarrollarse.

◄ RESISTIR A LA INCLEMENCIA

Los vientos húmedos y salados que provienen del mar son grandes inconvenientes para el crecimiento de las plantas. La solución, normalmente, consiste en el uso de plantas resistentes en las zonas más expuestas. La pitosporo o azahar de China *(Pittosporum tobira)*, plantada en grandes recipientes, es una de las especies que resisten mejor porque florece durante mucho tiempo. Puede asociarse a los laureles rosa y los tamarices. Las abelias, escalonias y olearias también son muy apropiadas.

BUENAS COSTUMBRES

En verano procure que su terraza tenga sombra para que sea un lugar «habitable».

Basta con desenrollar un parasol de paja, un rollo de juncos o de caña para obtener el efecto deseado. Átelos bien para que no se los lleve el viento.

Un rincón del paraíso

TODO EL AÑO

Esta terraza se beneficia de una perspectiva que se debe conservar. Para que los propietarios obtengan una impresión de verdor durante todo el año y disfruten de un ambiente íntimo, el paisajista responsable de este proyecto ha optado por los arbustos de crecimiento lento y de vegetación compacta. Plantados en grandes y elegantes recipientes de madera exótica, la mayor parte de estos arbustos son persistentes y forman una especie de resguardo relajado y decorativo. La presencia de plantas perfumadas (flores primaverales como las choisias, que huelen a naranjo, y la lavanda perfuman el ambiente en verano) es una idea sencilla, pero inteligente, que hace que este rincón de la terraza sea aún más valioso. El mantenimiento sólo requiere de un riego por semana y de una poda anual para equilibrar las plantas.

PLANTAS PARA ACERTAR

1 **Eleagno punzante (Eleagnus pungens) «Maculata Aurea»**, persistente.

2 **Choisia (Choisya ternata)**, persistente, compacta y perfumada.

3 **Lavanda**, dos plantas situadas a 40 cm. Persistente y florida.

4 **Cornejo blanco (Cornus alba) «Marginata»**, pódela en invierno.

PRUEBE TAMBIÉN

Laurel japonés (Aucuba japonica)
Bello arbusto muy resistente a la contaminación y que puede vivir durante muchos años. No lo riegue demasiado.

Ruda (Ruta graveolens)
Planta vivaz de gran robustez cuyo follaje desprende un olor aromático. Pequeñas flores amarillas en verano.

Otras ideas

◀ UNA PLAZOLETA EN EL PISO

Esta sorprendente terraza se caracteriza por la sobriedad de sus líneas y de sus plantaciones. El único material que se ha utilizado es la madera exótica que da calidez al hormigón. Los grandes recipientes cuadrados acogen magnolios. Estos árboles de crecimiento lento son perennes. En verano tienen grandes flores de cálices blancos que son perfumadas. Cada magnolio tiene, en la base, arbustos rastreadores y algunas vivaces. La repetición de los bancos dobles da la sensación de jardín público. ¡Muy original!

▼ ESTILO RETRO, ENCANTO RÚSTICO

Rodeada por paredes de piedra, como una prolongación del estilo constructivo de la casa, esta terraza de sobria elegancia está tapizada con un opus romano de losas de gres. Casi al azar, se ha dejado de colocar algunas losas para dar lugar a la vegetación. Es el caso de la valeriana roja *(Centranthus ruber)* del primer plano. Algunos pelargonios de follaje oloroso decoran las macetas. El arbusto amarillo es una *Cystius battandieri,* una especie poco común.

Consejo: Cada primavera, pode bien las ramas del *Cornus alba* para que produzca el máximo de nuevas ramas. Estas últimas tienen una corteza de color rojo intenso o amarillo durante el primer año, por lo que son más decorativas en invierno.

BUENAS COSTUMBRES

Las lavandas, con el paso de los años, tienden a tener menos floración en la base y más dificultad para brotar en las ramas viejas. Es conveniente rejuvenecerlas mediante reproducción por esqueje. Los pequeños tallos de las extremidades arraigan bien si se plantan en una mezcla de arena y turba. Hágalo en agosto y septiembre.

223

Un macizo de colores y de frescor
Aprovechándose de que los brezos requieren un suelo de poco grosor, el paisajista ha realizado un macizo encima del pavimento con un magnolio, un pieris *(Pieris japonica)*, una hortensia de hoja de roble *(Hydrangea quercifolia)* y brezos. En segundo plano, un rosal «Cocktail» que florece de junio a octubre. El conjunto requiere un riego automático. El césped es sintético.

Descanso bajo la sombra
Discretamente resguardada de las miradas indiscretas a través de la celosía, que realza con elegancia el muro de separación, esta terraza es un agradable remanso de paz sombreado por un inmenso parasol. El suelo es de césped sintético para no tener que mantenerlo. Al fondo se ha instalado un gigantesco recipiente para que las plantas, como el enebro dorado, se desarrollen sin problemas.

PÁGINA DE LA DERECHA
Un rincón frondoso
La abundancia de plantas es un aspecto importante en una terraza cuando, como la del ejemplo, presenta un espacio reducido. Los enormes recipientes de 50 cm de altura permiten el perfecto desarrollo de la lavanda, la abelia, los rododendros, las hortensias, los bambúes y el arce japonés.

LOS PATIOS

🌿 Intimidad florida 230

🌿 Un remanso de verdor 232

🌿 Líneas, volúmenes y formas 234

🌿 El gusto por lo natural 236

🌿 Evádase 238

LOS PATIOS

Los patios, encerrados entre las paredes de la casa, son como pequeños jardines en cofres. No tienen perspectiva hacia el exterior y la mirada no puede evadirse más allá de sus límites tan definidos. ❀ Por este motivo, estos jardines deben transmitir elegancia y armonía. Son pequeñas joyas, nunca mediocres. Se trata, sin duda, de lugares mágicos, en los que podrá desarrollar sin límite todo su talento creativo. ❀ Los patios no corresponden a ningún arquetipo, el entorno no les influye; son como pinturas que existen por sí mismas. ❀ Puede dar rienda suelta a su imaginación y darle un toque personal. A menudo, los patios tienen un microclima muy favorable y, normalmente, su diseño les permite acoger con comodidad plantas rústicas. ❀ Lo primero que nos viene a la cabeza son las especies mediterráneas, el patio florido inspirado en aquellos de Sevilla o Florencia. ❀ Pero aún puede ir más lejos y crear en verano un pequeño rincón exótico con plantas de interior que se engalanan para la ocasión. ❀ ¿Y por qué no se arriesga un poco y crea un jardín mexicano con cactus y plantas crasas, o un rincón zen en el que predominen los minerales? ❀ Lo importante es que nos sintamos bien y que se respete cierto equilibrio. Lo conseguirá con mayor facilidad si combina las plantas en macetas con las plantas cultivadas directamente en el suelo. Las macetas le permitirán jugar con la decoración y componerla como usted desee. ❀

Intimidad florida

TODO EL AÑO

PLANTAS PARA ACERTAR

1 **Falso jazmín** *(Solanum jasminoides)*, trepadora friolera.

2 *Pelargonium* **mezclado,** hojas luminosas, cuatro plantas.

3 **Lino de Nueva Zelanda** *(Phormium tenax)*, con hojas de diferentes tonalidades.

4 **Anthemis amarilla,** una planta.

5 **Azahar de China** *(Pittosporum tobira)*, dos matas podadas.

6 *Geranium sanguineum,* una mata formada por tres plantas.

V ivir en un entorno de flores y plantas es sinónimo de escapar de los contratiempos cotidianos y encontrar un remanso de belleza y tranquilidad. Éste es el principio que ha servido de base para crear este patio. Se encuentra en una región de clima atlántico, en una zona resguardada. Hay especies como el falso jazmín *(Solanum Jasminoides),* el lino de Nueva Zelanda *(Phormium tenax)* o el azahar de China *(Pittosporum tobira).* La influencia marítima apacigua el frío invernal y la disposición de la arquitectura crea un verdadero microclima resguardado de los vientos fuertes procedentes del océano. Este patio-jardín se articula en tres niveles donde se sobreponen macetas y macizos.

PRUEBE TAMBIÉN

Coleus blumei
Esta vivaz sensible al frío desarrolla unas hojas de varias tonalidades. Es ideal para remplazar a los geranios.

Anthemis tallo
Una preciosa sombrilla, amplia y abundante, que florece todo el año sobre un pequeño tronco de 50 a 100 cm de altura.

Otras ideas

SOÑAR, CONTEMPLAR, EVADIRSE ▶

Al fondo de este patio con flores observamos un banco protegido por una elegante garita de madera que, orientada hacia la casa, invita a la meditación. Está recubierta por una pasionaria *(Pasiflora Coeruela)* que se llenará de flores exóticas en verano, y así creará un ambiente íntimo y discreto. Para evadirnos de los problemas diarios se ha plantado una gran palmera Canaria *(Phoenix canariensis)* con grandes palmas que evocan las felices vacaciones. Esta planta, poco amante del frío, se ha plantado en una gran maceta que queda disimulada por una mata de lavanda. Como es demasiado grande para entrarla en invierno, tendrá que cubrir las palmas con una esterilla en el centro, y atarla para envolverla en una triple capa de un material que no sea tejido. El resto del decorado queda garantizado con la presencia de plantas anuales (petunias, clavel de las Indias) o de temporada *(Convolvulus mauritanicus, Brachycome iberidifolia)* que habrá que remplazar por bulbos y plantas bianuales en primavera.

◀ **DETRÁS DE UNA PROTECCIÓN DE FLORES**

El patio-jardín que separa la parte delantera de la casa queda protegido del viento por una gran empalizada eficaz, pero poco decorativa. El armazón de madera se ha recubierto con brezo seco. Esta cubierta natural sirve, al mismo tiempo, de soporte para macetas decorativas que contienen claveles de la India y pensamientos. La parte inferior del separador se ha disimulado con diversos recipientes llenos de heliotropos, *helichrysum*, felicia, etc. Observe la gran armonía de azul y naranja.

BUENAS COSTUMBRES

Para conservar las plantas de temporada (geranios, fucsias, coleus) en invierno, es mejor reproducir por esquejes hacia finales de verano que conservar las plantas madre. Utilice siempre brotes cuyas extremidades no hayan florecido.

 Consejo: La utilización de macetas que contengan plantas con flores le permitirá disimular los «agujeros» en los parterres o las plantas que no despiertan ningún interés según la temporada. En este último caso, basta con integrar discretamente la maceta en el parterre, en el centro de la plantación.

Un remanso de verdor

TODO EL AÑO

PLANTAS PARA ACERTAR

1 *Acer palmatum,* un arce de Japón laciniado.

2 **Boj podado en forma de cono,** dos plantas en maceta.

3 **Hiedra arbustiva,** una planta de *Hedera Helix* «Conglomerata».

4 *Lonicera pileata,* una planta podada escalonadamente.

5 **Griñolera de Dammer (Cotoneaster dammeri),** cubresuelos persistente.

Sea cual sea el estilo de su jardín, el follaje transmite una sensación relajante. Atenúa la explosión de colores de los parterres y sirve de moderador en todas las composiciones. El verde es un color neutro entre las flores multicolores y, cuando domina el decorado, es muy sutil gracias a los infinitos matices que presenta. En este pequeño patio umbrío, las plantas se funden en diversas tonalidades verdes para crear una armonía de gran simplicidad en la que predomina la redondez. La *Lonicera pileata,* con forma de cojín, y el arce japonés *(Acer palmatum)* nos invitan a acariciarlos con suavidad. Un jardín de fácil mantenimiento en el que el único inconveniente es la lucha contra las malas hierbas.

PRUEBE TAMBIÉN

Aucuba japonica
A esta perenne con hojas moteadas de amarillo oro le gustan las zonas umbrías. Las hembras llevan frutos rojos en otoño.

Espina de pescado (Cotoneaster horizontalis)
Semiperenne, tiene gran cantidad de bayas escarlata que persisten en invierno. Flores blancas.

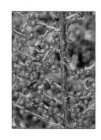

Otras ideas

▶ INVITACIÓN AL OCIO

Este pequeño patio, resguardado tras unos altos muros, se ha acondicionado en jardín con un estilo muy contemporáneo, combinando formas podadas con formas libres. Todo nos conduce hacia el cenador, recubierto por un opulento zumaque de Virginia *(Rhus typhina)*. El camino rectilíneo, pavimentado con adoquines, es la vía más corta hacia el salón del jardín. Su presencia acogedora se ve reforzada por la redondez del boj podado que embellece el recorrido. Tras estas estructuradas plantaciones, un bonito parterre formado por diversas hortensias aporta tranquilidad. Es un pequeño rincón de jardín muy simple, creado por un paisajista que ha sabido limitar su mantenimiento.

◀ LA SOBRIEDAD DEL CLASICISMO

Este pequeño patio situado en el centro de la ciudad era, en un principio, una superficie con gravilla. Se han establecido algunos espacios vegetales y el entorno se ha transformado en un patio simple, sin sofisticaciones ostentosas. Dos bojes en forma de cono para respetar la arquitectura, un pequeño salón de jardín, algunas macetas y se obtiene un excelente resultado.

▼ LAS AROMÁTICAS EN EL MENÚ

Un pequeño rincón del jardín se ha transformado en huerto, ¿por qué no? El ejemplo que tenemos aquí es el de numerosas macetas que acogen una colección completa de plantas aromáticas. Se han colocado unas macetas con boj podado en forma esférica, para dar coherencia al decorado y hacernos olvidar el toque de «locura» de la vegetación desordenada.

233

Líneas, volúmenes y formas

No se requiere tener una gran extensión para crear un bello jardín al estilo francés. Las líneas geométricas y las plantas podadas se integran perfectamente en los espacios pequeños. En este pequeño patio, la parte central se estructura a través del pavimento de adoquines que se ha colocado en espiga. Un motivo formado por cuatro cuadrados, con un boj cada uno, se inspira en los trazados clásicos. Sin embargo, el conjunto consigue transmitir un toque contemporáneo mediante la presencia de algunos claveles en el centro de los cuadrados y el «olvido» intencionado de algunas vivaces para que invadan tímidamente el pavimento. En este ejemplo se muestra la reconquista de la naturaleza. La parte estructurada se obtiene mediante una visión global. Pero también se puede observar la gran profusión de pequeñas plantas que crecen a su libre albedrío. Es un jardín de fácil mantenimiento que necesita mucha agua.

PRUEBE TAMBIÉN

Ruda *(Ruta graveolens)*
Una vivaz muy resistente y productiva que puede sustituir al boj para formar setos regulares que deberá podar tres o cuatro veces al año.

Epicea Albertiana
Es la *Picea glauca* «Cónica» que forma un cono natural de lento crecimiento. Puede sustituir el boj. Cuidado con las arañas rojas en verano.

PLANTAS PARA ACERTAR

1 **Abedul** *(Geu. Betula)*, un ejemplar joven.

2 **Cornejo** *(Cornus sanguínea)*, una variedad moteada con follaje luminoso.

3 **Hortensia blanca**, una planta para dar claridad.

4 **Rosal trepador**, una variedad muy vigorosa para revestir la glorieta.

5 **Acebo** *(Ilex aquifolium)*, dos plantas jóvenes.

6 **Boj** *(Buxus secuporvireus)*, una planta cada 15 cm para el seto y cuatro en forma de cono.

Consejo: Para envejecer los pavimentos compuestos por adoquines y favorecer la aparición de musgo, frote con un cepillo empapado con una mezcla, a partes iguales, de agua y leche. Hágalo en primavera y si es preciso otra vez a finales de verano.

Otras ideas

▶ VERDE TODO EL AÑO

Este pequeño patio de 5 × 8 m da la impresión de un jardín sofisticado debido a su trazado sutil y refinado. De hecho, el paisajista lo ha concebido para facilitar la vida a los propietarios del lugar. Estamos en la costa atlántica, en un jardín de ciudad protegido del frío. Las plantas que encontramos, incluso la anthemis, el árbol ti o árbol repollo *(Cordyline australis)* y la *Gunnera manicata,* se comportarán como vivaces, sin necesidad de protección. Tan sólo recubra el tronco de la gunnera con sus propias hojas. Esta planta podría parecer incongruente en una maceta si no fuera porque desarrolla hojas inmensas. El secreto del éxito pasa por una fertilización regular con abono líquido. La personalidad de este pequeño jardín procede también de las dos formas de pavimento. La parte despejada con elementos rectangulares acentúa el aire contemporáneo del decorado, mientras que el redondo, con adoquines, aporta un toque elegante.

▼ EL MINIPATIO DE LOS GOURMETS

Este pequeño patio de 20 m² se ha transformado en un pequeño paraíso de sabores y olores. Los propietarios se han inspirado en el trazado de los jardines clásicos de plantas aromáticas, con su parte central en círculo. Han agrupado una colección completa de plantas aromáticas. Podemos distinguir: salvia, lavanda, mejorana, tomillo, romero, menta, melisa, planta del curry *(helicrysum),* laurel, ruda, etc. Toda la sutilidad procede de la armonía entre formas y colores, texturas y siluetas. Para que no parezca demasiado utilitario, se han colocado algunas macetas en diferentes puntos. La búsqueda de los olores llega hasta plantar algunos guisantes de olor a lo largo de la reja de entrada, para que la envuelvan con su delicioso olor en verano. Este pequeño jardín, donde los muros se van recubriendo poco a poco con las hojas de la hiedra, necesita un mantenimiento mínimo. Sólo riegos regulares en los momentos más cálidos del verano.

BUENAS COSTUMBRES

La poda del boj se hace unas dos veces al año, durante el mes de mayo y a mediados de octubre. Realice esta operación con las tijeras de poda para que el trabajo sea lo más preciso posible, o utilice un cortasetos eléctrico de pequeño tamaño. Perfile la forma de cada planta con unas tijeras para bonsáis. Éstas ofrecen la posibilidad de cortar con mucha exactitud y modificar las imperfecciones de la silueta.

El gusto por lo natural

Este pequeño jardín, separado de la terraza que linda con la casa por un simple muro, da la impresión de crecer solo. Las relaciones entre las plantas se han dejado a merced de la naturaleza y sólo las especies más sólidas y voluntariosas tienen derecho a un espacio. Además de su aspecto alegre y espontáneo, la ventaja de este tipo de combinación es que el mantenimiento es mínimo. Basta con un buen aporte de compost o estiércol descompuesto, en primavera, y quitar las flores marchitas y las partes estropeadas, en octubre.

No hay en este ejemplo ninguna búsqueda del lado artístico, se juega con la propia opulencia de los vegetales y su capacidad de rápido desarrollo.

Aún es un jardín joven (dos años), pero pronto será generoso y prolífico, recubriendo las losas del sendero.

PRUEBE TAMBIÉN

Monarda
Una vivaz que se puede combinar con lychnis para un macizo con floración estival muy intensa. Suelo rico y compacto.

Aegopodium
Esta cubresuelos es ideal para tapar agujeros en este tipo de composiciones libres. Corte las flores.

PLANTAS PARA ACERTAR

1 *Lychnis chalcedonica,* una sola planta es suficiente para formar una preciosa mata.

2 **Hosta,** follaje de gran cantidad de colores y formas. Dos plantas.

3 **Acauto *(Acanthus mollis),*** una planta grande con hojas espinosas.

4 *Ligularia przewalskii,* floración en forma de largas espigas doradas.

5 **Rosal trepador,** dos plantas de una variedad vigorosa.

6 *Hypericum patulum* «Hidcote», bonito arbusto con flores en verano.

7 *Alchemilla mollis,* cuatro plantas a 40 cm de distancia.

8 **Rosal «Sylvie Vartan»,** una planta de este rosal de un color muy intenso.

Otras ideas

▶ PROFUSIÓN DE PLANTAS

La superficie disponible en un patio-jardín es limitada, juegue con los volúmenes para ocupar todo el espacio. Esto le permitirá dar rienda suelta a su pasión por las plantas, y también la posibilidad de crear un mundo vegetal armonioso que eclipse el entorno. En este caso dos piezas clave: el arco que acoge una *Pelargonium zonale* suspendida y el gran rosal liana «Bobbie James», que cubre los límites de la propiedad. La rigidez del aro metálico separa este pequeño rincón de jardín. Es el elemento de estructura indispensable. Las plantaciones se han hecho en diferentes niveles, el parterre de tierra de mantillo donde predominan el rododendron enano y la hortensia de hoja de roble *(Hydrangea quercifolia)* está delimitado por traviesas de vías de tren adornadas con macetas.

BUENAS COSTUMBRES

La mayoría de las plantas vivaces son el manjar preferido de las babosas, sobre todo a principios de primavera y durante el otoño. Se observan claramente los agujeros en las hojas de las hostas que están en primer plano. Cuando el tiempo es lluvioso o la humedad ambiental aumenta, hay que colocar producto antibabosas alrededor de cada planta. Disperse, más o menos, un puñado de gránulos por cada metro cuadrado o haga, también, barreras homogéneas a lo largo del parterre, colocando el granulado en hileras compactas. Si tiene animales domésticos, sobre todo perros pequeños, utilice un producto que contenga un repelente. Así evitará cualquier problema. En cuanto se disuelva vuelva a añadir producto.

◀ UN DESBARAJUSTE SABIAMENTE CONTROLADO

Este pequeño espacio cuadrado a la salida de la casa está delimitado por caminos pavimentados que le dan un toque rústico, y las plantas se dejan crecer a su aire. Una bonita mata de adormideras de Oriente *(Papaver orientale)* se combina bien con un rosal «Lavender dream». Ellos suceden a una densa plantación de tulipanes y preceden la explosión de lavanda y de *delphinium* híbrido. Un jardín espontáneo, pero no descuidado.

Consejo: **Plante de forma compacta para que las vivaces ocupen rápidamente la totalidad de la superficie. Así evitará deshierbados molestos y obtendrá un buen decorado. Después sólo hay que dejar que la naturaleza siga su curso y facilite el equilibrio entre las diferentes especies, garantizando una perfecta armonía, sin necesidad de mantenimientos inútiles. Prevea un deshierbado anual.**

Evádase

TODO EL VERANO

*E*ste magnífico jardín es la prolongación de una gran casa abierta al exterior en la costa mediterránea. Se inspira un poco en el estilo morisco, por la presencia del estanque hexagonal en el centro, alrededor del cual se articula el resto de la composición. Los senderos arenosos reciben la sombra de una liviana pérgola cuyos pilares de madera están recubiertos por una trepadora exótica. Estas lianas, con su abundante vegetación, refuerzan la originalidad del jardín. El motivo de cada parterre es él mismo, con una gran mata de lis híbrido y un *phormium* moteado. Puede crear este jardín en una zona donde el clima no sea tan favorable siempre y cuando proteja correctamente las plantas sensibles al frío.

PLANTAS PARA ACERTAR

1 **Bignonia capreolata,** una sorprendente trepadora tropical.

2 **Jazmín blanco (Jasminum officinale),** para revestir el pilar.

3 **Limonero,** dos macetas grandes.

4 **Lis híbrido,** dos matas de 1 m² con 20 bulbos cada una.

5 **Palmera enana o palmera de Siam (Phoenix roebelenii),** una maceta a resguardar en invierno.

6 **Iris con hojas moteadas,** 4 rizomas para una mata amplia.

PRUEBE TAMBIÉN

Gloriosa
Una liana voluble que produce todo el verano grandes flores laciniadas como llamas. En lugar de la bignonia.

Thumbergia alata
También llamada ojo morado, es una trepadora anual excelente para revestir un pilar de la pérgola.

Otras ideas

LAS PLANTAS HAN SALIDO ▶

Este pequeño rincón de jardín semiumbrío, situado en el ángulo de la casa, sirve de residencia estival a numerosas plantas de «interior». Protegido de los vientos y aislado por las paredes, el rincón se beneficia de un microclima que permite que la poinsetia *(Euphorbia pulcherrima)* adquiera dimensiones espectaculares. Destaca también la opulencia del culantrillo de pozo *(Adiantum capillus-veneris)* y la presencia de numerosas orquídeas, principalmente Dendrobiums, que aprovechan las diferencias de temperatura entre el día y la noche para alargar su floración. Hay que aprovechar que las plantas se sienten bien para crear una escena exótica que da muy buen resultado.

▲ **VACACIONES CADA DÍA**

Si mezclamos en un bello desbarajuste todas las estrellas de un jardín del sur, este pequeño rincón rodeado de muros se convierte en algo muy original. *Solanum rantonnetii,* laurel, anthemis, buganvilla y pelargonio con hojas de olor forman un buen conjunto. Todas las plantas están en macetas individuales, de manera que pueden desplazarse cuando no estén en su apogeo decorativo. Como el decorado de un teatro, este pequeño jardín cambia en función del día y del ambiente. La fuente refresca y crea un murmullo relajante. Un ambiente tranquilizador.

BUENAS COSTUMBRES

Plante los bulbos de lis en otoño, enterrándolos a 15 cm. de profundidad y separándolos 30 cm. entre ellos. Cuando se trate de tierra pesada, no olvide añadir un puñado de arena de río en el fondo de cada agujero para garantizar un drenaje perfecto. Marque el lugar con una piqueta.

Las palmeras se ven a menudo afectadas por las cochinillas que se instalan debajo de las hojas. Sorben la savia y debilitan la planta. Trate preventivamente una vez al mes con un insecticida polivalente.

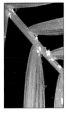

Consejo: **No olvide colocar unas ruedas pequeñas en las macetas grandes para poder desplazarlas con comodidad y resguardarlas de las temperaturas más bajas en otoño. Es indispensable una galería para conservar estas plantas.**

FACHADAS CON JARDÍN

Bienvenido al jardín 244

Paredes vestidas de verde 246

La fiesta de las flores 248

Profusión de follaje 250

Ideas que vienen de lejos 252

FACHADAS CON JARDÍN

Cuando la casa está cubierta con un hermoso jardín ya es un primer gesto de bienvenida para los visitantes. ❧ La más bella de las construcciones no es nada si no tiene vegetación que la cubra. Las paredes cubiertas de vid cambian su aspecto en función de las estaciones. Esto hace olvidar la austeridad de los materiales inertes. ❧ Una celosía colocada encima de la argamasa es el mejor apoyo para los rosales que aportaran un aspecto encantador. Las macetas marcan el camino que conduce a la puerta de entrada. Hacen que el ambiente sea más alegre envuelto en suaves perfumes. ❧ Las losas, para no ensuciarse en los días de lluvia, algunas plantas rastreadoras que visten un repecho, un cerezo para satisfacer un pequeño antojo. ❧ Todo es un pretexto para componer y estructurar un jardín en la fachada. Anticipa la llegada a la casa y expresa la personalidad íntima del propietario. ❧ Este tipo de jardines muestra con sutileza el temperamento de los habitantes de la casa, además de su gusto, sus deseos y sueños. El jardín es la primera imagen espontánea que se tiene de los dueños de la casa. ❧ Para que este jardín sea bello debe hablar un lenguaje, el lenguaje del habitante de la casa. Debe exteriorizar su sensibilidad y traducir su gusto por los colores, la decoración y la armonía. ❧ El jardín de las fachadas también es el de toda la familia. Es sencillo, agradable pero nunca austero. Piense también en crear un estilo en relación con el de la casa, ni demasiado pomposo ni excesivamente discreto. ❧ La dificultad proviene, a menudo, de la exigüidad de la superficie que se debe transformar en jardín. Es un reto complementario que, muchas veces, encuentra la solución en el empleo de recipientes y macetas, elementos de mayor personalización. ❧

Bienvenido al jardín

Dar sentido al recibimiento, crear un ambiente agradable alrededor de la casa, crear un sentimiento de bienestar... son muchos los objetivos que se pretenden conseguir con una fachada ajardinada. La composición debe, consecuentemente, ser un reflejo de su personalidad y sobre todo no debe ser engañosa. Cuanto más espontánea sea, más fuerte será su impacto. Es como vemos en este ejemplo en el que se ha querido crear un entorno cálido y resplandeciente para acoger a sus clientes y amigos. Se trata de un jardín que evoca todo el control que se debe tener de la armonía de los colores y de la elección de las plantas. Los adoquines de granito respetan la autenticidad de la construcción. La distribución de las plantas según la altura permite apreciarlas con un solo vistazo. La maceta de la entrada de la casa invita a entrar, es como un recaudo que nos honra discretamente, y convierte en un placer nuestra llegada. Se trata de un jardín muy equilibrado de fácil mantenimiento si se consigue limitar el crecimiento de cada una de las especies.

PLANTAS PARA ACERTAR

1 *Pelargonium zonale* **moteado,** tres plantas para una mata tupida.

2 *Agapanthus africanus,* dos plantas separadas 40 cm.

3 **Lino de Nueva Zelanda (***Phormium tenax)*, mata de lino moteada de Nueva Zelanda.

4 **Margarita leñosa (***Argyranthemum frutescens),* tres bellas plantas.

5 *Gazania splendens,* tres plantas.

PRUEBE TAMBIÉN

Galany rojo *(Cestrum elegans [purpureum])*
Un arbusto mexicano que puede sustituir los agapantos. Es frondoso y ligero y se pueden empalizar los tallos contra la pared para que se beneficie al máximo de la luz solar. La planta no es rústica, salvo en aquellas regiones que tengan inviernos suaves. Conviene cubrirla con paja o resguardarla en una galería. Si hacemos esto, su floración podrá durar incluso durante el principio del invierno.

Olearia *(Olearia macrodonta)*
Este arbusto de follaje persistente de color gris argentado es ideal para las zonas próximas al mar. Es bastante sensible al frío, por ello debe resguardarse. No se recomienda tenerla en regiones donde los veranos sean tórridos. Supera los 2 m y se cubre de flores perfumadas entre junio y julio.

Otras ideas

▼ UN HÁBITO DE VEGETACIÓN

Una serie de macetas donde se entremezclan plantas talladas y otras con su forma natural para alegrar un rincón de la fachada que estaba un poco triste. Las macetas refuerzan el impacto del gran rosal trepador que disimula la pared. Así se tiene la sensación de estar en un auténtico jardín.

▲ LA NATURALEZA EN SU APOGEO

Para acentuar las características rústicas de esta antigua granja, se deja intuir que la naturaleza tiene sus derechos y que aquí ha reconquistado hasta los más mínimos espacios de tierra. El efecto es sublime, por la cantidad de plantas que se han empleado y el trato inteligente que reciben las diferentes especies. Pero el decorado no siempre es plano, gracias al rosal trepador que asalta la pared, a la presencia de diferentes arbustos y al impacto visual de los elevados tallos de una adormidera anual. La nota de refinamiento se obtiene por la presencia de plantas en maceta que sirve de contrapunto y dan ritmo al decorado gracias a su presencia. Todo es sencillo, pero cálido y de fácil mantenimiento.

Consejo: **Para que el jardín parezca más natural es mejor dejar que las plantas rastreras se apoderen de las losas para que el contorno de las mismas desaparezca. Así parece que la vegetación crece sobre la parte construida, logrando un efecto de gran belleza.**

Paredes vestidas de verde

Vestir una fachada con una o varias plantas trepadoras es sin duda el mejor medio para integrar la casa en el jardín. A menudo, sirve para que una construcción banal pase a tener su propio temperamento. Al contrario de lo que se acostumbra a decir, las plantas no son fuente de humedad en las paredes. Es más, las protegen de la intemperie. En este ejemplo, las paredes de piedra, que tienden a ser demasiado omnipresentes, desaparecen bellamente bajo la vegetación de una *Berberidopsis corallina,* que se enrojecerá en tonos coral a finales de verano, y de un falso jazmín *(Solanum jasminoides),* que da racimos preciosos de color blanco de mayo a julio. Son dos plantas perennes poco frecuentes que deben plantarse en regiones cálidas dado que son sensibles al frío.

PLANTAS PARA ACERTAR

1 *Berberidopsis corallina,* una planta perenne muy sensible al frío.

2 **Falso jazmín *(Solanum jasminoides),*** una planta vigorosa.

3 **Azahar de China *(Pittosporum tobira),*** podada en forma de bola.

4 *Pelargonium crispum,* dos macetas con un follaje impresionante.

PRUEBE TAMBIÉN

Schizophragma hydrangeoides
Es prima hermana de la hortensia trepadora, pero menos vigorosa y más delicada su floración de brácteas largas de color crema.

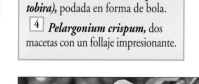

Fremontia *(Fremontodendron californicum)*
Una mata perenne que podría alcanzar hasta 4 m. Las flores amarillas, de textura cerosa, aparecen de mayo a octubre. Sensible al frío.

Otras ideas

▶ EL PLACER DE UNA PARRA

Una parra guiada horizontalmente refuerza el carácter rústico de la casa. Además de ser decorativa, da frutos y es la trepadora preferida de las casas de campo. Sin embargo, se trata de una planta delicada que requiere de una poda anual *(ver a continuación)* y tratamientos contra los innumerables enemigos que tiene (mildiu, polvillo blanco y ácaros, entre otros). La vid es decorativa durante todo el año (gracias a su arquitectura y el aspecto torturado de los sarmientos). Aquí está acompañada por una balsamina.

BUENAS COSTUMBRES

La vid es un arbusto sarmentoso que sólo da frutos en aquellos tallos que tienen más de un año. La poda que se realiza entre los meses de febrero y marzo tiene como objetivo eliminar las ramas (sarmientos) que han dado los racimos de uva porque, una vez dan fruto, ya no sirven para nada más. La poda también sirve para tener la previsión de que haya ramas de sustitución que fructifiquen al año siguiente. En la práctica, se empieza erradicando la punta de todas las partes que han fructificado. Seguidamente se talla el sarmiento de sustitución que tenía el fruto por debajo de dos nudos (en el caso de la variedad chasselas, gamay, madeleine) o por debajo de tres o cuatro nudos (para el moscatel y la variedad frankenthal). El nudo más cercano al corte desarrollará un sarmiento fértil, que se empalizará a lo largo de su desarrollo, en primavera. Los otros botones se convertirán en brotes estériles y garantizarán, a su vez, la perennidad. No hay que tallar la vid demasiado pronto si no queremos que los botones desaparezcan con las heladas. Tampoco actúe demasiado tarde porque la savia que sube puede verterse (son los denominados lloros) y podría debilitar la planta. Al cortar a nivel del nudo, situado encima del que está destinado a dar fruto, se consigue limitar los lloros. Por ejemplo en el caso de una poda de dos nudos, se corta justo encima del tercero; esto permite una cicatrización más rápida de la herida.

 Consejo: **Las plantas trepadoras se benefician, evidentemente, del calor de las paredes de la casa. Por ello es posible que, por el simple hecho de tutorizarlas, haya plantas no rústicas de especies de gran prestigio que puedan conseguir buenos resultados. Haga la prueba y aumente la protección contra el frío, recubriendo las plantas con una lona de plástico antes de las primeras heladas.**

▲ LA GENEROSIDAD DE LAS ROSAS

Esta fachada de ladrillo, un poco austera, desaparece entre ramos de rosas perfumadas. Sólo los rosales más antiguos, como este «Madame Alfred Carrière», tienen suficiente vigor para vestir toda la fachada. Pero, por otro lado, existe el inconveniente de que sólo florecen durante tres semanas, en junio. Pero no es el caso de éste, que también florece en septiembre. La decoración vegetal se ve reforzada por las macetas de adelfa y de hierba cidrera *(Aloysia citrodora)* cidronela que dan una sensación acogedora gracias a su floración.

La fiesta de las flores

MAYO-OCTUBRE

*E*sta fachada rústica se alegra con una vegetación muy sencilla. Se trata de una composición muy simple al alcance de todos. Las jardineras de madera miden 50 cm de largo y se han pintado de un color que combina con los postigos. En ellas se han plantado tres petunias de la misma variedad. Así se obtiene un efecto de masa. La pared de piedra, un poco triste, se ha disimulado parcialmente bajo la vegetación generosa de dos glicinias. Las del ejemplo aún son un poco jóvenes pero rápidamente vestirán la fachada. Los pequeños macizos en la base de la pared no son muy originales, pero refuerzan la impresión colorida. El borde de piedra seguido por una reja es totalmente decorativo.

PRUEBE TAMBIÉN

Aliso de mar *(Lobularia maritima)*
Esta pequeña planta anual alcanza 15 cm de altitud, pero se expande en 30 cm. Las flores blancas, malvas o púrpuras tienen pequeñas corolas muy ligeras que desprenden un perfume muy agradable. El aliso de mar se utiliza para revestir los bordes, para sustituir plantas de primavera, o con begonias y ageratums. Florece al sol de junio a septiembre.

Mimulus híbrido
Gracias a su floración tan original, estas vivaces efímeras se cultivan como las anuales. Sus floreces eclosionan de mayo a agosto y ofrecen colores muy cálidos como el amarillo, el naranja o varios tonos de rojo. Su porte es expansivo y sus tallos ligeros, por ello es un excelente compañero de las petunias y de los dragones.

PLANTAS PARA ACERTAR

1 **Petunias**, tres plantas en una jardinera de 50 cm de largo.

2 **Glicinia,** esta inmensa trepadora reviste la fachada. Flores de abril a mayo.

3 **Pensamientos**, una planta cada 25 cm. Florecen de septiembre a junio.

4 **Begonias**, espaciar cada mata unos 15 cm. Floración de mayo a octubre.

Otras ideas

◄ CONJUNCIÓN DE PIEDRAS Y FLORES

Esta fachada florida es la de la casa del paisajista Timothy Vaughan. La construcción en granito combina de maravilla con las losas en forma de opus romano. El enlosado es muy estético porque se han utilizado losas de 40 cm de lado como mínimo. La pesantez que impera en las piedras se atenúa con la proliferación vegetal y mediante la sutil disposición de las macetas. Esta solución de «contorno suave» se aconseja siempre que queramos romper la simetría o privilegiar la presencia vegetal en una parte del jardín. En este caso, las macetas en hilera parecen darnos la bienvenida a un lado y otro del pasillo. Nos invitan a avanzar hasta la puerta descubriendo paso a paso cada una de las composiciones que esconde, gradualmente, nuevas sorpresas. Además de sencilla y original, la combinación de las plantas es un descubrimiento sorprendente. Para conseguir un mantenimiento sencillo conviene instalar un sistema de riego por goteo.

▶ LA OPCIÓN POR LA SOBRIEDAD

En esta fachada se consigue un efecto de opulencia gracias al manto de la vid que la recubre. Esta gran planta trepadora viste las paredes a través de su adherencia por ventosas que no estropean la superficie. Sólo con su presencia ya se consigue un carácter más rústico. Varias macetas dispersas conforman el único decorado florido del jardín. Todas contienen geranios para conseguir un conjunto monocromo de muy buen gusto. El empleo de una única especie en una superficie tan pequeña simplifica el mantenimiento. La frecuencia del riego puede controlarse mejor, al igual que la fertilización. En contrapartida, hay que tratar las plantas de un modo preventivo para que no sufran ningún tipo de enfermedad, ya que la más sencilla de las plagas podría ser fatal para el conjunto del decorado.

Consejo: En jardinería las soluciones más sencillas son siempre las mejores. No hay que sobrecargarse inútilmente con elementos que pretenden ser decorativos. Siempre que sea posible, conviene optar por soluciones decorativas con vegetales. De este modo, en el ejemplo principal de la página de la izquierda, el borde de los pequeños macizos ganaría si estuviera compuesto por plantas rastreras como las saxifragias, la armería marítima, el tomillo o incluso con ageratums o alisos perfumados.

Profusión de follaje

Al utilizar vegetales de gran desarrollo y de crecimiento se consigue una impresión de generosidad y abundancia. En este ejemplo mostramos tres trepadoras vigorosas que recubren la fachada con una masa de vegetación impresionante. La vid se sujeta por sí misma a las paredes mediante sus tallos más jóvenes, que están dotados de pequeñas ventosas. Basta con un punto de apoyo para que la glicina retuerza sus largas ramas sarmentosas que pueden superar los 3 m de largo en una temporada. La vid, por su parte, requiere de cuidados específicos y sobre todo una poda regular en febrero o marzo. La elección de la variedad «Chasselas dorada de Fontainebleau» se explica por la precocidad de esta variedad, que consigue crecer en la mayoría de los climas. En el pilar derecho de la pérgola, una vid joven de follaje púrpura empieza a crecer. Está pensada para que esconda completamente la construcción por debajo de su follaje. Esta opulencia vegetal da carácter a una fachada que en principio es un poco triste y, a su vez, borra la pesantez de la construcción. En el resto del jardín dominan las plantas de follaje intenso combinadas con la retama trepadora y el lino de Nueva Zelanda.

PLANTAS PARA ACERTAR

1 **Enredadera de vid,** una mata de «Chasselas dorada de Fontainebleau».

2 **Glicina,** una planta al principio de la escalera y guiada a lo largo de la rampa que ella misma esconde.

3 **Viña virgen,** una mata con un tutor en la pared de separación.

4 *Juniperus squamata* «**Blue carpet**», una mata que puede rastrear hasta 3 m² después de tres o cinco años.

BUENAS COSTUMBRES

Las plantas de follaje exóticas, como el lino de Nueva Zelanda *(Phormium tenax)* o el árbol ti *(Cordyline australis)*, pueden dejarse en el exterior en invierno si reciben protección. Envuelva la parte elevada y la maceta con una esterilla que deberá forrar con una capa de plástico transparente en caso de que el frío arrecie.

Otras ideas

▲ TODA LA SUTILEZA DEL VERDE

El color verde normalmente se encuentra en el follaje, pero también hay flores, como el amarillo verduzco de los cipresillos *(santolina chamaecyparissus)* o de las euforbias. Utilizadas de un modo masivo, estas dos plantas dan la sensación de uniformidad, y evitan la monotonía. El pequeño toque de refinamiento que ofrece el azul de las campánulas alegra el macizo. Observe que la fachada cuenta con la generosa presencia de un gran kiwi *(Actinidia sinensis).*

LA NATURALEZA AMAESTRADA ▶

Un jardín es un rincón de naturaleza amaestrada por el hombre. Encontramos en este ejemplo la perfecta aplicación de este concepto. En él, la casa se eclipsa bajo la invasión de las trepadoras. Pero esta abundancia vegetal se refuerza mediante la presencia de macetas con cultivos muy originales como las magnolias, la hosta, el limonero o la alocasia.

Ideas que vienen de lejos

MAYO-OCTUBRE

PLANTAS PARA ACERTAR

1 **Abutilón híbrido,** arbusto de 2 m de altitud con flores durante todo el año.

2 **Adelfa (*Nerium Oleander*),** esta persistente vigorosa florece en verano.

3 ***Tibouchina semidecandra,*** un arbusto tropical aterciopelado. Azul.

4 **Pita (*Agave americana* «Variegata»),** resiste bastante bien a la sequía.

*U*na fachada que reciba una gran cantidad de luz natural y que esté resguardada de los embates fuertes del viento puede acoger en verano una gran cantidad de tipos de plantas de clima mediterráneo y subtropical. Pero, en dicho caso, no se debe olvidar protegerlas en una galería o en un invernadero a partir del mes de octubre. En este ejemplo, la esencia del decorado se concentra en las especies arbustivas que dan cierta amplitud a la composición y crean un auténtico ambiente exótico. La maceta con el agave del primer plano está adornada con *Bidens ferulifolia*. Las tibouchina, el laurel rosa y el abutilón se han plantado en macetas individuales. Las adelfas deben regarse poco.

PRUEBE TAMBIÉN

Sagú de Japón (*Cycas revoluta*)
Una palmera falsa que soporta muy bien el clima mediterráneo.
Rosa de China (*Hibiscus rosa-sinensis*)
Un arbusto de flores efímeras e inmensas que se renuevan durante todo el verano.

Otras ideas

▼ VACACIONES DE VERANO EN EL JARDÍN

Este jardín nos seduce con el más mínimo de los detalles. Vemos un rincón de una terraza situada ante la casa. En verano acoge plantas originales propias de los recónditos climas subtropicales. Es el caso de esta siempreviva erborea *(aeonium arboreum)* con sus pequeñas rosas casi negras, de esta reina de la noche *(Brugmansia arborea)* o incluso el de este abutilón que está a punto de abrir sus flores de color rosa. El hecho de agrupar estas macetas (combinadas también con una reseda y una anthemis) permiten componer, entre mayo y octubre, un ambiente de gusto exótico.

BUENAS COSTUMBRES

El abutilón no soporta los ataques primaverales de los pulgones. Sus capullos florales más jóvenes se cubren con un rosario de estos pequeños insectos parásitos que deforman las ramas. Nada más aparezcan atáquelos con dos insecticidas diferentes que pulverizará alternadamente. A finales de verano, piense en reproducir por esqueje aquellas plantas que más le gusten. Las adelfas y las fucsias, por ejemplo, se desarrollan muy bien en el agua. Añada cinco gotas de abono orgánico en un vaso de 25 cl para estimular y facilitar la aparición de las raíces. Introduzca los pequeños tallos en las macetas una vez que las raíces hayan alcanzado un tamaño de 2 cm. Utilice una mezcla de arena y tierra para siembras.

Consejo: El invernado de las plantas mediterráneas debe realizarse en una estancia bien iluminada cuya temperatura se sitúe entre los 5 y los 10 °C durante la noche. El ambiente normal de la casa es demasiado cálido. Además, produce la caída automática de las hojas de las plantas. Las galerías son ideales. El riego debe ser muy lento y no superior a una o dos veces al mes. Sin embargo, no deje que las plantas se sequen totalmente, no podrían soportarlo.

▼ UN MICROCLIMA FAVORABLE

Una pared que reciba una buena exposición de luz solar, un espacio que sea un buen resguardo de los vientos fríos y otros aspectos, a veces sin explicación, permite que ciertos rincones sean privilegiados para conseguir un clima excepcional. Es, por ejemplo, el caso de esta pequeña entrada a un jardín en el que impera esta magnífica araucaria *(Araucaria excelsa)* que normalmente acostumbramos a tener dentro de casa. El suelo es también la causa de este maravilloso ejemplo, dado que evita los problemas producidos por las humedades invernales. Se han plantado directamente en el suelo amarilis *(Hippeastrum* x). Observe, a la derecha, los restos de dos plataneros que aparecerán nuevamente el año siguiente.

PLANTAS PARA MACETAS Y JARDINERAS

405 fichas prácticas sobre las plantas apropiadas para el cultivo en recipientes, clasificadas en orden alfabético según su nombre en latín y totalmente ilustradas . . . . **256 a 449**

La **dimensión** y la **temperatura**, indicadas al principio de cada ficha descriptiva, corresponden a la altura máxima que puede alcanzar la planta cultivada en un recipiente y a los grados mínimos que puede soportar en dichas condiciones.

Este logo indica una planta de fácil cultivo, aconsejada para los principiantes.

spp. después del nombre científico (ej. *Pinus* spp.) significa «especie» en latín e indica que se trata de un género de planta de especie indeterminada; en caso contrario, se indica con su especie (ej. *Pinus pinea*).

x acompañando al nombre científico (ej. *Fuchsia* x) indica que se trata de un híbrido de dicha planta.

A

▲ *Abelia* x *grandiflora*: aprecia el sol y el calor.

▲ *Abies balsamea* «Hudsonia»: una pequeña bola compacta.

▲ *Abies nordmanniana* «Golden Spreader»: con tonos dorados.

Abelia x *grandiflora*
ABELIA DE FLOR GRANDE

Una zarza con flores todo el año.
Arbusto (1,20 m, –8 ºC).

Follaje: hojas ovadas u ovadolanceoladas, simples, verde oliva, sombreado púrpura, semipersistente.

Floración: las campanillas, ligeramente perfumadas, son de color rosa en el botón floral, y evolucionan hacia el blanco. Empiezan a abrirse a mediados del verano hasta el otoño.

Especies y variedades: *Abelia* x «Edouard Goucher» es una variedad excelente con floración blanca y rosa intenso. *Abelia* x *grandiflora* «Francis Mason» con hojas doradas es menos voluminosa que la especie tipo. Debe estar bien protegida.

Comportamiento en el recipiente: Es necesario regarla regularmente dado que la abelia no tolera muy bien la sequía. Si el agua del riego es muy calcárea, el arbusto puede padecer clorosis al cabo de dos o tres años. De ser así, hay que tratarlo con un producto anticlorosis.

Dimensiones del recipiente: para un arbusto de 70 cm de altura, es aconsejable una maceta de 40 cm de diámetro. Si el recipiente es demasiado pequeño ello repercutirá en el desarrollo.

Exposición: la abelia prefiere estar a pleno sol aunque tolera una ligera sombra, sobre todo en verano.

Tierra: mantillo de calidad a la que añadiremos 1/4

▼ *Abies concolor* «Archer's Dwarf»: un estallido azul oscuro.

de tierra de brezo y 1/4 de tierra de jardín no calcárea.

Riego: todos los días en verano y de dos a tres veces por semana el resto de las estaciones.

Enemigos y enfermedades: prácticamente ninguno. Las condiciones de cultivo desfavorables (maceta demasiado pequeña) son las causas más frecuentes de marchitamiento.

Empleo: sola, en una maceta. En un recipiente grande la abelia puede pasar a un segundo plano en el cual sus hojas semipersistentes forman una bonita pantalla.

Consejo: debe proteger la abelia de los vientos violentos, sobre todo en pisos elevados, ya que sus ramas son muy frágiles. Las temperaturas inferiores a –10 ºC, si duran varios días, pueden resultar fatales para la abelia. A partir del mes de noviembre, proteja el recipiente y la base de la planta, a 30 cm de altura, con una capa de paja o una capa protectora.

Abies spp.
ABETO ENANO

De indispensable follaje perenne.
Conífera (1,50 m, –15 ºC).

Follaje: denso, verde básico; de agujas cortas, con dos bandas blancas en el reverso.

Floración: sin valor decorativo.

Especies y variedades: *Abies balsamea* «Hudsonia» es la variedad más tolerante del riego con agua calcárea. Algunas veces se clasifica «Nana». Crecimiento muy lento. *Abies nordmanniana* «Golden Spreader» teme las exposiciones muy fuertes. En quince años no sobrepasa el metro de altura. *Abies concolor* «Glauca Compacta» y «Archer's Dwarf» son variedades enanas muy bellas con tonos gris-azulado. *Abies procera* «Glauca» es un pequeño huso gris-azulado.

Comportamiento en el recipiente: las especies enanas pueden prosperar en un recipiente con la profundidad adecuada.

Dimensiones del recipiente: como mínimo 30 cm en todas las magnitudes. No toleran los trasplantes frecuentes. Calcule desde un principio un recipiente profundo y tan ancho como la altura del arbusto.

Exposición: todas las situaciones son adecuadas excepto cuando el sol quema. En balcones en los que en invierno soplan vientos fuertes, coloque una valla protectora.

Tierra: es conveniente tierra universal y tierra de mantillo, siempre y cuando añada tres o cuatro puñados de abono orgánico a base de algas y estiércol descompuesto.

Riego: una vez por semana. No deje que la maceta se empape con el agua del platillo.

Enemigos y enfermedades: las arañas rojas son frecuentes y devastadoras. Trate cuando el tiempo sea seco.

Empleo: combine los abetos en macetas grandes, con plantas de rocalla: sedum, ageratum, genciana alpina, etc.

Consejo: coloque una base de paja encima de las macetas de los abetos. Esto le permitirá conservar la tierra fresca y aportará una ligera acidez muy beneficiosa para la mezcla de tierras.

Abutilon megapotamicum
ABUTILÓN DE RÍO GRANDE

Campanillas que vuelan con el viento.
Arbusto resquebrajadizo (2 m, 5 °C).

Follaje: verde mate y básico. Cuando el abutilón pasa el invierno sin heladas, el follaje es prácticamente perenne.

Floración: Sus particulares campanillas bicolores, rojas y amarillas, son muy bonitas y se suceden durante todo el verano.

Especies y variedades: los abutilones híbridos son interesantes por sus flores con colores suntuosos.
Abutilon x *milleri* tiene hojas moteadas de color amarillo y verde, muy luminosas.
Abutilon vitifolium es una de las especies más bonitas, con flores de más de 5 cm de diámetro que crecen de mayo a agosto. La variedad blanca «Album» es muy buscada.

Comportamiento en el recipiente: cuando el abutilón dispone de buena luz y de una atmósfera cálida, crece sin problemas. Prevea un tutor y resguárdelo del viento.
Dimensiones del recipiente: para una planta de 60 a 70 cm de altura, el primer año es suficiente una maceta de 20 l. Prevea amplios agujeros de drenaje.

Exposición: cálida y soleada, de lo contrario las flores no se abren. Esta planta teme al hielo.

Tierra: una tierra de jardín ligera y bien drenada.

Riego: riegue cada dos o tres días ya que la planta se puede marchitar en horas.

Enemigos y enfermedades: son frecuentes las pequeñas moscas blancas y también las cochinillas marrones. Su presencia indica condiciones de cultivo inadecuadas.

Empleo: el abutilón es ideal en recipiente, como planta

principal, en combinación con anuales, que ocultan su base a veces poco estética.

Consejo: aunque le ponga una protección no puede pasar el invierno en el balcón, salvo en zonas cálidas del Sur. Pode todas las ramas, más o menos por la mitad, y coloque la planta en una habitación con poca calefacción, pero mucha luz. Lo ideal es una galería con poca calefacción.

Acacia dealbata
MIMOSA DE INVIERNO

Pompones aterciopelados y perfumados.
Arbusto (3 m, –2 °C).

Follaje: muy fino, recortado, verde azulado, en estado joven está recubierto por una pelusa plateada.

Floración: de enero a marzo, las pequeñas esferas aterciopeladas de color amarillo, desprenden un agradable perfume que se hace sentir a algunos metros de distancia.

Especies y variedades: *Acacia retinoides*, la «mimosa de las cuatro estaciones» es menos perfumada, pero resiste mejor el agua calcárea. Florece casi todo el año, con una producción máxima entre julio y setiembre.

Comportamiento en el recipiente: la mimosa se desarrolla bien en una maceta siempre y cuando esté bien fertilizada.

Dimensiones del recipiente: las potentes raíces de la mimosa no se adaptan bien a una maceta pequeña. Lo más aconsejable es una caja de madera, con un lateral de 40 cm como mínimo, o una maceta grande.

Exposición: cálida y soleada. Una pared en la parte sur refleja un calor muy agradable.

Tierra: *Acacia dealbata* no soporta el agua calcárea. Si el agua de la región es muy dura, elija una especie injertada con *Acacia retinoides*. Suelo seco y pobre.

Riego: la mimosa aguanta la sequía durante una semana. Es ideal un aporte de 2 l de agua por arbusto, cada dos días en verano.

Enemigos y enfermedades: las cochinillas amenazan seriamente la mimosa sobre todo en invierno. Trate preventivamente con un insecticida que no sea aceitoso.

Utilizaciones: una planta sola en una maceta grande.

Consejo: cuando empiece el frío, coloque la maceta en un rincón protegido. Si la temperatura es inferior a –5 °C, prevea una protección gruesa.

Acacia dealbata «Doumergue». ▶

▲ Una buena combinación de varios abutilones híbridos.

▲ *Abutilon megapotamicum:* muy ligero.

A

Acaena

▲ *Acaena microphylla:* un precioso tapiz cobertor.

▲ El arce *(Acer palmatum)* vive mucho tiempo en maceta.

Acaena microphylla
ACAENA

Una alfombra de falsas castañas.
Planta vivaz (15 cm, –10 °C).

Follaje: compuesto, pinnatífido, tonos pardos, se desarrolla y se ramifica bien incluso en invierno. La planta forma verdaderas alfombras, igual que el musgo.

Floración: las inflorescencias esféricas, con espinas rojas y brillantes, no son muy espectaculares. Los frutos espinosos recuerdan a las castañas pequeñas.

Especies y variedades: «Kupferteppich» es la más vigorosa. En una estación puede recubrir la superficie de una maceta de 40 cm de diámetro. *Acaena buchananii* forma alfombras densas, de color gris verdoso claro.

Comportamiento en el recipiente: el crecimiento es bastante lento las dos primeras temporadas. Si se cuida correctamente, puede vivir muchos años.

Dimensiones del recipiente: esta planta tapizante prefiere un recipiente más ancho que profundo, de 40 × 20 por ejemplo.

Exposición: cuanto más sol tenga, mejor se desarrollará la acaena. Tolera la sombra parcial.

Tierra: cualquier buen drenaje, un poco húmedo. La acaena resiste bien en tierras arenosas.

Riego: como muchas plantas de rocalla, la acaena tolera bien una semana de sequía. Riéguela muy poco en invierno.

Enemigos y enfermedades: normalmente ninguno.

Empleo: la acaena puede servir para cubrir el suelo en la superficie de las macetas grandes. Combina muy bien con los bulbos, las gramíneas y con sedum.

Consejo: si la cobertura es demasiado grande, puede dividir las matas y replantar los esquejes entre setiembre y marzo.

Acer spp.
ARCE JAPONÉS

Hojas de extraña finura.
Arbusto (4 m, –15 °C).

Follaje: las hojas palmeadas, que cuelgan de ramas gráciles, son de una gran delicadeza.

Floración: sin valor ornamental.

 ◀ *Acer japonicum* «Aureum» crece muy lentamente.

Especies y variedades: *Acer palmatum* es la de más fácil cultivo. Se cubre de flores de color púrpura y anaranjado desde octubre.

La variedad «Atropurpureum» mantiene un follaje rojo bronce durante toda la temporada. Existen muchas variedades con follaje muy fino, como *Acer palmatum* «Dissectum». Muchos híbridos ofrecen una amplia gama de colores: verde claro, rosa, rojo oscuro, coral.

Acer japonicum «Aureum» tiene hojas palmeadas, casi redondas, de color verde dorado, muy luminoso en zonas umbrías.

Comportamiento en el recipiente: el arce, en dos o tres años, puede alcanzar un tamaño magnífico siempre y cuando la maceta sea profunda y esté en un lugar fresco.

Dimensiones del recipiente: una maceta de 40 cm de altura puede acoger una planta de 1 m de altura. El árbol adulto puede vivir en un recipiente de 60 cm de profundidad pero debe cambiar la tierra superficial cada año.

Exposición: el sol demasiado fuerte quema las extremidades de las hojas, que adquieren tonos de color marrón y se repliegan. Es ideal un lugar parcialmente sombreado.

Tierra: tierra ácida a base de tierra de matillo. Haga una mezcla, a partes iguales, de tierra universal y turba marrón. Añada 50 g de abono orgánico por planta.

Riego: no permita que el terreno se seque. Vigile bien y observe la humedad de la tierra, sobre todo cuando sopla viento.

Enemigos y enfermedades: las arañas rojas pueden afectar las hojas. Los pulgones favorecen el desarrollo de un hongo negro: la fumagina.

Empleo: solo o con rododendros enano, como Rhododendron yakushimanum, con camelias o con brezo.

Consejo: agradecerá mucho que rocíe sus hojas con agua tras una jornada de calor.

Achillea spp.
MILENRAMA

Una hierba con piezas de oro.
Planta vivaz (60 cm, –15 °C).

Follaje: muy fino y dividido en la mayoría de especies. Achilea Tomentosa forma lechos vellosos de color verde-gris, muy decorativos en primavera.

Floración: las minúsculas flores crecen en débiles ramilletes formando pequeñas cabezas muy apretadas. Duran entre cuatro y cinco semanas.

Especies y variedades: los híbridos ofrecen en verano colores muy vivos: amarillo claro, rosa o tonos salmón. La doble variedad *Achillea ptarmica* «Bola de nieve» es preciosa con los pequeños pompones de color blanco, raras veces iguales.

Achillea tomentosa con flores de color amarillo botón de oro.

Comportamiento en el recipiente: bastante grandes, ligeras, las milenramas pueden llegar a resultar invasoras. Divídalas cada dos o tres años.

Dimensiones del recipiente: esta planta aprecia la compañía. Sepárelas unos treinta centímetros. Profundidad del recipiente: 25 cm como mínimo.

Exposición: soleada, incluso cálida.

Tierra: no excesivamente rica, bien drenada, arenosa.

Riego: mesurado. Si la planta recibe agua de la lluvia, a menudo es suficiente.

Enemigos y enfermedades: normalmente ninguno.

Empleo: las milenramas combinan con la lavanda, el romero y con el *Sedum* «Autum Joy».

Consejo: *Achillea ptarmica* tiene tendencia a desplomarse, hay que prever un tutor. *Achillea tomentosa* se «ahueca» al cabo de dos o tres años y desaparece. Renueve las plantaciones cada dos años. Corte regularmente las flores marchitas, prolongará la floración de dos a tres semanas.

Actinidia kolomikta
ACTINIDIA ORNAMENTAL O KIWI ORNAMENTAL

Un sorprendente follaje tricolor.

Planta trepadora caduca (4 m, -7 °C).

Follaje: verde con algunas hojas «salpicadas» irregularmente de color rosa y color crema.

Floración: las flores redondas y blancas, de la medida de una uña, tienen un ligero perfume que recuerda al del muguete. Aparecen a mediados de mayo, dependiendo de la zona.

Especies y variedades: prima de los kiwis, Actinidia kolomikta no es tan vigorosa. Esta variedad, generalmente masculina, no produce frutos. Las hojas son de color verde en las regiones en que el aire es muy seco en verano. Una planta bastante delicada.

Comportamiento en el recipiente: si la colocamos en un lugar resguardado, favoreceremos su crecimiento. Es

conveniente cubrir la maceta en invierno para proteger las raíces del frío.

Dimensiones del recipiente: 40 cm como mínimo.

Exposición: en un lugar soleado, protegido de los vientos, hacia el sur en invierno y hacia el este en verano.

Tierra: rica y bien drenada, no calcárea.

Riego: 5 l cada día durante los meses más cálidos del verano. Casi nada en invierno.

Enemigos y enfermedades: está planta es indemne a cualquier infección.

Empleo: sola en maceta, para adornar las paredes, las pérgolas o las vallas.

Consejo: ate las ramas. Pode en verano aquéllas que sean demasiado largas. Atención a las heladas tardías que perjudican la floración.

▲ *Achillea filipendulita* «Golden Plate»: adora el sol.

Adiantum pedatum
ADIANTO O CULANTRILLO DE POZO

Una joya para la sombra.

Helecho (50 cm, - 8 °C).

Follaje: muy fino, con tallos de color marrón. Los colores de otoño son magníficos y persisten durante un tiempo.

Floración: en los helechos es inexistente.

Especies y variedades: *Adiantum pedatum* «Japonicum» posee frondas en forma de herradura, teñidas de color rosa en primavera.

Comportamiento en el recipiente: al adianto le gusta la compañía de plantas vivaces, que generan sombra y un microclima húmedo.

Dimensiones del recipiente: 25 cm de diámetro.

Exposición: sombreada, incluso oscura.

Tierra: mezcle a partes iguales tierra de corteza, tierra de mantillo y turba marrón.

Riego: muy regular. El riego por goteo o por aspersión es ideal para el adianto.

Enemigos y enfermedades: en las hojas, atacadas a menudo por los nematodos, aparecen manchas de color marrón.

Empleo: solas en una amplia maceta o al pie de un arbusto que le de sombra.

Consejo: las matas demasiado densas deben dividirse en primavera.

Adiantum pedatum «Japonicum» es ideal en la sombra. ▶

▲ El sorprendente follaje tricolor de la *Actinidia kolomikta*.

A

Aeonium

▲ *Aeonium arboreum*: una especie adulta en cada maceta.

▲ *Aethionema armenum* «Warley Ruber»: una bonita cobertura.

Aeonium arboreum
SIEMPREVIVA ARBÓREA

El negro le sienta tan bien…
Planta crasa (50 cm, 0 °C).

Follaje: una variedad de esta planta crasa posee uno de los follajes más negros del reino vegetal. Las rosetas de pequeñas hojas púrpura oscuro, soportadas por tallos carnosos, a veces tortuosos, le confieren una silueta muy gráfica.

Floración: estrellas amarillas que se abren en abril.

Especies y variedades: la variedad más conocida es «Zwarkop» o «Atropurpureum».

Comportamiento en el recipiente: excelente en balcones muy soleados en verano.

Dimensiones del recipiente: 20 cm en todas las magnitudes durante el primer año. El doble, dos años más tarde.

Exposición: sol, sol y más sol.

Tierra: arenosa. Es conveniente utilizar tierra para cactus.

Riego: moderado. Un ligero marchitamiento de las hojas indica que hay que regar. No ponga la maceta en un platillo con agua.

Enemigos y enfermedades: generalmente ninguno.

Empleo: sola, para resaltar sus extraño follaje, o con plantas exóticas.

Consejo: su lugar predilecto es Florida, por lo tanto todo lo que le recuerde este clima será bienvenido (calor, luminosidad, sequía). Coloque el aeonium en una habitación cálida en invierno.

Ethionema armenum
ETIONEMA DE ROCAS

La adecuada para balcones secos.
Planta vivaz (15 cm, –10 °C).

Follaje: la etionema forma gruesas alfombras de hojas, aciculadas de color verde azulado.

Floración: un verdadero regalo a principios de verano. Las flores de color rosa se encuentran al extremo de tallos erectos en forma de cruz, formado grupos compactos.

Especies y variedades: las flores rosa oscuro de Ethionema armenum «Warley Ruber» combinan perfectamente con su follaje prácticamente azul.

Comportamiento en el recipiente: la ethionema se

◄ *Agapanthus orientalis*: blancura y ligereza para el verano.

encuentra bien en pequeños balcones orientados al sur.

Dimensiones del recipiente: para el primer año es suficiente un recipiente de 10 l.

Exposición: a pleno sol, sin ningún tipo de duda.

Tierra: prepare una mezcla consistente con la mitad de tierra para cactus y la otra mitad de tierra para jardín. Prevea un lecho de drenaje de 5 cm. Recubra la superficie con una capa de 2 cm de grava.

Riego: en verano una vez por semana. En invierno elimine el riego.

Enemigos y enfermedades: ningún problema importante.

Empleo: se desarrolla bien en jardines en miniatura de rocalla.

Consejo: corte las flores marchitas. Plante esquejes en verano con los brotes laterales.

Agapanthus umbellatus
AGAPANTO

Bonitas cabezas de color azul.
Planta vivaz (1 m, – 5 °C).

Follaje: grandes cintas de color verde.

Floración: del azul intenso al blanco. Las flores en forma de campanillas se agrupan en cabezas florales globosas, soportadas por tallos flexibles. Esta bella floración dura todo el verano y parte del otoño.

Especies y variedades: los híbridos de «Headbourne» son los más rústicos.

Comportamiento en el recipiente: esta flor de Sudáfrica languidece lejos de la luz y del calor.

Dimensiones del recipiente: importantes, ya que las cepas rápidamente ocupan mucho espacio. Las macetas chinas, tan anchas como altas, le van muy bien. Tres plantas necesitan un recipiente de 40 a 45 cm.

Exposición: al sol, de forma imperativa.

Tierra: ofrézcale un suelo poco seco, tierra rica, que deberá mejorar con compost maduro. Alimente con un abono orgánico.

Riego: los agapantos soportan la sequía pero necesitan dos riegos por semana, como media, durante el período vegetativo.

Enemigos y enfermedades: generalmente ninguno.

Empleo: en verano en grandes macetas. No los mezcle con otras especies en un mismo recipiente. Sus vecinos pueden ser macetas de hemerocala, crinum o yuca.

Consejo: después de la floración corte los tallos a ras de suelo. Elimine las hojas a medida que vayan amarilleando. Los agapantos no soportan el hielo ni la humedad invernal.

Agave spp.
PITA

Espadas puntiagudas.
Planta grasa (60 cm, 0 ºC).

Follaje: dispuesto en roseta, sobre tallos cortos, es alargado, puntiagudo como una espada, a menudo espinoso en los rebordes.

Floración: largos tallos de varios metros soportan grandes campanillas blancas. La floración en general avisa sobre la muerte de la planta.

Especies y variedades: *Agave americana* es la más vigorosa.
La versión moteada, «Variegata», es más espectacular. *Agave ferox* es una verdadera escultura viviente, pero cuidado, porque sus terribles espinas hacen honor a su nombre.

Comportamiento en el recipiente: aprecia la proximidad de las paredes que reverberan calor.

Dimensiones del recipiente: 30 cm de diámetro.

Exposición: máximo sol en verano. Cuando empiece el invierno, coloque la pita en una habitación con grandes ventanales, orientada al sur.

Tierra: mezcle una parte de tierra para cactus, una parte de tierra para orquídeas, una parte de tierra vegetal y unos puñados de compost de algas y estiércol. Es indispensable un buen drenaje.

Riego: las pitas detestan el exceso de agua. En la naturaleza prosperan bien en lugares pedregosos, o en equilibrio al borde de un barranco. Aprecian estar cerca del mar.

Enemigos y enfermedades: a veces las cochinillas, pero sobre todo la podredumbre que aparece en suelos compactos o demasiado húmedos. En invierno no riegue cuando la temperatura sea inferior a 10 ºC.

Empleo: una sola especie, debido a su silueta escultural. La pita es buena vecina de todas las plantas que adoran estar a pleno sol (agapantos, yucas, palmeras, etc.)

Consejo: trasplante a una maceta más grande cada vez que la silueta le parezca desproporcionada en relación al recipiente.

Ageratum houstonianum
AGERATO

Una bonita floración aterciopelada.
Planta anual (de 20 a 60 cm, 5 ºC).

Follaje: velloso, de color verde. Las hojas recuerdan a pequeños corazones.

Floración: a partir del mes de junio y hasta las primeras heladas, los pequeños ramilletes compactos crecen en tonos azules, malva o blancos.

Especies y variedades: entre las variedades enanas, «Blue Ball» es una de las más oscuras. «Pinkie Improved», con un color rosa intenso, es poco habitual. «Blazer» es rosa subido, «Atlantic» con muchas flores. En las variedades altas, «Bouquet blanc» o «Bouquet bleu» suben hasta 60 cm y pueden utilizarse en forma de ramo.

Comportamiento en el recipiente: la planta se desarrolla generosamente en cualquier tipo de recipiente.

Dimensiones del recipiente: profundidad mínima de 15 cm. Deje una separación de 10 cm entre las plantas.

Exposición: resguardada pero soleada.

Tierra: un sustrato rico, que retenga el agua, es ideal. Para mantener la floración durante toda la temporada, realice aportes de abono líquido adecuados para plantas en flor.

Riego: cuando haga calor y buen tiempo, una jardinera de 30 cm de largo debe recibir, como mínimo, 3 l de agua cada día.

Enemigos y enfermedades: las arañas rojas son una temible plaga. Cuando invaden una planta, las hojas se decoloran y se secan en la base. Rocíe las hojas cada vez que riegue. Cuando haga calor trate con un producto antiácaros.

Empleo: en jardineras, en combinación con plantas con follaje, como la hiedra, las helichrysums y las cinerarias. No dude en juntarlas con bopacas, *Zinnia angustiflora*, brachycomas o nierembergias trepadoras.

Consejo: las variedades altas no se encuentran en barquillas. Hay que comprar las semillas y sembrar en marzo, aprovechando el calor. Corte las primeras flores de variedades enanas, que habrá comprado en mayo en los centros de jardinería, y así provocará ramificaciones que darán a la planta una silueta más voluminosa y crecerán durante más tiempo.

Ageratum houstonianum «Bola rosa»: un color en evolución. ▶

▲ *Agave atenuata*: una planta crasa muy resistente.

▲ *Ageratum houstonianum* «Blazer»: un gran clásico.

▲ *Ageratum houstonianum* «Atlantic»: muy generosa.

A

Ajuga

▲ **Ajuga reptans «Tricolor»: una excelente alfombra.**

▲ **Akebia quinata: trepadora que se desarrolla en maceta.**

◀ **Alchemilla mollis: vegetación abundante.**

Ajuga reptans
BÚGULA

Una alfombra de hojas multicolor…
Planta vivaz (15 cm, –20 ºC).

Follaje: ovalado, de color verde profundo para la especie tipo, en forma de rosetas adheridas al suelo.

Floración: las espigas azules aparecen en primavera, sobre cortos tallos verticales.

Especies y variedades: la variedad salvaje no es tan espectacular. Por el contrario, las variedades con hojas púrpura («Atropurpurea»), rosa y verde moteado de color crema («Burgundy Glow»), púrpura con color crema («Variegata»), o marrón purpúreo, con reflejos bronce y verde («Palisander»), son muy decorativas.

Comportamiento en el recipiente: bueno en un lugar parcialmente sombreado.

Dimensiones del recipiente: 15 cm de profundidad, como mínimo. Una jardinera de 40 cm de longitud puede contener, como máximo, dos plantas.

Exposición: en la naturaleza la búgula vive en el sotobosque. La sombra total o parcial le va muy bien.

Tierra: las raíces superficiales exigen una tierra rica, siempre fresca, incluso húmeda.

Riego: en verano cada dos o tres días.

Enemigos y enfermedades: ninguno a excepción de algunas babosas que mejoran su menú con estas hojas.

Empleo: plante la búgula en compañía de bellas vivaces, en macetas grandes. Combínela con bulbos a quienes hará de pantalla en primavera.

Consejo: si a finales de invierno la planta no presenta buen aspecto, puede podarla al ras con unas tijeras de podar, ya verá como vuelve a crecer más bella.

Akebia kintana
AKEBIA

¡Una liana sorprendente y casi perenne!
Planta trepadora (3 m, –15 ºC).

Follaje: los zarcillos flexibles, que se enroscan delicadamente alrededor de su soporte, aguantan hojas palmeadas, formadas por folíolos redondos.

Floración: los racimos de color violeta son discretos y desprenden un ligero perfume en abril y en mayo.

Especies y variedades: sólo encontrará una especie en los centros de jardinería, la *Akebia quinata.*

Comportamiento en el recipiente: si dispone del espacio suficiente, la akebia puede vivir mucho tiempo en la maceta.

Dimensiones del recipiente: 30 cm en todas las magnitudes para la primera plantación. Por debajo de esta medida la profundidad no es suficiente para las desarrolladas raíces de la akebia.

Exposición: un lugar soleado y protegido.

Tierra: una mezcla «casera» formada por 10 l de tierra universal con dos o tres puñados arena de río y la misma cantidad de compost de algas y estiércol.

Riego: la akebia puede soportar, de vez en cuando, cortos períodos de sequía. Pero a la larga le resultan perjudiciales.

Enemigos y enfermedades: nada serio.

Empleo: colocarla en una valla o soporte.

Consejo: enrosque las ramas alrededor de un soporte a medida que va creciendo.

Alchemilla mollis
PIE DE LEÓN

La trampa para el rocío…
Planta vivaz (40 cm, –15 ºC).

Follaje: las hojas palmeadas, casi redondas, tienen la particularidad de retener el agua gracias a sus pelos, formando gotitas translúcidas.

Floración: los tallos embrollados soportan pequeñas flores. De lejos forman una especie de nube esponjosa de color verde ácido, que pone en relieve todos los colores restantes.

Especies y variedades: *Alchemilla mollis,* que alcanza los 50 cm, es la más corriente. También se puede encontrar *Alchemilla ellenbeckii,* con hojas más brillantes. Es una excelente rastrera para lugares umbríos.

Comportamiento en el recipiente: el pie de león es una planta que se adapta muy bien. Una vez pasado el primer mes de aclimatación, la planta empieza a crecer con fuerza.

Dimensiones del recipiente: 20 cm de altura, como mínimo.

Exposición: una hora de sol por día es suficiente para la alchemila. Acepta los lugares húmedos.

Tierra: tierra universal o una tierra ligera.

Riego: el pie de león se adapta a diferentes dosis de riego. Estará más bonita si la riega dos veces por semana.

Enemigos y enfermedades: a parte de la podredumbre, causada por el exceso de agua, que afecta a los tallos desde el centro hasta la mata, el pie de león no presenta otros problemas.

Empleo: con las hemerocalas, la salvia y los rosales. Sola o en masa. También con las anuales: geranios, petunias... El diente de león puede ser muy útil cuando acompaña a los bulbos de verano, ya que tapa las hojas que amarillean.

Consejo: cuando la mata está un poco más fea y se «ahueca», hacia mediados de verano, corte las hojas de temporada. Las hojas nuevas las sustituirán y la planta estará preciosa en septiembre. Cuando la planta envejezca, arránquela y divida la mata para conservar los brotes más jóvenes.

Allium spp.
AJO ORNAMENTAL

Unas cabezas bien llenas y bien formadas.
Planta bulbosa (1 m, –20 ºC).

Follaje: muy variable dependiendo de la especie, pero siempre en forma de cinta o de tubo.

Floración: del blanco al rosa púrpura, pasando por el amarillo, formando sombrillas redondeadas.

Especies y variedades: entre las innumerables especies y variedades quédese con *Allium karataviense*, con las hojas de color púrpura grisáceo, largas como la mano, y con grandes cabezas esféricas de color rosa vino. Más tardío, *Allium oreophilum* florece a mediados de verano. De color rosa oscuro, con flores estrelladas, en forma de ligeras sombrillas. Para los amantes de sensaciones fuertes, *Allium giganteum*, con sus cabezas de 10 cm de largo, no pasa inadvertida. *Allium moly* es amarilla.

Comportamiento en el recipiente: irreprochable... hasta que las hojas amarillean. Entonces, plante algunas tapizantes (alchemilas, petunias o plantas con follaje) o arranque las plantas.

Dimensiones del recipiente: 15 cm de profundidad, como mínimo. Plante un bulbo cada 15 o 20 cm.

Exposición: soleada.

Tierra: con drenaje, porosa y ligera, conviene enriquecerla con 1/4 de arena. No dude en colocar, en el momento de

la plantación, un lecho de grava de 5 cm en el fondo del recipiente (drenaje).

Riego: más o menos una vez por semana, aunque la tierra debe secarse entre los dos aportes de agua.

Enemigos y enfermedades: la podredumbre blanca seca las hojas. En este caso, arranque el bulbo y tírelo.

Empleo: en grupos, en compañía de arbustos primaverales, en macetas. En jardineras mezcladas con los pensamientos.

Consejo: cuando el follaje esté completamente amarillo, ya ha aprovisionado el bulbo para la próxima temporada. Desentierre los bulbos y almacénelos en la turba hasta la plantación de otoño.

Alium schoenoprasum
CEBOLLINO

Da un toque especial a las ensaladas.
Planta aromática (30 cm, –8 ºC).

Follaje: son «las finas hierbas», tan conocidas, de un color verde claro en primavera.

Floración: las flores de color rosa, estrelladas, formando pequeñas cabezas, son indeseables pero ¡tan bonitas!

Especies y variedades: no confunda *Allium fistulosum*, la cebolleta de grandes hojas tubulares con fuerte olor a cebolla, con *Allium schoenoprasum*, el cebollino, del cual la variedad «Staro» desarrolla hojas de hasta 30 cm de longitud. ¡Una planta da lugar a una mata de 50 cm de diámetro!

Comportamiento en el recipiente: con luz y agua se desarrolla perfectamente durante todo el año.

Dimensiones del recipiente: 15 cm de diámetro el primer año. La temporada siguiente trasplántela a una maceta de un volumen superior.

Exposición: cuatro horas de sol por día.

Tierra: cualquier tierra bien drenada le conviene.

Riego: el promedio es de tres veces por semana.

Enemigos y enfermedades: a veces hay un hongo que se instala en las hojas y forma unas pústulas de color naranja. Se trata de la roya que puede tratarse con un fungicida polivalente.

Empleo: con otras plantas aromáticas.

Consejo: pince las flores antes de que se hayan formado totalmente para conservar las hojas perfectamente tiernas.

El cebollino crece bien en maceta con riego constante. ▶

▲ *Allium oreophilum*. También llamada *ostrowskianum*.

▲ *Allium moly*: de color amarillo intenso y de fácil cultivo.

▲ Una maravillosa maceta de *Allium karataviense*.

A

Aloysia

▲ *Aloysia citriodora:* un delicioso perfume de limón.

▲ *Alstroemeria* x «Tiara»: un colorido cálido y profundo.

◄ *Alyssum saxatile:* una planta de cobertura luminosa.

Aloysia triphylla (Lippia)
HIERBA LUISA

Con fino perfume de limón.
Arbusto (70 cm, 0 ºC).
Follaje: verde pálido, lanceolado y soportado por tallos bastante rígidos, que al tocarlos desprenden un intenso perfume a limón muy agradable.
Floración: en agosto aparecen ramilletes de flores color malva.
Especies y variedades: sólo encontramos una especie: *Aloysia triphylla* (o *Lippia citriodora*).
Comportamiento en el recipiente: la planta tiene cierta tendencia a perder las hojas y a crecer de manera escalonada.
Dimensiones del recipiente: cuando haya comprado la hierba luisa, trasplántela del cubilete que la contiene a una maceta de 25 cm de diámetro y de profundidad.
Exposición: el mejor lugar es un ángulo entre dos paredes y encarado hacia el oeste.
Tierra: mezcle a partes iguales tierra, arena y tierra de jardín.
Riego: dos veces por semana de marzo a octubre. En invierno reduzca los aportes de agua.
Enemigos y enfermedades: generalmente ninguno.
Empleo: para compensar un poco su silueta desgarbada, combine la *Aloysia* con geranios de hojas olorosas, con heliotropos, con tabacos y con *Verbena tapiens,* de tallo flexible.
Consejo: si no dispone del espacio suficiente para colocarla en invierno en una habitación luminosa y fresca, plante esquejes en verano. Saque brotes laterales, que colocará en la tierra de pequeñas macetas, fáciles de manejar y que puede poner al borde de una ventana.

Alstroemeria spp.
LIRIO DE LOS INCAS

Delicado, pero todo un espectáculo.
Planta vivaz (80 cm, -2 ºC).
Follaje: lanceolado, verde azulado.
Floración: generosa para los que tienen la suerte de conseguirlo. Los colores pasan por todos los tonos de rosa, blanco, violeta y amarillo.

Especies y variedades: los híbridos de *Alstroemeria ligtu* son prácticamente rústicos. Si se protegen bien, pueden pasar el invierno en el exterior. *Alstroemeria aurantiaca* es el más rústico de todos. Sólo florece en tonos anaranjados.
Comportamiento en el recipiente: las macetas con alstroemerias son bastante difíciles de mantener ya que la plantación es difícil y no aguantan más de dos o tres años en el recipiente.
Dimensiones del recipiente: el secreto del éxito de las alstroemerias está en la plantación. Las raíces deben enterrarse a bastante profundidad. Es conveniente una maceta de 40 cm de profundidad.
Exposición: protegida y soleada.
Tierra: una buena tierra de jardín. La tierra para geranios con algunos puñados de compost también sirve.
Riego: de dos a tres veces por semana según la temperatura ambiente. No ahogue a la planta.
Enemigos y enfermedades: en la naturaleza, a las orugas y a las babosas les encanta comisquear las raíces y las hojas de las alstroemerias. En terrazas es menos probable. Una virosis puede provocar deformaciones en las hojas.
Empleo: al lirio de los incas le gusta la compañía de otras plantas. Como sus colores son muy cálidos, combínela con plantas de tonos grisáceos que resaltarán su belleza: artemisa o cineraria.
Consejo: para tener un éxito asegurado, empiece con las alstroemerias que se venden en recipientes y que ya están bien desarrolladas.

Alyssum saxatile
CESTILLO DE ORO

Una floración de oro con perfume de miel.
Planta vivaz (30 cm, -15 ºC).
Follaje: las hojas gris verdoso, aciculares y delgadas, persisten en invierno. Forman una preciosa cobertura.
Floración: las flores amarillo oro aparecen de abril a junio, en densos ramilletes muy uniformes.
Especies y variedades: «Compacto» no sobrepasa los 15 cm de altura. «Citrinum» le gratificará con un precioso amarillo limón muy vivo y luminoso. «Plenum» ofrece flores dobles muy abundantes.
Comportamiento en el recipiente: poco exigente siempre y cuando tenga sol y cierta sequía.
Dimensiones del recipiente: elija un recipiente más ancho que alto, de 20 cm de diámetro como mínimo.

Exposición: condición *sine qua non:* ¡sol!

Tierra: al cestillo de oro no le gusta la tierra que retiene el agua durante mucho tiempo. Procure añadir dos puñados de arena por cada planta en el momento de la plantación.

Riego: moderado. Conviene dejar secar la superficie de la tierra antes de volver a regar.

Enemigos y enfermedades: el mildiu forma una pelusa blanquecina en el reverso de las hojas. La roya blanca de las crucíferas, otro hongo, forma pústulas blancas en los tallos.

Empleo: en la parte de delante de las jardineras junto con claveles o con stachys. En cestos colgantes con sedums.

Consejo: pode la planta a 3 cm del suelo después de la primera floración fuerte de mayo-junio.

Amaranthus caudatus
AMARANTO

Muy original, gana mucho cuando se la conoce.

Planta anual (1m, 5 °C).

Follaje: las hojas ovaladas, de color verde claro, son bastante normales excepto las de *Amaranthus tricolor.*

Floración: ¡teatral! Los ramilletes púrpura, en su máximo esplendor de julio a octubre, cuelgan como pesadas cortinas de terciopelo.

Especies y variedades: existe una variedad de color verde vivo, mezclado con variedades púrpura. Algunas como «Red Catedral Superior» ofrecen un aspecto rígido. *Amaranthus tricolor* tiene un follaje moteado de color rojo, bronce, amarillo y verde.

Comportamiento en el recipiente: procure asentar bien la maceta, ya que el viento suele volcar esta planta opulenta.

Dimensiones del recipiente: Es necesaria una maceta para árboles, de 40 cm en los laterales como mínimo. Ésta dará estabilidad al amaranto, que puede llegar a precisar tutores si la floración es muy abundante y pesada.

Exposición: todos los amarantos son grandes amantes del sol.

Tierra: añada el 10 % de compost a la tierra utilizada para plantar. Puede utilizar tierra para geranios, la cual tiene una composición ya estudiada para que no se

compacte al ser regada. En una tierra pobre, el amaranto no crecerá tanto.

Riego: en verano de 3 a 4 l cada noche.

Enemigos y enfermedades: los pulgones son grandes amantes de la sabia de los amarantos.

Empleo: combínelo con flores grandes como el tabaco gigante. La silueta gráfica de las yucas también los realza.

Consejo: es la planta ideal para sustituir a las anuales marchitas a finales de verano.

Amaryllis belladona
AZUCENA ROSA

De color rosa tierno…

Planta bulbosa (60 cm, 0 °C).

Follaje: las hojas en forma de cinta aparecen después de la floración otoñal, la primavera siguiente.

Floración: las magníficas trompetillas de color rosa pálido, sujetas por un tallo rígido, aparecen en agosto y en septiembre.

Especies y variedades: existen variedades de color blanco y de color rosa.

Comportamiento en el recipiente: no es conveniente colocar la azucena rosa en terrazas orientadas hacia el este o hacia el norte.

Dimensiones del recipiente: plante cada bulbo en un recipiente de 30 cm de diámetro.

Exposición: para florecer bien la azucena rosa precisa de la exposición más cálida posible. Colóquela en un rincón resguardado y orientado hacia el sur.

Tierra: tierra y arena mezcladas. Como todas las plantas bulbosas la azucena rosa no soporta el exceso de agua que provoca que el bulbo se pudra.

Riego: una vez por semana sin excesos.

Enemigos y enfermedades: la mosca del Narciso puede destruir la yema floral de la azucena antes de que se haya podido desarrollar. Ciertas virosis provocan manchas irregulares en las hojas.

Empleo: en bonitas macetas con varios bulbos.

Consejo: después de la floración ponga un abono rico en potasio. Proteja la planta en invierno y en primavera, sobre todo cuando las hojas jóvenes empiezan a despuntar. Utilice una protección en invierno.

Amaryllis belladona: una de las bellezas del otoño. ▶

▲ *Amaranthus caudatus:* florece a finales de verano.

▲ *Amaranthus tricolor:* una mezcla espectacular.

Anagallis

▲ *Anagallis linifolia:* flexibilidad y ligereza.

▲ *Anaphalis triplinervis:* una profusión de estrellas blancas.

◀ *Anchusa azurea:* la buglosa de Italia de color azul intenso.

Anagallis monelli
MURAJES

Una nube azul.
Planta vivaz (40 cm, -5 ºC).
Follaje: verde oscuro, lanceolado.
Floración: es la versión chic de los murajes silvestres. Sus flores, de un bonito color azul, son de la medida de una moneda.
Especies y variedades: «Blaulight», de color azul-violeta, florece de junio a septiembre. «Sky lover», de color azul eléctrico, puede cultivarse en suspensión.
Comportamiento en el recipiente: dependiendo de la frondosidad, debe podarla de vez en cuando.
Dimensiones del recipiente: para una sola planta, un recipiente de 20 cm de altura y de ancho, resulta suficiente.
Exposición: protegida y soleada, pero sin excesos.
Tierra: servirá cualquier tierra de calidad.
Riego: en pleno verano, una maceta pequeña se seca totalmente en un día. Es necesario un gran vaso de agua cada día.
Enemigos y enfermedades: haga dos tratamientos insecticidas contra los pulgones con una diferencia de ocho días.
Empleo: los murajes ornamentales forman pequeñas macetas estivales muy decorativas. El azul de sus flores combina a la perfección con los tonos amarillos: póngalos junto a margarita leñosa, helicrysums con hojas moteadas, claveles de la India y rudbeckias.
Consejo: aunque los murajes ornamentales son plantas vivaces, es preferible tratarlos como plantas anuales pues raramente sobreviven al invierno y no disponen de porte el segundo año. Empiece a preparar las macetas en marzo, realizando la siembra en el interior. Aclimate las plantas jóvenes en el balcón a partir del mes de abril.

Anaphalis triplinervis.
PIE DE GATO

Un valor seguro.
Planta vivaz (60 cm, -15 ºC).
Follaje: gris plateado, lanoso y denso.

Floración: pequeños ramilletes de pompones color marfil aparecen en agosto y septiembre. Sus flores secas son decorativas todo el año.
Especies y variedades: «Sommerschnee», llegando a alcanzar los 25 cm de altura, forma matas que no se «derraman».
Comportamiento en el recipiente: pode cada año en otoño para que la planta quede bien compacta.
Dimensiones del recipiente: unos 25 cm de ancho y 20 de profundidad para una planta.
Exposición: al pie de gato le gusta el sol. Pero es mejor un emplazamiento semisombreado siempre y cuando sea seco.
Tierra: le gustan las tierras que no retienen demasiado el agua. Haga una mezcla de 1/4 de tierra para cactus y 3/4 de tierra universal.
Riego: antes de un nuevo aporte de agua espere que la superficie de la tierra esté seca. Vacíe inmediatamente el exceso de agua retenido en el platillo.
Enemigos y enfermedades: el pie de gato prácticamente no sufre ningún ataque parasitario.
Empleo: combine la planta con tabacos de color y pelargonium.
Consejo: en octubre pode el pie de gato a ras de suelo. Divida la mata cada dos años.

Anchusa spp.
BUGLOSA

Una intensidad de azul, incomparable.
Planta vivaz (1m, -12 ºC).
Follaje: del verde claro al verde medio, lanceolado, un poco áspero al tacto.
Floración: el color azul celeste de las corolas rivaliza con la perfección de las miosotas. Las flores aparecen en masa, de junio a agosto, sobre grandes tallos erectos.
Especies y variedades: *Anchusa azurea* «Lodon Royalist» alcanza 1 m de altura. Sus flores, más grandes y azules que la especie tipo, forman una impresionante masa azul. *Anchusa capensis,* bianual y más baja (45 cm), es adecuada para macetas pequeñas.
Comportamiento en el recipiente: el segundo año la planta no es tan bonita. Sustitúyala.
Dimensiones del recipiente: las raíces, muy profundas, necesitan un recipiente de 30 cm de altura como mínimo.

Exposición: la buglosa necesita, como mínimo, cinco horas de sol cada día.

Tierra: una buena tierra de jardín. A falta de ésta, utilice tierra para rosales o para geranios. La encontrará en sacos y resulta muy adecuada.

Riego: regular. Cuando la planta vive en un lugar relativamente seco, no supera los 50 cm de altura pero sus colores son más intensos.

Enemigos y enfermedades: las manchas amarillas que aparecen encima de las hojas son síntoma de virosis.

Empleo: la buglosa crea grandes macetas decorativas. Póngala al lado de tabacos gigantes o de adormideras de Oriente. Plante capuchinas que revestirán el bajo del recipiente.

Consejo: si quiere conservar la buglosa el próximo año, corte las flores marchitas. En invierno resguarde la planta cerca de una pared.

Anemone blanda
ANÉMONA BULBOSA

La mensajera de la primavera…
Planta vivaz con tubérculos (25 cm, – 5 °C).
Follaje: bastante decorativo, de un bonito color verde claro, finamente dividido en estrechos lóbulos.

Floración: las minimargaritas blancas, azules, malva, rojas o rosa de la anémona bulbosa aparecen a partir del mes de febrero.

Especies y variedades: normalmente se venden sin denominación, por colores o en mezcla de diferentes colores.

Comportamiento en el recipiente: *Anemone blanda* forma preciosos setos bajos (15 cm) que anuncian la llegada de la primavera. Colóquelas en una ventana para sacar mayor partido. Para conseguir un efecto excelente en una maceta, precisará como mínimo de unos 30 bulbos.

Dimensiones del recipiente: una jardinera de 30 cm de largo y 15 cm de altura puede albergar hasta 50 plantas (separadas unos 3 cm).

Exposición: ligera sombra.

Tierra: añada arena a una buena tierra universal.

Riego: estas anémonas soportan mal la sequía o el riego excesivo. En marzo, si no llueve, es necesario un riego abundante por semana.

Enemigos y enfermedades: los tallos pegajosos indican un ataque de pulgones. Trate con un insecticida. Las plantas raquíticas, un follaje amarillento y las flores deforma-

das son signo de una virosis. En este caso debe remplazar toda la plantación.

Empleo: las *Anemone blanda* combinan bien con el narciso de las nieves, los jacintos y la almizcleña. También con las hiedras y los helechos.

Consejo: deje en el lugar los bulbos aplastados de las *Anemone blanda*, la planta renacerá el año siguiente. Renueve la plantación cada dos años.

Anethum graveolens
ENELDO

La ligereza convertida en planta.
Planta anual (1m, –10 °C).
Follaje: muy fino, casi como una tela de araña y de color verde azulado. Las hojas aromatizan las ensaladas, los pescados, las patatas y los marinados.

Floración: pequeñas estrellas de color amarillo limón que forman ligeras sombrillas. Los granos, con sabor a anís, perfuman el vinagre y los pepinillos.

Especies y variedades: «Sari» es una variedad sólida, mucho mejor que la especie tipo. Una variedad enana, «Fernleaf» (con hojas de helecho), no supera los 45 cm de altura. Presenta un porte tupido, muy ramificado desde la base, ideal para balcones pequeños.

Comportamiento en el recipiente: el eneldo, colocado en un segundo plano de las jardineras, aporta ligereza y dulzura.

Dimensiones del recipiente: la planta alcanza 1 m de altura. Piense en una jardinera de 30 cm de profundidad, como mínimo, y un buen tutor en forma de reja.

Exposición: esta planta aromática precisa, como mínimo, de una tarde con sol cada día.

Tierra: le gustan las tierras arenosas y con buen drenaje.

Riego: deje secar un poco la tierra entre dos aportes de agua; como término medio, dos veces por semana.

Enemigos y enfermedades: nada destacable.

Empleo: el follaje vaporoso del eneldo permite destacar casi todas las otras plantas con grandes flores como las cosmos o las petunias.

Consejo: el eneldo anual se resiembra espontáneamente. Deje que algunas umbelas saquen semillas. Las podrá sembrar en macetas que pasarán el invierno en el exterior.

▷ *La finura del eneldo lo vuelve muy elegante.*

▲ *Anemone blanda «Radar»: una floración muy precoz.*

▲ *Anemone coronaria: forma unos ramos preciosos.*

A

Anisodontea

▲ *Anisodontea capensis* sobre tallo: bella maceta estival.

▲ La graciosa floración de *Anisodontea* x *hypomadenum*.

Anisodontea x *hypomadenum*
ANISODONTEA

Pequeñas flores coloreadas.
Arbusto (1,20 m, 5 ºC).
Follaje: muy fino, de color verde claro, persistente en climas suaves y también si la planta pasa el invierno en un invernadero.
Floración: una gran cantidad de miniaturas malva cubre la planta de junio a octubre.
Especies y variedades: *Anisodontea* x *hypomadenum* y *capensis* tienen un aspecto similar.
Comportamiento en el recipiente: coloque tutores en el tallo ya que el viento puede romperlo. Ate el tallo por diversos puntos a lo largo de su altura y de este modo evitará que se rompa por el punto de sujeción.
Dimensiones del recipiente: para las especies tipo mata, elija una jardinera cuya altura y anchura sean la mitad de la medida de la planta. Para las especies sobre tallo, elija una maceta cuyo diámetro sea igual o ligeramente inferior al ramaje.
Exposición: necesita calor y luz constante. Evite las zonas con viento.
Tierra: realice una mezcla a partes iguales de tierra para cactus, tierra de plantación y tierra de jardín. Añada un buen puñado de abono.
Riego: soporta la sequía, aunque prefiere un riego semanal.
Enemigos y enfermedades: las moscas blancas pueden invadir la planta cuando ésta se encuentra en el invernadero. Trate preventivamente con un insecticida.
Empleo: cultive la anisodontea sola o con plantas anuales colgantes. Algunos jardineros muy meticulosos consiguen colocarla en una pared.
Consejo: la anisodontea puede soportar temperaturas de hasta -5 ºC, sobre todo si se producen de manera progresiva y sólo duran algunos días. Si desciende más, hay que colocar la planta en un invernadero frío o en una galería.

Anthriscus cerefolium
PERIFOLLO

Una planta aromática muy decorativa.
Planta bianual (30 cm, -15 ºC).
Follaje: muy fino, como el de un helecho.

◄ Fino y perfumado, el perifollo aromatiza las ensaladas.

Floración: las umbelas de color blanco se abren en el mes de mayo.
Especies y variedades: no hay que confundir el perifollo bianual (*Anthriscus cerefolium*), que a menudo se cultiva como una anual, con el perifollo almizclado (*Myrrhis odorata*), que es una vivaz.
Comportamiento en el recipiente: el perifollo es bastante efímero, pero se resiembra fácilmente.
Dimensiones del recipiente: cada planta necesita un recipiente de 20 cm de ancho y 20 cm de altura.
Exposición: ligeramente sombreada.
Tierra: conviene utilizar una buena tierra de jardín. También puede preparar una mezcla de tierra para rosales (2/3) y de compost orgánico (1/3).
Riego: cada planta necesita, en tiempo seco, 1/2 l de agua cada día. Una vez a la semana utilice el riego por absorción.
Enemigos y enfermedades: como la mayoría de las aromáticas, el perifollo rara vez se ve afectado.
Empleo: colocar en macetas y jardineras junto con otras plantas aromáticas. También puede servir para ornamentar la base de pequeños arbustos.
Consejo: para que el follaje sea más bonito pince los botones florales.

Antirrhinum spp.
DRAGONCILLO

Me llaman boca de dragón o dragoncillo…
Planta vivaz (30 cm, 3 ºC).
Follaje: ovalado, ligeramente brillante, de color verde.
Floración: las corolas tubulares se doblan formando labios redondeados. Los colores van del blanco o amarillo a todos los tonos de rosa y naranja. Las flores se suceden desde mayo hasta las primeras heladas.
Especies y variedades: *Antirrhinum majus,* o boca de dragón, consta de centenares de híbridos o variedades. El grupo «Nanum» produce plantas de 30 a 40 cm, ideales para el cultivo en macetas. A menudo se prefieren los híbridos F1, más floríferos y muy regulares en la vegetación. Existe un dragoncillo rastrero, con un bonito follaje gris aterciopelado, que queda precioso en jardines.
Comportamiento en el recipiente: ningún problema siempre y cuando no apriete mucho las plantas. Es aconsejable dejar una distancia entre ellas de 15 cm.

Dimensiones del recipiente: las plantas que venden en barquetas, deben colocarse rápidamente en una maceta de 15 cm de ancho y 20 de profundidad, como mínimo.

Exposición: para obtener una bonita floración, los dragoncillos deben estar expuestos a unas cinco horas de sol cada día.

Tierra: una tierra rica y bien drenada, del tipo tierra para geranios o tierra de balcones y terrazas.

Riego: en verano cada dos días.

Enemigos y enfermedades: el mildiu ataca las plantas jóvenes. La podredumbre gris invade las flores en caso de que moje demasiado las corolas. Los tratamientos específicos son generalmente inútiles.

Empleo: use y abuse de los dragoncillos, solo o en combinaciones, en todos aquellos espacios en los que haya sol.

Consejo: si quiere que la floración dure más tiempo, retire las panículas marchitas.

Apium spp.
APIO

Un perfume sorprendente, un sabor irresistible.
Hortaliza bianual (60 cm, -15 °C).

Follaje: profundamente dividido, en segmentos dentados. Los pecíolos carnosos se ven reforzados por estípulas fibrosas.

Floración: las umbelas, compuestas por pequeñas flores de color blanco verdoso, aparecen a principios de verano.

Especies y variedades: «Gigante dorado» presenta estípulas blancas y «Gigante rojo» estípulas rojas muy decorativas.

Comportamiento en el recipiente: el apio es una planta inesperada en un balcón, pero se adapta bien siempre y cuando disponga del espacio suficiente.

Dimensiones del recipiente: un recipiente cuadrado con 30 cm de lado es lo que se precisa para una sola planta, ya que ésta crece rápidamente.

Exposición: al sol, sin mucho viento.

Tierra: debe ser rica y tener buena capacidad de retención de agua. Cree para el apio una mezcla especial: 1/3 de tierra de hojas, 1/3 de tierra de jardín, 1/3 de compost orgánico a base de estiércol y de algas descompuestas lentamente.

Riego: no coloque el recipiente muy lejos de una salida de agua ya que, el secreto de un buen crecimiento del apio está en regar abundantemente cada 2 o 3 días.

Enemigos y enfermedades: la mosca crea galerías en los tallos. Trate desde el momento de la plantación.

Empleo: en una jardinera junto al perejil y la albahaca, o solo en una maceta.

Consejo: ponga un lecho de compost o de corteza de pino en la parte superior para evitar que la tierra se compacte por causa de los riegos constantes.

Aquilegia spp.
AGUILEÑA O CLÉRIGO BOCA ABAJO

Una colombina con una bella falda de colores.
Planta vivaz (50 cm, - 20 °C).

Follaje: muy fino y ligero, de color verde azulado.

Floración: los pétalos, muy trabajados, llevan a menudo un espolón ganchudo o recto.

Especies y variedades: la serie «Barlow» es interesante ya que tiene flores dobles, sin espolones, tallos altos, y colores inhabituales, todos teñidos de tonos verdes. Los híbridos presentan espolones espectaculares, que hacen que parezcan mariposas. Los más nostálgicos elegirán la variedad «Grands-mères du jardin», muy próxima al tipo antiguo.

Comportamiento en el recipiente: cuando la aguileña ha sido trasplantada de joven, forma bonitas matas en maceta. Si el primer año no produce flores, hay que esperar a la temporada siguiente.

Dimensiones del recipiente: una planta precisa de un recipiente de 25 cm de ancho y 30 de profundidad.

Exposición: sol suave o semisombra.

Tierra: ligera y rica en humus, bien drenada.

Riego: cuando la planta es joven o acaba de ser trasplantada, la superficie de la tierra debe permanecer siempre húmeda. El mes siguiente basta con regar dos veces por semana.

Enemigos y enfermedades: el virus del mosaico del pepino provoca manchas amarillas en las hojas. La roya forma manchas anaranjadas.

Empleo: con tulipanes o con jacintos. El follaje precoz y decorativo de la aguileña disimula las hojas amarillentas de los bulbos.

Consejo: aunque las aquilegias sean plantas vivaces, no superan los tres o cuatro años de vida. Pero se resiembran por todas partes. Recoja un pellizco de semillas y póngalas en la tierra, en algunos espacios de las jardineras.

▲ El antirrino semienano «Majestic» florece en abundancia.

▲ El apio «Plein blanc doré» va muy bien para macetas.

La deliciosa aguileña híbrida «Gorra rosada». ▶

A

Arabis

▲ *Arabis albida*: una preciosa alfombra primaveral.

▲ *Arbutus unedo*: el sorprendente árbol de frutos rojos.

◀ *Argyranthemum frutescens*: un árbol de flores.

Arabis spp.
ARABIS

Como una alfombra plateada.

Planta vivaz (20 cm, –15 ºC).

Follaje: aterciopelado, recubierto de una pelusa blanca.

Floración: imagine una pequeña alfombra de nieve que se despliega en primavera. ¡Es el jaramago *(Arabis caucasica)* que llama la atención!

Especies y variedades: la Arabis caucásica existe en blanco, pero también en rosa carmín («Rosea») o en blanco doble («Flore Pleno»).
Arabis ferdinandicoburgii «Old Gold» ofrece un follaje denso, mezclado con color crema, más decorativo en verano.

Comportamiento en el recipiente: la arabis es ideal para los balcones expuestos al sol de la tarde.

Dimensiones del recipiente: esta planta bastante vigorosa se siente estrecha en macetas pequeñas. Estará mejor en una jardinera de 20 o 25 cm de ancho.

Exposición: Las flores y el follaje son más bonitos con el sol. Pero una ligera sombra tampoco le va mal.

Tierra: no debe retener el agua. Haga una mezcla de tierra de jardín con arena y compost a base de estiércol y algas.

Riego: con el agua de lluvia ya tiene suficiente. Aporte un pequeño complemento semanal cuando haga calor y el tiempo sea seco.

Enemigos y enfermedades: el mildiu puede invadir las hojas en época de lluvias, formando una pelusa blanca encima de las hojas. Las virosis provocan manchas de color rosa en las hojas.

Empleo: el arabis acompaña a los narcisos, a los tulipanes y a las phlox pequeñas.

Consejo: cuando termina la floración, corte las inflorescencias sin flor con unas tijeras de podar.

Arbutus unedo
MADROÑO

Descubra el árbol de los frutos rojos.

Arbusto (2 m, –5 ºC).

Follaje: perenne y brillante, sólido, verde oscuro, con los bordes dentados.

Floración: de octubre a enero unas pequeñas campa-

nillas decoran el árbol. En el invierno siguiente, los frutos en un principio amarillos y después rojos acaban de madurar y parecen fresas o lichis.

Especies y variedades: la variedad «Rubra» presenta un porte compacto y una abundante floración de color rosa. «Compacta», una variedad enana, presenta un crecimiento lento y no supera el metro de altura. Es idónea para balcones pequeños. *Arbutus* x *andrachnoides* presenta una bonita corteza de color marrón rojizo que se va descamando a medida que envejece.

Comportamiento en el recipiente: proteja la planta en invierno siempre y cuando no se encuentre en la zona mediterránea.

Dimensiones del recipiente: un recipiente grande, de 30 a 40 cm de lado, es suficiente para los primeros diez años.

Exposición: sol suave o semisombra.

Tierra: el madroño prefiere los suelos neutros o poco ácidos, pero aguanta bien los riegos con agua calcárea.

Enemigos y enfermedades: los hongos provocan manchas redondas en las hojas.

Empleo: plante asters en la base del madroño. Con su belleza acompañarán la floración otoñal.

Consejo: sea paciente los primeros años dado que el madroño tarda en acomodarse a la maceta.

Argyranthemum frutescens
MARGARITA LEÑOSA

Una bola de margaritas.

Planta vivaz (60 cm, 2 ºC).

Follaje: verde y ligeramente recortado.

Floración: las margaritas, blancas, amarillas o rosas sólo duran algunos días. Pero se suceden de forma ininterrumpida desde la primavera hasta las primeras heladas.

Especies y variedades: *Argyranthemum frutescens* se vende por colores: blanco, amarillo o rosa.

Comportamiento en el recipiente: la margarita leñosa es «la» planta para balcones y terrazas. Si se le prodigan los cuidados necesarios forma, en plena temporada, magníficas matas de 80 cm de diámetro. Necesita trasplante anual.

Dimensiones del recipiente: una planta joven puede colocarse en un recipiente de 20 cm de diámetro y de profundidad. Pero el vigor de la margarita leñosa es tal que habrá que trasplantarla a menudo, durante la temporada, a una maceta más grande.

Exposición: aunque la margarita leñosa sea una planta de pleno sol, florece mejor y durante más tiempo si el sol no es abrasador.

Tierra: para que la planta alcance su pleno desarrollo precisa de un sustrato bastante rico. Compre tierra para geranios, a la que deberá añadir un puñado de fertilizante orgánico.

Riego: de dos a tres veces por semana ya que la margarita leñosa no soporta largos períodos de sequía. Una vez por semana añada un abono líquido.

Enemigos y enfermedades: normalmente ninguno.

Empleo: la margarita leñosa es magnífica en macetas grandes. Asóciala con anuales, con fucsias, con pie de león, o al lado de arbustos como el laurel.

Consejo: corte las flores marchitas a medida que aparezcan. Obtendrá una floración continua durante cinco meses.

Armeria maritima
ARMERIA

Pequeñita, redonda, bonita y verde.
Planta vivaz (20 cm, –8 ºC).

Follaje: perenne, tupido y compacto, parece césped verde azulado, de mayo a junio.

Floración: pequeñas cabezas esféricas que recuerdan a las del cebollino, de color rosa intenso y de unos 20 cm de altura. Se suceden en abril y en mayo.

Especies y variedades: «Alba» es la versión blanca de la armeria.

Comportamiento en el recipiente: es la planta ideal para balcones a la orilla del mar. Trasplante cada dos años.

Dimensiones del recipiente: un recipiente de 20 cm de ancho es suficiente para una planta. Pero cuatro o cinco plantas agrupadas en una jardinera causan más efecto.

Exposición: sólo si está a pleno sol tendrá una floración abundante. Cuidado con los inviernos muy fríos.

Tierra: cualquier sustrato bien drenado resulta conveniente para esta planta. Consiga tierra de jardín bastante rica.

Riego: un vaso por planta a la semana es suficiente, excepto en la época de máximo calor.

Enemigos y enfermedades: la roya puede manifestarse en forma de manchas naranjas sobre las hojas y los tallos.

Empleo: la armeria es ideal para los rebordes, en la base de los arbustos de las jardineras en compañía de arabis y tomillo.

Consejo: elimine las flores marchitas que quitan belleza a la planta.

Aronia melanocarpa
ARONIA

Todos los fuegos de otoño.
Arbusto (1,5 m, –15 ºC).

Follaje: ovalado, verde oliva en verano y adquiere colores vivos a partir de octubre.

Floración: en primavera aparecen flores blancas a las que suceden los frutos negros y brillantes.

Especies y variedades: los colores otoñales de *Aronia arbutifolia* «Brillante» suscitan admiración. *Aronia melanocarpa* «Viking» ofrece, en verano, una preciosa floración a la que seguirá la aparición de frutos negros muy brillantes.

Comportamiento en el recipiente: la aronia forma una mata bastante densa que resiste bien al viento. No aguanta muy bien la sequía en la maceta.

Dimensiones del recipiente: la aronia adulta deberá disponer de un recipiente de 40 cm de ancho y de profundidad, como mínimo.

Exposición: tolera el crecimiento en un balcón semisombreado, orientado hacia el este o hacia el norte.

Tierra: le va bien una buena tierra ácida. Mezcle 1/3 de arena, 1/3 de tierra de mantillo y 1/3 de una tierra vegetal bastante ligera.

Riego: un arbusto de 1 m de altura debe recibir como mínimo unos 10 l de agua, dos veces por semana, en plena temporada.

Enemigos y enfermedades: esta planta raramente está enferma, a veces se secan algunas ramas.

Empleo: en compañía de brezo o rododendros en grandes jardineras. En una maceta, con pequeños bulbos de primavera y cólquicos para otoño.

Consejo: a la aronia le gustan los suelos ácidos. Si el agua es calcárea, añada turba rubia en la parte superior de la maceta para acidificarla.

Aronia melanocarpa: le gusta la tierra de mantillo. ▶

▲ La anthemis es la estrella de las macetas veraniegas.

▲ *Armeria maritima:* una preciosa y fina mata.

A

Artemisia

▲ Estragón: indispensable cerca de la cocina.

▲ *Artemisia ludoviciana:* una invasora con encanto.

◄ *Artemisia* x «Bowles Castle»: un follaje de encaje.

Artemisia dracunculus
ESTRAGÓN

Un condimento inigualable para las ensaladas.

Planta vivaz (40 cm, –8 ºC).

Follaje: aciculado, de color verde. Las hojas, sutilmente perfumadas, se utilizan para aromatizar las ensaladas.

Floración: en verano, el estragón presenta panículas de flores de color blanco verdoso.

Variedades aconsejadas: se encuentran semillas del llamado estragón «de Rusia», más vigoroso resistente al frío pero con menos sabor. Son preferibles las plantas de estragón verdadero, que provienen todas de la propagación vegetativa ya que no producen semillas fértiles.

Comportamiento en el recipiente: la planta presenta un porte poco rígido aunque sea podada y pierda sus hojas en invierno. La maceta de estragón gana si se renueva cada año a partir de una planta joven.

Dimensiones del recipiente: esta vivaz rizomatosa precisa de un recipiente de 20 cm como mínimo.

Exposición: el estragón se marchita en la sombra.

Tierra: una buena tierra de trasplante para las plantas verdes enriquecida con un fertilizante orgánico.

Riego: al estragón le gusta la tierra ligeramente húmeda. Riegue un poco cada día en verano y una vez a la semana en mayor cantidad.

Enemigos y enfermedades: las virosis a veces acortan la vida del estragón.

Empleo: mezcle el estragón con otras plantas aromáticas (perejil, tomillo). Plante en la base oréganos decorativos enanos (*Origanum microphyllum,* por ejemplo).

Consejo: el estragón no resiste los inviernos fríos y húmedos. A partir del mes de octubre coloque la maceta contra una pared en el sur.

Artemisia spp.
ARTEMISA O HIERBA DE ARTEMIS

El follaje vestido de color plata.

Planta vivaz (1 m, –15 ºC).

Follaje: Se cultivan las artemisas justamente por su follaje recortado y decorativo de color gris plateado.

Floración: en verano aparecen pequeños racimos de color amarillo.

Variedades aconsejadas: *Artemisia ludoviciana* «Silver Queen» posee un follaje recortado, plateado y muy luminoso. *Artemisia* «Powis Castle» ostenta generosa redondez. Crece más de un metro y lo hace rápidamente. *Artemisia schmidtiana* «Nana» forma una alfombra de seda plateada.

Comportamiento en el recipiente: es necesario un trasplante anual debido a su rápido crecimiento.

Dimensiones del recipiente: las especies enanas tienen suficiente con un recipiente de 15 cm de ancho. Las que alcanzan 1 m requieren una jardinera de 40 cm de profundidad y 30 cm de ancho.

Exposición: las artemisas necesitan el sol.

Tierra: cualquier tierra de jardín le va bien.

Riego: como promedio una vez por semana.

Enemigos y enfermedades: los pájaros picotean las plantas jóvenes. Coloque una redecilla de plástico encima de la planta durante algunas semanas.

Empleo: combine las artemisas con lavandas, hinojo y sedum.

Consejo: pode la artemisia en abril para conservar una forma compacta.

Arundinaria spp.
BAMBÚ

Hierbas gigantes con un fuerte crecimiento.

Bambú (de 0,50 a 5m, –15 ºC).

Follaje: en forma de cintas y sujeto por cañas rígidas.

Floración: en forma de espiguillas. Por suerte sólo tiene lugar cada treinta o cuarenta años ya que significa la muerte del bambú.

Variedades aconsejadas: *Arundinaria murielae* forma una mata densa de 1,5 m de envergadura. *Arundinaria viridistriata,* hoy clasificada entre los *Pleioblastus,* es una enana moteada de color amarillo y que en maceta forma una bonita masa coloreada.

Comportamiento en el recipiente: las variedades rastreras soportan mal la vida en maceta. Es más conveniente utilizar variedades del tipo *Arundinaria murielae.*

Dimensiones del recipiente: un recipiente de 40 cm de lado parece demasiado grande el primer año, pero las raíces del bambú necesitan estar anchas.

Exposición: se aconseja una sombra parcial para los bambúes en maceta. De todas formas soportan un sol moderado siempre y cuando la base esté fresca.

Tierra: precisan de una buena tierra.

Riego: el primer verano es el más delicado. Riegue los bambúes recién plantados cada dos días hasta que cese el calor.

Enemigos y enfermedades: los tallos secos no son síntoma de enfermedad, es un fenómeno natural. Córtelos a ras para limpiar la mata.

Empleo: con aucubas, arces y mahonias para un balcón oriental.

Consejo: deje las hojas secas en la superficie de las macetas, forman un lecho estupendo.

Asparagus spp.
ESPÁRRAGO

Un follaje fino sin igual.

Planta vivaz (50 cm, –2 °C).

Follaje: perenne, muy fino y flexible. Su ligereza hace que la planta sea muy original.

Floración: discretas estrellas de color blanco verdoso que en verano se transforman en bayas redondas de color rojo.

Variedades aconsejadas: *Asparagus densiflorus* «Sprengeri» forma tallos flexibles y delicadamente curvados. *Asparagus plumosus* forma un follaje plumoso de una ligereza excepcional.

Comportamiento en el recipiente: el espárrago puede romper la maceta si las raíces están muy apretadas, ya que ejercen presión.

Dimensiones del recipiente: a las plantas jóvenes puede bastarles una maceta de 15 cm de diámetro, durante el primer año. Una mata de seis o siete años vivirá en un recipiente de 30 cm (en todas las magnitudes).

Exposición: el espárrago puede vivir contra una pared expuesta al sur pero también aguanta bien con un poco de sol por la mañana o por la tarde.

Tierra: tierra de trasplante estándar.

Riego: cuando el espárrago crece salvaje tiene suficiente con el agua de la lluvia. Pero con riegos semanales se vuelve más espeso.

Enemigos y enfermedades: las arañas rojas provocan la decoloración de las hojas. Algunas veces las cochinillas se instalan en sus tallos.

Empleo: el espárrago acompaña a las petunias, los gera-

nios y a las fucsias. Solo, o en compañía de surfinias, forma magníficas suspensiones. En zonas muy resguardadas, *Asparagus plumosus* puede trepar por una valla. El efecto es espectacular.

Consejo: trasplante el espárrago cada año en primavera. Divídalo si es necesario.

Aster spp.
ASTER

La elección de la primavera o el otoño.

Planta vivaz (de 25 a 90 cm, –15 °C).

Follaje: fino, denso, de color verde oscuro.

Floración: pequeñas margaritas de varios colores adornan las jardineras.

Variedades aconsejadas: *Aster alpinus* inaugura la temporada, con sus 25 cm de altura, a partir de marzo. *Aster anellus*, apenas más alta, toma el relevo de mayo a julio. El relevo vuelve a estar asegurado a partir de finales de agosto por *Aster dumosus*, la más pequeña de todas, con 15 cm de altura. *Aster novi-belgii* forma grandes plantas que, según las variedades, miden entre 60 cm y 1 m.

Comportamiento en el recipiente: las variedades enanas prosperan sin problemas en macetas, pero las grandes son más efímeras.

Dimensiones del recipiente: una jardinera de 30 cm de largo puede acoger tres asteres pequeños. Los grandes necesitan un recipiente de 25 a 30 cm (en todas las magnitudes).

Exposición: los aster precisan de cuatro horas de sol cada día, como mínimo, excepto *Aster divaricatus,* que florece cuando está bajo una ligera sombra.

Tierra: mezcle una buena tierra universal con algunos puñados de estiércol descompuesto.

Riego: no deje que la superficie del terrón se seque. Añada abono líquido para plantas en flor, una vez por semana.

Enemigos y enfermedades: el oídio provoca pelusilla sobre las hojas. La podredumbre de las raíces puede provocar la desmejora de la planta.

Empleo: mezcle los asters de primavera con vivaces de temporada. Los asters más tardíos quedan bien al lado de las anuales.

Consejo: divida los asters cada tres años o renueve las plantas para evitar las enfermedades.

▲ *Arundinaria viridistriata:* un bambú enano rústico.

▲ *Asparagus densiflorus* «Sprengeri»: de extrema ligereza.

Aster cordifolius y *Aster novi belgii* «Sailor Bay». ▶

A

Asteriscus

▲ *Asteriscus maritimus:* un tapiz regular en la jardinera.

▲ *Astilbe x arendsii:* preciosas plumillas vaporosas.

Asteriscus maritimus
OJO DE BUEY
O ASTERISCO

Centenares de pequeños soles durante todo el verano.

Planta vivaz (15 cm, -2 ºC).

Follaje: perenne, verde plateado y aterciopelado, se extiende como una densa alfombra. El ojo de buey forma una alfombra compacta, incluso en una jardinera.

Floración: de color amarillo vivo, de mayo a septiembre. Las flores recuerdan a las de los pensamientos.

Especies y variedades: Asteriscus sericeus puede alcanzar 1 m de altura. En climas suaves, florece casi constantemente.

Comportamiento en el recipiente: si no hay heladas, puede vivir durante varios años en maceta y resiste la bruma marina.

Dimensiones del recipiente: trasplante cada cubilete en macetas de 15 cm de ancho, o coloque tres plantas en una jardinera de 30 cm de largo.

Exposición: requiere obligatoriamente pleno sol.

Tierra: de buen drenaje, pobre e incluso pedregosa.

Riego: olvídelo. En general con la lluvia ya tiene suficiente.

Enemigos y enfermedades: nada a destacar.

Empleo: el ojo de buey es una planta fácil que combina con: lavanda, romero, sedum, armerias y erodiums. Asócielo también a algunos bulbos de primavera.

Consejo: conviene proteger la maceta del frío con una capa especial.

Astilbe spp.
ASTILBE

¡Qué mezcla!

Planta vivaz (70 cm, -15 ºC).

Follaje: recortado, de color verde con algunos tonos cobre cuando es joven.

Floración: las panículas en forma de pirámides, a menudo de colores vivos, rebasan el follaje, evocando racimos plumosos. Esta bonita floración se prolonga de junio hasta agosto.

◀ *Athyrium filix-femina:* encanto y ligereza naturales.

Especies y variedades: Astilbe chinensis, planta robusta de largos rizomas, soporta mejor el sol y la sequía que las otras especies. «Pumila» no supera los 40 cm de altura y se extiende en forma de alfombra compacta. Los astilbes a menudo se venden en macetas.

Comportamiento en el recipiente: ningún problema siempre y cuando la planta esté bien alimentada. Trasplante anual.

Dimensiones del recipiente: la mata debe ser bastante ancha para crear efecto. Una maceta de 30 cm de ancho y de igual profundidad puede acoger dos plantas de colores diferentes.

Exposición: los astilbes soportan el sol con la condición de tener la base en la sombra.

Tierra: estas plantas necesitan una tierra rica y que retenga el agua. Añada algunos puñados de turba parda a la tierra que utilice para plantar.

Riego: riegue abundantemente en verano. De vez en cuando deje la maceta sobre un platillo con agua. Moje las hojas al anochecer.

Enemigos y enfermedades: las orugas y los caracoles aprecian sus hojas y las llenan de agujeros.

Empleo: puede combinar los astilbes con boltonias, geranios, lirios de Siberia y sobre todo con helechos.

Consejo: cuando el follaje esté totalmente amarillo, pode los astilbes a ras. En primavera, saque los primeros centímetros de tierra y substitúyala por tierra nueva y rica.

Athyrium filix-femina
HELECHO HEMBRA

La elegancia femenina.

Helecho (70 cm, -15 ºC).

Follaje: las frondas, de color verde intenso y delicadamente recortadas, aparecen en primavera en densas matas.

Floración: los helechos no tienen flores.

Especies y variedades: Athyrium filix-femina «Fritzelliae Multifidum» forma frondas divididas, en forma de horca, en las extremidades. Las pínulas parecen papelillos recortados. «Grandiceps» presenta frondas plumosas, muy decorativas. «Vernoniae» puede colocarse al lado de una fuente.

Comportamiento en el recipiente: el helecho hembra se adapta lentamente al recipiente durante el primer año. Después ya se muestra más resistente al frío y crece más rápidamente.

Dimensiones del recipiente: las variedades más pequeñas viven en recipientes de 20 cm de ancho y de profundidad. Las más voluminosas necesitan recipientes de 30 cm de diámetro.

Exposición: un lugar soleado, pero que no sea abrasador, o la semisombra permiten un desarrollo correcto del helecho hembra.

Tierra: utilice una buena tierra de jardín y añada turba.

Riego: en verano, una regadera en forma de pulverización cada dos días. Cuando haga mucho calor moje el suelo de la terraza.

Enemigos y enfermedades: normalmente ninguno.

Empleo: combine los helechos con otras plantas amantes de la sombra y el fresco, como el perifollo, dryopteris, aguileñas, azaleas o bulbos.

Consejo: corte las hojas amarillas y colóquelas, antes de que llegue el invierno, en la parte superior de la maceta junto a cortezas de pino.

Aubrieta deltoidea
AUBRIETA

Primaveral a todo efecto.
Planta vivaz (2 cm, –15 ºC).

Follaje: perenne, de forma hexagonal y de color verde claro, forma matas densas.

Floración: la aubrieta alcanza su pleno desarrollo con un generosa alfombra rosa o malva en primavera.

Especies y variedades: «Blue king», con sus 25 cm. Se revela como la más alta de las aubrietas. Sus flores color lila, con corazón claro, se separan bien del follaje. «Midinette» ofrece una bella masa de grandes flores semidobles, rosa claro.

Comportamiento en el recipiente: la aubrieta es tan poco exigente, que florece casi por todas partes, allí donde tenga un poco de tierra a su disposición.

Dimensiones del recipiente: es conveniente, como mínimo, una profundidad de 20 cm, donde 3 cm estarán ocupados por la gravilla para el drenaje. La anchura depende del numero de plantas, disponiendo al menos 20 cm de distancia entre ellas.

Exposición: lo más soleada posible.

Tierra: una tierra de jardín flexible y fértil.

Riego: riegue sobretodo durante las dos primeras semanas después del emplazamiento en el recipiente.

Enemigos y enfermedades: el mildiu provoca la aparición de una cubierta grisácea en la parte inferior de las hojas y manchas amarillas en la parte superior.

Empleo: suspendida en marmitas redondas, en primer término de un tiesto o, para vestir la base de los arbustos en recipientes de piedra.

Consejo: después de la floración, pode los tallos secos para obtener matas bien definidas.

▲ *Aubrieta x cultorum:* una profusión primaveral.

Aucuba japónica
AUCUBA O LAUREL JAPONÉS

Insensible a la contaminación de las ciudades.
Arbusto (2 m, –15 ºC).

Follaje: perenne, brillante, coriáceo.

Floración: la aucuba es dioica (hay plantas macho y plantas hembra). Plante una de cada para que fructifiquen.

Especies y variedades: las variedades moteadas de color amarillo, que aportan un toque de luminosidad en lugares oscuros («Variegata», «Crotonifolia»), son las más corrientes. «Rozannie», con un precioso follaje verde, no sobrepasa 1,20 m de altura. Es hermafrodita.

Comportamiento en el recipiente: la aucuba vive mucho tiempo en maceta, y se forma en una bonita mata regular.

Dimensiones del recipiente: una planta de 1,60 m vive bien en un recipiente de 40 cm de ambos lados.

Exposición: la aucuba soporta bien la sombra.

Tierra: añada algunos puñados de abono orgánico a una buena tierra de jardín.

Riego: la planta soporta bien la sequía, pero prefiere riegos semanales.

Enemigos y enfermedades: las manchas negras en las hojas indican malas condiciones de cultivo. Las fuertes heladas pueden estropear el follaje de la aucuba ya que adquiere un aspecto quemado.

Empleo: con azaleas, rododendros enanos, bambúes y arces de hoja pequeña creará un ambiente oriental.

Consejo: pode las ramas demasiado largas.

▲ *Aucuba japonica* «Maculata»: resistente a la contaminación.

Aucuba: su fructificación decorativa dura todo el invierno. ▶

B

▲ *Begonia grandis spp. evansiana:* colocar en el exterior.

◄ *Begonia rex:* para un balcón de estilo exótico.

♣ *Begonia* spp.
BEGONIA

Una infinidad de formas y colores.
Vivaz o anual (80 cm, 0 °C).

Follaje: muy variable. La consistencia y la forma de las hojas varía de una especie a otra. Pueden ser recortadas o enteras, pero también palmeadas o lobuladas. Sus colores presentan una amplia gama de tonalidades en las que no falta el azul.

Floración: abundante y duradera. A finales de invierno para la mayoría de especies rizomáticas y desde mayo hasta las primeras heladas para las begonias que se cultivan en el exterior. Flores simples, semidobles o dobles. De color rojo, rosa, amarillo, naranja o blanco. Algunas veces bicolores.

Especies y variedades: entre las *Begonia semperflorens* destaca «Loto» por sus grandes flores de 5 cm de diámetro; «Olimpia», por su floración excepcional y sus numerosos colores; «F1 Chernobyl Pink», por su sorprendente follaje verde mezclado con crema, con porte flexible y floración de color rosa claro.

Entre la gran cantidad de *Begonia* x *tuberhybrida,* elija particularmente «Pin Up», con grandes flores simples de color blanco y bordes de color rosa vivo, o también «Non stop», que es más rechoncha pero forma bonitas flores y soporta el sol.

«Worthiana» forma tallos rígidos y fuertes, que pueden alcanzar 1 m de altura. Produce gran cantidad de flores simples de color rojo.

«La Madelon» es una pequeña joya, con flores semidobles de color rosa. «Bouton de rose» tiene unas preciosas flores de color blanco con tonos rosa en los bordes. «Cascade Pastel» presenta flores dobles de gran tamaño con colores suaves muy seductores. Permite crear suspensiones con un bonito efecto decorativo. *Begonia grandis spp. evansiana* es la única especie rústica. Puede estar en el mismo lugar durante todo el año pero con una pequeña protección invernal también en zonas frías. Esta begonia produce, en verano, gran cantidad de flores simples de color rosa pálido, que destacan por encima de las hojas de color verde. «Alba» es una magnífica forma, con flores de color blanco.

Begonia sutherlandii (a veces con el nombre comercial de «Papaya») es una delicada maravilla con una bonita floración de color naranja intenso. Poco rústica, esta begonia es muy sensible al oídio. Algunos cultivos de begonia se colocan en el interior pero crecen mejor si los colocamos en la terraza desde finales de mayo hasta septiembre. Pruebe con *Begonia* x «Cesto de fuego», con el porte rígido y con pequeñas flores de color rojo, *Begonia fuchsioides* siempre cubierta de flores colgantes de color rosa o *Begonia fuchsioides* «Minata» que se distingue por una generosa floración de color rojo vivo ensalzada por un follaje brillante de color verde. También está *Begonia* x «Digswelliana», con una floración permanente de color rosa.

Comportamiento en el recipiente: Excepto *Begonia grandis ssp. evansiana,* que puede durar varios años en una maceta situada en el exterior, las begonias sólo pueden estar en el exterior en verano. Se desarrollan sin problemas en todos los recipientes siempre y cuando se abonen regularmente ya que son plantas muy «golosas».

Dimensiones del recipiente: para una sola planta bastará con 14 cm de ancho y 12 de profundidad. Utilice siempre recipientes que sean más anchos que altos, preferentemente de barro cocido, para que la tierra se seque más rápidamente. Evite los recipientes con reserva de agua que favorecen la putrefacción de las raíces carnosas.

Exposición: a pleno sol para los híbridos de *Begonia Semperflorens* que resisten muy bien al viento y a mal tiempo. Todas las otras especies y variedades prefieren un emplazamiento cálido, en un lugar parcialmente sombrío, resguardadas de las fuertes corrientes de aire.

Tierra: utilice tierra para geranios, ligera y bien drenada, y enriquecida con estiércol descompuesto.

Riego: Riegue una a dos veces por semana dependiendo de la temperatura y las dimensiones del recipiente. Utilice agua no calcárea.

Riegue en la base de la planta, sin mojar las hojas. Unas horas más tarde retire el agua que ha quedado en el platillo. Tenga cuidado porque un exceso de humedad provoca la putrefacción de las raíces y del cuello.

Enemigos y enfermedades: el tiempo frío y lluvioso provoca los ataques de oídio y *Botrytis.*

B

Bellis

Empleo: en una jardinera pequeña, combine las begonias del tipo *semperflorens* con lobelias, aloysias de olor, claveles de la India, verbenas, petunias o antirrinos enanos. En recipientes grandes colóquelas en un primer plano. Plante las begonias junto a las fucsias, impaciencias, bacopas o hiedra. En verano, coloque las macetas de begonias en el exterior, en un lugar sombreado, y cree un ambiente exótico combinándolas con tardescantias, plectranthus o chlorophytums. Al cabo de unas semanas de adaptación, le sorprenderá su belleza y vigor.

Consejo: sea cual sea la especie y variedad, realice aportes de abono soluble para plantas en flor, con una frecuencia de diez días y de mayo a septiembre. Retire regularmente las flores marchitas. Compre las variedades tuberosas en marzo y elija los calibres más grandes. En el momento del trasplante, entierre los tubérculos a 2 o 3 cm de profundidad y deje una distancia de 20 a 30 cm. Coloque la parte hueca y las yemas hacia arriba. Coloque tutores para las plantas a medida que vayan creciendo, ya que el peso de las flores podría romper los tallos. A finales de septiembre reduzca el aporte de agua. Cuando el follaje esté completamente amarillo, arranque los tubérculos y deje que se sequen durante algunos días, protegidos del sol. Guárdelos todo el invierno, en turba seca, en un lugar fresco pero resguardado de las heladas.

Las *Begonia semperflorens* se reproducen fácilmente por siembra. Las semillas son muy pequeñas y no hay que enterrarlas. La germinación precisa una temperatura regular (de 20 a 22 ºC). Se recomienda sembrar en febrero, en un pequeño invernadero o en un recipiente, que esté cerca de un radiador, y cubierto con una placa de cristal. Riegue sumergiendo la base del recipiente en agua. No se debe dejar permanentemente para no perjudicar a las semillas. Cuando las plantas presenten una o dos hojas, plántelas en pequeños cubiletes. La plantación definitiva tiene lugar en mayo. Sea cual sea la variedad de begonias, retire todas las flores de las plantas jóvenes en el momento de la plantación en el balcón. Este gesto favorecerá la fijación de las raíces y la planta florecerá más. Puede

Begonia x pendula: elegancia aérea. ▷

Begonia sutherlandii «Papaya»: una suspensión de elite. ▷

colocar las macetas de *Begonia sempervirens* dentro de casa a partir de finales del mes de septiembre. Anteriormente, corte todas las flores marchitas, los tallos y las hojas muertas. Reduzca un tercio de la mata. Al cabo de algunas semanas volverá a obtener una bonita planta con flores.

Bellis perennis
MARGARITA

Una explosión de pompones primaverales.
Planta bianual (20 cm, –10 ºC).
Follaje: verde claro y redondeado dispuesto en diferentes alturas.

▼ *Begonia x tuberhybrida:* flores enormes.

▲ *Bellis perennis:* pompones deliciosos en primavera.

▲ *Berberis verruculosa:* compacta y de un sutil tono cobrizo.

 Berberis darwinii: una floración muy abundante.

Floración: en primavera, blanca, rosa o roja. Sus flores son regulares, rectas, sencillas o dobles y, a veces, bicolores. Larga duración.

Especies y variedades: «Pomponette» con pequeñas flores dobles bien distribuidas. «Superenorme» tiene una florescencia doble y enorme.

Comportamiento en el recipiente: la margarita es una flor robusta que forma matas densas ideales para vestir la base de los bulbos de primavera en las jardineras.

Dimensiones del recipiente: 14 cm de alto por 12 cm de ancho cuando se trate de una única planta.

Exposición: total o parcialmente sombreada.

Tierra: una mezcla bien drenada compuesta por 1/2 de tierra de hojarasca, 1/4 de tierra de jardín ligera y 1/4 de arena de río.

Riego: mantenga el suelo siempre húmedo.

Enemigos y enfermedades: en general, ninguno.

Empleo: en primera línea de una jardinera o de una maceta, combinada con myosotis, tulipanes, escilas, jacintos o narcisos.

Consejo: renueve las plantas cada año para evitar que las flores pierdan vigor.

Berberis spp.
AGRACEJO

Una planta encantadora con un toque picante.

Arbusto (1 m −15 °C).

Follaje: caduco o persistente en función de la especie, de color verde o rojo púrpura, espinoso.

Floración: amarillas o naranjas en primavera. Las flores son solitarias y dan bayas pequeñas muy decorativas cuando están maduras de color rojo, azul o negro.

Especies y variedades: el género incluye a más de cuarenta especies. Entre los berberis de hoja caduca, muy buscados por sus colores impresionantes en otoño, puede escoger el *Berberis thunbergii* por su follaje púrpura. La variedad arlequín se distingue por su moteado de color crema sutil y por su coloración otoñal de extrema belleza. «Kelleris» desarrolla un follaje moteado de color verde musgo y crema muy luminoso. Alcanza bellos tonos rojizos y anaranjados antes de perder las hojas. «Pink Attraction» está salpicada de color rosa y amarillo crema. Tiene un porte es-

tilizado que nunca supera 1 m de altura. Entre los muchos tipos de berberis de hoja perenne que existen, destaca la *verberis* x *stenophylla*, rústica, con muchas flores y que se adapta perfectamente a las macetas. La variedad «Cream Showers» se llena de flores de color amarillo limón. «Claret Cascade» presenta brotes de color burdeos. «Carolina Compacta» es una variedad miniatura ideal para los balcones y las pequeñas terrazas. *Berberis temolaica* se distingue por su follaje azul como el del eucalipto. Es una especie muy escasa altamente apreciada por los coleccionistas.

Comportamiento en el recipiente: reserve los berberis para las terrazas grandes y forme hileras que pueden llegar hasta 1 m de altura. Sitúelos lejos de las zonas de paso dado que son muy espinosos. Deberán cambiarse de recipiente cada tres años.

Tamaño del recipiente: disponga un recipiente de 50 cm de ancho y de profundidad para conseguir un crecimiento generoso y bastante rápido.

Exposición: al sol cuando se trate de especies de hoja caduca. Los berberis de hoja perenne agradecen una luz tamizada o una sombra parcial.

Tierra: requieren una tierra universal bien drenada.

Riego: cada seis o diez días según la temperatura ambiente. Muy escaso en invierno.

Enemigos y enfermedades: el oídio debe erradicarse siempre que el clima sea muy lluvioso o cuando el ambiente esté muy cargado. Trate preventivamente con azufre.

Empleo: los coloridos sombreados de las variedades púrpuras realzan el follaje dorado o plateado como en el caso de las *Choisya ternata* «Sundance», la *Euonymus fortunei* «Blondy», la *Spiraea japónica* «Candelight» o la *Spiraea* x *vanhouttei* «Pink ice».

Consejo: para obtener una hilera regular en una jardinera grande, pode cada año, después de la floración en el caso de las variedades perenne o finales de verano para las caducas. Conseguirá del berberis un follaje denso si no lo deja crecer de un modo desordenado. Pode 2/3 de las ramas nuevas cada año.

Bergenia cordifolia
BERGENIA

Una de las vivaces más precoces.

Planta vivaz (40 cm, −20 °C).

Follaje: ancho, espeso y perenne. Las hojas redondeadas a veces se tiñen de color rojo y marrón en invierno.

Floración: a finales de invierno, a partir del mes de febrero, aparecen racimos blancos, de color rosa o rojo oscuro.

Especies y variedades: «Margenröte» tiene flores de color rosa oscuro. En verano vuelve a florecer. «Ballawley» tiene un follaje muy ancho con bellos colores invernales.

Comportamiento en el recipiente: deje crecer la *Bergenia cordifolia* de un modo natural, sin ningún tipo de mantenimiento. Cambie de maceta cada tres o cuatro años.

Dimensiones del recipiente: sólo requiere de un recipiente de 30 cm de ancho por 25 cm de profundidad.

Exposición: soleada o sombra parcial.

Tierra: una buena tierra de jardín bien drenada.

Riego: una vez que la tierra de la superficie esté seca.

Enemigos y enfermedades: casi ninguno.

Empleo: por su gran longevidad, las bergenias son buenas compañeras de los rododendros, los narcisos, las saxífragas o las tiarellas.

Consejo: Retire las hojas muertas y las flores marchitas. Abone en primavera con elementos orgánicos (cuerno, sangre seca).

Beta vulgaris
PUERRO

Además de bello, delicioso.
Planta bianual (60cm, –15 °C).

Follaje: ancho, redondeado, de color verde claro u oscuro, brillante. Los pecíolos, más o menos anchos, son de color blanco, amarillo, naranja o rojo en función de las variedades.

Floración: no tienen un gran interés ornamental. Sólo se produce en el segundo año.

Especies y variedades: «Rubio con franjas blancas» para la cocina y los balcones monocromos blancos. «Ruibarbo cardo» con pecíolos de color rojo vivo, muy decorativo y además ¡comestible!

Comportamiento en el recipiente: sin problemas siempre que la planta esté bien nutrida.

Dimensiones del recipiente: un recipiente 30 cm de ancho por 25 cm de profundidad para cada planta.

Exposición: pleno sol pero nunca abrasador.

Tierra: una buena tierra normal de jardín. Cuando el suelo es rico, el follaje puede llegar a ser enorme.

Riego: una o dos veces por semana según el tamaño del recipiente y la temperatura ambiente.

Enemigos y enfermedades: controle los ataques de pulgón negro. Tenga la previsión de tratarlo contra el mildiu y la suciedad que pueda manchar las hojas.

Empleo: se puede crear una jardinera como si fuera un huerto. Además de decorativa será muy útil si se combina con lechugas rizadas, con cosmos «Versalles» vaporosos y compactos, con kochias, centauros azulados y con *Salvia coccinea* de color blanco o rojo.

Consejo: realice la siembra de abril a mayo directamente en la jardinera o plantando el cubilete en el que vienen. Arranque las matas en octubre.

Betula pendula
ABEDUL DE RAMAS COLGANTES

Largas ramas ligeras y de color blanco.
Árbol (4 m, –20 °C).

Follaje: casi triangular, caducifolio verde y amarillo oro en otoño. Las ramas lloronas, finas y ligeras tienen una corteza blanca.

Floración: entre marzo y abril. Las flores se agrupan según sean machos o hembras.

Especies y variedades: La «Dalecarlica» tiene hojas perfiladas. La «Youngii», bastante compacta, tiene un porte en forma de cúpula con ramas colgantes.

Comportamiento en el recipiente: sólo las terrazas espaciosas pueden acoger este bello árbol de crecimiento vigoroso y rápido que sufre bastante dentro de un recipiente.

Dimensiones del recipiente: bastará con 1 m de anchura y 80 cm de profundidad para un ejemplar que alcance los 3 m.

Exposición: soleada pero no muy seca.

Tierra: una buena tierra de bosque bien drenada.

Riego: en verano intente que la tierra esté siempre fresca.

Enemigos y enfermedades: pulgones y thrips que se adhieren a las hojas y las vuelven pegajosas.

Empleo: aislados o detrás de macetas de arbustos y vivaces. Combínelas con una clematita.

Consejo: proteja el abedul de los fuertes vientos y tutórelo correctamente dado que sus raíces son superficiales. Cambie la tierra superficial una vez al año.

Betula verrucosa: un recipiente elegante y muy ligero. ▶

▲ *Bergenia cordifolia:* una gran precocidad.

▲ *Beta vulgaris:* parterres relucientes.

B

Bidens

▲ *Bidens ferulifolia:* fantasía y color.

▲ *Borago officinalis:* suave, aterciopelado y muy azul.

♣ *Bidens ferulifolia*
BIDENS

Todo ligereza y suavidad.
Planta vivaz (50 cm, 5 ºC).
Follaje: verde, fino o perfilado como el de un helecho. Los tallos se alargan rápidamente y dan a la planta un porte colgante.
Floración: siempre abundante de primavera a otoño. Las flores son sencillas de 2 a 3 cm de diámetro en forma de estrellas de color amarillo dorado.
Especies y variedades: Existen unas doscientas especies pero sólo *Bidens ferulifolia* se utiliza para la decoración de los jardines y los balcones.
Comportamiento en el recipiente: su crecimiento rápido, vigoroso, y su floración tan duradera justifica su gran éxito como planta de temporada.
Dimensiones del recipiente: 25 cm de longitud y de profundidad para una mata de dos plantas.
Exposición: muy soleada pero nunca ardiente.
Tierra: para geranios, bien drenada.
Riego: una o dos veces a la semana, en promedio, cuando sean días de calor seco.
Enemigos y enfermedades: se trata de una planta robusta a la que le afectan poco los parásitos y las enfermedades.
Empleo: opte por cultivos colgantes con *Helichrysum petiolare,* salvias, pelargonios, claveles de India, petunias o surfinias. Cultive en cestos colgantes.
Consejo: aporte abono soluble cada ocho días. Pince las plantas más jóvenes para conseguir una floración más intensa.

Borago officinalis
BORRAJA

La suavidad hecha planta.
Planta anual (50 cm, -15 ºC).
Follaje: verde suave, recubierta de pelos plateados. Las hojas son ovales y plegadas.
Floración: de abril a septiembre. Agrupadas en las extremidades de los tallos. Las flores son pequeñas de color azul intenso, en forma de estrella con cinco puntas que se orientan hacia el sol.

Especies y variedades: existen variedades con flores blancas y rosas.
Comportamiento en el recipiente: la borraja invade bastante rápido el espacio, incluso en maceta. Divídala y cambie de maceta cada dos años.
Dimensiones del recipiente: 18 cm de ancho por 16 cm de profundidad para un único ejemplar.
Exposición: soleada, sin que reciba mucho calor.
Tierra: mitad de tierra de jardín de calidad y de tierra universal no demasiado compacta.
Riego: dos veces por semana en promedio.
Enemigos y enfermedades: la borraja es resistente, pero puede verse atacada por el oídio.
Empleo: combine la utilidad con la estética del apio perenne, el perejil, las lechugas, los pensamientos enanos o los claveles de india con flores pequeñas y sencillas. Cree bellos cestos colgantes.
Consejo: siembre directamente en el recipiente en primavera, plantándolas con 30 cm de distancia entre ellas, en todas las magnitudes. Retire las flores marchitas para evitar que broten nuevas plantas descontroladas que puedan invadir el espacio.

Bugainvillea glabra
BUGANVILLA

Una gran estrella tropical.
Planta trepadora (3 m, -2 ºC).
Follaje: semiperenne. Las hojas verdes y coriáceas son ovales. Tenga cuidado porque las ramas contienen espinas curvas muy afiladas.
Floración: incluso los ejemplares más jóvenes florecen a principios de verano hasta otoño. Las flores blancas, insignificantes, se envuelven de brácteas coloreadas persistentes durante mucho tiempo después de la floración.
Especies y variedades: la gama de cultivos ofrece brácteas de color blanco, amarillas, naranjas, rosas y rojas. «Sanderiana», la más vigorosa de todas, resiste hasta los -4 ºC. Existen variedades con brácteas sencillas o dobles con follaje moteado de color blanco o crema. La «Mini Thaï» es una modalidad compacta muy enana de follaje caduco bastante frágil.
Comportamiento en el recipiente: cuando se sujeta en una estructura, como en una celosía, la buganvilla puede vivir durante mucho tiempo en maceta. Cambie de recipiente cada dos años.

◀ *Bougainvillea glabra:* esta gran estrella adora el sol.

Dimensiones del recipiente: 30 cm de profundidad y de anchura como mínimo.

Exposición: cálida, soleada, a buen recaudo del viento.

Tierra: una buena tierra de plantación bastante ligera.

Riego: abundante en verano, para que la tierra esté siempre fresca. Un período de sequía durante el tiempo de reposo vegetativo (de octubre a marzo) estimula la floración de los ejemplares cultivados en maceta.

Enemigos y enfermedades: atención a las cochinillas.

Empleo: se trata de una planta extravagante que confiere un toque exótico y original al decorado. Planta voluble que recubre paredes y barandillas.

Consejo: en las regiones de clima más frío que el mediterráneo, proteja la buganvilla durante el invierno. Para ello, éntrela en una galería o en un invernadero. Riegue muy poco y mantenga una temperatura mínima de 5 ºC. En febrero, pode los tallos demasiado largos cortándolos por encima de una de las hojas.

Brachycome iberidifolia
BRACHYCOME

Un cojín de pequeñas margaritas.
Planta vivaz (30 cm, 0 ºC).

Follaje: verde, rastrera, muy fina y perfilada.

Floración: de junio a octubre. Las flores parecen pequeñas margaritas de 2 a 3 cm de diámetro y que se abren por encima del follaje.

Especies y variedades: la gama de colores se enriquece permanentemente con nuevos matices de color azul, blanco, amarillo, rosa o violeta.

Comportamiento en el recipiente: la planta adquiere, de un modo natural, una forma de bola. Se cultiva, generalmente, como anual y se elimina a finales de verano.

Dimensiones del recipiente: como mínimo 14 cm de ancho y 12 cm de profundidad para una sola planta. Cuando se quiera cultivar más de una planta hágalo en un recipiente más grande, así conservará la humedad correctamente.

Exposición: muy soleada, incluso calurosa.

Tierra: rica y bastante consistente.

Riego: procure que el suelo siempre esté húmedo. La más mínima de las sequías produce la caída de las hojas. La mata adquiere, entonces, un aspecto poco estético que es difícilmente recuperable.

Enemigos y enfermedades: en general, ninguno.

Empleo: para dar un toque florido a una jardinera pequeña de plantas aromáticas que tenga tomillo, cebollino, albahaca y claveles de India de flores sencillas. Es perfecto para vestir la base de un rosal de tallo.

Consejo: siembre en marzo, bajo un abrigo. Trasplante una vez y, seguidamente, plante en una jardinera en mayo dejando un espacio de 25 cm entre las diferentes plantas.

Brassica crispa
COL DECORATIVA
O BERZA ORNAMENTAL

Colores inesperados.
Planta bianual (25cm, –8 ºC).

Follaje: verde o bronce, más o menos rizada o crispada según el cultivo. Las hojas del cogollo central son blancas, rosas o rojas.

Floración: no ofrece ningún interés decorativo, además la col se cultiva como planta anual.

Especies y variedades: «F1 Nagoya» con un follaje ligeramente listado y crispado, resiste mucho al frío. La variedad «Peacock» se distingue por sus cogollos decorativos con hojas que parecen puntillas. La «F1 Osaka» tiene un follaje redondeado y un porte más compacto.

Comportamiento en el recipiente: es un elemento muy importante para los decorados otoñales. Se adapta bien tanto en recipientes individuales como en combinación con otros vegetales.

Dimensiones del recipiente: 18 cm de ancho por 16 cm de profundidad para una sola planta.

Exposición: soleada. Esta col resiste perfectamente las inclemencias del tiempo.

Tierra: mezcla de terrón y tierra de jardín.

Riego: dos veces a la semana, como mínimo.

Enemigos y enfermedades: los escarabajuelos pueden estropear el follaje de las siembras más jóvenes. Tenga cuidado con las cochinillas que devoran las hojas.

Empleo: combine la col decorativa con crisantemos, brezal, cinerarias marítimas o verónicas para componer un conjunto otoñal de todos los colores.

Consejo: siembre en barquetas en mayo o junio. Trasplante las plantas dos veces dentro de los cubiletes antes de trasplantarlas definitivamente. Refuerce bien el tallo porque el cogollo es pesado y puede salirse de la maceta.

Brassica crispa: una col decorativa para el otoño. ▶

▲ Las buganvillas crecen bien en maceta si se fertilizan.

▲ *Brachycome iberidifolia:* gran refinamiento.

▲ *Briza máxima:* se agita con la más mínima brisa.

▲ *Browallia speciosa:* sus estrellas azules son muy graciosas.

◄ *Brugmansia arborea:* una suntuosa datura arbustiva.

Briza maxima
LÁGRIMAS DE LA VIRGEN

Campanillas que tintinean con el viento.
Planta anual (40 cm, 0 ºC).

Follaje: una mata densa. Las hojas estrechas son de color verde vivo afiladas y puntiagudas.

Floración: graciosa y ligera, de mayo a agosto. Las florescencias son de color blancuzco en forma de corazón. Son colgantes y se reagrupan en espigas.

Especies y variedades: *Briza media,* una especie vivaz que forma una pequeña mata esparza de entre 30 y 40 cm de altura. Su crecimiento es lento. En verano sus espiguillas adquieren un tono crema muy bello.

Comportamiento en el recipiente: la planta crece vigorosamente en maceta cuando recibe una fertilización regular. Evite los recipientes con reserva de agua porque son demasiado húmedos.

Dimensiones del recipiente: 40 cm de ancho y 18 cm de profundidad para tres plantas muy jóvenes.

Exposición: a pleno sol, incluso con calor intenso.

Tierra: enriquezca la tierra con arena porque el sustrato debe estar seco y bien drenado.

Riego: sólo cuando la tierra de la superficie esté muy seca.

Enemigos y enfermedades: normalmente no tiene ninguno. Esta gramínea es muy robusta a pesar de su aspecto delicado.

Empleo: combine esta pequeña hierba con *Erigeron karvinskianus* y anuales que se sembrarán directamente en el recipiente como los centauros azules, los *Cosmos sulphureus,* las xeranthemums (inmortal anual), las clarkias o con arañuelas de Damasco.

Consejo: siembre a principios de primavera directamente en las macetas o en una barqueta. Trasplante en abril disponiendo entre ellas una distancia de 15 a 20 cm.

Browallia speciosa
BROWALLIA

Como una violeta gigante...
Planta anual (70 cm, 0 ºC).

Follaje: verde intenso. Las hojas son ovales o puntiagudas. La planta crece bastante rápido en altura.

Floración: de junio a septiembre. Las flores son sencillas y tubulares, de más o menos 5 cm de diámetro. Tienen un color azul liliáceo muy pujante y luminoso.

Especies y variedades: «Blue Bells» es una de las variedades más extensas. Sus flores son de color azul oscuro. «Silver Bells» destacan por el color blanco de su floración. «Starlight» es una variedad más compacta y altiva.

Comportamiento en el recipiente: a menudo se cultiva como planta de interior. La browallia se planta a mediados de mayo en la parte más cálida del balcón.

Dimensiones del recipiente: 20 cm de profundidad y anchura mínima de 30 cm.

Exposición: muy soleada y resguardada del viento.

Tierra: de trasplante enriquecido con un puñado de estiércol bien descompuesto.

Riego: una o dos veces por semana según el tamaño del recipiente y en función de la climatología.

Enemigos y enfermedades: la planta puede verse invadida por la mosca blanca difícil de erradicar.

Empleo: en una maceta aislada. En una gran jardinera instálela en segunda fila con brachycome, fucsias, lobelias, scaevolas o helichrysums.

Consejo: pince los nuevos tallos para conservar el porte ramificado de la planta. De lo contrario, tutore los brotes conforme vayan creciendo.

Burgmansia arborea
DATURA EN ÁRBOL
O TROMPETERO

Trompetas angelicales.
Arbusto (2 m, 0 ºC).

Follaje: verde claro, aterciopelado y semipersistente.

Floración: todo el verano hasta las primeras heladas. Las flores sencillas, semidobles o dobles parecen grandes trompetas colgantes. Tienen diferentes colores. Algunas daturas exhalan un aroma muy suave.

Especies y variedades: *Brugmansia cornigera* «Knightii» que tiene inmensas flores semidobles de color blanco puro y de olor intenso. La *Brugmansia sanguínea* ofrece una floración amarilla y de color rojo anaranjado. La *Brugmansia* x *candida* «Grand Marnier» se cubre de flores rosa anaranjadas y perfumadas.

Comportamiento en el recipiente: la planta rápidamente consigue dimensiones imponentes. Cultívela en un recipiente para árboles. Requiere un trasplante anual.

Dimensiones del recipiente: de 25 a 35 cm de ancho y de profundidad, como mínimo.

Exposición: cálida y soleada al resguardo del viento.

Tierra: una buena tierra rica y ligera que debe mantenerse fresca durante el período de crecimiento, además de enriquecerse con abono orgánico a base de algas y entre un 10-20 % de estiércol bien compostado.

Riego: más o menos diario en verano. En invierno, mantenga la planta más o menos seca. Abone con abono líquido cada semana durante el verano.

Enemigos y enfermedades: moscas blancas y ácaros.

Empleo: en un gran recipiente puede combinarlo con agapantos, enredaderas de Mauritania, margarita leñosa, pelargonios perfumados, euryops, leonotis o cupheas.

Consejo: en octubre entre los recipientes en una galería. En marzo, cambie la mata de recipiente para que consiga un porte equilibrado.

Buddleja davidii «Nanohensis»
ARBUSTO DE LAS MARIPOSAS

Un aspecto relajado en verano.
Arbusto (1,50 cm, 15 ºC).

Follaje: verde grisáceo, exuberante y muy fino. Este arbusto no supera nunca el 1,20 o el 1,50 m de altura.

Floración: durante el verano en racimos de color azul lavanda.

Especies y variedades: «Nanho Purple» se distingue por una floración violeta púrpura.

Comportamiento en el recipiente: sólo conviene colocar en las terrazas las variedades enanas porque sus tallos se rompen fácilmente por el efecto del viento.

Dimensiones del recipiente: 30 cm de lado.

Exposición: a pleno sol, protegido del viento.

Tierra: tierra de jardín y tierra mezclada.

Riego: copioso, pero sólo cuando la tierra esté seca en la superficie.

Enemigos y enfermedades: prácticamente ninguno.

Empleo: combínela con lavanda, cineraria, lobularia marítima, millepertuis y potenciales.

Consejo: pode corto a principios de primavera para que tenga una forma compacta. Elimine los racimos marchitos según vayan apareciendo.

Con el boj se pueden hacer esculturas de diversas formas. ▶

Buxus sempervirens
BOJ

El boj, apropiado para la escultura vegetal.
Arbusto persistente (1,50 cm, –20 ºC).

Follaje: redondo, brillante y perenne. Las hojas verdes y coriáceas tienen un aspecto barnizado.

Floración: insignificante, en marzo.

Especies y variedades: «Elegantissima» tiene un follaje verde-gris muy bello con destellos plateados. «Suffruticosa» es una modalidad enana ideal para realizar setos regulares. La variedad «Pyramidalis» es erguida.

Comportamiento en el recipiente: es una de las pocas plantas que mantienen su belleza a lo largo de todo el año. Se necesita paciencia para obtener un ejemplar bello.

Dimensiones del recipiente: para un ejemplar aislado de menos de 1 m de altitud calcule un recipiente de 30 cm de ancho y de profundidad.

Exposición: soleada o sombra parcial.

Tierra: una buena tierra de jardín bien drenada. El boj soporta los suelos calcáreos y secos.

Riego: cada ocho o diez días.

Enemigos y enfermedades: los psyllos, las cecydomias y la roya estropean el follaje.

Empleo: el boj confiere solidez a los jardines colgantes. Las formas talladas crean perspectiva de estilo clásico que se pueden moldear según convenga.

Consejo: pode dos veces al año para obtener una hilera bien compacta. Debe realizarse la poda en agosto o septiembre.

▲ *Buddleja davidii* «Ñaño blue»: una enana para las macetas.

▲ *Buxus sempervirens:* tallado en forma de conejo.

C

Calceolari spp.
CALCEOLARIA

Flores en forma de zapatillas de baile.
Planta anual (0,80 m –5 ºC).

Follaje: generalmente caduco, lanceolado, pero largo y finamente arrugado, de color verde intenso.

Floración: el labio inferior de las flores es redondo en forma de zapatilla. Las calceolarias ostentan todos los tonos amarillos y naranjas.

Especies y variedades: existen calceolarias vivaces en climas favorables como la *Calceolaria biflora,* que forma una mata de hojas persistentes y peludas. «Goldcap» perfecta en un pilón de piedra, tiene magníficas flores amarillas y zapatillas rojo carmesí. *Calceolaria integrifolia* forma, más bien, un subarbusto vivaz, semirrústico que florece a profusión entre julio y septiembre.

Comportamiento en el recipiente: fácil. Las calceolarias necesitan abono líquido, para plantas floridas, una vez por semana, a partir del mes de julio.

Dimensiones del recipiente: una planta vive bien en una maceta de 15 cm de diámetro y 20 cm de profundidad.

Exposición: a las calceolarias les gusta el calor, pero no abrasador. Por las tardes, llévelas hacia un rincón semisombreado.

Tierra: de preferencia, ácida y bien drenada. Mezcle tierra de brezo y mantillo a partes iguales.

Riego: debe ser abundante y casi cotidiano, sobre todo los días de calor. Rocíe el follaje preferentemente por la noche.

Enemigos y enfermedades: a los pulgones les encanta la savia de la calceolaria y las moscas blancas atacan sobre todo en galerías. Diferentes hongos provocan la putrefacción del cuello y por consecuencia, la muerte de la planta, en suelos demasiado compactos.

Empleo: las especies enanas forman bordados alrededor de grandes macetas en la base de los arbustos. Los híbridos florecen las jardineras, solos, en grupos coloridos o mezclados con lobelias, bacopas, scaevolas y geranios.

Consejo: compre, preferentemente, las calceolarias en plantas pequeñas, porque el cultivo a partir de semilla no es fácil para un jardinero novato.

▲ *Calceolaria x rugosa:* flores en forma de zapatilla.

◄ La calceolaria florece todo el verano, incluso en maceta.

Calendula officianalis
CALÉNDULA

Una planta fácil y todo terreno.
Planta anual (50 cm, –15 ºC).

Follaje: lanceolado, verde claro. Desprende un olor un poco picante cuando se frota.

Floración: De mayo hasta que llegan las primeras heladas posee una multitud de margaritas dobles un poco erizadas, amarillas o de color naranja vivo.

Especies y variedades: las variedades bajas (30 cm), como la «Fiesta Gitana» de flores dobles, florecen menos que las otras, sobre todo en maceta. La variedad «Radio» con sus pétalos encañonados da un nuevo aire a este género. La «Príncipe hindú», una variedad bastante alta (60 cm), se mantiene bien en recipiente gracias a sus tallos rígidos.

Comportamiento en el recipiente: las caléndulas se desarrollan tan fácilmente en maceta que hasta los jardineros novatos pueden cultivarlas con los ojos cerrados. Se reproducen solas.

Dimensiones del recipiente: una barquilla con diez plantas debe permitirnos realizar dos jardineras de 50 cm de diámetro y 20 cm de profundidad.

Exposición: las caléndulas son plantas de sol, pero toleran bien la sombra parcial.

Tierra: una buena tierra universal bastante consistente.

Riego: las caléndulas no se secarán si nos olvidamos de regarlas de vez en cuando. Pero la floración será más bella si las regamos dos veces por semana.

Enemigos y enfermedades: el oídio a menudo forma una especie de fieltro blanco en las hojas. El mosaico del pepino deforma las flores. La roya mancha las hojas de color marrón.

Empleo: mezcle las caléndulas con plantas de follaje gris como las cinerarias, los helicrisums, la artemisa, las orejas de oso, la lavanda o el teucrium.

Consejo: retire las hojas marchitas conforme vayan apareciendo para tener siempre una maceta excelente.

Callistemon citrinus
CALISTEMON

Se la llama la planta cepillo.
Arbusto (1,70 m, –2 ºC).

Follaje: persistente, rígido, muy lineal, pardusco cuando es joven y evoluciona hacia el verde oscuro. Sus hojas frisadas desprenden un olor agradable.

Floración: las estambres son el elemento decorativo de las flores ya que los pétalos son muy pequeños. Las flores rojas o amarillas se agrupan en manojos erizados alrededor de loas ramas más jóvenes.

Especies y variedades: elija las modalidades enanas pues son las que convienen para el cultivo en recipiente como la *Callistemon citrinus* «Red Cluster» de crecimiento lento. La *Callistemon lavéis* no supera el 1,5 m y florece cuatro o cinco veces al año. La *Callistemon viminalis* «Captain Cook» alcanza 1 m en la edad adulta, mientras que la «Little John» sólo 50 cm.

Comportamiento en el recipiente: este arbusto crece suavemente. Basta con un cambio de recipiente cada tres años.

Dimensiones del recipiente: el Calistemon puede vivir en un tiesto con reserva de agua de 30 cm de lado.

Exposición: Sólo una exposición de cuatro a cinco horas, nunca bajo un sol ardiente.

Tierra: mezcle una tercera parte de tierra de jardín, otra de brezal y la última de universal.

Riego: conserve la tierra siempre húmeda en el período de vegetación. Régimen seco en invierno.

Enemigos y enfermedades: normalmente ninguno.

Empleo: cultive los calistemons aislados en un recipiente cercano a las plantas mediterráneas como las palmeras y los cítricos. En las regiones de clima suave estas plantas pueden formar una pantalla de protección en el balcón.

Consejo: en caso de helada, debe resguardar los calistemons en una galería. De mayo a octubre puede estar situada en el exterior sin problema. Cuando las flores se marchitan, los estambres llenos de líquido, caen al suelo y se vuelven pegajosos. Limpie con abundante agua.

Callistephus chinensis
REINA MARGARITA

La estrella de final de temporada.
Planta anual (40 cm, 5 °C).

Follaje: dentado, bastante fino, verde claro.

Floración: margaritas grandes sencillas o dobles que florecen de agosto a octubre.

Especies y variedades: existe un número incalculable

▲ *Calendula officinalis:* la caléndula, planta sin problemas.

de variedades. Elija las enanas, como la «Love Me» o la «Reina de las enanas».

Comportamiento en el recipiente: las reinas margaritas cultivadas en un recipiente requieren de atención para poder alcanzar la belleza. Les encanta el agua y viven cómodamente en recipientes con reserva de agua.

Dimensiones del recipiente: estas flores producen un buen efecto en un recipiente lleno de flores o mezclada con diversos follajes. Una jardinera de 80 cm de largo bastará para acoger seis cubiletes.

Exposición: cuanto más sol tienen las reinas margaritas, más florecen.

Tierra: añada un buen puñado de compost orgánico por litro de tierra y esparza una pizca de abono de descomposición lenta en la superficie de la maceta.

Riego: no deje que se seque la tierra. Riegue una vez por día en verano si el recipiente es pequeño o dos veces si es más grande (mañana y tarde).

Enemigos y enfermedades: la fusariosis provoca la debilitación brutal de las plantas. Utilice, desde el momento en que la plante, una maceta que sea nueva (o desinfectada con lejía) y con tierra que no se haya usado antes.

Empleo: en las jardineras, las reinas margaritas relevan a las anuales que terminan sus floración en agosto (antirrino, mimulus etc.).

Consejo: no olvide abono líquido (para geranios) una vez por semana, aplique siempre cuando la tierra esté húmeda.

Collistephus sinensis: toda una reina para finales de verano. ▶

▲ *Collistemon citrinus:* flores en forma de escobilla.

C

Calluna

▲ *Calluna vulgaris:* una bella maceta de brezo veraniego.

▲ *Camellia x* «Donation»: florece más dentro de una galería.

◀ *Camellia japonica* «Grand Prix»: flores perfectas.

Calluna vulgaris
BREZO COMÚN

Una floración sensacional.
Subarbusto (40 cm, –10 °C).

Follaje: las escamas son ricas y densas y adquieren coloridos que cambian según las variedades y la estación, verde claro, plateado, dorado, oscuro, azulado, color bronce, naranja, púrpura, amarillo o cobre.

Floración: las campanillas son blancas, rosas, malvas, lilas o púrpuras y aparecen entre julio y noviembre, según las variedades. En todas ellas la floración dura como mínimo dos meses.

Especies y variedades: existen cientos de variedades que en maceta alcanzan entre 10 y 40 cm. Los catálogos especializados ofrecen auténticas joyas como la «Hélice Purnell» de follaje plateado, con floración doble y de color rosa con matices grisáceos. O también la «Peter Sparkes» con flores dobles de color rosa salmón que se expanden en un bello follaje de color verde gris.

Comportamiento en el recipiente: el brezo en maceta se seca rápidamente. Por ello hay que cambiarlo de maceta cada primavera.

Dimensiones del recipiente: a menudo se venden los brezos en recipientes de 12 cm de longitud. Trasplántelos después de comprarlos en un recipiente de tamaño superior. Una mata de 25 a 30 cm de diámetro prosperará en un recipiente de 20 cm.

Exposición: un balcón con una exposición oeste o suroeste es lo más apropiado para el brezo. Evite las exposiciones bajo el sol ardiente y los vientos áridos.

Tierra: tierra de brezal y tierra de mezcla.

Riego: dos o tres veces a la semana. No dude en regar el suelo del balcón, sobre todo en los días de más calor para crear una humedad ambiente.

Enemigos y enfermedades: en los suelos demasiado densos los hongos pueden atacar ocasionalmente a los brezos provocando que el follaje se vuelva grisáceo hasta morir.

Empleo: podemos caer muy fácilmente en la tentación de dejar el brezo en su maceta original tal y como lo hemos comprado. Es una lástima porque mezclado con otras plantas adquiere personalidad. Combínelo con arces japoneses, camelias, pieris, arbutus, enkianthus. Combina con todos los otros brezos, como los daboecios de grandes campanillas o con las ericas de flores finas.

Consejo: en primavera corte justo por debajo de las flores marchitas. Cambie de maceta cuando la tierra esté muy compacta por causa del riego.

Camellia spp.
CAMELIA

La perfección hecha flor.
Arbusto (2 m, –8 °C).

Follaje: perenne, oval u barnizado.

Floración: la camelia ofrece flores refinadas, sencillas o dobles de color rosa, rojas o blancas.

Especies y variedades: *Camellia sasanqua* que florece de otoño a principios de invierno. Perfuma con olores de azahar. Los híbridos «Williamsii», con muchas flores, se abren de febrero a abril, tiene la ventaja de que las flores marchitas se caen al suelo. La «Donation» es una variedad común que florece en abundancia. Muchos híbridos de *Camelli japónica* ofrecen flores anchas como la palma de la mano.

Comportamiento en el recipiente: en las zonas más frías, la camelia en la maceta corre el riesgo de helarse en invierno. Envuelva el recipiente con un cartón grueso y cubra las ramas con un velo de protección.

Dimensiones del recipiente: cambie las camelias más jóvenes de maceta una vez al año, justo después de la floración, en un recipiente que sea unos centímetros superior al anterior. Las camelias adultas viven perfectamente en macetas de 40 cm de lado y 30 cm de profundidad.

Exposición: la planta detesta los cambios bruscos de temperatura, mucho más que el frío. Instale el recipiente cerca de las paredes de la casa para que esté más resguardada. La orientación noroeste es óptima.

Tierra: debe ser ácida y rica. Sea generoso y ponga una pala de turba, otra de tierra y media pala de estiércol descompuesto. Mezcle y... ¡listo!

Riego: Casi a diario en verano. Las plantas de camelia prosperan perfectamente al fresco. No olvide regar el follaje para conservar el ambiente húmedo.

Enemigos y enfermedades: el hielo hace que los brotes se quemen y se hielen incluso a antes de que se abran. Las noches demasiado frías provocan manchas marrones en las hojas. Los suelos o el agua demasiado calcáreas provocan clorosis: las hojas se amarillean. Las cochinillas pueden invadir gravemente la planta.

Empleo: aislada, en macetas grandes, apoyada contra una pared o combinada con plantas bajas cuando su tronco no sea muy estético. La camelia combina a la perfección con los brezos.

Consejo: deje de 7 a 8 cm entre la superficie de la tierra y la altura de la maceta. Este espacio será perfecto para poder regar y poder enriquecer con turba cada año.

Campanula portenschlagiana
CAMPANILLA DE LAS MURALLAS

Para los incondicionales del azul.
Planta vivaz (30 cm – 10 ºC).

Follaje: en forma de corazoncillo redondeado, con pequeñas puntillas. Forma capullos que se abren bien.

Floración: campanillas delicadas de color azul violáceo, dibujan tapices de colores en junio. Asistimos a una bella recuperación en septiembre.

Especies y variedades: La *Campanula portenschlagiana* «Resholdt's Variety» consigue un violeta oscuro muy bello. La *Campanula carpatica* tiene unas campanillas azules muy grandes o blancas crece perfectamente en los pilones en los que llega a formar capullos muy densos. *Campanula medium,* una bianual muy vigorosa que alcanza los 60 cm en maceta. Exhibe campanillas imponentes de color rosa, blanco, azul y violeta.

Comportamiento en el recipiente: esta planta vivaz está habituada a vivir en las grietas de los muros, por ello no teme las macetas estrechas. Cambie de maceta una vez al año.

Dimensiones del recipiente: como mínimo 15 cm de diámetro y 12 cm de profundidad.

Exposición: sombra parcial o sol total, poco importa.

Tierra: una buena tierra de jardín mezclada con tierra de cortezas ligeras y suaves.

Riego: la campanilla de las murallas puede pasar una semana sin agua. Aún así, florece mejor cuando no le falta agua.

Enemigos y enfermedades: la roya forma manchas anaranjadas en las hojas, algunos hongos producen manchas marrones sin mayor trascendencia.

Empleo: la campanilla de las murallas forma elementos monocromos, tapices coloridos o cubre la base de las plantas o de las suspensiones. Puede adornar las jardineras de las barandillas del balcón en combinación con tabacos, heliotropos o pelargonios.

Consejo: suprima las flores marchitas.

Canna hybrida
CAÑACORO

Un delicioso toque exótico.
Planta vivaz (1m, 0 ºC).

Follaje: amplio, muy decorativo. Las hojas anchas y lanceoladas son a veces moteadas, de color castaño, púrpuras o con franjas amarillas.

Floración: las corolas son suntuosas, con colores vivos evocan a las orquídeas gigantes.

Especies y variedades: las variedades de hojas púrpuras («Fuego Mágico») o con franjas amarillas («Panach») tiene una presencia notable. Para los balcones elija cañacoros enanos (60 cm) como el «Picador». A quienes les guste los colores suaves pueden optar por la variedad «Angèle Martín» (1 m), de color salmón suave.

Comportamiento en el recipiente: proteja los cañacoros del viento ya que puede hacer volcar a las macetas y estropear el follaje.

Dimensiones del recipiente: al ser unas plantas muy sibaritas, necesitan un recipiente de como mínimo 30 cm en todas las magnitudes. Cambio de maceta cada año.

Exposición: cálida y soleada.

Tierra: prepare una mezcla con 1/3 de tierra con hojas, de compost a base de estiércol y de algas, además de arena para el drenaje.

Riego: ¡riegue con frecuencia para obtener bellos ejemplares! Aumente la dosis a medida que el follaje se vaya desarrollando. Riegue con abono líquido para geranios una vez a la semana y sólo cuando la tierra no esté bien húmeda.

Enemigos y enfermedades: los thrips estropean los brotes y los gusanos grises atacan los rizomas.

Empleo: en combinación con plantas de fuerte personalidad, como los tabacos gigantes, los amarantos, los abutilones moteados y las cleomas.

Consejo: a finales de octubre, desentierre, limpie e introduzca los rizomas para la próxima temporada. Consérvelos en un lugar sombrío y fresco.

▲ *Campanula barbata y portenschlagiana: fantasía azul.*

▲ *Campanula medio y lactiflora: gran prestancia.*

Canna x «Jocellyn»: una flor vestida de pantera. ▶

Capparis

C

▲ *Capparis spinosa:* crece en los lugares más áridos.

▲ *Capscium annuum:* el pimiento crece bien en maceta.

◀ *Carex* «Ever Bright»: un follaje muy original.

Capparis spinosa
ALCAPARRERA

Un cierto sabor picante.
Subarbusto (1 m, –3 ºC).
Follaje: casi redondo, en forma de corazón en la base, con estípulas espinosas.
Floración: las estamíneas delicadas, muy alargadas y en gran cantidad, casi violetas, con cuatro pétalos blancos en junio y julio.
Especies y variedades: La *Capparis spinosa* «Inermis» es ideal dado que no tiene espinas.
Comportamiento en el recipiente: la alcaparrera en maceta puede extenderse y ocupar mucho sitio.
Dimensiones del recipiente: la planta puede vivir en poca tierra. Una maceta de 25 cm en todas las magnitudes resulta indispensable para un arbusto adulto.
Exposición: lo más cálida y soleada posible, cerca de una pared orientada hacia el sur, por ejemplo.
Tierra: la alcaparrera aprecia las mezclas de tierra de jardín poco calcáreas, con mantillo y arena.
Riego: deje que la tierra se seque entre riego y riego (riegue una vez a la semana).
Enemigos y enfermedades: normalmente ninguno.
Empleo: disponga en la base de la alcaparrera plantas que requieran sequedad: jaras, valerianas, gazanias, arctotis, romero, euryops, lavanda, verdolagas. Entre la planta en invierno.
Consejo: arranque en verano las ramas leñosas.

Capsicum annuum
PIMIENTO

El color y el ardor del sol.
Hortaliza anual (de 20 a 80 cm, 5 ºC).
Follaje: lanceolado, verde intenso y suave.
Floración: en el nudo de las hojas se esconden flores blancas que se convertirán en hortalizas carnosas, verdes, rojas, amarillas o naranjas.
Especies y variedades: «Sweet banana» que produce frutos más grandes que un mano, de color rojo cuando están maduros y de sabor dulce. La «F1 Ariane» de sabor aromático intenso que seduce a los amantes de los sabores fuertes. Se utiliza la variedad «De Cayena» cuando está seca para realizar el pimentón que recibe el mismo nombre.
Comportamiento en el recipiente: saque las matas de pimiento a la terraza cuando las temperaturas nocturnas no desciendas a menos de 12 ºC.
Dimensiones del recipiente: cada mata debe tener un espacio mínimo de 30 cm.
Exposición: calor y a pleno sol para que todo vaya bien.
Tierra: el pimiento requiere una tierra con nutrientes. Añada a la tierra de la plantación una pizca de abono completo rico en potasio (abono para tomates).
Riego: para que los pimientos se desarrollen en armonía no deje que la tierra llegue a secarse.
Enemigos y enfermedades: la mosca blanca y los pulgones atacan frecuentemente esta planta.
Empleo: instale la mata de pimiento al lado de los tomates cereza en maceta, de la albahaca y del cebollino.
Consejo: no deje que la mata de todos sus pimientos. Con ocho bastará.

Carex spp.
CARRIZO

Presencia y motitas.
Planta vivaz (de 20 a 100 cm, 5 ºC).
Follaje: siempre rizado, varía de color, tamaño y finura en función de las especies. Es decorativo en invierno incluso cuando el frío arrecia.
Floración: las espigas, que a veces cuelgan son menos decorativas que el follaje.
Especies y variedades: *Carex buchananii* durante todo el año luce un color marrón rojizo. Alcanza 50 cm de altura. La «Viridis» adquiere reflejos plateados. La *Carex comans* es de follaje plateado y la versión reducida del precedente. La *Carex grayi,* de follaje ligero se mueve con el viento. La *Carex elata* «Bowles Golden» tiene un dorado muy bello durante todo el año.
Comportamiento en el recipiente: los *Carex* son vigorosos por naturaleza, rápidamente colonizan el espacio que se les asigna en detrimento de las plantas vecinas que se encuentran en el mismo recipiente. Es obligatorio cambiar de maceta cada año.
Dimensiones del recipiente: de 15 a 30 cm de amplitud y profundidad, en función de la especie.
Exposición: requieren una buena luminosidad, una exposición no muy fuerte o parcialmente sombreada.

Tierra: la mayoría de las especies prefieren una buena tierra universal que sea bastante consistente.

Riego: la mayoría de los carrizos prefieren estar en tierra húmeda permanentemente.

Enemigos y enfermedades: generalmente ninguna, salvo los gatos que devoran sus hojas.

Empleo: con los coníferas enanos o con bambúes. Las diferentes especies de carrizo y las gramíneas realzan la belleza de sus respectivos follajes.

Consejo: divida las matas demasiado compactas en primavera. Pode el follaje seco antes de que aparezcan las nuevas hojas.

Caryopteris x *clandonensis*
CARIOPTERIS

La nube azul del otoño.

Arbusto (1 m, –8 °C).

Follaje: gris verde, fino, alargado, con terminaciones muy elegantes. Aromático y sedoso al tacto.

Floración: ramilletes musgosos con flores azules, ligeras y decorativas que aparecen a finales de verano.

Especies y variedades: La «Heavenley Blue» presenta un porte compacto más erguido que el resto y posee un intenso color azul violáceo. La «Kew Blue» también posee un porte compacto, florece dos semanas después que el resto de carioptieris. El follaje dorado de la «Worcester Gold» seduce a los amantes de las plantas moteadas, pero este arbusto es un poco más frágil que el resto.

Comportamiento en el recipiente: el carioptieris tiene un desarrollo difícil durante los dos o tres primeros años. Por ello conviene podarlo en primavera y abonar para que su silueta se fortalezca.

Dimensiones del recipiente: de 25 a 30 cm de diámetro y profundidad.

Exposición: un rincón a buen recaudo de los fríos vientos y una luz correcta con algunas horas de sol por día harán que el corioptieris esté de maravilla.

Tierra: basta una buena tierra de jardín y 5 cm de piedras en el fondo del recipiente.

Riego: en pleno verano cada arbusto necesita media regadera por día.

Enemigos y enfermedades: normalmente ninguno.

Empleo: el carioptieris puede convertirse en el punto central de una gran jardinera, mezclada con plantas anuales de tonos pastel como las petunias, los pelargonios, las diascias o

las brachycomas. Las capuchinas de color naranja ofrecen un contrapunto ideal al azul de los carioptieris.

Consejo: corte los tallos después de la floración hasta 30 cm por encima de la base para que conserven un porte denso.

Cassia corymbosa
CASSIA DE CORIMBOS

Un rayo de sol.

Arbusto (1,80 m, –2 °C).

Follaje: semipersistente, compuesto por dos o tres pares de hojas lanceoladas de color verde suave.

Floración: corimbos de grandes flores radiantes de amarillo que florecen a finales de verano.

Especies y variedades: La *Cassia* x *floribunda,* un poco menos rústica, florece de junio a octubre. La *Cassia philiodenia,* persistente y de color gris plateado es muy apropiada para los pequeños balcones del mediterráneo. Florece en otoño y crece durante el invierno y la primavera. La *Cassia fistula* es suntuosa pero bastante sensible al frío.

Comportamiento en el recipiente: la cassia se desarrolla peor en maceta que directamente en el suelo. Pero si mantenemos su crecimiento mediante el riego con abono y la pinzamos, puede alcanzar hasta 1 m de ancho.

Dimensiones del recipiente: una caja de 40 cm de lado puede acoger a una cassia.

Exposición: en una pared al sur o al oeste recibirá todo el calor que precisa.

Tierra: la cassia se desarrolla en cualquier tierra de jardín de calidad o en mantillo.

Riego: la cassia requiere media regadera por día en verano. Conforme se vaya acercando el otoño, disminuya la cantidad y la frecuencia

Enemigos y enfermedades: las cassias a veces son víctimas de las cochinillas de las raíces. Las plantas se debilitan y las extremidades de los tallos se resecan.

Empleo: la cassia puede empalizarse contra una pared o una celosía. En dicho caso formará una pantalla preciosa. Se puede cultivar, aunque sea una opción más clásica, aisladamente, en una maceta. Es magnífica cerca de las palmeras.

Consejo: a finales de marzo, corte todos los brotes anuales a 30 cm de su punto de nacimiento o de la rama.

Cassia coymbosa: un arbusto coloreado pero sensible al frío. ▶

▲ *Caryopteris* x *clandonensis* «Haevenly blue»: florece tarde.

▲ *Cassia fistula*: reservada para las terrazas meridionales.

▲ *Ceanothus x delilianus «Gloria de Versalles»: veraniega.*

▲ *Ceanothus thyrsiflorus «Repens»: una alfombra azul.*

Ceanothus spp.
CEANOTO O LILA DE CALIFORNIA

Un arbusto con dos caras.

Arbusto (1,50 cm, –5 °C).

Follaje: perenne o caduco, con hojas pequeñas. A veces almenadas, ovales y brillantes.

Floración: las panículas de las florcillas son de un azul sin par, o de un rosa intenso excelente, aparecen abundantemente en mayo y huelen a miel.

Especies y variedades: *Ceanothus griseus* «Hurricane Point», persistente, de porte erguido (60 cm) florece en abril. *Ceanothus thyrsiflorus* «Blue Mond» semierguido (1 m) y persistente, florece abundantemente. *Ceanothus* x «Gloire de Versailles», caduco, forma una mata muy bella de color azul lino de 1,5 m de junio a agosto. «Marie Simon» es la versión rosa, un poco más tardía.

Comportamiento en el recipiente: los ceanotos resisten bien en recipiente incluso cerca del mar.

Dimensiones del recipiente: el ceanoto se expande a lo ancho. Dispóngalo en un recipiente que tenga como mínimo 40 cm de lado.

Exposición: todos los ceanotos prefieren estar cerca de una pared soleada.

Tierra: tierra, arena y mantillo mezclados.

Riego: en verano, regar cada dos días durante los dos primeros años. Después, la planta resistirá mejor las sequías.

Enemigos y enfermedades: las cochinillas pueden invadir las ramas. El hielo debe evitarse incluso en aquellas especies que se consideran «rústicas».

Empleo: en una jarra, las modalidades más desvanecidas se pueden empalizar contra la pared.

Consejo: compre el ceanoto a principios de temporada. Es mejor que la planta ya esté bien asentada para que pueda resistir mejor su primer invierno.

Cedrus deodara
CEDRO DEL HIMALAYA

Una conífera amplia y majestuosa.

Conífera (2 m, –20 °C).

Follaje: las jóvenes agujas tiernas y verdes dispuestas en forma de roseta se oscurecen conforme van madurando.

◄ *Cedros deodora «Aurea nana»: un cedro muy compacto.*

Floración: las piñas ovales, con escamas densas, sólo aparecen en los ejemplares de más edad.

Especies y variedades: sólo convienen las variedades bajas. *Cedrus deodora* «Aurea Nana» alcanza los 2 m cuando es adulto. Cuando es joven su follaje dorado resulta muy luminoso.

Comportamiento en el recipiente: el cedro del Himalaya enano crece lentamente. Se aconseja fijarlo en una barandilla o sujetarlo en la pared dado que el viento podría volcar la maceta y la planta. Basta cambiarlo de maceta cada tres años.

Dimensiones del recipiente: el recipiente debe medir como mínimo 30 cm de lado en el caso de un ejemplar pequeño.

Exposición: el cedro enano del Himalaya tiene suficiente con medio día de sol.

Tierra: tierra universal y tierra de jardín mezcladas.

Riego: una o dos veces a la semana durante los tres primeros años de su instalación. Después soporta breves períodos de sequía.

Enemigos y enfermedades: los pulgones pueden invadir las ramas y provocar así la aparición de la fumagina.

Empleo: con plantas que cubran el suelo de la base.

Consejo: pode las ramas cuando se sequen. Fertilice con abono de hojarasca.

Celosia argentea
CELOSÍA

Color en superlativo.

Planta anual (40 cm, 5 °C).

Follaje: lanceolado, verde pálido, compacto.

Floración: ramos erguidos con colores vivos que perduran de julio a octubre. Algunas variedades, como las «cresta de gallo» o la «cristata» recuerdan a los corales marinos.

Especies y variedades: en el grupo de las «Cristata», «Chef Vicolore» se distinguen por la originalidad de sus colores llameantes. *Celosia spicata* «Flamingo Feather» seduce a los amantes de los colores más suaves con sus plumas de color rosa suave.

Comportamiento en el recipiente: la celosía no soporta que otras plantas compitan con ella. Déjela en grupo. Retire las hojas amarillas que no dejarán de aparecer en la base del tiesto.

Dimensiones del recipiente: una barqueta de seis plantas jóvenes bastará para una jardinera de 60 cm de largo y 20 cm de profundidad.

Exposición: a buen recaudo del sol y el viento.

Tierra: añada un buen puñado de fertilizante orgánico completo a la tierra universal. Evite la tierra de jardín calcárea que hace amarillear a las plantas.

Riego: las celosías se mantienen impecables durante más tiempo cuando la tierra no llega a secarse nunca.

Enemigos y enfermedades: la podredumbre del cuello provoca el ajamiento prematuro de la planta.

Empleo: se aconseja que emplee la celosía en pequeñas proporciones, mezclada con plantas de follaje para que equilibren la intensidad de sus colores.

Consejo: abone cada diez días con abono líquido para plantas floridas.

Centradenia spp.
CENTRADENIA

Original y generosa aunque sensible al frío.
Subarbusto (40 cm, 5 ºC).

Follaje: lanceolado, ligeramente estampado, de color verde intenso y aterciopelado.

Floración: este primo de la tibuchina se adorna con corolas de flores de color magenta que se abren ampliamente. Esta bella floración dura buena parte del verano y hasta los primeros fríos, interrumpida por períodos breves de reposo.

Especies y variedades: «Cascada» posee un porte colgante que forma suspensiones geniales.

Comportamiento en el recipiente: la centradenia desarrolla matas muy generosas y floridas en la maceta, siempre que se beneficie de la luz y del calor. De lo contrario su floración no es muy activa.

Dimensiones del recipiente: una jardinera de 25 cm de ancho y de la misma profundidad bastan para una temporada.

Exposición: la centradenia requiere mucha luz. Pero en agosto le conviene una sombra ligera cuando el sol está en su cenit.

Tierra: la tierra para geranios es muy apropiada para la centradenia. Requiere mucho abono, por ello, en verano dilúyalo en el agua del riego una vez por semana.

Riego: no escatime agua durante el crecimiento y la floración. En invierno humedezca la tierra sólo cuando esté seca.

Enemigos y enfermedades: en una galería o en un invernadero frío vigile la creación de moscas blancas que podrían invadir las plantas más débiles.

Empleo: en suspensiones, o en macetas combinadas. El color de las flores puede ser difícil de combinar con otros tonos, a excepción del blanco. Las plantas de follaje gris combinan perfectamente con el rosa intenso de la centradenia.

Consejo: resguarde la centradenia en una galería a partir del mes de octubre. Antes de que crezca la vegetación, pode los brotes laterales a nivel de la segunda hoja a partir de la base.

Cerastium tomentosum
CERASTIO

Una alfombra pincelada de plata.
Planta vivaz (10 cm, –15 ºC).

Follaje: las finas ramas tienen hojitas de color verde gris mate, perennes y aterciopeladas.

Floración: blanco radiante, sus flores en forma de copa invertida llegan a cubrir la mata completamente.

Especies y variedades: *Cerastium arvense* «Compactum» forma un tapiz denso que se puede conservar bien en maceta.

Comportamiento en el recipiente: el cerastio, cultivado en una jardinera soporta las reverberaciones del calor y de la luz de las paredes del balcón.

Dimensiones del recipiente: un recipiente de 30 cm de longitud y 20 cm de profundidad bastará para que el cerastio se expanda a su gusto.

Exposición: soleada, incluso calurosa.

Tierra: a esta planta cubre suelos no le gusta la turba con excesiva retención de agua. Opte por tierra de jardín un poco arenosa, incluso con piedras.

Riego: un vaso de agua cada dos días durante el primer mes. Después, la lluvia aportará lo necesario.

Enemigos y enfermedades: normalmente ninguno.

Empleo: en la base de los arbustos que requieren sol, en artesas en combinación con sedums, armerias, cestillos de oro. ¿Y por qué no en suspensiones mezclada con surfinias?

Consejo: pode con tijeras después de la floración para darle una forma regular.

Cerasitum tomentosum: ideal para el borde de las macetas. ▶

▲ *Celosia x «Venezuela»: sus espigas brillan al sol.*

▲ *Celosia argentea y plumosa: una mezcla de gran éxito.*

▲ *Centradenia x «Cascade»: una belleza sorprendente.*

C

Ceratostigma

▲ *Ceratostigma plumbaginoides:* un bello tapiz azulado.

▲ *Cestrum aurantiacum:* un arbusto sensible al frío.

◄ *Cestrum elegans:* hay que protegerlo en invierno.

Ceratostigma spp.
CERATOSTIGMA

Una planta tapizante con chiribitas azules.
Subarbusto (60 cm –8 ºC).

Follaje: las hojas lanceoladas no tienen casi ningún pecíolo. Son verdes, sombreadas de caoba en primavera y finalizan la temporada de color bronce.

Floración: las corolas azul genciana delicadamente veteadas de rojo aparecen constantemente en verano.

Especies y variedades: *Ceratortigma plumbaginoides* es una planta tapizante que no supera los 25 cm de altura. *Ceratostigma willmottianum* es una modalidad arbustiva de porte ligero y gracioso, que raramente supera los 60 cm en el recipiente.

Comportamiento en el recipiente: la especie es baja, rústica, forma un manto denso que recubre totalmente el recipiente. El frío hace que desaparezcan rápidamente las especies arbustivas. Cambio de maceta cada dos años.

Dimensiones del recipiente: para la especie baja, una maceta de 30 cm de diámetro y 20 cm de profundidad. La especie arbustiva vivirá perfectamente en un recipiente de 30 cm de profundidad y 35 cm de largo.

Exposición: adora el sol y la luz siempre y cuando el lugar donde se encuentre esté bastante fresco.

Tierra: una buena tierra universal bastante consistente.

Riego: dos o tres veces a la semana en función de la estación y la temperatura ambiente.

Enemigos y enfermedades: durante los inviernos rigurosos, las ceratostigmas pueden helarse a ras de suelo. Pero lo más frecuente es que se recuperen a partir de la raíz.

Empleo: combínela con plantas floridas como lantanas verbenas o bidens, para que diluyan su denso follaje.

Consejo: proteja la raíz en invierno con una buena capa de corteza de pino.

Cestrum spp.
CESTRUM O PALQUI AMARILLO

Todo un verano con flores y exotismo.
Arbusto (1,50 m, 0 ºC).

Follaje: semiperenne y verde intenso. Las hojas lanceoladas alcanzan los 10 cm de longitud.

Floración: las campanilla tubulares, amarillas, rojas o blancas en función de la especie, aparecen durante todo el verano.

Especies y variedades: el «galán de noche», *Cestrum nocturnum*, es capaz de perfumar la terraza completamente cuando cae la noche. Florece en diferentes ocasiones a lo largo del verano y hasta octubre. Sus flores están cerradas durante el día. *Cestrum elegans* florece con tonos rojos y anaranjados y el *Cestrum aurantiacum* posee millares de trompetillas de color amarillo cobrizo.

Comportamiento en el recipiente: los cestrums forman ramilletes volátiles. Las ramas pueden alcanzar 40 cm en función de la estación. No dude en cortarlas.

Dimensiones del recipiente: una planta adulta requiere de un recipiente de 35 cm de lado y 30 cm de profundidad.

Exposición: Esta especie suramericana exige calor. La encontrará cerca de una pared expuesta a pleno sur.

Tierra: desde el momento de la compra, cambie el cestrum a una tierra con cortezas ligeras. Aporte a la superficie un puñado de fertilizante orgánico a base de estiércol para que la planta esté estimulada durante toda la estación.

Riego: durante el período de crecimiento, en primavera y durante la floración, riegue cada dos días. Cuando entre el cestrum, limite el riego a una vez cada diez o quince días.

Enemigos y enfermedades: los pulgones se instalan en sus hojas y las deforman.

Empleo: empalice el *Cestrum nocturnum* en una pared bien expuesta o guíe sus ramas alrededor de una columna. Combínelo con plantas floridas dado que su silueta es poco atractiva cuando no florece.

Consejo: proteja los cestrums del frío invernal con varias capas de velo no tejido.

Chaenomeles speciosa
MEMBRILLERO DE JAPÓN

La primavera en primicia.
Arbusto (1,50 cm, –15 ºC).

Follaje: dentado, bastante espeso, como si fueran pequeñas hojas de manzano.

Floración: aparecen ramilletes de flores muy pronto, hacia el mes de febrero si el tiempo es suave. Las flores tienen forma de copa, parecidas a las del manzano, de color rosa intenso o rojas.

Especies y variedades: *Chaenomeles speciosa* «Nivalis» presenta un porte abierto dotado de un manto inmaculado y suntuoso en el mes de marzo. *Chaenomeles speciosa* «Toyo Noshiki» ofrece una de las más delicadas floraciones que existen, con ramilletes en los que el blanco se entremezcla con el rosa.

Comportamiento en el recipiente: el membrillero de Japón crece menos rápido en maceta que en plena naturaleza. Pero dura más tiempo si se cambia de maceta cada dos años.

Dimensiones del recipiente: lo ideal es plantarlo en una caja de cultivo de 30 cm de lado.

Exposición: soleado, resguardado en una pared.

Tierra: requiere una buena tierra de jardín. Puede también realizar una mezcla a partes iguales con tierra para rosales y tierra de plantación.

Riego: una vez a la semana a partir del mes de abril. Duplique el ritmo de riego a partir de junio. Olvídelo en invierno.

Enemigos y enfermedades: el agua de riego demasiado calcárea puede provocar, después de algunos años, la clorosis de las hojas que amarillearán...

Empleo: coloque el membrillero de Japón encima de un manto de muguete o de miosotas. Siémbrelo combinándolo con escilas, crocos, muscaria o añada algunos narcisos para obtener una escena primaveral excelente. Plante también pensamientos.

Consejo: a pesar de que su terraza no sea muy soleada, no renuncie al membrillero de Japón. Dará menos flores pero crecerá sin problemas. Puede apoyarse en una pared.

 Chamaecyparis lawsoniana
CIPRÉS DE LAWSON

Los más bellos enanos de jardín.
Conífera (de 40 cm a 2 m, -15 °C).
Follaje: tiene muchas ramas con minúsculas agujas que no pinchan. Las hojas más jóvenes, en la extremidad de sus brotes, son de color verde, amarillo o azul y confieren el color predominante al arbusto. Cuando se frotan desprenden un olor intenso de... ¡perejil!
Floración: no tienen valor decorativo.
Especies y variedades: «Elwood's Pillar» alcanza 1 m a los diez años y 1,5 m a los veinte años. El ciprés de Lawson

Una balconera invernal con varios *Chamaecyparis*. ▶

no supera los 40 cm de ancho. Resiste la cal del agua y la contaminación de las ciudades. «Elwood's Gold», supera en 50 cm a la anterior y es de color amarillo-verde a principios de temporada. «Ellwoodii» es de color verde azulado, bastante ligera y crece en forma de columna. «Minima» y «Glauca» son variedades que no superan 1 m y son ideales para los balcones pequeños. Una especie similar, la *Chamaecyparis pisifera*, ofrece una gran cantidad de numerosas variedades enanas como la «Nana» de 40 cm de altura o la «Compacta», una gran bola baja o la «Plumosa Aurea Nana» un arbustillo cónico que conserva la plenitud de su color dorado a lo largo de todo el año.

Comportamiento en el recipiente: las variedades enanas pueden permanecer durante muchos años en los mismos recipientes siempre que se cambie la tierra de la superficie una vez al año.

Dimensiones del recipiente: disponga una maceta de 30 cm de profundidad y de ancho.

Exposición: la sombra parcial es ideal para su color. Las variedades doradas requieren más luz.

Tierra: una tierra enriquecida con una pizca de abono para coníferas garantiza un buen crecimiento.

Riego: el ciprés de Lawson soporta las sequías esporádicas pero es mejor que no pase sed porque puede debilitarse. En este caso es más sensible a las enfermedades. Riegue cada semana.

Enemigos y enfermedades: un hongo concreto, la phytophthora, hace que las hojas se deterioren.

Empleo: los cipreses de Lawson combinan agradablemente con las gramíneas y demás coníferas enanos. Sus diferentes formas y colores realzan los unos y los otros.

Consejo: sujete bien las jardineras de estos coníferas para disponer siempre de una presencia vegetal decorativa.

▲ *Chaenomeles x* «Jane Taudevin»: muy florida.

▲ *Chamaecyparis lawsoniana* «Green Gonder»: elegante.

Chamaecyparis lawsoniana «Ellwoodii»: ideal en maceta. ▶

C

Chamaerops

▲ *Chamaerops humilis:* es un palmito muy sensible al frío.

▲ *Cheianthus cheirii:* el alhelí más fácil de primavera.

 Cheiranthus allionii «Lingote de oro»: un colorido vivo.

Chamaerops humilis
PALMERA ENANA O PALMITO

¡La única palmera genuina de Europa!
Palmera (2,5 m, −5 ºC).

Follaje: grandes abanicos, casi redondos, con limbos de color verde claro en la parte superior y plateados en la parte inferior. Un terciopelo blanco cubre los pecíolos finos y repletos de espinas marrones bastante afiladas.

Floración: aparecen racimos densos de pequeñas flores amarilla en mayo y junio.

Especies y variedades: existen muchísimas variedades, algunas casi azules.

Comportamiento en el recipiente: la palmera enana crece lentamente, más a lo ancho que a lo largo. Vive durante varios años en recipientes bastante profundos.

Dimensiones del recipiente: un recipiente adecuado, de 30 cm de ancho por 40 cm de profundidad, ofrece todo el volumen necesario.

Exposición: resguarde la palmera enana de los vientos fríos. Se siente a gusto en el sol o bajo una sombra parcial.

Tierra: la *Chamaerops* estará más a gusto en una tierra seca, arenosa e incluso con rocas.

Riego: la planta soporta bien la sequía, pero es aconsejable regarla una vez a la semana, sobre todo durante los dos primeros años.

Enemigos y enfermedades: las arañas rojas atacan los ejemplares más débiles que están mal cultivados.

Empleo: aislada o con flores veraniegas.

Consejo: suprima las palmas que se hayan secado. En invierno, excepto en la zona mediterránea, resguarde la planta en una galería.

Cheiranthus spp.
ALHELÍ AMARILLO

Tonos cálidos para la primavera.
Vivaz o bianual (50 cm, −10 ºC).

Follaje: bastante fino, alargado en forma de pequeñas lengüetillas retorcidas. Algunas variedades moteadas de color amarillo aportan un toque luminoso.

Floración: ramos de pétalos redondeados. Los alhelíes arbustivos poseen la gama completa del color del fuego.

Especies y variedades: *Cheiranthus* x *allionii* (pocas veces se etiqueta con su auténtico nombre, *Erysimum* x *allionii*) desarrolla matas generosas. *Cheiranthus cheiri,* el alhelí amarillo, bianual, ofrece todos los tonos que van del blanco al escarlata pasando por los amarillos. Lo podemos encontrar en versiones altas (hasta 60 cm) o bajas (20 cm).

Comportamiento en el recipiente: los alhelíes forman opulentas macetas, sobre todo el primer año.

Dimensiones del recipiente: 25 cm en todas las magnitudes como mínimo. En un recipiente más pequeño se secaría rápidamente.

Exposición: soleada y resguardada del viento.

Tierra: una buena tierra de jardín, neutra y no arcillosa o tierra universal.

Riego: dos o tres veces a la semana.

Enemigos y enfermedades: ninguno, pero los alhelíes tienen una corta vida. Sustitúyalos sin lamentarse.

Empleo: las flores naranja hacen daño a la vista cuando se plantan demasiado densas. Pero, cuando se combinan con el color azul, su color complementario, forman escenas muy bellas. Disponga también heliotropos, ceratostigmas, lobelias, scaevolas, petunias, verbenas y lavandas.

Consejo: retire las flores marchitas y pince los tallos para que la mata se compacte.

Chelone obliqua
CABEZA DE TORTUGA

Pequeñas cabezas rosas.
Planta vivaz (70 cm, −10 ºC).

Follaje: verte intenso, lanceolado y dentado.

Floración: las extremidades de los tallos tiene espigas densas de flores de color rosa oscuro, casi cerradas, como pequeños hocicos aplanados. Los labios entreabiertos dejan ver una lengüetilla de estambres amarillos.

Especies y variedades: «Alba» es la réplica exacta en color blanco de la planta tipo.

Comportamiento en el recipiente: las *chelone* crecen bien en maceta. Su floración coincide con el regreso de las vacaciones y dura hasta octubre.

Dimensiones del recipiente: dos ejemplares de esta planta vivaz pueden estar a gusto, durante el primer año, en una jardinera de 30 × 20 cm.

Exposición: un sol no demasiado ardiente o una luz tamizada por una persiana permiten que la cabeza de tortuga alcance un buen desarrollo.

Tierra: arcillosa, a ser posible, para que retenga bien el agua. A falta de una tierra de este tipo, añada un gran puñado de turba parda a la tierra de plantación.

Riego: si sólo puede regarla los fines de semana, riéguela el domingo por la noche, con una triple dosis de agua Deje agua en el platillo y lleve la planta hasta la sombra.

Enemigos y enfermedades: generalmente ninguno.

Empleo: Combínela con helechos, astilbes y hostas.

Consejo: pode los tallos después de la floración.

Chimonanthus praecox
PIMIENTA JAPONESA O FLOR DE INVIERNO

Un suave perfume en pleno invierno.
Arbusto (2 m, –15 ºC).

Follaje: caduco, lanceolado, verde brillante.

Floración: las pequeñas campanillas en forma de estrella, amarillo pálido con centro púrpura, solitarias o reunidas de dos en dos en las ramas desnudas, desprenden un potente perfume especiado, de diciembre a febrero, cuando el tiempo se suaviza.

Especies y variedades: las flores de la variedad «Grandiflorus» poseen un color amarillo cobrizo, manchado de rojo. Las de la variedad «Luteus» presentan un amarillo sorprendente, sin trazos rojos. En ambos casos, las flores son más anchas que las de la planta tipo.

Comportamiento en el recipiente: tenga paciencia, la pimienta japonesa sólo florece después de algunos años. Instale el recipiente cerca de una puerta o de un lugar de paso para disfrutar de su perfume invernal.

Dimensiones del recipiente: una mata joven puede vivir varios años en un recipiente de 30 × 30 cm. Cuando consiga amplitud, puede cambiarla de recipiente en una que tenga como mínimo 40 × 40 cm.

Exposición: una pared con una exposición sur favorece una abundante y perfumada floración.

Tierra: las raíces de la pimienta japonesa no deben empaparse de agua. Colóquela en una tierra con cortezas, con un buen drenaje, a la que deberá añadir una quinta parte de tierra para cactus.

Riego: el agua de la lluvia será suficiente en invierno. En verano mantenga el crecimiento con un buen riego cada dos días. Añada abono líquido para arbustos.

Enemigos y enfermedades: las manchas marrones en las hojas son síntoma de condiciones de cultivo defectuoso.

Empleo: sola, en un recipiente pegado a la pared en segundo plano de un grupo de jardineras.

Consejo: al ser muy bulliciosa en su juventud, la pimienta japonesa debe vigilarse con atención durante el primer invierno. Proteja la planta en un invernadero en caso de que el termómetro baje a –10 ºC.

Chionodoxa luciliae
GLORIA DE LAS NIEVES

Toda la ternura de la primavera.
Planta bulbosa (20 cm, –10 ºC).

Follaje: en forma de correas puntiagudas, de color verde intenso y bordeado de color bronce cuando las hojas salen.

Floración: los tallos ligeros y cortos tienen cinco o seis estrellas de seis pétalos de 2 cm de diámetro agrupadas, de color azul, rosa o blanco.

Especies y variedades: a quien le guste el blanco preferirá la variedad «Alba». La «Pink Giant» y la «Rosea» son variedades de color rosa. Pero en azul, las *Chionodoxa* son mucho más bellas: «Gigantea» ofrece grandes flores de color azul con un centro blanco.

Comportamiento en el recipiente: una vez plantada, en otoño, podemos olvidar la gloria de las nieves. Reaparece fielmente cada primavera.

Dimensiones del recipiente: en general se encuentran bulbos de «glorias de las nieves» de 30 en 30. Un recipiente de 10 cm de profundidad y 20 cm de longitud puede acoger una docena. En la plantación, espacie los bulbos dejando la distancia de un dedo entre ellos.

Exposición: soleada o sombra parcial.

Tierra: bien drenada, no demasiado rica. Añada un gran puñado de arena a la tierra de la plantación para mejorar la permeabilidad del sustrato.

Riego: vigile la tierra en invierno para que no se seque. En primavera bastará con la lluvia.

Enemigos y enfermedades: las babosas devoran las hojas. El carbón folicular ataca los estambres.

Empleo: en macetas primaverales, recubierta con un tapiz de helxina. Mezclada con escilas jacintos, crocos o pushkinias.

Consejo: cuando las hojas se hayan amarilleado completamente, desentierre los bulbos, sepárelos y sustitúyalos en las jardineras vecinas.

▲ *Chelote obliqua:* una vivaz que requiere mucho sol.

▲ *Chimonanthus praecox:* florece en pleno invierno.

Chionodoxa lucilae: adorable a principios de primavera. ▶

C

▲ *Chlorophytum elatum:* ideal para los cestos colgantes.

▲ *Choisya ternata:* adora las exposiciones con luz tamizada.

◄ *Chrysanthemum coccineum* «Brenda»: gran floración.

Chlorophytum elatum
CLOROFITUM

Siempre a gusto, tanto dentro como fuera.
Planta de galería (40 cm, 5 ºC).

Follaje: en forma de cintas, de color verde pálido, estriado con color blanco.

Floración: bellas estrellas de color blanco que acompañan las rosetas de hojas que se encuentran en tallos largos y ligeros (estolones).

Especies y variedades: «Variegatum» es la que se cultiva más a menudo. Existen variedades totalmente verdes, pero menos decorativas.

Comportamiento en el recipiente: el clorofitum ocupa rápidamente un espacio prominente. Divídala cada dos años.

Dimensiones del recipiente: los brotes más jóvenes que producen los estolones echan raíces en recipientes de 7 cm de diámetro. Los ejemplares adultos pueden vivir bien en macetas de 25 a 30 cm de ancho.

Exposición: resguarde del viento a los clorofitums, colóquelos en un lugar luminoso pero templado.

Tierra: el clorofitum requiere un sustrato rico que retenga el agua. Una mezcla de turba, tierra con hojas y estiércol compuesto (1/3 de cada componente). La tierra preparada para las plantas verdes es apropiada si se añade una pizca de abono.

Riego: deje que pase tiempo entre riego y riego.

Enemigos y enfermedades: las extremidades de las hojas de color marrón son síntoma de que la planta debe cambiarse de maceta.

Empleo: el clorofitum es ideal para las suspensiones. Además se puede emplear en jardineras, con plantas anuales.

Consejo: no olvide aplicar abono líquido semanalmente entre junio y septiembre.

Choisya ternata
NARANJO DE MÉXICO

Un perfume agradable de naranjo.
Arbusto (1,50 m, –7 ºC).

Follaje: persistente, verde brillante, trifoliado, decorativo a lo largo de todas las estaciones.

Floración: en primavera, la planta se cubre con flores de color blanco con olor a miel. Aparecen discretamente flores también en agosto que llegan a su punto álgido en septiembre.

Especies y variedades: «Aztec pearl», de follaje muy fino y decorativo, es la más bella de la especie. Sus flores rosas también son ligeramente más grandes. «Sundance» tiene el follaje dorado, sobre todo en primavera.

Comportamiento en el recipiente: para una mata pequeña, empiece con un recipiente de 25 cm de lado. Conforme pasen los años acabará por plantarla en una gran maceta de 40 cm de ancho y alto.

Dimensiones del recipiente: el naranjo de México requiere una gran cantidad de tierra.

Exposición: no tiene miedo del sol. Sin embargo, se conserva más bello a media sombra.

Tierra: una tierra muy porosa y ácida.

Riego: el naranjo de México tiene mucha fama por su resistencia a la sequía. Ello sólo sirve cuando se encuentra en plena tierra, pero no deje nunca que la tierra se seque totalmente cuando esté en un recipiente.

Enemigos y enfermedades: las heladas queman el follaje.

Empleo: el naranjo de México tiende a desarrollarse vigorosamente. Es mejor tenerlo solo en una maceta. Pero a su lado puede ponerle fucsias, begonias u hostas.

Consejo: resguarde el recipiente durante el invierno en una esquina de una pared con orientación sur u oeste con el fin de proteger, naturalmente, la planta del frío.

Chrysanthemum coccuneum
CRISANTEMO

Colores tónicos para verano.
Planta anual (70 cm, –8 ºC).

Follaje: verde, fino y vaporoso.

Floración: grandes margaritas, sencillas o dobles, rosas, blancas o rojas que florecen a partir de mayo. En julio dejan de aparecer, pero resurgen algunas en septiembre.

Especies y variedades: las variedades simples como la «Robinson Pink», de color rosa intenso, o la «Robinson Red», rojas con el corazón amarillo, ofrecen un aspecto menos sofisticado que las flores dobles.

Comportamiento en el recipiente: los crisantemos se deben dividir cada dos años para que formen una bella maceta compacta y florida.

Dimensiones del recipiente: vale la pena disponer de un gran recipiente desde el principio porque a los crisantemos no les gusta estar apretados. Una maceta de 25 a 30 cm de lado y 20 cm de profundidad será lo ideal.

Exposición: los crisantemos adoran el sol y el calor, pero para evitar que se asfixien, separe la maceta de las paredes en pleno verano.

Tierra: sólo se consigue una floración abundante con tierra enriquecida con estiércol compuesto.

Riego: el crisantemo puede resistir algún olvido. Pero mantenga una regularidad en el riego cuando aparezcan los primeros capullos.

Enemigos y enfermedades: normalmente ninguno.

Empleo: el crisantemo combina perfectamente con plantas de solano como las nepetas o las stachys. Las euforbias mezcladas con las variedades rojas del crisantemo forman macetas radiantes.

Consejo: tutore discretamente los tallo de más de 50 cm de alto.

Chrysogonum virginianum
CHRYSOGONUM

Un manto de estrellas.
Planta vivaz (30 cm, -5 °C).
Follaje: verde, mate y rugoso, no crece más de un palmo.

Floración: de junio a septiembre aparece una gran cantidad de estrellas amarillas que nos recuerdan a las zinnias.

Especies y variedades: sólo se encuentra la especie tipo: *Chrysogonum virginianum.*

Comportamiento en el recipiente: en recipiente el chrysogonum forma una mata que es compacta y dispersa a la vez.

Dimensiones del recipiente: durante el primer año el chrysogonum puede estar en un recipiente de 15 cm de diámetro. Después, cuando se abre, requiere de un recipiente de 25 cm.

Exposición: este primo de los aster prefiere, al igual que ellos, los emplazamientos soleados no demasiado cálidos.

Tierra: una buena tierra de plantación, ligera y porosa, es la mejor para el chrysogonum. Añada un puñado de estiércol bien descompuesto por cada mata.

Riego: como promedio dos veces a la semana.

Enemigos y enfermedades: normalmente ninguno. El hielo puede dañar la planta. Espere un mes antes de tirar

la maceta, en primavera, porque el chrysigonum vuelve a crecer a partir de sus raíces.

Empleo: plante el chrysigonum en el borde de las grandes jardineras. Mézclelo con anuales u otras vivaces que requieran de las mismas atenciones que él, como las boltonias, coreopsis, erigerons, heleniums, asters de otoño, etc.

Consejo: cuando la mata sea demasiado densa, normalmente después de dos años, divídala.

Cistus spp.
JARA

Una planta sensible al frío con un carácter ardiente.
Arbusto (de 30 cm, -6 °C).
Follaje: perenne, lanceolado, verde-gris.

Floración: los frágiles pétalos de seda blanca o de color rosa se abren durante la mañana para desprender su olor durante el atardecer. Tiene tantas flores que la floración parece continua entre mayo y junio.

Especies y variedades: *Cistus corbariensis,* de porte compacto y estilizado, no le gusta la tierra calcárea. *Cistus* x *purpureus* puede superar 1 m de altura.

Comportamiento en el recipiente: cultivada en maceta se hiela muy fácilmente, sobre todo a la altura de las raíces. El *Cistus corbariensis* es uno de los más resistentes.

Dimensiones del recipiente: una planta puede vivir en un recipiente de 25 cm de ancho y de profundidad. Para un efecto más rápido, reúna dos o tres plantas en una gran jarra de 40 cm de ancho y 30 cm de profundidad.

Exposición: sol, mucho sol.

Tierra: una tierra pobre y bien drenada como la del carrascal, que es su tierra original. Añada arena a la tierra.

Riego: la jara resiste muy bien la sequía. Basta con un riego semanal en verano y bimensual en invierno.

Enemigos y enfermedades: el hielo es su principal enemigo. Si la temperatura desciende a menos de -5 °C, proteja el recipiente y la planta. Manténgala en un lugar seco.

Empleo: mezcle la jara con todas las plantas que son propias del clima mediterráneo: laurel rosa, plumbago, cítricos, salvia, pelargonios de hojas perfumadas, etc.

Consejo: durante las épocas frías, vigile que la maceta de las jaras esté protegida de la humedad.

▲ *Chrysogonum virginianum:* un tapiz muy florido.

▲ Cistus x *purpureus:* una floración muy abundante.

Cistus x corbariensis: florecillas de color blanco puro. ▶

Citrus

▲ *Citrus mitis*: el calamondin es una de las más rústicas.

◀ *Citrus limon* «Meyer»: limonero productivo en maceta.

Citrus spp.
CÍTRICOS

Lo tienen todo para gustar.
Arbusto (2 m, –3 °C).

Follaje: un pequeño pedúnculo con hojas ovales, lisas, brillante y persistente. Las ramas tienen espinas verdes y afiladas.

Floración: los capullos son redondos y sedosos abriéndose en blancas estrellas de diciembre a marzo. Su olor perfuma las noches de invierno. Los frutos van madurando en función de la aparición del calor y la luz.

Especies y variedades: en maceta el interés del naranjo es más decorativo que productivo. Las variedades de cítricos no siempre se mencionan en la etiqueta. En los lugares especializados podemos encontrar *Citrus* x *limon* «La Valette», un híbrido de la lima y del limonero que florece abundantemente y perfuma a varios metros de distancia. El *Citrus* x *limon* « 4 estaciones» ofrece una floración que aparece a lo largo del año. El

Citrus nobilis, el mandarino, ofrece muy buenos resultados, porque resiste bien el frío, al igual que el calamondin.

Comportamiento en el recipiente: los cítricos cuando están cultivados en recipientes se muestran más sensibles al frío que aquellos que están plantados directamente en la tierra. Una caída de temperatura, incluso breve, puede helar los capullos o las frutas más tempranas. Cuando se encuentre en una región que esté a más de 100 Km de distancia de la costa, coloque el naranjo en una pared con una buena exposición para atenuar la brutalidad de las diferencias de temperatura.

Dimensiones del recipiente: un arbusto con una copa de más de 60 cm de ancho debe disponer de un recipiente de 40 cm de diámetro y profundidad.

Exposición: para la floración y la formación de los frutos requiere pleno sol y calor.

Tierra: ligera, fértil y rica en materia orgánica (añada algunos puñados de compost a base de estiércol y algas), además de bien drenada (dos o tres puñados de arena para mejorar la mezcla).

Riego: los cítricos requieren mucha agua en primavera, tal vez menos en verano y prácticamente nada en otoño e invierno.

Enemigos y enfermedades: las cochinillas invaden a menudo los cítricos que están en maceta. Para prevenirlas hay que realizar varias veces una limpieza manual, con un algodón empapado con una solución ligeramente alcoholizada.

Empleo: los cítricos se cultivan, normalmente, por separado en un recipiente. Coloque como vecinas una

▼ *Citrus nobilis*: el mandarino fructifica bien en recipiente.

selección de plantas mediterráneas, como jara, tomillo, laurel rosa, agapantos, pitosporum, granados y lavanda.

Consejo: pode los cítricos en forma de bola, desde las ramas del centro para que se pueda airear mejor. Para aquellas plantas que crezcan en libertad, sólo pode la parte de las ramas que haya dado fruto.

Clematis spp.
CLEMÁTIDE

¡Voluble, floreciente, indispensable!
Planta trepadora (de 2 a 4 m, –10 ºC).

Follaje: compuesto por tres folículos, incluso divididos entre ellos, normalmente lanceolados y de un precioso color verde mate.

Floración: las clemátides tienen grandes flores planas en forma de estrella o incluso redondeadas. Algunas se recubren con un manto de campanillas muy ligeras. Toda la gama del arco iris se plasma en ellas, salvo el naranja intenso.

Especies y variedades: *Clematis alpina* es la primera que florece, con tímidas campanillas de gran encanto. La variedad «Francis Rives» posee un color azul violeta muy vivo, así como la «Blue Giant». Existen centenas de variedades, todas ellas muy interesantes.

Comportamiento en el recipiente: en una terraza despejada, sin la presencia de otras plantas que creen un microclima fresco y húmedo, la clemátide prospera con dificultad. Es una planta de sotobosque.

Dimensiones del recipiente: lo correcto es colocar la clemátide sola en un recipiente de 30 cm de lado. Elija un modelo que sea más profundo que ancho. Cuando la plante entierre un poco el cuello y cubra la planta con una teja.

Exposición: La situación que sueña cualquier clemátides es la de encontrarse bajo la sombra, con el cuerpo entre el cielo y la tierra, acariciada por la brisa y la cabeza a pleno sol, recostada perezosamente en un apoyo sólido. Para poder intentar reproducir estas condiciones idóneas, instale la planta contra una pared orientada al este. Fije una celosía para que no se desprenda de la pared y para que el aire circule correctamente. Esconda el recipiente de las clemátides detrás

de un arbusto denso, persistente y tupido. El naranjo de México o un *Physocarpus*, por ejemplo, aportará a la clemátides un poco de la sombra y el frescor que tanto requiere.

Tierra: las clemátides prefieren un suelo rico poco calcáreo. Mezcle 1/3 de turba marrón con tierra de follaje. Añada una pizca de cal viva y abono de liberación lenta, para que se vaya descomponiendo a lo largo de los siguientes seis meses.

Riego: hay que tener mucho cuidado porque las clemátides no soportan tener ¡los pies secos! Si instala un riego automático o gota a gota, la clemátide será la primera de todas las plantas que sabrá sacarle el partido. Procure que siempre esté húmeda para evitar el marchitamiento.

Enemigos y enfermedades: los pulgones a veces invaden las hojas amarillas. El oídio cubre las hojas con un vello de color grisáceo. En ocasiones es posible que algún hongo ataque la base de las plantas más jóvenes, que se secan y mueren en el plazo de un mes. No vuelva a utilizar nunca más el mismo recipiente para otra clemátide sin antes haberlo lavado y frotado bien con lejía.

Empleo: la clemátide escala por todos los soportes que estén a su alcance como las celosías, las pérgolas y los pilares. Es una planta de follaje caduco, instálela en compañía de una akebia o con una madreselva semipersistente. Así, en invierno también resultará decorativa.

Consejo: pode en invierno todas las ramas cerca del suelo. A partir de abril, ponga abono líquido una vez cada dos riegos.

▲ *Clematis* x «Hagley»: grandes estrellas de color pastel.

▼ Una novedad muy pura: *Clematis* «Early Sensation».

Clematis alpina «Blue Giant»: ligereza total. ▶

Clematis florida «Bicolor» es una de las más sutiles. ▶

▲ *Cleome spinosa:* majestuosa finura.

▲ *Clivia miniata:* florece mejor tras un período en el exterior.

Cleome spinosa
CLEOMA

Melodía en rosa mayor.
Planta anual (1,5 m, 3 °C).

Follaje: verde medio, dividido en seis o siete folíolos puntiagudos. Los tallos velludos son espinosos.

Floración: los estambres superan en tamaño a los pétalos estrechos que tienen todos los tonos del rosa. Las flores se reúnen en racimos redondos en el extremo de los tallos, de julio a octubre.

Especies y variedades: «Reina de las cerezas» tiene un rojo carmín muy tierno. «Helen Campbel» es la única variedad de color blanco puro, mientras que la «Reina de las violetas» es de color rosa intenso.

Comportamiento en el recipiente: se obtienen macetas espectaculares con la aportación regular de abono.

Dimensiones del recipiente: dos plantas pueden cohabitar en un recipiente de 30 cm de diámetros.

Exposición: la cleoma requiere sol para expandirse, además de un emplazamiento resguardado del viento.

Tierra: una tierra de jardín bien drenada.

Riego: en pleno verano, la cleoma se bebe la mitad de una regadera cada dos días.

Enemigos y enfermedades: los pulgones se encuentran en las axilas de las hojas y sobre todo en los brotes jóvenes.

◄ *Cobaea scandens:* más vale tarde que nunca.

Empleo: varias plantas de cleomas en un gran recipiente para obtener un decorado espectacular. Añada cosmos para conseguir aún más ligereza y una artemisa par acentuar el color plateado de su follaje. La combinación será excelente.

Consejo: las cleomas deben recibir una dosis de abono líquido cada quince días.

Clivia spp.
CLIVIA

Dentro y fuera a la vez.
Planta vivaz (50 cm, 5 °C).

Follaje: verde intenso, en franjas. Las hojas barnizadas alcanzan a veces los 50 cm de longitud.

Floración: los tallos ofrecen, de mayo a octubre, entre diez y veinte flores de colores muy cálidos que crecen verticalmente.

Especies y variedades: *Clivia miniata* posee flores verticales. Las flores de la *Clivia nobilis* son menos espectaculares y caen en suaves racimos. *Clivia* x *cyrtanthiflora* es un híbrido de las anteriores con grandes flores colgantes.

Comportamiento en el recipiente: a la clivia no le gusta que la cambien de maceta muy a menudo.

Dimensiones del recipiente: un recipiente de 15 cm de diámetro y 15 cm de profundidad. Las plantas adultas requieren 30 cm.

Exposición: el sol demasiado cálido quema las hojas. Lo ideal es una exposición a buen recaudo del viento.

Tierra: mezcle una parte de tierra para plantas verdes con otra mitad de arena y turba.

Riego: es mejor dejar que se seque completamente el recipiente entre riego y riego.

Enemigos y enfermedades: las cochinillas harinosas eligen como residencia la base de las hojas.

Empleo: la clivia se sentirá muy a gusto junto con el chlorophytum y los espárragos,

Consejo: intente no dañar las raíces frágiles y carnosas cuando las cambie del recipiente.

Cobaea scandens
COBEA

Campanilla en forma de obispo.
Planta vivaz (4 m, 5 °C).

Follaje: exuberante, verde oscuro, persistente en las galerías. Las hojas, en forma de pluma, con tres pares de folíolos se encuentran en tallos que pueden alcanzar 4 m en una temporada.

Floración: las campanillas, de color verde cuando aún son botones y finalmente de color azul tinta cuando se abren, se parece a grandes campánulas, delicadamente colocadas en un cáliz muy abierto. Los estambres presentan un gran colorido.

Especies y variedades: además de las cobeas violetas, existe una variedad de color blanco, «Alba».

Comportamiento en el recipiente: en las regiones cuyo clima es suave, las cobeas en las macetas son vivaces. En el resto de lugares donde se alcance una temperatura inferior a 5 ºC lo pueden pasar mal. En las regiones septentrionales su floración empieza bastante tarde, justo antes de las primeras heladas, por ello no tienen mucho tiempo para poder beneficiarse.

Dimensiones del recipiente: cultive las cobeas en un recipiente de como mínimo 20 cm.

Exposición: estas flores requieren sol o una luz tamizada, además de calor.

Tierra: la tierra de jardín normal es la adecuada. No añada abono. Porque el follaje se podría desarrollar de un modo excesivo en detrimento de la floración.

Riego: a diario cuando el clima sea seco.

Enemigos y enfermedades: normalmente ninguna.

Empleo: las cobeas adornan las celosías o también sirven para esconder las miradas indiscretas. Tutorícelas con lazos a lo largo de la celosía. Combínelas con capuchinas tuberosas porque éstas también florecen bastante tarde.

Consejo: pode los brotes demasiado largos. Entre las plantas a la galería cuando llegue el invierno

 *Colchicum* spp.
COLCHICO

El final del verano llegó.
Planta bulbosa (25 cm, –15 ºC).

Follaje: aciculado, largo y ancho, de color verde intenso que aparece en primavera.

Floración: las corolas se abren mucho y surgen de ellas directamente las serbas en masas densas, de septiembre a noviembre.

Especies y variedades: existe una gran cantidad de colchicos. *Colchicum cilicicum* forma matas de color rosa muy densas. «The Giant» es uno de los más altos, con 25 cm.

Comportamiento en el recipiente: los colchicos se pueden dejar durante varios años en el mismo recipiente.

Dimensiones del recipiente: plante las serbas de seis en seis en un recipiente de 25 cm de ancho.

Exposición: sol o sombra parcial.

Tierra: una mezcla de tierra a base de mantillo y arena.

Riego: máximo una vez a la semana.

Enemigos y enfermedades: normalmente ninguno, excepto las limáceas que disfrutan devorando las hojas más jóvenes.

Empleo: los colchicos forman manchas de colores que combinan perfectamente con las anuales ya crecidas o adornan recipientes pequeños.

Consejo: divida las matas en junio y replante las sebas en grandes cantidades.

 Coleus spp.
COLEUS

Un follaje de increíbles colores.
Planta vivaz (50 cm, 5 ºC).

Follaje: vivamente coloreada que van desde el amarillo hasta el púrpura casi negro. Las hojas poseen dibujos de gran originalidad.

Floración: pequeñas flores azules que aparecen en verano encima de pedúnculos de porte rígido.

Especies y variedades: *Coleus blumei* se cultiva normalmente por su follaje con dibujos variados.

Comportamiento en el recipiente: los vivos colores del coleus ofrecen gran luminosidad, sobre todo en las épocas en las que falta luz.

Dimensiones del recipiente: puede pasar una temporada en un recipiente de 20 cm de diámetro.

Exposición: en un lugar resguardado del sol del mediodía.

Tierra: mezcle mitad de turba y mitad de tierra con hojarasca.

Riego: no abuse, deje que la superficie se seque.

Enemigos y enfermedades: las moscas blancas a menudo se instalan en los coleus en invernadero.

Empleo: los coleus combinan perfectamente con las fucsias, lobelias, impatiens y helechos.

Consejo: esta planta saca raíces fácilmente en el agua. No dude en reproducirla cuando parezca que se está empezando a debilitar.

Los híbridos de los coleus ofrecen un follaje opulento. ▶

▲ *Colchicum cilicium:* una floración rápida y abundante.

▲ *Coleus blumei:* un follaje sorprendente.

C

Convallaria

▲ *Convallaria majalis:* el muguete expele un aroma delicioso.

▲ *Convolvulus cneorum:* una graciosa enredadera en maceta.

◀ *Convolvulus mauritanicus:* requiere pleno sol.

Convallaria majalis
MUGUETE

Símbolo de la buena suerte con olor exquisito.

Planta vivaz (25 cm, –15 ºC).

Follaje: elíptico, de color verde suave. Las hojas se yerguen por parejas.

Floración: los tallos, graciosamente curvos, tienen una lluvia de campanillas de color blanco o rosa, con un olor inimitable.

Especies y variedades: la variedad «Rosea» ofrece flores de color rosa. Los puristas prefieren la variedad blanca. Existe una variedad con la hojas moteadas.

Comportamiento en el recipiente: una vez pasado el período de floración, los recipientes dejan de ser decorativos. En ese momento es preferible colocar el muguete en la base de los arbustos, en grandes recipientes para que cubra el suelo o intégrelo en jardineras floridas.

Dimensiones del recipiente: El muguete normalmente se encuentra en recipientes de 10 cm de diámetro. Deje la planta en su lugar original hasta que finalice la floración. Después, plántela en jardineras de 40 cm de longitud con otras especies de flores para que florezcan por encima del muguete.

Exposición: cultive el muguete en un lugar sombrío durante la mayor parte del día. Colóquelo bajo la sombra para que el calor que se reverbera en las paredes de las terrazas no sea tan intenso.

Tierra: mezcle tierra de hojarasca y cortezas a partes iguales. Cada año, cambie los primeros centímetros de tierra y sustitúyalos por tierra de hojarasca completamente nueva.

Riego: el muguete cuando se encuentra en la base de los arbustos plantados en recipiente, sufre la competencia de las demás raíces. No olvide regarlo muy regularmente, de lo contrario, las hojas serán pequeñas y la floración no será tan bella al año siguiente.

Enemigos y enfermedades: la podredumbre gris provoca manchas de color marrón en las hojas.

Empleo: combínelo con crocos, que florecen antes y cuyo follaje amarillento quedará tapado por el muguete. Emplácelo al pie de los arbustos de hojas caducas.

Consejo: divida las matas de muguete durante el invierno si el recipiente es demasiado denso. Ponga abono a partir del mes de abril hasta fines de verano.

Convolvulus spp.
ENREDADERA DECORATIVA

Una deliciosa invasora.

Planta anual (40 cm, –5 ºC).

Follaje: oval de color verde plateado en el caso de la enredadera de Mauritania *(Convolvulus mauritanicus)* o gris sedoso, con reflejos metálicos en el caso del *Convolvulus cneorum;* verde oscuro en la enredadera tricolor.

Floración: la enredadera de Mauritania es una planta maravillosa por su duración y abundancia de flores de color azul violáceo. Las corolas blancas del *Convolvulus cneorum,* situadas en su cojín plateado, nos hacen pensar en las enredaderas del campo. Las flores de tonos violáceos de la enredadera tricolor se iluminan en el centro de color amarillo y blanco. Sólo se abren durante el día.

Especies y variedades: *Convolvulus cneorum* es rústica y persistente en las zonas mediterráneas. *Convolvulus mauritanicus* es una planta rastrera, rústica que aguanta hasta los –5 ºC. La tricolor es anual.

Comportamiento en el recipiente: *Convolvulus cneorum* no alcanza toda su magnitud en las jardineras hasta el segundo año. Compre sobre todo plantas que ya estén bastante crecidas para sacarles partido inmediatamente. Las hojas de la enredadera de Mauritania empiezan a «quemarse» a partir de los –6 ºC, pero la cepa renace a menudo en primavera siempre que se haya protegido adecuadamente el recipiente.

Dimensiones del recipiente: una planta que se haya comprado en un cubilete necesita que se cambie de recipiente, el primer año, en un recipiente de 20 cm de ancho como mínimo. Una jardinera de 40 cm de largo puede acoger tres plantas de enredaderas de Mauritania durante la primera temporada.

Exposición: las flores de todas las enredaderas sólo se abren con el sol. Una exposición sur-sureste permite sacar todo el partido necesario del sol desde primera hora de la mañana.

Tierra: mezcle tierra de plantación con 1/4 de turba rubia y un poco de tierra de jardín.

Riego: no deje que la tierra de la superficie esté seca durante más de dos días seguidos.

Enemigos y enfermedades: las arañas rojas pueden invadir el follaje durante las estaciones más cálidas y secas. Riegue frecuentemente el suelo de la terraza para crear una atmósfera más húmeda.

Empleo: *Conculculus cneorum* tiene las mismas necesidades que las gazanias cuyos colores estallantes combinan perfectamente con la planta de sus hojas. La enredadera de Mauritania es espléndida en grandes jarras mediterráneas, en compañía de tabaco, lavanda y jaras.

Consejo: evite mojar las hojas del *Convolvulus cheorum* y resguarde el arbusto durante el invierno. Detesta el frío húmedo.

Cordyline australis
CORDILINE

Para soñar con los trópicos.

Planta anual (40 cm, 5 ºC).

Follaje: estrecho, lanceolado, casi en forma de cintas. Las hojas se agrupan en grandes ramos en las extremidades de los tallos ramificados.

Floración: bajo los climas suaves y en plena tierra, panículos con plumas de color blanco crema, perfumados, aparecen en las extremidades de los tallos. En recipiente la floración es escasa, a menudo por causa de la falta de luz y de calor.

Especies y variedades: la variedad *Cordyline australis* «Atropurpurea» presenta largas hojas púrpuras muy decorativas.

Comportamiento en el recipiente: las cordilines crecen lentamente y nunca superan 1,50 m cuando están en recipiente. Duran varios años.

Dimensiones del recipiente: Una jardinera de 30 cm de diámetro y de la misma profundidad servirá para que la cordiline permanezca durante tres años.

Exposición: las cordilines requieren luz durante todo el año. En verano colóquelas en la sombra para evitar que reciban la luz ardiente del sol.

Tierra: realice una mezcla de arena, tierra de plantación y turba a partes iguales. No olvide un buen drenaje en el fondo del recipiente.

Riego: riegue abundantemente durante el verano. En invierno deberá reducir la cantidad de riego de un modo drástico. 1 o 2 l una vez a la semana bastará, sobre todo

si la temperatura de la habitación no supera los 10 ºC.

Enemigos y enfermedades: las manchas en las hojas son síntoma de un problema producido, normalmente, por un exceso de riego. ¡Contrólese!

Empleo: con agaves, phormiums, yucas, sedums, y así obtener un ambiente californiano o australiano muy original.

Consejo: cuando la temperatura nocturna descienda hasta 7 u 8 ºC, entre los recipientes de las cordilíneas en una habitación luminosa y no demasiado cálida. Aísle el recipiente del suelo elevándolo con elementos decorativos.

Coriandrum sativum
CILANTRO
O CORIANDRO

Un ligero sabor a oriente.

Planta anual (50 cm, 0 ºC).

Follaje: fino y muy recortado, aromático.

Floración: sus flores blancas o rosas rápidamente dan unos granos que se recogen para perfumar los pepinillos o el vinagre.

Especies y variedades: *Coriandrum sativum* es la única especie que se encuentra en el mercado.

Comportamiento en el recipiente: el cilantro es de fácil siembra. A partir del mes de abril en minirrecipientes o en recipientes colocados en un pequeño balcón.

Dimensiones del recipiente: una copa de 20 cm de diámetro y 15 cm de profundidad puede contener dos o tres plantas jóvenes.

Exposición: el cilantro requiere una sombra parcial.

Tierra: al cilantro le encanta la tierra arenosa que no retiene agua. Mezcle 1/3 de tierra, otro de arena y otro de tierra para jardín neutra o calcárea.

Riego: si la planta se seca, vuelve a reavivarse rápidamente. Un gran vaso de agua al día es la garantía para que tenga el frescor necesario.

Enemigos y enfermedades: normalmente ninguno.

Empleo: combine el cilantro con el eneldo, el perejil, la acedera y otras finas hierbas para tener un jardín aromático.

Consejo: recoja los granos cuando estén maduros y séquelos durante algunos días al aire libre antes de almacenarlos en recipientes herméticos de vidrio.

Coriandrum sativum: una deliciosa planta aromática. ▶

▲ *Convolvulus tricolor:* se le denomina la bella del día.

▲ *Cordyline australis:* ideal para un balcón exótico.

▲ *Cornus controversa* «Variegata»: mucha elegancia.

▲ *Coronilla valentina* «Glauca»: una floración radiante.

Cornus controversa
CORNEJO

La elegancia en estado puro.
Arbusto (4 m, –20 ºC).

Follaje: oval, verde claro con manchas de blanco moteadas.

Floración: a finales de primavera, corolas de flores blancas se yerguen en sus tallos cortos.

Especies y variedades: se encuentra fácilmente *Cornus controversa* en variedad moteada, con la etiqueta de «Variegata». Su porte ofrece diferentes niveles de ramas, casi horizontales. Se trata de un arbusto excepcional. «Gold Spot», de follaje con matices dorados, que crece más rápidamente; «Marginata» tiene hojas verdes con los bordes de color blanco crema. Reserve estos arbustos importantes para las terrazas de mayor superficie.

Comportamiento en el recipiente: *Cornus controversa* es un arbolito que requiere un gran recipiente. No dude en podarlo siempre que lo cambie de recipiente, de este modo conservará todo su equilibrio.

Dimensiones del recipiente: una caja de naranjo de 40 cm por lado proporciona volumen y estabilidad ante el viento, además de toda la tierra que este espécimen necesita.

Exposición: necesita una buena luminosidad. Intente que las hojas no se apoyen demasiado en las paredes soleadas en verano, sobre todo para la variedad de hojas moteadas. Si lo situamos bajo una densa sombra, este arbusto que requiere de luz, perderá su estructura en diferentes niveles.

Tierra: *Cornus controversa* necesita una tierra muy rica, neutra o ligeramente ácida. La turba, la tierra y una dosis de fertilizante deben integrarse en la composición de la mezcla de la plantación.

Riego: un cornejo de 1,5 m de alto requiere media regadera de agua al día durante la época más cálida.

Enemigos y enfermedades: ninguno. Sólo las condiciones de cultivo desfavorables modifican el follaje.

Empleo: el follaje moteado del *Cornus controversa* resalta entre plantas de hojas púrpuras, como la *Ajuga reptans* «Palisander», la *heuchera* «Palace Purple» o hierbas decorativas, como el *Carex buchananii*.

◄ *Coronilla emerus*: un porte sorprendente, desmelenado.

Consejo: no deje nunca el *Cornus controversa* en un ambiente seco. Cuando haga calor, riegue por aspersión las hojas todas las noches.

Coronilla valentina
CORONILLA

Un montón de flores divertidas.
Arbusto (1,5 m, –8 ºC).

Follaje: perenne, espeso y glauco.

Floración: pequeñas mariposas de color amarillo chillón que desprenden olor y aparecen en masa a finales de enero hasta la primavera.

Especies y variedades: las flores de la variedad «Citrina» son de un sorprendente amarillo pálido, muy suave. «Variegata» posee hojas moteadas de color blanco crema. Esta variedad florece un poco antes que sus parientas.

Comportamiento en el recipiente: la coronilla puede vivir durante mucho tiempo en recipiente y es resistente a la sequía. Es la favorita de los jardineros de fin de semana.

Dimensiones del recipiente: elija un recipiente decorativo de 30 cm de diámetro y profundidad.

Exposición: la más cálida posible. Las paredes expuestas a pleno sur son las ideales para emplazar la coronilla.

Tierra: una mezcla pobre, incluso con piedras, es lo más idóneo. Sobre todo no ponga abono.

Riego: la lluvia cubre la mayoría de las necesidades de la coronilla. En pleno verano, aporte 1 o 2 l de agua por semana.

Enemigos y enfermedades: normalmente ninguno.

Empleo: combine la coronilla con plantas que requieran sol, como las jaras, la lavanda o el romero.

Consejo: fácilmente se pueden obtener esquejes de la coronilla de los brotes jóvenes que aparecen en junio. Plantados en tierra de mantillo recubierta con un plástico, enraízan a las pocas semanas.

Corylus spp.
AVELLANO

Un buen arbusto para dar sombra.
Arbusto (3 m, –15 ºC).

Follaje: oval, redondeado y muy dentado.

Floración: en febrero aparecen largos amentos amarillos (las flores macho). Efecto decorativo garantizado. Las flores hembras son insignificantes.

Especies y variedades: *Carylus máxima,* al no superar los 3 m es adecuada para el cultivo en recipiente, así como la *Corylus avellana* «Contorta», de crecimiento lento y con ramas retorcidas de un modo muy curioso. La silueta de ésta es especialmente decorativa en invierno por causa de la falta de follaje.

Comportamiento en el recipiente: a los jardineros apresurados les gustará mucho el avellano dado que crece rápidamente (excepto la variedad «Contorta»). Pero requiere, en recipiente, riegos muy seguidos. De lo contrario, las hojas amarillean y caen antes de tiempo.

Dimensiones del recipiente: una planta joven de 40 cm de alto dobla su tamaño en una temporada. Por ello, colóquela en un recipiente de 30 cm de diámetro como mínimo.

Exposición: a los avellanos les encanta los lugares resguardados del viento y claros, pero no sofocantes.

Tierra: una buena tierra de jardín. A este arbusto no le gusta el exceso de agua. Vigile que el platillo siempre esté vacío.

Riego: la falta de agua durante algunos días provoca la caída precoz de las hojas. Durante el verano necesitará, como mínimo, media regadera cada dos días.

Enemigos y enfermedades: el oídio forma una capa blanca bajo las hojas. Los brotes jóvenes sufren por causa del pulgón. La antracnosis mancha las hojas de color negro. El balanino pica las avellanas.

Empleo: combine el avellano con determinadas flores como las margaritas, los acianos, las campanillas y las rosas de pitiminí.

Consejo: pode por encima de las ramas laterales de más de tres o cuatro años para favorecer el crecimiento de nuevos tallos.

Cotoneaster spp.
COTONEÁSTER O FALSO MEMBRILLERO

Una profusión de bayas otoñales.
Arbusto (2 m, –20 ºC).
Follaje: perenne o caduco según la especie. Las hojas ovales se distinguen por su tamaño pequeño y su finura. Son de color verde oscuro.

Floración: rosas o blancas, solas o de dos en dos, las flores aparecen abundantemente en junio; después se convierten en bayas redondas de color rojo, que los pájaros aprecian mucho en invierno.

Especies y variedades: *Cotoneaster horizontalis* presenta un porte muy característico, con ramas situadas al mismo nivel. Los ingleses la llaman con gran imaginación «Cotoneáster espina de pescado». *Cotoneaster dammeri* es muy rastrera. Sus ramas ligeras se desarrollan poco, aspecto idóneo para el cultivo en maceta. *Cotoneaster lacteus* y *Cotoneaster franchetii,* dos variedades arbustivas que ofrecen la ventaja de ser perennes y frondosas.

Comportamiento en el recipiente: las variedades de porte extenso son ideales para esconder la parte anterior de los grandes recipientes. Las variedades arbustivas tienen un temperamento tan bueno que crecen incluso cuando las cultivan los principiantes, dado que no requieren muchos cuidados.

Dimensiones del recipiente: emplace los cotoneásters arbustivos en recipientes que midan la mitad de la altura total de la planta.

Exposición: sol o poca sombra.

Tierra: tierra de jardín o tierra universal indistintamente.

Riego: los cotoneásters soportan perfectamente un período esporádico de sequía, pero tienen mayor belleza cuando se riegan regularmente.

Enemigos y enfermedades: el fuego bacteriano produce el secado progresivo de las ramas. Las hojas afectadas por la enfermedad del plomo se vuelven de color gris y mueren. Las cochinillas que invaden las ramas debilitan la planta. Favorecen la aparición de la fumagina.

Empleo: *Cotoneaster horizontalis,* de porte extenso, se planta en primer plano en un recipiente. Pero adosado a la pared crecerá verticalmente si lo empaliza. Los cotoneásters arbustivos forman pequeñas capas para protegernos de las miradas ajenas.

Consejo: los cotoneásters soportan perfectamente la poda. No dude en jugar con ellos para darles la forma que usted pretenda. Realice esta operación a finales de invierno cuando la fructificación se haya acabado. No saldrán flores durante un año.

▲ *Corylus avellana* «Contorta»: muy extraño y torturado.

▲ *Cotoneaster horizontalis:* una fructificación generosa.

Cotoneaster dammeri «Jürgl»: ideal para las macetas. ▶

Crassula

▲ *Crassula arborescens:* requiere sol abrasador.

▲ *Crassula densinosulata:* un crecimiento muy lento.

◄ *Crocosmia masonorum:* una floración excepcional.

Crassula spp.
CRÁSULA

No la riegue demasiado.
Planta crasa (80 cm, 5 °C).

Follaje: espeso, redondeado, verde y con reflejos grises. Algunos puntos translúcidos dan un color rojizo al borde de las hojas que se encuentran en ramas.

Floración: en mayo y junio aparecen panículos de flores blancas que rápidamente se enrojecen en la extremidad de las ramas.

Especies y variedades: *Crassula arborescens* forma un pequeño arbusto redondo y muy ramificado.

Comportamiento en el recipiente: las crásulas no pasan más de seis meses en el exterior en la mayor parte de las regiones. Éntrelas a finales de las vacaciones de verano.

Dimensiones del recipiente: el desarrollo y el peso de las crásulas pueden ser tan grandes que el recipiente deje de ser estable. Elija un recipiente proporcionado, más ancho que alto, para evitar las caídas.

Exposición: las crásulas requieren la mayor cantidad de luz posible a lo largo de todo el año.

Tierra: realice una mezcla con 1/3 de tierra para cactus, de mantillo y de tierra de jardín arenosa.

Riego: muy espaciado en el tiempo. No olvide que los tallos carnosos sirven de reserva.

Enemigos y enfermedades: las cochinillas harinosas parece que sean indestructibles. El exceso de agua produce la podredumbre de los tallos.

Empleo: los grandes recipientes con crásulas visten los patios con una exposición sur, en compañías de phormiums, sedums o plantas de rocalla.

Consejo: las crásulas se reproducen por esqueje muy fácilmente, a partir de las hojas o de los tallos. Después de haberlos retirado, deje que se sequen 24 horas al aire libre antes de ponerlos en la tierra.

Crocosmia spp.
MONTBRETIA

Un cierto aire de planta exótica.
Planta vivaz (1 m, 0 °C).

Follaje: verde, lanceolado, en forma de espada a veces un poco plisado.

Floración: largos tallos ligeros con flores tubulares de tonos cálidos.

Especies y variedades: *Crocosmia masonorum* ofrece racimos de flores de color naranja. *«Lucifer»* es una mejora de la especie con flores más anchas. «Embergblow» es más tardía, aflora en agosto. *Crocosmia* x *crocosmiiflora* resiste un poco mejor el frío. Además se ha adaptado muy bien en las zonas del Cantábrico. Sus flores anchas en forma trompeta (4 cm de ancho) adquieren tonos que van del amarillo al rojo intenso.

Comportamiento en el recipiente: las *crocosmias* no resisten más de una temporada en recipiente porque su conservación invernal es muy delicada.

Dimensiones del recipiente: una maceta ancha de 40 cm de diámetro y 30 cm de profundidad para acoger una decena de serbas.

Exposición: la más soleada posible.

Tierra: requieren de un suelo ligero y arenoso.

Riego: el secreto de su éxito reside en el riego. Las *crocosmias* exigen mucha agua en verano y casi nada en invierno.

Enemigos y enfermedades: una tierra demasiado húmeda o demasiado seca provoca una vegetación mediocre.

Empleo: plante una capa de ceratostigmas de color azul en el mismo recipiente de las *crocosmias* o colóquelas cerca de recipientes con espárragos.

Consejo: después de la floración, suprima las flores marchitas. En octubre, desentierre las semillas y guárdelas en la sombra, en un lugar fresco y seco.

Crocus spp.
CROCOS

Los mensajeros de la primavera.
Planta bulbosa (20 cm, –20 ºC).

Follaje: aciculado, fino, verde oscuro, con bellos destellos en el centro de color blanco.

Floración: las corolas tienen una copa profunda con seis pétalos que nacen directamente del bulbo.

Especies y variedades: entre los crocos que florecen en primavera podemos citar al *Crocus vernus,* que da origen a una cantidad innumerable de variedades hortícolas que florecen hacia el mes de marzo. *Crocus chrysanthus* y sus híbridos, como el «Blue Pearl», azul en el exterior y blanco en el interior o el *Crocus susianus,* una variedad enana que florece en febrero. Entre las especies otoñales se encuentra el *Crocus speciosus,* que en octubre despliega grandes flores de color azul liláceo; *Crocus ochroleucus,* que termina la temporada en noviembre con flores de color marfil.

Comportamiento en el recipiente: los crocos son fantásticos para aquellos jardineros que se vean desbordados, ya que una vez que se han plantado en los recipientes no hay que preocuparse más de ellos.

Dimensiones del recipiente: una decena de crocos que florezcan en un recipiente de 15 a 20 cm de diámetro.

Exposición: los crocos requieren de sol total para que se puedan abrir bien.

Tierra: como la mayoría de los bulbos, a los crocos les gusta la tierra que retiene sólo el agua que requieren para su perfecto crecimiento. Añada un buen puñado de arena en la tierra de la plantación.

Riego: riegue lentamente en invierno para mantener la tierra en su punto justo de humedad. Aumente el ritmo a lo largo que el follaje vaya apareciendo.

Enemigos y enfermedades: los hongos azules afectan a aquellos bulbos que están almacenados. Los excesos de agua provocan la podredumbre del bulbo.

Empleo: los crocos son muy apropiados para las minirrocallas y para los pequeños recipientes. Cubiertos por una capa de ceraista, su follaje, al amarillear, pasará inadvertido.

Consejo: después de la floración, esconda el recipiente detrás de otras plantas para dejar que las hojas amarilleen. Puede dejar los crocos en el mismo sitio o plantarlos en otro lugar en otoño.

Cryptomeria japonica
CRYPTOMERIA
O CEDRO JAPONÉS

Se tuesta bellamente en otoño.
Conífera (1,5 m, –20 ºC).

Follaje: las agujas adquieren diferentes aspectos según las especies. Son lisas y barnizadas, finas y en grandes cantidades, o cortas y densas.

Floración: las coníferas no tienen flores.

Especies y variedades: la especie alta alcanza más de 15 m en el medio natural, pero ha dado variedades enanas que se adaptan al cultivo en recipiente, como la «Bandai-Sugi», tan alta como ancha y de color verde pardo en invierno, o la «Elegans nana» de porte denso y con ramas finas. «Vilmoriniana» forma una bola perfecta y no supera el metro de altura.

Comportamiento en el recipiente: la cryptomeria no se encuentra a gusto en los blasones calurosos y secos en verano.

Dimensiones del recipiente: un joven arbusto alojado en un recipiente de 25 cm de diámetro y de altura.

Exposición: las cryptomerias crecen más despacio bajo la sombra. Para su máximo desarrollo, hay que emplazarlo en un lugar donde dé el sol matinal.

Tierra: estas coníferas se adaptan mejor en las tierras ligeramente ácidas (compostada y turba).

Riego: las cryptomerias detestan el exceso de agua, pero tienen mal aspecto si el riego escasea. Riéguelas una o dos veces por semana.

Enemigos y enfermedades: la podredumbre gris ataca a los ejemplares más jóvenes demasiado regados.

Empleo: mezcle las cryptomerias con gramíneas, otras coníferas o bambúes enanos para conseguir un ambiente japonés.

Consejo: en primavera aplique abono «especial coníferas» en la parte inferior del recipiente.

Cryptomeria japonica «Elegans nana»: muy compacta. ▶

▲ *Crocus vernus* y *chrysanthus:* florecen en jardinera.

▲ *Cryptomeria japonica:* se tuesta en otoño.

▲ El pepino debe empalizarse contra una pared.

◀ Un melón en recipiente puede dar dos frutos por mata.

Cucumis sativus
PEPINO

Crujiente a pedir de boca.

Hortaliza anual (1 m, 4 °C).

Follaje: rasposo, dentado. Las hojas grises en el reverso tienen cinco lóbulos de color verde oscuro.

Floración: las flores amarillas, machos o hembras, nacen de los tallos secundarios. No deje que se formen más de tres pepinos por planta.

Especies y variedades: para cultivar algo fuera de lo común, pruebe con el pepino serpiente, «verde largo de China», pues da pepinos que miden casi ¡un metro! Para los balcones pequeños opte por una variedad como la «Busch Champion».

Comportamiento en el recipiente: el pepino requiere una guía vertical a lo largo de una celosía.

Dimensiones del recipiente: el pepino no se siente a gusto en un recipiente pequeño, pues no encuentra ni el agua ni el alimento que requiere. Plántelo en un recipiente de como mínimo 25 cm de largo y alto.

Exposición: la planta requiere pleno sol.

Tierra: otorgue a esta hortaliza todo lo que desee para que pueda satisfacer su hambre crónica a través de una base compuesta por un puñado de abono orgánico y 20 l de tierra.

Riego: el secreto del éxito del pepino está en el riego casi diario.

Enemigos y enfermedades: las arañas rojas pueden invadir la parte inferior de las hojas. Varios hongos producen manchas de color marrón rojizo o amarillo en las hojas. El oídio forma una capa de fieltro blancuzco en las hojas y en los tallos.

Empleo: varias plantas, guiadas a lo largo de una celosía, pueden tapar las miradas indiscretas en verano. Una mata de pepino puede vestir por ella misma un pilar.

Consejo: siembre en mayo algunas semillas «al calor» detrás de un cristal bien expuesto. No reproduzca por esqueje, excepto si se trata de plantas muy vigorosas.

Cucumis melo
MELÓN

Goloso hasta el límite.

Planta anual (3 m, 5 °C).

Follaje: alterno, lobulado y de textura áspera.

Floración: corolas separadas de color amarillo oro, machos o hembras, que aparecen en junio.

Especies y variedades: las variedades «Ogen» tienen la carne blanca y la «Ananás de América» tiene la carne roja. Los melones en forma de bola, como las variedades «Diabolo» o «Major», son los aristócratas de su categoría.

Comportamiento en el recipiente: el melón invade el espacio. Se recomienda pinzarlo una vez por encima del segundo par de hojas. Entonces se desarrollarán dos tallos. Pince otra vez por encima del tercer par de hojas para obtener más frutos.

Dimensiones del recipiente: las raíces profundas se encontrarán a gusto en un recipiente que sea más alto que ancho.

Exposición: mucho sol.

Tierra: no aplique demasiados abonos con nitrógeno porque podrían aparecer más hojas que frutos.

Riego: riegue abundantemente y evite regar por aspersión las hojas, pues son muy sensibles a las enfermedades.

Enemigos y enfermedades: a veces se encuentran arañas rojas y pulgones que invaden el follaje, además de oídio (blanco).

Empleo: cultivar una mata de melón en un balcón suscita más curiosidad que producción. Pero una mata sana y vigorosa, en un bonito recipiente, puede convertirse en un elemento muy decorativo.

Consejo: a principios de mayo, siembre varias semillas en pequeños recipientes, con calor. Cuando llegue junio, trasplante las matas vigorosas al exterior.

Cucurbita spp.
CALABAZAS

Un desarrollo imponente.
Hortaliza anual (3 m, 5 °C).

Follaje: ancho, con lóbulos más o menos dentados y rasposos al tacto.

Floración: aparecen grandes flores amarillas en mayo antes de que se conviertan en fruto.

Especies y variedades: *Cucúrbita máxima* alcanza su madurez tres meses después de la siembra. «Red Kuri» demuestra una extraordinaria duración y conservación. Una mata de calabacines *(Cucúrbita pepo)* basta para obtener lo suficiente para toda la familia en verano. «Verde pequeño de Argelia» es uno de los más gustosos. Hay una decena de variedades.

Comportamiento en el recipiente: además del aspecto divertido del cultivo, las calabazas ofrecen la gran ventaja de crear mucho verde y vestir un balcón un poco vacío en un tiempo récord. Llegan a cubrir hasta 5 m² en verano sin ningún problema.

Dimensiones del recipiente: las calabazas son muy glotonas, por ello, colóquelas en un recipiente de como mínimo 25 cm de ancho y alto.

Exposición: como todas las cucurbitáceas, las calabazas requieren mucho sol.

Tierra: añada un puñado de abono para plantaciones porque las calabazas siempre tienen un apetito feroz.

Riego: en verano debe aplicar como mínimo dos riegos a la semana y aún más si el calor arrecia.

Enemigos y enfermedades: los virus de la mosaica del pepino, transmitido a través de los pulgones pueden provocar que las plantas se vuelvan grises.

Empleo: las calabazas ocupan mucho espacio pero puede tutorar los tallos en las celosías. En el caso de los calabacines debe saber que una mata ocupa más o menos 1 m².

Consejo: cuando las calabazas ya tengan el tamaño deseado corte el tallo por debajo de la hoja que la peina.

Cucúrbita pepo
COLOQUÍNTIDA

El atractivo de las formas extrañas...
Planta anual (3 m, 5 °C).

Follaje: lobulado y rugoso, con tallos sólidos de los que salen zarcillos.

Floración: las flores amarillas dan frutos con formas y colores muy variados.

Especies y variedades: «Galeuse orange» forma pequeños frutos con jorobas; «Pera rayada» parece que se haya sumergido por la mitad en un recipiente con pintura de color amarillo limón; «Garras del diablo» se parece a una bonetera con cuernos. Con la variedad «Cuchara» se pueden realizar (una vez secas) animales de formas extrañas. Pero la más original es la «Miniturbante rojo» a caballo entre el melón, la calabaza y... ¡el champiñón!

Comportamiento en el recipiente: la coloquíntida forma largos tallos trepadores que lo invaden todo. Guíelos desde su juventud.

Dimensiones del recipiente: cada mata debe disponer de un recipiente de entre 20 y 25 cm de diámetro.

Exposición: media sombra, preferentemente.

Tierra: lo más idóneo para las coloquíntidas es una buena tierra de jardín enriquecida con compost vegetal.

Riego: 5 l por mata cada dos días en verano.

Enemigos y enfermedades: además del oídio y el virus del mosaico del tabaco, la podredumbre gris ataca los frutos jóvenes y hace que se caigan cuando tienen demasiada humedad.

Empleo: las coloquíntedas pueden adornar una celosías. Sus frutos cuando se secan son elementos decorativos otoñales.

Consejo: recoja con cuidado los frutos, lo más tarde que pueda, antes de que lleguen las heladas. Lávelos con jabón, déjelos secar durante unos días sin manipularlos, después pase una capa de cera clara. Se conservarán durante varios años sin ningún problema.

La calabaza bonetera es la más decorativa y sabrosa. ▶

▲ La calabaza redonda ofrece una vegetación opulenta.

▲ Es la variedad de calabaza más sensible al frío.

▲ «Verde de las marismas» exige un gran recipiente.

C

Cuphea

▲ *Cuphea ignea*: puede convertirse en planta de interior.

▲ *Cupressus macrocarpa* «Gold Crest»: no resiste el frío.

◄ *Cupressus arizonica* «Fastigiata Aurea»: graciosa.

Cuphea ignea
CUPHEA

Deliciosamente original...
Sobarbusto (40 cm, 5 ºC).

Follaje: verde medio, oval, liso, con un nervio más claro. Las hojas son resistentes en los climas más cálidos.

Floración: flores en forma de tubo de color rojo anaranjado que surgen de las axilas de las hojas, al final de las ramas. Estas flores son originales ya que tienen un anillo de color blanco y violeta, casi negro en la base.

Especies y variedades: *Cuphea hyssopifolia* forma una pequeña mata densa, ideal para colocar en los bordes de los recipientes. *Cuphea ignea* es más frondosa.

Comportamiento en el recipiente: un crecimiento razonable le permite vivir varios años en el recipiente.

Dimensiones del recipiente: a principios de la temporada bastará con un recipiente de 20 cm de ancho. A finales de verano, si desea conservar la cuphea un año más, debe cambiarla de recipiente en uno de tamaño superior y situarlo a buen recaudo.

Exposición: indispensable el pleno sol y el calor para que la cuphea se sienta como en su México natal.

Tierra: realice una mezcla con 1/3 de tierra de hojarasca, turba y arena.

Riego: deje que la superficie se seque un día o dos antes de regar nuevamente. Una vez a la semana añada un tapón de abono líquido en el agua de la regadera.

Enemigos y enfermedades: generalmente ninguno.

Empleo: combine la cuphea con heliotropos, lantanas y petunias azules.

Consejo: la cuphea adora la humedad ambiente. En verano riegue el suelo de la terraza y pulverice el follaje siempre en cada riego. En invierno resguárdela en una galería.

Cupressus spp.
CIPRÉS

Un buen uso como cortavientos.
Arbusto (2 m, –15 ºC).

Follaje: en forma de escamas carnosas que estrechamente se unen entre ellas para adornar los tallos.

Floración: incluso los ejemplares más jóvenes tienen conos globulosos y espinosos. No hay flores verdaderas.

Especies y variedades: *Cupressus sempervirens* «Tótem», un ciprés italiano en forma de columna compacta, crece menos que el ciprés común. *Cupressus arizonica* «Fastigiata Aurea» ofrece brotes jóvenes de color amarillo claro en primavera. Su crecimiento es un poco más lento que la especie tipo. Es adecuado para las grandes terrazas. *Cupressus macrocarpa*, el «ciprés de interior», es muy sensible al frío.

Comportamiento en el recipiente: la mayoría de los cipreses son árboles de gran talla que crecerán más lentamente al estar en un recipiente. Si se fertilizan regularmente, viven durante más tiempo.

Dimensiones del recipiente: es necesario un recipiente para naranjos o un recipiente cuadrado de 50 cm de lado.

Exposición: se aconseja pleno sol.

Tierra: añada 1 o 2 l de arena a una buena tierra de jardín que no sea demasiado arcillosa.

Riego: un volumen de tierra importante garantiza una reserva de agua suficiente para toda la semana. El ciprés soporta, de vez en cuando, períodos de sequía.

Enemigos y enfermedades: un hongo, el *Coryneum*, puede hacer que las ramas perezcan, se ennegrezcan o se sequen.

Empleo: el ciprés italiano es perfecto para dar estructura a las terrazas y marcar las verticales. Como compañeros puede optar por las jaras y los madroños.

Consejo: para que la columna siga limpia y densa, a finales de primavera, pode ligeramente todas las ramas que tienden a separarse del eje vertical.

Cycas revoluta
PALMA DEL SAGÚ
O SAGÚ DE JAPÓN

De los tiempos más remotos.
Arbusto primitivo (1 m, –2 ºC).

Follaje: verde brillante, parecido al de las palmeras, liso y en punta.

Floración: las flores machos y hembras, que nacen en el corazón de la mata, están presentes en las diferentes variedades. Tienen forma de cono.

Especies y variedades: en el mercado sólo se encuentra *Cycas revoluta*.

Comportamiento en el recipiente: en las regiones en las que nunca se producen heladas a lo largo del año, las cycas pueden vivir sin problemas en el balcón. En el resto de zonas, donde el hielo amenaza, tendrán que guardarse en el interior.

Dimensiones del recipiente: su crecimiento, al ser muy lento, hace que las cycas puedan permanecer durante varios años en el recipiente. Tenga en cuenta que el tamaño del mismo se deberá adaptar al tamaño de la planta: mida el diámetro de la corona de las hojas y elija un recipiente menos ancho y más alto que la mitad del total.

Exposición: requiere imperativamente de pleno sol, salvo en pleno verano cuando el astro rey es ardiente. Entonces, emplace el recipiente en un lugar sombreado.

Tierra: cualquier suelo de jardín bien drenado. Aligérelo con unos cuantos puñados de arena.

Riego: humedezca la tierra dos veces por semana en verano. En septiembre reduzca el riego. Durante el invierno mantenga la tierra casi seca.

Enemigos y enfermedades: las cochinillas pueden invadir el follaje. Trate de un modo preventivo antes de que aparezcan.

Empleo: la cycas es una buena vecina de los agaves, las palmeras, las cordilines y las plantas meridionales, como las jaras, los colistemons y las buganvilias.

Consejo: no deje nunca que se hielen las cycas. Aunque puede resistir temperaturas de hasta -10 °C en plena tierra y volver a brotar de sus raíces, conviene protegerla pues crece muy lentamente y estaría en mal estado durante mucho tiempo.

▲ *Cycas resoluta:* una falsa palmera de crecimiento lento.

Cyclamen spp.
CICLAMEN

La delicadeza hecha flor.
Planta bulbosa (25 cm, -10 °C).

Follaje: muy decorativo, redondeado, en forma de corazón, decorado con dibujos de color amarillo pálido o plateados.

Floración: en primavera *(Cyclamen coum)* o en otoño *(Cyclamen hederifolium)* los capullos puntiagudos se abren y dan flores de color púrpura, rosas o blancas, con largos pétalos erguidos.

Especies y variedades: *Cyclamen coum* florece desde febrero hasta abril. *Cyclamen hederifolium* (o de Nápoles) inicia su floración en julio. *Cyclamen persicum* se vende en maceta para el interior, se conserva bien en el exterior desde de mayo hasta finales de octubre.

Comportamiento en el recipiente: los ciclámenes son

decorativos a lo largo de todo el año, gracias a su follaje delicadamente moteado de color gris plateado.

Dimensiones del recipiente: una planta puede vivir en un recipiente de 20 cm de diámetro. Para obtener un efecto de masa, agrupe varias plantas en grandes jardineras, cerca de los arbustos estilizados.

Exposición: la sombra parcial es lo que más les conviene. La sombra total puede comportar una floración dispersa.

Tierra: aligere la tierra de la plantación con cortezas, 1/3 de arena de río y añada también una pizca de abono completo.

Riego: cuando se riega abundantemente en julio, se provoca la floración de los ciclámenes de Nápoles. El resto de la temporada deje que la superficie se seque completamente entre cada riego.

Enemigos y enfermedades: cuando se riega demasiado y muy frecuentemente, la podredumbre gris ataca el pecíolo de las hojas, después el centro de la mata en el que se encuentran los capullos florales.

Empleo: los pequeños balcones son los mejores para los ciclámenes solos o mezclados con primaveras o brezales. En las grandes terrazas que tengan árboles, se puede utilizar los ciclámenes en la base de los arbustos de floración primaveral, como los groselleros de flores, las dafnes o las viornas de Bodnant.

Consejo: para que no se equivoque en la posición de plantación, la parte lisa de los tubérculos es la parte inferior. Si tiene alguna duda, coloque la planta verticalmente en el fondo del agujero.

▲ *Cyclamen hederifolium:* adora la sombra fresca.

Cyclamen persicum: prefiere el balcón a estar en casa. ▶

C

Cyperus

▲ *Cyperus papyrus:* un ambiente exótico para el balcón.

▲ *Cyperus alternifolius:* adora tener los pies mojados.

◄ *Cystius x praecox:* compacto y muy florido.

Cyperus spp.
PAPIRO

En busca de los faraones...
Planta vivaz, no rústica (1 m, 7 ºC).
Follaje: los tallos de textura porosa tiene largas brácteas verdes dispuestas en forma de varillas de paraguas. La planta forma una mata bastante densa a la que a veces le falta rigidez.
Floración: los panículos son ligeros y plumosos, de color amarillo claro, y se forman en la base de las brácteas. En forma de estrellas, aparecen en verano.
Especies y variedades: *Cyperus difussus* posee las «hojas» más largas. *Cyperus alternifolius* es el más común. Resiste bien a la sequía. *Cyperus payrus,* muy fino, gracioso y muy abundante, puede alcanzar hasta 3 m en invernadero.
Comportamiento en el recipiente: conviene un recipiente estrecho. Crecimiento rápido en climas cálidos.
Dimensiones del recipiente: elija un recipiente de 20 a 30 cm de diámetro que no tenga agujero para drenaje. Las macetas de plástico son las más adecuadas.

Exposición: el papiro requiere una luz muy intensa. La variedad *cyperus* prospera bien bajo una sombra tamizada.
Tierra: mezcle turba y tierra de hojarasca a partes iguales, con un poco de sangre seca.
Riego: en el caso del papiro, la tierra debe estar permanentemente húmeda, casi en remojo.
Enemigos y enfermedades: normalmente ninguno.
Empleo: combine el *cyperus* con plantas acuáticas en un tonel partido por la mitad. En invierno estas plantas decoran perfectamente los interiores.
Consejo: pode la raíz para rejuvenecerla cuando las hojas ya se hayan amarilleado.

Cytisus spp.
RETAMA O ESCOBÓN

La providencia de la primavera.
Arbusto ornamental (1 m, –10 ºC).
Follaje: compuesto con tres hojas (trifolio) en algunas especies, oval o lineal para el resto, de color verde o plateado semiperenne.
Floración: vistas de cerca. Las flores recuerdan a las de los guisantes de olor, sin el perfume.
Especies y variedades: *Cystus x praecox* es de color blanco marfil («Albus»), de color amarillo claro («All Gold») o de color púrpura y rosa («Zeelandia»). Es muy compacto, ideal para los balcones pequeños. La retama en forma de escoba *(Cytisus scoparius)* es de color púrpura o amarillo .
Comportamiento en el recipiente: la retama crece rápido y resiste varios años en recipiente.
Dimensiones del recipiente: le encanta estar a sus anchas, calcule un recipiente de 30 cm desde el principio.
Exposición: pleno sol, incluso seco.
Tierra: bien drenada, no calcárea y arenosa.
Riego: riegue durante el verano. El resto del año debe regar una vez a la semana.
Enemigos y enfermedades: aparecen algunas manchas en los tallos. Corte las partes afectadas.
Empleo: muy ocasionalmente porque los *Cystus* son espectaculares sólo durante dos semanas al año. Mézclela con otros arbustos, como las mahonias, los corazoncillos arbustivos o las escalonias.
Consejo: corte habitualmente las ramas muertas y pode bastante corto después de la floración para conservar una forma compacta típica de arbusto. Conviene poner un poco de abono diluido a principios de primavera.

D

Daboecia cantabrica
BREZO DE VIZCAYA

Tiernas campanillas tintineantes.
Subarbusto persistente (50 cm, –8 ºC).

Follaje: fino, lanceolado, verde oscuro, brillante en el anverso y plateado por el reverso.

Floración: las daboecias tienen las flores más grandes de todos los brezos. Florecen de mayo hasta diciembre. Sus corolas se van cayendo poco a poco, hecho que no es muy estético.

Especies y variedades: las daboecias se encuentran en color blanco «Alba», en color lila «Atropurpurea» o en color rosa intenso «Rosea». La «bicolor» es blanca y rosa.

Comportamiento en el recipiente: los brezos de Vizcaya solamente son bellos durante tres años. Rejuvenézcalos.

Dimensiones del recipiente: normalmente se compran daboecias en recipientes de 15 cm de diámetro. Cámbielas a un recipiente un poco más grande.

Exposición: basta con algunas horas de sol al día, durante la mañana o al final de la tarde.

Tierra: a los brezos de Vizcaya no les gustan los suelos calcáreos. Ofrézcales mantillo al que deberá añadir 1/4 de turba.

Riego: conserve el suelo siempre húmedo.

Enemigos y enfermedades: cuando el follaje amarillea, es síntoma de que la tierra está agotada.

Empleo: combine el brezo de Vizcaya con camelias, otros brezos *(Erica, Calluna)*, pieris, rododendros enanos, arce japonés y con varias plantas bulbosas de primavera.

Consejo: pode después de la floración.

Dahlia
DALIA

Los bellos colores del final del verano...
Planta vivaz (70 cm, 0 ºC).

Follaje: verde intenso, dentado, bastante ancho.

Floración: ¡sensacional! Las dalias pueden adquirir casi todos los tonos. Aun así, no hay dalias de color azul. Además presentan numerosas formas.

Especies y variedades: todas las dalias cultivadas son híbridos, clasificados por categorías según la forma de sus flores. Para los recipientes, la variedad «pompón» ofrece pequeñas flores redondas. Las «enanas» no superan los 50 cm de altitud. Las «Topmix» tienen pequeñas flores sencillas, además de un desarrollo limitado, por lo que es la variedad idónea para cultivar en maceta.

Comportamiento en el recipiente: cuidado con el exceso de follaje producido por un suelo demasiado rico en nitrógeno. Renueve el cultivo cada año.

Dimensiones del recipiente: las dalias enanas viven perfectamente durante todo el verano en jardineras de 40 cm de largo y 25 cm de profundidad.

Exposición: las dalias adoran el sol total, excepto las precoces que florecen bajo una sombra matizada.

Tierra: una mezcla de tierra para jardín, arena, tierra y estiércol descompuesto.

Riego: no ahogue las dalias, porque los tubérculos podrían pudrirse.

Enemigos y enfermedades: las tijeretas atacan el corazón de las flores. Los pulgones invaden los brotes jóvenes. Cuando hay demasiada humedad, la podredumbre gris destruye los capullos.

Empleo: las grandes dalias salen ganando cuando se quedan solas en el recipiente. Combine las variedades enanas con hortalizas, para crear un ambiente agradable de huerta (tomates, calabacines, peras y hierbas aromáticas). Combine las dalias con las flores dobles, como las impatiens enanas que florecen hasta bien entrada la temporada.

Consejo: corte los tallos y arranque los tubérculos cuando haya amenazas de hielo. Límpielos y consérvelos en un lugar fresco, enterrados en turba o bajo serrín seco.

Las dalias enanas se adaptan bien a las macetas. ▶

▲ *Daboecia cantabrica* «William Buchabab»: muy graciosa.

▲ Dalia enana e impatiens: muy bella al final del verano.

Daphne

▲ *Daphne* x *burkwoodii:* aprecia la tierra de brezo.

▲ El dasylirion posee hojas muy bien estructuradas.

Daphne spp.
DAPHNE O TORVISCO

Un veneno tímido...

Arbusto decorativo (1 m, -5 °C).

Follaje: caduco o perenne, oval y liso, verde y a veces con tonos grises.

Floración: pequeñas flores cerosas, blancas o de color rosa, en racimos perfumados que aparecen en invierno o en primavera.

Especies y variedades: *Daphne mezereum,* su bello tronco pierde las hojas cuando llega el invierno y se cubre, unos meses después, de flores de color rosa y perfumadas. *Daphne* x *burkwoodii* alcanza 1 m de altura y florece en tonos rosa pálido en mayo. *Daphne odora* es la campeona de todas las variedades en lo que se refiere a perfume.

Comportamiento en el recipiente: las dafnes viven poco tiempo y desaparecen de golpe sin ningún motivo aparente. No las conserve más de tres años.

Dimensiones del recipiente: una planta de 30 cm de alto tolera una jardinera de 20 cm de ancho y de profundidad. Plante los ejemplares más grandes en macetas.

Exposición: sombra parcial o sol tamizado.

Tierra: tierra de mantillo bien drenada, con 1/3 de tierra de bosque.

Riego: las dafnes, a menudo, perecen más por un exceso de agua que por falta de ella.

Enemigos y enfermedades: virus, transmitidos por pulgones, que pueden provocar la muerte súbita de las dafnes. Trate con regularidad en primavera.

Empleo: mezcle las dafnes que florecen en invierno con las *Viburnum bodnantense* que posee capullos de color rosa en febrero. Ponga una capa de brezos en su base y añada algunos bulbos precoces.

Consejo: cambie completamente la tierra cuando una dafne se marchite de forma súbita.

Dasyrilion glaucophyllum
DASYLIRION PELUDO

El ambiente del desierto.

Planta suculenta (70 cm, 0 °C).

Follaje: en forma de largas tiras de color verde azulado, coriáceas y persistentes con puntas aceradas. Forman una

◄ *Delosperma cooperi:* sus estrellas colorean el desierto.

corona escultural encima de un tronco corto, como las yucas. Sus hojas acaban formando una masa fibrosa.

Floración: en los ejemplares grandes, una mata de 2 m de alto puede llevar un plumero de flores de color paja.

Especies y variedades: las dasylirion se encuentran entre las variedades crasas. La *dasyliron longissimum* tiene tres hojas largas y es una de las especies que se cultivan normalmente.

Comportamiento en el recipiente: la dasylirion crece lentamente, pero vive mucho tiempo en recipiente. Debe resguardarse cuando lleguen las heladas en invierno.

Dimensiones del recipiente: cultive la dasylirion en un recipiente estrecho para que las flores desborden generosamente por los lados del recipiente.

Exposición: a pleno sol con calor, al igual que el resto de plantas suculentas.

Tierra: el drenaje debe ser perfecto. Las dasylirion adoran los sustratos arenosos y un poco calcáreos.

Riego: una vez a la semana durante la vegetación, una vez al mes de noviembre a febrero.

Enemigos y enfermedades: cuidado con las cochinillas harinosas que pican la parte inferior de las hojas.

Empleo: gracias a su silueta escultural, las dasylirions merecen un lugar que quede a la vista, plantadas solas o en un conjunto muy extenso.

Consejo: no moje el follaje regando. Es mejor sumergir todo el recipiente.

Delosperma spp.
VERDOLAGA VIVAZ

Estrellas a pleno sol...

Planta suculenta* (10 cm, -8 °C).

Follaje: persistente y carnoso, la planta forma matas trepadoras con hojas cilíndricas.

Floración: flores coloreadas con pétalos finos y radiantes que recubren la planta desde junio.

Especies y variedades: *Delosperma caespitosum* ofrece un follaje fino y azulado, además de flores de color rosa carmín con el corazón blanco. Forma un tapiz muy raso. *Delosperma cooperi* florece con el mismo color que la anterior; es una planta muy tapizante.

Comportamiento en el recipiente: la verdolaga vivaz es ideal para los balcones tórridos que reciben mucho sol en verano.

Dimensiones del recipiente: una gran copa llana de 15

a 20 cm de profundidad y de 40 a 50 cm de diámetro será suficiente para que esta planta se pueda desarrollar correctamente.

Exposición: las flores sólo se abren a pleno sol. Requieren un balcón poco habitado.

Tierra: 2/3 de arena y 1/3 de tierra.

Riego: las hojas carnosas del *Delosperma* tienen un papel muy importante porque sirven de reserva de agua. ¡Riegue con cuentagotas! La humedad invernal es mortal.

Enemigos y enfermedades: las cochinillas harinosas pueden invadir el follaje. Los riegos demasiado frecuentes provocan la podredumbre del cuello.

Empleo: en el borde de la jardinera con plantas que requieran de suelos secos. Las verdolagas vivaces pueden servir de adorno para los sauces, o los minijardines con claveles, armeria, telefios, barbas de Júpiter y tomillo.

Consejo: renueve la plantación en jardinera cada tres años.

Delphinium spp.
ESPUELA
DE CABALLERO

Espigas de color azul.
Planta anual o vivaz (1,2 m, –15 °C).
Follaje: muy recortado, dentado y palmaticompuesto.
Floración: bohordos erguidos por encima del follaje con grandes espigas de flores desde principios de mayo. A veces reaparecen en septiembre.

Especies y variedades: las *Delphinium belladonna*, de tamaño medio, con porte denso y ramificado, es la más adecuada para los cultivos en recipiente. La magnífica «Connecticut Yankees» tiene grandes flores con tonos azules diferentes. «Völkerfrieden», con un color azul genciana y corazón blanco.

Comportamiento en el recipiente: los delphiniums detestan el viento y prosperan en las terrazas resguardadas y soleadas pero no abrasadoras.

Dimensiones del recipiente: dispóngalos en macetas profundas de 30 cm como mínimo, para las variedades bajas. Plante ejemplares de más de 1 m de alto en recipientes de 40 cm de profundidad.

Exposición: su floración abundante sólo se obtiene a pleno sol.

Tierra: una buena tierra no muy compacta.

Riego: la tierra debe estar húmeda, así no se marchita.

Enemigos y enfermedades: varios hongos que pueden formar manchas en las hojas y provocar que las hojas se sequen. En los suelos demasiado pesados, la podredumbre negra destruye el cuello y las raíces, además de provocar la muerte de la planta.

Empleo: combine los delphiniums con gramíneas, como la *Calalmagrostis* «Karl Foerster», con florescencias de color oro o como la *Cosmos sulphureus* «Sunset», de color naranja cobrizo.

Consejo: elimine los tallos que no tengan flores según se vaya produciendo la floración.

Dendranthema spp.
CRISANTEMO

El gran festival de otoño.
Planta vivaz no rústica (60 cm, 0 °C).
Follaje: verde medio, profundamente dividido.
Floración: margaritas solitarias o en corimbos esparcidos que aparecen a finales de agosto y hasta que llegan las primeras heladas.

Especies y variedades: «Dense», con flores dobles en forma de pompón de color amarillo canario, es una de las variedades más bajas (40 cm). «Clara Curtis», con flores simples y de color rosa, florece precozmente. «Seúl», aparece muy tarde, las flores surgen a finales de octubre.

Comportamiento en el recipiente: los crisantemos son plantas efímeras que resisten entre cuatro y siete semanas en las jardineras. ¡Pero qué colores!

Dimensiones del recipiente: por causa del tiempo limitado de su duración en los balcones, todos los tipos de recipientes son aconsejables, incluso los más pequeños.

Exposición: cálida y soleada.

Tierra: enmiende su tierra original con algunos puñados de estiércol orgánico.

Riego: con medida, pero regular, para conseguir una planta con el follaje sano y una floración abundante. No moje nunca las hojas.

Enemigos y enfermedades: abundan los pulgones, arañas rojas, roya y el oídio.

Empleo: combine estas plantas con ásters, rudbeckias y gramíneas.

Consejo: estimule con abono líquido las plantas que haya adquirido en septiembre.

Son crisantemos aunque se llamen *Dendranthema*. ▷

▲ Los delphiniums se deben tutorizar bien.

▲ *Dendranthema indicum* sobre tallo, el rey del otoño.

D

Deutzia

▲ *Deutzia* x «Elegantísima»: fácil y generoso.

▲ *Dianthus barbatus:* ofrece colores realmente únicos.

Deutzia spp.
DEUTZIA

Una nube de color rosa o blanco.
Arbusto caduco (1,30 cm, –10 ºC).

Follaje: verde mate, a veces moteado, lanceolado, con tallos púrpuras en función de la especie.

Floración: racimos de estrellas de color rosa o blanco que hacen que las ramas se inclinen durante el mes de mayo.

Especies y variedades: *Deutzia* x *elegantísima* «Fasciculata», de color rosa subido, florece abundantemente. Su porte colgante es muy decorativo en las macetas aisladas. *Deutzia* x *magnifica* se cubre de nieve vaporosa en primavera. *Deutzia* x «*monte Rosa*» es la más glotona y ofrece impresionantes tonos de color malva.

Comportamiento en el recipiente: los brotes pueden verse dañados por el hielo primaveral que aparece en los balcones expuestos. Acerque los recipientes a las paredes y cubra el recipiente con una tela de hibernación.

Dimensiones del recipiente: las raíces de la deutzia requieren cierta comodidad. La planta mostrará toda su belleza si el recipiente mide como mínimo 30 cm de diámetro y 40 cm de profundidad.

Exposición: las deutzias prefieren la sombra parcial para que sus delicados colores parezcan aún más vivos.

Tierra: la de jardín es la más adecuada, además de la tierra para plantaciones que se vende en sacos.

Riego: no deje que se seque el suelo. En verano, calcule una regadora llena cada dos días.

Enemigos y enfermedades: normalmente ninguno.

Empleo: las deutzias forman conjuntos aislados muy bellos, además de excelentes segundos planos floridos en los recipientes más grandes.

Consejo: después de la floración, pode las viejas ramas a ras de suelo. Así, los tallos nuevos crecerán con más fuerza.

Dianthus spp.
CLAVEL

Todo un poema...
Planta vivaz (20 cm, –15 ºC).

Follaje: largo, estrecho, lanceolado, verde plateado o azulado. Algunas especies forman cojines muy densos, persistentes y decorativos durante el invierno.

◀ *Dianthus chinensis* «Nelken»: simplicidad y suavidad.

Floración: sus corolas se abren como faldas redondas y ofrecen todos los colores existentes entre el rojo, el blanco y el rosa. Su olor es especiado.

Especies y variedades: los híbridos de *Dianthus plumaris* ofrecen espectaculares flores dobles. Si las otras especies mueren al cabo de dos o tres años, el *Dianthus plumaris* dura cinco o seis años. *Dianthus alpinus,* el clavel de los Alpes, forma un manto que florece a finales de mayo y dura hasta agosto. *Dianthus chinensis,* el clavel de China florece desde julio hasta las primeras heladas.

Comportamiento en el recipiente: los claveles soportan el aire contaminado de las ciudades y en verano están muy a gusto en los balcones expuestos a grandes dosis de calor.

Dimensiones del recipiente: basta un recipiente de 15 cm de diámetro para que los claveles estén en buenas condiciones. Pero, cuando se plantan en grupo en jardineras de mayor tamaño, son más decorativos.

Exposición: obligatorio pleno sol.

Tierra: porosa, ligera, no demasiado rica. Una mezcla a base de 1/3 de tierra de jardín, uno de arena y otro de tierra de cultivo para garantizar una larga vida a los claveles.

Riego: controle el riego; deje que se seque la superficie antes de volver a regar.

Enemigos y enfermedades: una gran diversidad de hongos atacan a los claveles. Forman manchas en las hojas, deforman las flores, marchitan los brotes más jóvenes y secan las ramas. Trate preventivamente con un fungicida cuando empiece la vegetación en primavera.

Empleo: los claveles combinan a la perfección con las plantas de rocalla y los vegetales de hojas grises. Mézclelos sin miedo con las artemisas enanas, ceraistes, helianthemos, lavandas, tomillo y orégano.

Consejo: vigile que la base de la planta esté siempre limpia, sin hojas muertas ni tierra húmeda, pues podría ser un nido de parásitos.

Diascia spp.
DIASCIA

Una tierna exuberancia.
Planta vivaz rústica (40 cm, –5 ºC).

Follaje: verde mate, en forma de corazón más o menos redondeado y dentado.

Floración: las corolas rosas poseen un labio inferior bastante ancho. El corazón de la flor se realza con estambres de color amarillo oro, la floración dura desde finales de mayo hasta las primeras heladas.

Especies y variedades: *Diascia cordata* oferece un porte conlgante. Los tallos de la *Diascia rigescens* se mantiene más erguidos y las espigas son más densas. «Ruby Field» ofrece una floración excelente de color rosa oscuro. *Diascia vigilis* «Elliot's Variety» desarrolla ramas ligeras con un porte colgante muy gracioso.

Comportamiento en el recipiente: aunque las diascias son plantas vivaces, es preferible que se traten como a los pelargonios o las petunias, porque su rusticidad no es total.

Dimensiones del recipiente: mezcle las diascias con scaevolas, fucsias, bidens y geranios hiedra en jardineras de 30 cm de largo por 20 cm de alto.

Exposición: evite que las diascias reciban los rayos ardientes de las tardes de verano. La orientación este es la más adecuada.

Tierra: una buena tierra clásica.

Riego: evite los riegos irregulares que debilitan inútilmente la floración.

Enemigos y enfermedades: normalmente ninguno.

Empleo: *Dascia cordata* es maravillosa en las suspensiones floridas. *Diascia rigescens* forma bellas matas de 40 cm de alto.

Consejo: las diascias merecen una conservación de un año a otro, como las fucsias, para que sean más bellas al año siguiente. Éntrelas en octubre en un lugar resguardado del hielo. En marzo, corte todos los tallos a ras de suelo y trasplante los rizomas blancos.

Dicentra spp.
CORAZÓN DE MARÍA

Guirnaldas con corazoncillos.

Planta vivaz rústica (60 cm, –10 °C).

Follaje: ligero y recortado, de color verde con tonos marrones. Se amarillea normalmente a partir del mes de julio.

Floración: pequeños corazones de color rosa y blanco que cuelgan de tallos graciosamente arqueados.

Especies y variedades: *Dicentra spectabilis* existe en la variedad rosa y blanca (la versión blanca es más pequeña y un poco más frágil). *Dicentra eximia* florece durante mucho tiempo de mayo a agosto, su porte es más erguido.

Comportamiento en el recipiente: la floración de los corazones de María es bastante efímera. Por ello, coloque el recipiente cerca de la ventana para disfrutarla al máximo.

Dimensiones del recipiente: plante el cubilete después de haberlo comprado en una maceta de 20 cm de diámetro.

Exposición: la sombra parcial o incluso la sombra no impiden que la dicentra florezca. Bajo un sol demasiado ardiente las plantas podrían encogerse.

Tierra: mezcle a partes iguales una porción de turba, tierra de hojas y tierra orgánica.

Riego: la dicentra, al ser una planta de bosque, requiere una humedad suave pero permanente. Esta planta será la primera que le sacará el mejor partido, si lo instala, al sistema de riego automático gota a gota.

Enemigos y enfermedades: normalmente ninguno.

Empleo: combine la dicentra con nepetas, cuya exuberancia esconderá su follaje amarillento. Plante narcisos que aparecerán en primavera.

Consejo: corte el follaje de la *Dicentra* en septiembre, pero marque su presencia con una etiqueta para no olvidarla.

Dicentra eximia: adora la compañía de los helechos. ▶

▲ *Diascia vigilis* «Elliot's variety»: excelente en suspensión.

▲ *Dicentra spectabilis*: bien llamada corazón de María.

D

Dictamnus

▲ *Dictamnu albus* «Purpureus»: una bella vivaz ligera.

Dictamnus albus
DÍCTAMO BLANCO

¡Una planta con burbujas!
Planta vivaz (70 cm, –6 °C).

Follaje: verde brillante, compuesta, desprende un fuerte perfume aromático. La sabia tiene tal dosis de aceites esenciales que sus hojas emiten chispas en las calurosas noches estivales.

Floración: espigas de 30 cm de longitud con flores perfumadas con estambres ficticios.

Especies y variedades: *Dictaminus albus* forma una mata frondosa de color blanco rosado y franjas carmines. «Purpureus» ofrece unos tonos más intensos.

Comportamiento en el recipiente: el díctamo es rústico en las zonas mediterráneas. En el resto de áreas climáticas se cultiva anualmente.

Dimensiones del recipiente: las matas pueden ser muy imponentes a final de temporada. Colóquelo en una jardinera de como mínimo 25 cm de ancho.

Exposición: sombra parcial o sol no muy ardiente.

Tierra: el díctamo se adapta perfectamente a las zonas mediterráneas, excepto en los suelos calcáreos y secos.

Riego: no ahogue el díctamo con riegos diarios; bastará 1/2 l de agua dos veces por semana.

Enemigos y enfermedades: generalmente ninguno.

Empleo: la floración del díctamo no dura más de dos meses, combínela para alargar el decorado con hojas como los cárex, las euforbias o las hostas.

Consejo: colóquela en un recipiente bastante profundo porque al díctamo no le convienen los trasplantes. Fertilice cada dos riegos en primavera.

Dipladenia spp.
DIPLADENIA

Una brasileña encantadora.
Planta sarmentos (3 m, 3 °C).

Follaje: verde brillante, sencillo y perenne.

Floración: las trompetas del color rosa más vivo, aparecen de junio a octubre.

Especies y variedades: *Dipladenia splendens* presenta varios colores que van del blanco al rosa vivo.

◀ *Diplademia splendens:* una gran liana tropical.

Comportamiento en el recipiente: la dipladenia se yergue con ramas muy volubles, colóquelas en una celosía que sirva de apoyo. Crece muy bien en recipiente redondo.

Dimensiones del recipiente: una planta de un año puede vivir en una jardinera de 25 cm de ancho y de profundidad. Al año siguiente, requerirá de un recipiente de 40 × 30 cm.

Exposición: durante el período de floración, la dipladenia necesita permanecer al aire libre y en contacto con el sol.

Tierra: esta planta requiere de una mezcla nutritiva a base de tierra de hojas, estiércol de granja muy descompuesto y tierra para rosales. Ponga un poco de guano en la superficie.

Riego: en verano, las dipladenias requieren de una atmósfera húmeda. Aspersione abundantemente el suelo de la terraza siempre que riegue.

Enemigos y enfermedades: las cochinillas a veces pueden instalarse en las axilas foliculares.

Empleo: la dipladenia puede recubrir un pilar o una pared e incluso enmarcar una ventana. En una gran suspensión forma una avalancha de flores.

Consejo: en otoño pode las ramas demasiado largas y disminuya el riego. En invierno, mantenga la tierra un poco humedecida. Cambie de recipiente en marzo y vuelva a regar con fertilizante a partir del mes de abril.

Dorotheanthus spp.
FICOIDE

Se la denomina alfombra mágica.
Planta anual (15 cm, 5 °C).

Follaje: tapizante, verde claro, carnoso y lanceolado.

Floración: en verano, una profusión de pequeñas margaritas, de colores fluorescentes, recubren la planta.

Especies y variedades: *Dorotheanthus bellidiformis* da origen a una gran cantidad de híbridos de flores tornasoladas, rojas, blancas y amarillas.

Comportamiento en el recipiente: es inútil que insista en el cultivo de esta planta si no dispone de una terraza expuesta a pleno sur.

Dimensiones del recipiente: los pequeños recipientes (15 cm de diámetro) ofrecen la ventaja de no retener demasiado el agua, hecho que evita que la planta se pudra.

Exposición: a pleno sol es obligatorio, de lo contrario las flores no llegarían a abrirse nunca.

Tierra: estas plantas crecen en lugares secos y pobres. Ofrézcales una tierra muy arenosa, sin ningún aporte de abono.

Riego: basta con regar una vez cada quince días.

Enemigos y enfermedades: el exceso de agua hace que se pudran los tallos del cuello.

Empleo: en los balcones orientados al sur acogen perfectamente a los ficoides con las verdolagas, sedums y echeverrias para componer conjuntos exóticos.

Consejo: siembre en el mes de abril, directamente en la superficie de una jardinera y cubra las semillas con 0,5 cm de tierra fina.

Dregea sinensis
WATTAKAKA

Un perfume embelesador.
Planta trepadora (4 m, –10 °C).

Follaje: oval, puntiagudo, gris verde en el reverso, verde de mate en el anverso, en tallos volubles.

Floración: la planta produce racimos de flores en umbelas, cuentan con un pedúnculo de 10 cm aproximadamente; son cerosas, blancas, y evocan la floración de las hoyas.

Especies y variedades: emanan un potente aroma de tuberosa mezclado con el perfume del azahar.

Comportamiento en el recipiente: la wattaka se desarrolla menos en recipiente que directamente en la tierra, pero alcanza 3 m de altura. Los tallos jóvenes son frágiles y se queman cuando se apoyan contra una pared demasiado cálida.

Dimensiones del recipiente: esta planta trepadora requiere de recipientes bastante profundos. Ofrézcale un recipiente de como mínimo 40 cm de alto y 30 cm de ancho.

Exposición: la wattakaka requiere una buena luminosidad, pero no demasiado sol ardiente. Una pared expuesta al oeste es la mejor solución.

Tierra: rica en humus y neutra.

Riego: sólo los primeros centímetros de tierra pueden llegar a secarse. Las raíces profundas deben conservar siempre una dosis de frescura.

Enemigos y enfermedades: la wattakaka parece inmune a los problemas.

Empleo: las largas ramas flexibles de la wattakaka deben, imperativamente, guiarse mediante un punto de apoyo: una celosía, un pilar, un separador, un alambre colocado siguiendo el contorno de una ventana, etc.

Consejo: a menudo se considera como semirrústica, pero es más sólida de lo que parece. Sería una lástima perderla porque no se encuentra muy fácilmente. En invierno, envuelva el recipiente con varias capas de cartón a modo de colchón aislante.

Dryopteris spp.
HELECHO

El refinamiento en la opulencia.
Planta vivaz (80 cm, –15 °C).

Follaje: verde intenso y verde oscuro, finamente dividido.

Floración: los helechos no florecen.

Especies y variedades: existen más de cuarenta especies y variedades a su disposición. *Dryopteros filix-mas*, el helecho macho, se combina en diferentes tonos, con follaje más o menos dividido. La variedad «Linearis Polydactyla» tiene hojas tan finas que parece que vayan a levantar el vuelo. Esta variedad vive perfectamente en el recipiente y resiste incluso la sequía. *Dryopteris erythrosora* se encuentra entre las especies más bellas. Los brotes más jóvenes son de color rojo.

Comportamiento en el recipiente: estos helechos rústicos se desarrollan fácilmente en cualquier recipiente.

Dimensiones del recipiente: los helechos más grandes viven dos años en recipientes de 30 cm de altura. Las especies bajas (20 cm) pueden agruparse de tres en tres en jardineras de 60 cm de largo y 15 cm de profundidad.

Exposición: aconsejamos sombra parcial.

Tierra: cualquier tierra de plantación es adecuada.

Riego: aunque estas plantas resisten la sequía, sus frondas son más bellas cuando se riegan regularmente, dos veces a la semana, por ejemplo.

Enemigos y enfermedades: generalmente ninguno.

Empleo: recree un ambiente de sotobosque con epimediums, fucsias, impatiens, hostas, bruñeras y primaveras, que podrá instalar a la sombra de diferentes arbustos.

Consejo: divida las matas, en primavera, cuando alcancen un tamaño considerable.

Druopteris erythodora: helecho con reflejos color bronce. ▶

▲ *Drejea sinensis:* una sorprendente planta trepadora.

▲ *Dorotheanthus bellidiformis:* auténtica «alfombra mágica».

E

▲ Una bella mata de *Echeveria* en una jarra de piedra.

▲ *Echinocactus grusonii*: un cojín repleto de pinchos.

◄ *Elaeagnus pungens* «Maculata»: una mata persistente.

Echeveria spp.
ECHEVERIA

Un aspecto de minúscula alcachofa.
Planta crassa (15 cm –5 °C).

Follaje: pequeñas rosas de hojas persistentes, espesas y suculentas, de un bello color gris azulado.

Floración: en verano, las flores aparecen encima de unos bohordos aterciopelados que surgen desde el centro del follaje, en tonos amarillo, anaranjado y rosa.

Especies y variedades: existen casi 150 especies y numerosos híbridos. *Echeveria gibbiflora* «Metallica» desarrolla rosas que pueden superar los 30 cm de diámetro.

Comportamiento en el recipiente: una planta poco cargante que debe reservarse para las decoraciones veraniegas, pues teme mucho al frío. Resiste bien la calima y los embates del viento.

Dimensiones del recipiente: 12 cm de profundidad y 14 cm de ancho bastan para una planta con dos o tres rosetas de hojas. Es maravillosa en las copas anchas.

Exposición: muy soleada, durante todo el año.

Tierra: una parte de tierra, hojas y turba mezclada con 1/3 de arena.

Riego: muy escaso durante el invierno. Durante el verano, deje que se seque la tierra antes de regar.

Enemigos y enfermedades: las cochinillas son frecuentes. Evítelas con un algodón embebido en alcohol.

Empleo: realice un decorado exótico combinándola con yucas, diferentes cactus, aloe, crassulas y verdolagas vivaces.

Consejo: desde mediados de octubre a principios de mayo, resguarde el recipiente en un invernadero o dentro de una galería climatizada entre 8 y 12 °C.

Echinocactus grusonii
COJÍN DE LA SUEGRA

¡Cuidado! Pincha.
Cactus (1 m, 5 °C).

Follaje: el tallo globuloso puede alcanzar 1 m de altura y 0,8 m de diámetro en el caso de los ejemplares más antiguos. Los lados (entre 20 y 30) marcados y dispuestos regularmente están repletos de pinchos amarillos que tienden hacia el blanco.

Floración: en forma de corona, en la cúspide del tallo. Las flores amarillas aparecen en los ejemplares de más edad.

Especies y variedades: *Echinocactus grusonii* es la única especie interesante para exterior.

Comportamiento en el recipiente: estos cactus son extremadamente sensibles al frío y deben resguardarse en invierno. Crece lentamente en el recipiente.

Dimensiones del recipiente: el diámetro del recipiente debe ser ligeramente superior al de la planta. Utilice un recipiente más ancho que alto.

Exposición: a pleno sol, cálida y árida.

Tierra: una mezcla muy permeable y ácida a base de 1/3 de tierra y 2/3 de arena.

Riego: moderado en verano. Nunca en invierno.

Enemigos y enfermedades: cuidado con las cochinillas, pues son muy difíciles de erradicar una vez que se han instalado.

Empleo: cultive esta planta aislada para realzar su bello porte en forma de cojín.

Consejo: resguárdela durante el invierno en una galería que tenga una temperatura no superior a los 10 °C.

Elaeagnus pungens
ELEAGNO PUNZANTE

Una nata muy protectora.
Arbusto (1,5 m, –15 °C).

Follaje: persistente, con tallos a veces espinosos. El anverso de las hojas coriáceas es verde y el reverso de color gris-blanco.

Floración: a finales de otoño, perfumada, con pequeños frutos en forma de huevo y de color rojo anaranjado.

Especies y variedades: *Eleagnus pungens* «Maculata Aurea» es un poco menos vigorosa que la planta tipo. Sus hojas verde oscuro están moteadas de amarillo oro. «Variegata» presenta el borde del follaje moteado en color blanco y crema.

Comportamiento en el recipiente: crecimiento rápido; este arbusto forma matas densas, decorativas, durante todo el año; resiste la calima y el viento.

Dimensiones del recipiente: como mínimo 40 cm de anchura y profundidad para un sola mata.

Exposición: cálida, preferentemente soleada.

Tierra: suelo de jardín ligero y bien drenado.

Riego: moderado, deje que la superficie se seque siempre que vuelva a regar.

Enemigos y enfermedades: normalmente ninguno.

Empleo: las variedades moteadas deben plantarse aisladas o como vallas vegetal de altura media para resguardarse del ruido.

Consejo: pode eliminando las ramas secas que se desarrollan en el centro del arbusto.

Enkianthus campanulatus
ENKIANTO

Campanillas preciosas.
Arbusto (2 m, –20 °C).

Follaje: verde mate, caduco. Su porte es erguido. Coloración excepcional de color rojo y oro, en otoño.

Floración: abundante en mayo. Las flores en forma de campanillas colgantes son de color blanco-amarillo con nervios rojos. Forman racimos generosos.

Especies y variedades: «Sikokianus» tiene una floración rosa. La de «Palibinii» es de color rojo intenso; «Albiflorus» se desarrolla con flores de color blanco crema.

Comportamiento en el recipiente: es una planta fácil, muy elegante. Su crecimiento es lento.

Dimensiones del recipiente: como mínimo 40 cm de ancho y de profundidad para un arbusto joven.

Exposición: sombra moderada o bajo el sol tamizado.

Tierra: ácida y fresca, tierra de turba.

Riego: debe ser frecuente cuando el clima sea seco y el calor arrecie para conservar el suelo húmedo, pero no demasiado empapado.

Enemigos y enfermedades: generalmente ninguno.

Empleo: es un buen complemento para los rododendros, las hydrangeas y los pieris.

Consejo: cuando el suelo no sea muy ácido, utilice un producto anticlorosis o ponga mantillo en la superficie.

Ensete maurelii
BANANERO

Exótico y voluminoso.
Planta vivaz arbustiva (3 m, –2 °C).

Follaje: expansivo, en un falso tallo que puede superar 1,80 m. Las hojas enteras son verdes, con el reverso y los nervios de color marrón rojizo.

Floración: escasa en nuestras regiones.

Especies y variedades: *Ensete maurelii* tiene hojas verdes e inmensas con tallos que tienen nervios de color rojo.

Comportamiento en el recipiente: reserve esta especie tan voluminosa para las terrazas más grandes.

Dimensiones del recipiente: 30 cm de profundidad y de anchura para un ejemplar de 1 m de altura.

Exposición: soleada y resguardada del viento.

Tierra: mantillo y tierra de jardín mezclada.

Riego: diario cuando el clima sea cálido y seco. Muy reducido en invierno, durante el período de reposo.

Enemigos y enfermedades: las cochinillas pueden provocar daños importantes.

Empleo: cree un ambiente exótico combinando el platanero con recipientes de strelitzia, alocasia, datura, ricino o bambú.

Consejo: a finales de setiembre, resguarde el bananero en una galería grande que conserve una temperatura de 10 a 12 °C. En verano, abónelo semanalmente.

▲ *Enkianthus campanulatus*: campanillas refinadas.

Eranthis hyemalis
ERANTHIS O ACÓNITO DE INVIERNO

La primera flor del año.
Planta bulbosa (10 cm, –15 °C).

Follaje: verde, dividido en pequeñas corolas bajo la flor. La planta se extiende en pequeños ramos.

Floración: desde finales de enero a marzo. Las flores solitarias de color amarillo vivo tienen forma de cáliz.

Especies y variedades: *Eranthis cilicicara*, aún más pequeña, florece un poco después y durante más tiempo.

Comportamiento en el recipiente: muy rústica, esta pequeña bulbosa es tan precoz que a veces florece bajo la nieve, incluso antes que el narciso de las nieves.

Dimensiones del recipiente: 16 cm de ancho por 14 cm de profundidad para cuatro o cinco rizomas.

Exposición: de sombra parcial hasta soleada.

Tierra: ligera, húmeda y bien drenada.

Riego: el suelo nunca debe secarse completamente, sobre todo en verano.

Enemigos y enfermedades: los pájaros en busca de alimentos pueden estropear los brotes florales.

Empleo: plántelo en primer plano en un gran recipiente que contenga laurel, una camelia precoz o un hamamelis.

Consejo: plante los rizomas en octubre, a 3 cm de profundidad, espaciándolos 5 cm entre ellos.

▲ *Ensete maurelii*: un platanero bastante resistente al frío.

Eranthis hyemalis: la flor bulbosa más precoz de todas. ▶

E

Erica

▲ *Erica darleyensis:* flores generosas en otoño.

▲ *Erica gracilis:* un ejemplar magnífico pero sensible al frío.

◀ *Erica cinerea* «Fiddlers gold»: un increíble tapiz de oro.

Erica spp.
BREZO

Colores a lo largo del año.
Arbusto (50 cm, –15 °C).

Follaje: persistente. Las pequeñas hojas en forma de agujas crecen apretadas a lo largo de los tallos.

Floración: a lo largo de diferentes momentos del año, según las especies y las variedades. Color blanco, rosa, rojo o violeta, más o menos oscuro.

Especies y variedades: *Erica gracilis* y *Erica hyemalis,* de floración invernal, no son rústicas. *Erica carnea* forma un tapiz denso de color verde claro, de aproximadamente 20 cm de alto y 60 cm de diámetro. La floración rosa roja se prolonga de noviembre a mayo. Existe una gran cantidad de variedades: «Ann Sparkes», «Aurea» y «Foxhollow» se distinguen por su magnífico follaje amarillo y con flores rosas. «Golden Starlet» tiene flores blancas. «Cecilia M. Véale», «Snow Queen», «Springwood White» y «White Rocket» tienen flores blancas encima de un follaje verde oscuro. «Praecox Eubra», su porte es bajo, muy extenso, y su floración invernal de color rosa morado. «Myretoun Ruby» tiene grandes flores de color rosa oscuro. «Viveli», con un follaje característico que se tiñe de rojo en invierno y se cubre de flores carmín de enero a marzo.

El brezo ceniciento, *Erica cinerea,* forma matas de 20 a 30 cm y florece de junio a noviembre. «Alba Minor» no supera los 15 cm de altura y ofrece pequeñas flores de color blanco. «Golden Drop» y «Golden Hue» desarrollan un follaje amarillo cobrizo, teñido de rojo en invierno. Su floración rosa es un poco abundante. «Fanny», «Pallas» y «P.S. Patrick» tienen flores violetas. «Fidders gold» es dorado con flores rosas. *Erica* x *darleyensis* es un brezo muy bello y rústico que alcanza casi 50 cm de altura y 60 cm

de anchura. Florece de octubre a mayo. «Darley Dela» posee flores de color rosa pálido. «George Rendall» florece en tonos rosa vivo. «Jack H. Brummage» presenta un follaje amarillo, teñido de color rojo en invierno y con bellas flores de color rosa oscuro. «Silberschmelze» y «White perfection» se cubren con una floración blanca.

Erica arborea es una gran especie arbustiva de follaje verde. En marzo y abril, produce una abundante floración blanca y perfumada. Poco rústica, está reservada para los balcones resguardados parcialmente sombreados.

Comportamiento en el recipiente: la diversidad de las especies y de las variedades permite modificar hasta el infinito las composiciones y obtener un decorado perenne, atractivo durante todo el año. Se conserva perfectamente en recipiente.

Dimensiones del recipiente: una planta joven requiere como mínimo un recipiente de 20 cm de largo y otros 20 de ancho.

Exposición: cálida y soleada.

Tierra: no calcárea, ligera, húmeda, drenada.

Riego: muy abundante, además de constante, desde que empiece a hacer calor y el ambiente sea seco. Escaso en invierno.

Enemigos y enfermedades: sufre de un hongo que provoca la decoloración del follaje y el ajamiento de la planta. Desinfecte el recipiente y cambie la tierra.

Empleo: en las grandes jardineras como base o en el borde, al pie de las diferentes plantas adaptadas a la tierra del brezo.

Consejo: después de la floración, pode los tallos por encima de las flores marchitas.

Erigeron karvinskianus
MANZANILLA SILVESTRE

Una profusión de minimargaritas.
Planta vivaz (20 cm, –7 °C).

Follaje: mata expansiva. Pequeñas hojas estrechas y lanceoladas de color verde, más o menos teñidas de púrpura. Tallos finos y ramificados.

Floración: abundante de junio a octubre. Las pequeñas florescencias se parecen a las margaritas blancas que se vuelven de color rosa antes de marchitarse.

Especies y variedades: *Erigeron glaucus* forma cogines densos de 20 a 30 cm de alto cubiertos por grandes flores de color rosa con el corazón amarillo, de junio a octubre. *Erigeron alpinus* y *Erigeron aurantiacus* no pasan de los 20 cm de alto. Estas especies florecen, en mayo y junio, en tonos rosa y rojo anaranjado.

Comportamiento en el recipiente: poco exigente, la manzanilla silvestre se contenta con un recipiente pequeño y escaso volumen de tierra.

Dimensiones del recipiente: 14 cm de ancho y de profundidad bastan para una planta.

Exposición: a pleno sol, con calor.

Tierra: una buena tierra de jardín muy bien drenada.

Riego: moderado, el sustrato debe secarse entre riego y riego. La manzanilla silvestre no tolera la humedad estancada en las raíces.

Enemigos y enfermedades: en general, ninguno.

Empleo: en suspensión o en primer término de una jardinera, bien a la vista. Su porte ligero y muy ramificado aporta un toque de ligereza en una composición de hojas más estructuradas.

Consejo: proteja la planta de las fuertes heladas y de la humedad durante el invierno.

Erysimum linifolium
JARAMAGO O ALHELÍ AMARILLO

Muy atractivo, pero efímero.

Subarbusto (40 cm, –5 °C).

Follaje: verde gris y persistente. El porte de la planta es ramificado, forma un cojín muy ancho. Las hojas son estrechas y dentadas.

Floración: en mayo y junio. Las flores, de color violeta malva, se reagrupan en diversos racimos por encima del follaje.

Especies y variedades: «Variegatum» tiene hojas bordeadas de color amarillo crema, decorativas durante todo el año.

Comportamiento en el recipiente: es una planta que debe cultivarse durante dos años, no más, porque después se desprende rápidamente de la base y entonces pierde el encanto.

Dimensiones del recipiente: 25 cm de ancho y de profundidad como mínimo por cada planta.

Exposición: cálida, resguardad y soleada.

Tierra: una tierra común de jardín, muy bien drenada. El jaramago soporta incluso un suelo seco y pobre.

Riego: muy moderado. Deje secar la tierra del recipiente entre riego y riego.

Enemigos y enfermedades: prácticamente ninguno. La planta no tolera la humedad permanente en invierno.

Empleo: en un gran recipiente, instálela en primer plano con antemis y nepetas, delante de las *Euphoria charassias*, las *Artemisia* «Powis castle» y de *Centranthus ruber* «Albus».

Consejo: retire los brotes que estén mustios porque la planta madre no vive durante mucho tiempo.

Erythrina crista-galli
CEIBO O ERITRINA CRESTAS DE GALLO

Extrañas flores de coral.

Arbusto (1,50 m, 3 °C).

Follaje: verde pálido, caducifolio, coriáceo y suelto. Los tallos anuales son muy espinosos. La mata puede alcanzar una envergadura de 1 a 2 m.

Floración: generosa, en junio y julio. Las grandes flores de color rojo cereza de textura cerosa surgen en la extremidad de los tallos.

Especies y variedades: «Compacta» es una variedad enana ideal para las terrazas de dimensiones reducidas.

Comportamiento en el recipiente: esta bella especie requiere un clima suave y una situación resguardada para que pueda desplegar toda su fantástica floración.

Dimensiones del recipiente: 40 cm de profundidad y de anchura como mínimo, ya que la planta forma una raíz densa y leñosa.

Exposición: cálida, resguardada, a pleno sol.

Tierra: húmeda, rica y bien drenada.

Riego: abundante en verano. Muy reducido en invierno.

Enemigos y enfermedades: controle si aparecen cochinillas.

Empleo: es una de las más bellas plantas tropicales con flores. Combínela en verano con hibiscos híbridos, abutilones, lantanas, daturas o laureles rosa.

Consejo: en las regiones frías, mantenga la raíz durante el invierno entre 5 y 8 °C. En marzo, corte los tallos y aporte abono compuesto en la superficie del recipiente.

Erythrina crista galli: exuberante, preciosa, exótica. ▶

▲ *Erigeron karvinskianus:* ideal para las zonas más cálidas.

▲ *Erysimum* x «Wenlock Beaty»: un color fuerte.

E

Escallonia

▲ *Escallonia* híbrida: un arbusto cerca del mar.

▲ *Eschscholzia californica*: una amapola de oro.

Escallonia spp.
ESCALONIA

La amiga de las brumas.
Arbusto (1,5 m, –5 °C).

Follaje: perenne, denso y verde oscuro. Sus hojas lanceoladas son pequeñas, brillantes y dentadas.

Floración: veraniega, adquiere toda la gama del color rosa y del rojo. Las pequeñas flores no aparecen más que sobre los brotes del año anterior.

Especies y variedades: *Escallonia lavéis* «Gold Brian» es abundante y desarrolla un bello follaje dorado y una floración generosa de color rojo intenso. Exclusiva para los climas muy suaves. *Escallonia* «Donard Star» desarrolla una silueta compacta, floración rosa suave en junio. *Escallonia* «C.F. Ball» es una de las variedades más resistentes al hielo. Se cubre de florecillas rojas de junio a octubre.

Comportamiento en el recipiente: este arbusto poco rústico es recomendable si está cerca del mar, en las regiones de clima templado, en las que se mantiene perfectamente en recipiente.

Dimensiones del recipiente: conviene que esté en un recipiente de 40 cm de profundidad y de anchura.

Exposición: cálida, soleada, a buen recaudo de los vientos fríos. Evítele los lugares demasiado áridos.

Tierra: cualquier tierra de jardín ácida de calidad, bien drenada. Una buena tierra arenosa es lo más adecuado.

Riego: moderado sólo cuando el sustrato del recipiente está seco. La planta resiste la sequía.

Enemigos y enfermedades: prácticamente ninguno. Las heladas súbitas pueden destruir los tallos completamente.

Empleo: aislado, formando una pequeña cortina libre o podada en una gran jardinera.

Consejo: distribuya las plantas a una distancia de 30 cm para realizar una composición compacta y densa.

Eschscolzia californica
♣ AMAPOLA
DE CALIFORNIA

No pone ningún tipo de problema
Planta anual (35 cm, –10 °C).

Follaje: verde azulado, finamente recortado.

◄ *Eschscholzia* híbrida: flores grandes y coloridas.

Floración: de junio a octubre. Sus grandes flores simples en forma de corola son de color amarillo anaranjado o de color rojo intenso.

Especies y variedades: «Apricot chiffon» es una de las variedades más bellas con flores dobles de color amarillo crema en el centro, bordeadas de color naranja coral intenso. «Bailarina» ofrece una floración doble con tonos moteados o estriados. *Escscholzia caespitosa* «Sundew» (15 cm de altura) forma un tapiz sensacional de flores amarillo limón de junio a octubre.

Comportamiento en el recipiente: ideal para adornar y para que surjan flores en los espacios que se han quedado vacíos.

Dimensiones del recipiente: 20 cm de diámetro y de profundidad, como mínimo.

Exposición: muy soleada.

Tierra: son convenientes todos los suelos bien drenados. Esta pequeña amapola resiste bien en los sustratos pobres y arenosos.

Riego: cuando el suelo se seca en superficie.

Enemigos y enfermedades: ninguno.

Empleo: para obtener una profusión de florecillas, combínelas con anuales, como las clarkias, las godetias, centauros azules, cosmos, xeranthemums o *Salvia horminum*.

Consejo: siembre a partir de abril. Distribuya entre 20 y 25 cm de distancia.

Eucalyptus gunnii
EUCALIPTUS DE GUN

Un follaje joven muy atractivo.
Árbol (4 m, –10 °C).

Follaje: las flores jóvenes son redondas y de color verde azulado, a veces blanco plateado brillante. A partir del segundo año, se alargan y adquieren un color azulada o verde oscuro.

Floración: muy escasa en el recipiente, sólo aparece después de algunos años, a principios de verano. Las flores blancas perfumadas se reúnen en racimos, en la axila folicular.

Especies y variedades: *Eucalyptus globulus* tiene un crecimiento muy rápido. Es muy sensible al frío, sólo es rústico en las zona de clima mediterráneo. *Eucalyptus urnigera* se parece mucho al *Eucalyptus gunni*, tiene un follaje más ancho y una muy bella floración estival.

Comportamiento en el recipiente: este eucalipto crece

muy rápidamente, puede permanecer en el recipiente tres o cuatro años.

Dimensiones del recipiente: 50 cm de diámetro y de profundidad como mínimo.

Exposición: a pleno sol, pero resguardado de los vientos violentos que lo deterioran. Si se cubre el recipiente con una tela de invernadero, se protegerán las raíces de las fuertes heladas.

Tierra: una buena tierra de jardín neutra o ácida, bien drenada con 1/3 de mantillo que se debe mantener fresco durante el día.

Riego: cuando el calor sea muy seco, riegue abundantemente para mantener la humedad del sustrato.

Enemigos y enfermedades: los escarabajos pequeños pueden deformar y provocar que se marchiten los brotes jóvenes.

Empleo: en una gran terraza, su bello follaje azulado realza la floración de las *Lavatera thuringiaca* «Barnsley» o de la *Buddleia* x *weyriana* «Sungold».

Consejo: el crecimiento de esta bella especie es rápido. Puede llegar a alcanzar 2 m de altura si poda todos los tallos a ras de suelo, cada año, a principio de la primavera.

Eucharis amazonica
LIS DE LA VIRGEN

Una espléndida flor muy perfumada.
Planta bulbosa (60 cm, 2 ºC).

Follaje: verde y brillante. Las hojas anchas brotan directamente de la mata y se estrechan a la altura de los pecíolos.

Floración: blanca, perfumada, de julio a enero. Las grandes flores se parecen a las del narciso. Aparecen en forma de umbelas, en las terminaciones de los brotes.

Especies y variedades: *Eucharis korsakofii* es una especie vecina, aunque de tamaño más reducido.

Comportamiento en el recipiente: un período de reposo en seco resulta indispensable después de la floración para conservar la planta de un año a otro.

Dimensiones del recipiente: como mínimo 18 cm de diámetro y 16 cm de profundidad para cada bulbo.

Exposición: cálida y muy resguardada, sombra parcial.

Tierra: una mezcla bien drenada con 1/3 de tierra para hojas y la misma cantidad de turba y arena.

Riego: moderado durante el período de crecimiento y de la floración. Deje secar la tierra de la superficie antes de

volver a regar. Después de la floración reduzca el riego a una vez cada quince días.

Enemigos y enfermedades: en general ninguno.

Empleo: un elemento aislado, en un bello recipiente de terracota o de porcelana, con nerinas.

Consejo: plante los bulbos a 5 cm de profundidad, en marzo. Durante el invierno coloque la planta en una galería resguardada de las heladas.

Eucomis bicolor
PLANTA DE LA PIÑA

La sosia de la piña.
Planta bulbosa (45 cm, –5 ºC).

Follaje: verde y lustroso. Las hojas, anchas y romboidales, se agrupan en manojos. Se tiñen de marrón en el reverso.

Floración: veraniega. Tiene racimos erguidos que pueden alcanzar los 50 cm de altura, y se parecen a una piña. Están compuestas por un centenar de pequeñas flores estrelladas de color verde pálido con una franja de color burdeos. La flor está coronada por un conjunto de hojas verdes, por ello su similitud con la piña.

Especies y variedades: «Alba» tiene flores sensacionales de color blanco crema. *Eucomis autumnalis* es una pequeña especie robusta de floración blanca. Es una planta ideal para los balcones ventilados o próximos al mar.

Comportamiento en el recipiente: esta bulbosa exótica está especialmente indicada para el cultivo en recipientes suficientemente voluminosos. Puede mantenerse de un año a otro y crecer sin problemas.

Dimensiones del recipiente: un diámetro de 30 cm y una profundidad de 25 cm, como mínimo, para tres bulbos.

Exposición: preferentemente a pleno sol.

Tierra: una mezcla drenada compuesta por 1/3 de tierra de jardín, de tierra de hojas y de arena.

Riego: ninguno durante el período invernal.

Enemigos y enfermedades: los caracoles y las babosas pueden atacar los tallos más jóvenes.

Empleo: individualmente o combinada con *Commelina tuberosa* con flores azules o blancas.

Consejo: plante los bulbos más grandes hundiéndolos entre 12 y 15 cm de profundidad, en el mes de marzo o en abril. Deje un espacio de 30 cm entre ellos.

Eucomis bicolor: floración de larga duración. ▶

▲ *Eucalyptus gunii*: el más rústico de todos.

▲ *Eucharis grandiflora*: extraña belleza invernal.

E

Euonymus

▲ *Eunymus fortunei* «Emerald'n Gold» buen crecimiento.

▲ *Euphorbia characias:* armonía verde.

◄ *Euphorbia triangularis:* espinas traidoras.

Euonymus fortunei
HINOJO TREPADOR O BONETERO DE FORTUNE

La persistente ideal para las jardineras.
Arbusto (40 cm, –10 °C).

Follaje: verde, perenne, con aspecto barnizado. Sus hojas son ovales y dentadas. Las ramas tienen raíces aéreas.

Floración: insignificante.

Especies y variedades: «Sunshine», parecida a la «Emerald'n Gold», de grandes hojas con el contorno de color dorado, pero más vigoroso.

Comportamiento en el recipiente: rústico; este hinojo resiste muy bien, en recipiente, a la contaminación.

Dimensiones del recipiente: un recipiente de 40 cm de profundidad y de anchura, o un recipiente grande.

Exposición: resguardada, soleada o parcialmente sombreada.

Tierra: tierra de jardín y mantillo, a partes iguales, con un buen drenaje en el fondo del recipiente.

Riego: moderado, deje que se seque la superficie entre riego y riego.

Enemigos y enfermedades: en verano, el oídium y los ácaros pueden estropear su excelente follaje.

Empleo: los colores moteados dan un toque de luminosidad en los patios poco sombreados.

Consejo: para obtener una composición compacta, pode en marzo los tallos estropeados o mal orientados.

Euphorbia characias
EUFORBIA O LECHETCEZNA

Un efecto espectacular.
Planta vivaz (1 m, –10 °C).

Follaje: una mata grande persistente. Las hojas estrechas y alargadas son de color gris azulado.

Floración: en abril y mayo. Las pequeñas flores están rodeadas por brácteas de color verde-amarillo con marcas de color marrón que se agrupan en florescencias voluminosas.

Especies y variedades: *Euphorbia characias* «Wulfenii» se diferencia por la ausencia de marcas marrones en sus brácteas. «Humpty Dumpty» es una variedad más compacta y muy vigorosa. «Burrow Silver» presenta un follaje moteado de color amarillo crema.

Comportamiento en el recipiente: esta euforbia rápidamente se impone allí donde esté emplazada, por ello, sólo debe permanecer entre dos y tres años en el recipiente.

Dimensiones del recipiente: de 30 a 40 cm de profundidad y de diámetro para una sola planta.

Exposición: a pleno sol, pero no muy ardiente.

Tierra: Mezcle, a tercios, una buena tierra de jardín común, incluso calcárea, con arena y mantillo.

Riego: la tierra debe secarse antes de volverla a regar. La planta resiste la sequía.

Enemigos y enfermedades: en general, ninguno.

Empleo: para obtener un ambiente con tonos grises-azulados, combine esta planta con artemisas «Powis Cstle», con coles marinas y ruda (Ruta graveolens).

Consejo: pode a finales de la floración. Divida las matas cada dos años a partir de octubre.

Euphorbia triangularis
CACTUS CANDELABRO

Una belleza exótica muy puntiaguda.
Planta crasa (1 m, 5 °C).

Follaje: muy reducido. Está formado por grandes tallos de color verde oscuro, erguidos, suculentos, angulosos y espinosos.

Floración: bastante insignificante.

Especies y variedades: *Euphorbia echinus* forma una pequeña mata muy espinosa y desprovista de hojas, de 1 m de altura. *Euphorbia candelabrum* crece en altos tallos espinosos y con hojas en las extremidades.

Comportamiento en el recipiente: esta bella especie, muy sensible al frío, puede vivir al aire libre desde mayo a octubre. Los grandes ejemplares a veces tienen problemas de estabilidad. Emplee un tutor.

Dimensiones del recipiente: 25 cm de ancho y de profundidad, para un ejemplar de menos de 1 m de altura.

Exposición: a pleno sol, calor y aridez.

Tierra: una mezcla bien drenada de tierra de hojas, arena y tierra de jardín, 1/3 de cada una.

Riego: casi nada en invierno. Deje que se seque la superficie antes de volver a regar en verano.

Enemigos y enfermedades: la podredumbre de las raíces comporta el marchitamiento rápido de la planta.

Empleo: para obtener un efecto sensacional a modo de «es-

tatua vegetal» en un balcón exótico, combínelo con cactus.

Consejo: en invierno, entre el recipiente y colóquelo en una habitación bastante luminosa o en una galería, siempre en un ambiente con temperatura entre 5 y 10 °C.

Euryops acraeus EURIOPSIDE

Un cojín de margaritas de oro.

Arbusto (1 m, –2 °C).

Follaje: abundante, forma una mata muy ramificada. Hojas perennes perfiladas de color verde grisáceo.

Floración: de junio a septiembre. Parecen margaritas sencillas de color dorado.

Especies y variedades: *Euryops chrysanthemoides* «Sunshine» alcanza 1 m de altura y de amplitud. Forma una bola sin necesidad de podarla.

Comportamiento en el recipiente: resguardada de las heladas puede vivir de tres a cuatro años en el mismo recipiente.

Dimensiones del recipiente: como mínimo 25 cm de diámetro y profundidad para una sola mata.

Exposición: cálida, resguardada, a pleno sol.

Tierra: una buena tierra de plantación, porosa.

Riego: una vez que la superficie se haya secado.

Enemigos y enfermedades: prácticamente ninguno.

Empleo: combínela con arctotis, felicias, gazanias, u osteospermums, para conseguir tener color en verano.

Consejo: elimine las flores marchitas. En verano apórtele abono líquido cada quince días.

Exacum affine VIOLETA PERSA

Una tímida y bella flor para descubrir.

Planta vivaz (25 cm, 5 °C).

Follaje: barnizado, verde oscuro brillante y persistente, oval, con tallos carnosos.

Floración: desde principios de primavera y durante todo en verano. Sus flores simples, violetas, desprenden un agradable aroma. Requieren mucho calor para que la planta perfume el ambiente.

Especies y variedades: existen formas de flores blancas y dobles.

Comportamiento en el recipiente: trate esta planta como bianual. Renuévela cada dos años.

Dimensiones del recipiente: 12 cm de diámetro y profundidad, como mínimo.

Exposición: protegida y muy luminosa, pero resguardada del sol directo y de las corrientes de aire frío.

Tierra: una mezcla de tierra de brezo y de turba rubia a partes iguales, coloque además un buen drenaje.

Riego: moderado, sólo para mantener el frescor constante del suelo (dos veces a la semana).

Enemigos y enfermedades: prácticamente ninguno.

Empleo: su desarrollo tan reducido hace que sea ideal para colocarla en primer plano de las jardineras.

Consejo: durante el verano, aporte a la violeta de Persia un abono líquido para plantas floridas cada diez días. En invierno, coloque el recipiente en una habitación luminosa, con un máximo de temperatura de 16 °C.

Exochorda giraldii EXOCORDA

Una inmaculada ligereza.

Arbusto (2 m, –15 °C).

Follaje: caduco, de color verde intenso. Las hojas jóvenes aparecen a principios de primavera y duran hasta diciembre. Tiene un porte ligero, relajado y elegante.

Floración: en abril y mayo. Las grandes flores simples son blancas y perfumadas. ¡Sensacionales!

Especies y variedades: «Wilsonii» es una variedad de porte erecto. «The bride» es un bello híbrido llorón no muy denso, pero sí decorativo.

Comportamiento en el recipiente: crece rápido en recipiente, pero no puede vivir más de tres o cuatro años.

Dimensiones del recipiente: un gran recipiente de 40 a 50 cm de profundidad y diámetro, como mínimo.

Exposición: muy soleada, pero no ardiente.

Tierra: mantillo de cortezas, ácido y poroso.

Riego: sin abusar, deje que la tierra se seque completamente antes de volver a regar.

Enemigos y enfermedades: a veces los pulgones pueden atacar los brotes jóvenes.

Empleo: cultive aisladamente o en segundo plano en un gran recipiente, con bulbosas primaverales y vivaces de floración estival.

Consejo: cada dos años, elimine las ramas de más edad. Pode después de la floración.

▲ *Europa acraceus:* falso *anthemis,* muy compacto.

▲ *Exacum affine:* también para interior.

Exochorda giraldi: merece más reconocimiento. ▶

F

▲ *Fatsia japonica*: crece bien en un gran recipiente.

▲ *Felicia mmelloides*: un manto genial de margaritas.

◄ *Festuc ovina* «Glauca»: una extraña hierba.

Fatsia japonica
ARALIA

Un sofisticado aspecto exótico.

Arbusto(m, –8 °C).

Follaje: persistente, muy decorativo, verde vivo brillante en la parte superior, más pálido en el reverso. Las grandes hojas tienen forma de palma, con siete o nueve lóbulos. La mata puede alcanzar una envergadura de 1,20 a 1,50 m.

Floración: blanca en otoño. Las pequeñas flores reagrupadas en umbelas redondeadas aparecen en grandes panículos de 25 a 30 cm de longitud.

Especies y variedades: el género *Aralia* sólo tiene una única especie. «Moseri» es una variedad más compacta. Existe una fantástica variedad hortícola con follaje con motas de color blanco crema, menos rústico que la variedad tipo, reservado para el cultivo interior.

Comportamiento en el recipiente: es una excelente planta para el cultivo en recipiente. Pero es poco rústica y debe estar protegida del hielo en invierno.

Dimensiones del recipiente: 25 cm de diámetro y de profundidad como mínimo para una planta joven.

Exposición: sombra ligera, en un lugar que esté a buen recaudo de las corrientes de aire frío.

Tierra: una tierra rica y bien drenada.

Riego: el suelo debe mantenerse siempre fresco, sobre todo en verano cuando haga calor y el clima sea seco.

Enemigos y enfermedades: vigile los ataques de las arañas rojas que provocan, cuando el clima es seco, la decoloración y la sequedad de las hojas. También se debe eliminar las cochinillas.

Empleo: la aralia es ideal para las terrazas y los balcones sombreados. Combínela con aspidistra, acubas, bambús y azaleas.

Consejo: en las regiones más frías, resguarde el recipiente en invierno en una galería o dentro de un invernadero protegido del hielo.

Felicia amelloides
ASTER AZUL DEL CABO

Un embrujo azul.

Planta vivaz (40 cm, 0 °C).

Follaje: verde vivo y persistente. Las hojas son redondas u ovales. Incluso en recipiente, la mata alcanza entre 30 y 40 cm de altura.

Floración: de junio a septiembre, muy abundante. Las corolas son de color azul celeste y tienen un corazón amarillo radiante. Las flores se abren a pleno sol.

Especies y variedades: «Variegata» tiene un follaje moteado de color verde y amarillo. «Read's white» ofrece una floración de color blanco puro. «Read's blue», la más común, tiene flores de color azul claro.

Comportamiento en el recipiente: es una excelente especie para el cultivo en maceta, su color azulado es poco frecuente en verano. Cambie de recipiente cada dos años.

Dimensiones del recipiente: 20 cm de diámetro y de profundidad por cada mata.

Exposición: soleada y cálida.

Tierra: una mezcla con 1/3 de tierra enriquecida con elementos fertilizantes y 2/3 de arena.

Riego: moderado, dejando que la superficie del sustrato se seque antes de volver a regar.

Enemigos y enfermedades: en general, ninguno.

Empleo: es una excelente alfombra, muy florida, que puede cultivarse con euryops, dimorphotecas o lantanas. El aster del Cabo, denominado también agathea, es ideal para vestir la base de una anthemis o de una datura.

Consejo: pode la mata durante el invierno para que resista mejor el frío. Cúbralo también con un velo cuando el clima sea muy húmedo.

Festuca ovina «Glauca»
FESTUCA GLAUCA O CAÑUELA

Un bello cojín de hierbas muy finas.

Planta vivaz (30 cm, –10 °C).

Follaje: forma una mata redondeada regular, muy graciosa. Las hojas finas y rectas adquieren un bello color verde azulado con reflejos plateados cuando el sol es seco.

Floración: en junio y julio. Las pequeñas espigas, de 5 o 6 mm de largo, son deliciosamente azuladas.

Especies y variedades: «April Grün» no supera los 20 cm de altura. Su follaje es verde bronce, teñido de gris. «Blaufuchs» tiene hojas finas de color azul intenso. *Festuca mairei* es la más grande de todas. Sus matas azuladas alcanzan los 50-60 cm de envergadura y casi 1 m de altura durante la floración. *Festuca scoparia* forma largos cojines de color verde oscuro.

Comportamiento en el recipiente: muy decorativa, la *festuca glauca* manifiesta toda su intensidad y belleza en una jardinera o dentro de una copa ancha y baja.

Dimensiones del recipiente: 15 cm de diámetro y de profundidad como mínimo para una especie pequeña.

Exposición: a pleno sol, incluso abrasador.

Tierra: una buena tierra de jardín ligera y bien drenada mezclada, a partes iguales, con mantillo.

Riego: moderado. Deje que el suelo se seque perfectamente a nivel de la superficie antes de volver a regar.

Enemigos y enfermedades: la podredumbre de las raíces es el peor enemigo en el invierno, sobre todo si la planta se encuentra en un suelo húmedo y compacto.

Empleo: como alfombra o en el borde de los recipientes para aligerar las composiciones de follaje rígido.

Consejo: plante preferentemente la *festuca* en marzo o abril. Divida las matas cada tres o cuatro años para que la planta se regenere.

Ficus pumila
FICUS TREPADOR

Corre, asciende y cae en cascada.
Planta vivaz (de 25 cm a 2 m, 0 ºC).

Follaje: perenne, verde oscuro. Las hojas son ovales y puntiagudas. Los tallos finos desarrollan raíces aéreas que se adhieren en las superficies rugosas.

Floración: insignificante y muy poco cultivada.

Especies y variedades: «Sunny» presenta un follaje moteado de color blanco crema, muy luminoso.

Comportamiento en el recipiente: el ficus trepador soporta temperaturas bajas, pero en las regiones donde hiela, hay que proteger el recipiente durante todo el invierno. En el sur, esta planta pequeña se aclimata muy bien al aire libre.

Dimensiones del recipiente: 14 cm de diámetro y 12 cm de profundidad, como mínimo, para una mata joven. 25 cm para los ejemplares adultos.

Exposición: sombra parcial, no demasiado cálida.

Tierra: húmeda, ligera y bien drenada. Una mezcla de tierra de hojas y turba a partes iguales.

Riego: regular para mantener la tierra siempre fresca durante el verano. Reduzca el ritmo siempre que el termómetro se sitúe por debajo de los 15 ºC.

Enemigos y enfermedades: las cochinillas se fijan en las hojas y en los tallos.

Empleo: en suspensión o como revestimiento, en la base de un arbusto. Se asienta perfectamente en una celosía.

Consejo: de mayo a septiembre, aporte abono para plantas verdes cada diez días.

 ## *Foeniculum vulgare*
HINOJO

Un follaje de una extrema ligereza.
Planta vivaz (1,50 m, –15 ºC).

Follaje: fino y profundamente dividido, gracioso, aéreo, verde azulado. La planta puede alcanzar 1,50 m en la época de la floración.

Floración: en julio y en agosto. Las pequeñas flores amarillas se reagrupan en umbelas anchas llanas y terminales. Desprenden un fuerte olor de anís muy característico.

Especies y variedades: *Foeniculum vulgare dulce* es una anual y se cultiva como hortaliza, incluso en recipiente. La base ancha del tallo se puede consumir. *Foeniculum vulgare,* la variedad ornamental es rústica y con follaje de color verde azulado, o bronce claro en la variedad «Purpureum», muy decorativa.

Comportamiento en el recipiente: los hinojos decorativos son los que mejor se adaptan para el cultivo en recipiente. Plántelos resguardados de las corriente de aire violentas.

Dimensiones del recipiente: 30 cm de profundidad y de diámetro para una sola planta.

Exposición: a pleno sol, sin viento dominante.

Tierra: rica, ligera, arenosa y bien drenada.

Riego: una vez a la semana. El hinojo hortaliza requiere dosis de agua más frecuentes y copiosas (dos veces a la semana).

Enemigos y enfermedades: normalmente, no suele tener ninguno.

Empleo: el hinojo vivaz quita peso a las composiciones realizadas con plantas grandes de porte erguido. Las hojas se comen frescas y se pueden congelar. Son un componente aromático de infinidad de platos.

Consejo: corte las florescencias cuando se marchiten, dado que el hinojo se expande por todos lados, incluso si se cultiva en balcón.

¡Cuidado, el hinojo bronce lo invade todo! ▶

▲ *Ficus pumila:* vuela y trepa por las paredes.

▲ *Foeniculum vulgare* «Rudy»: un sabor anisado.

▲ *Forsythia: fácil para los balcones.*

▲ *Fortunilla japonica: sus frutos maduran en el tiesto.*

◄ *Fathergilla gardenia: flores suaves al tacto.*

Forsythia spp.
FORSITIA

Un rayo de sol primaveral.
Arbusto (2 m –20 ºC).
Follaje: caduco, verde oscuro. La envergadura es de 0,8 a 2 m, en función de la variedad. Crecimiento rápido.

Floración: amarillo, a principios de primavera. Las flores simples aparecen antes que las hojas y cubren las ramas que tienen de uno a tres años.

Especies y variedades: «Marea Dorada» tiene una vegetación expansiva y no supera más de 0,80 m de altura por 1,50 m de anchura. «Cabellera de oro», de color amarillo claro florífera, presenta un porte compacto y erguido (1 m). «Bucle dorado» crece lentamente, con una floración abundante, de color amarillo intenso, que aparece tarde.

Comportamiento en el recipiente: los híbridos nuevos son preferibles a los de l'Inra/Sapho, que hemos citado anteriormente, dado que su tamaño se adapta mejor al cultivo en recipiente.

Dimensiones del recipiente: de 30 a 50 cm de profundidad y de anchura para una planta.

Exposición: a pleno sol o con sombra parcial.

Tierra: tierra de jardín y mantillo a partes iguales.

Riego: aproximadamente una vez a la semana.

Enemigos y enfermedades: los hongos blancos comportan el marchitamiento del arbusto. Elimine la planta y la tierra afectadas. Desinfecte el recipiente.

Empleo: combine en una gran jardinera con hinojos, pinos en miniatura, pequeños bulbos y vivaces.

Consejo: después de la floración, pode las ramas viejas y secas.

Fortunella japonica
KUMQUAT

El delicioso primo del limón.
Planta anual (2,5 m, –2 ºC).
Follaje: coriáceo, perenne y verde brillante. Los tallos tienen espinas bastante rígidas.

Floración: blanca y perfumada, en verano, con frutos comestibles, de 2 a 3 cm de diámetro.

Especies y variedades: *Fortunella Margarita* es una especie muy parecida, pero sin espinas. Sus frutos son más alargados y tienen un sabor más ácido.

Comportamiento en el recipiente: una excelente planta para el cultivo en recipiente que debe cambiarse de maceta cada dos años.

Dimensiones del recipiente: 35 cm de ancho y de profundidad para una planta de menos de 1 m de altura.

Exposición: resguardada, muy soleada y cálida.

Tierra: rica, ligera y bien drenada. Una buena mezcla a partes iguales de tierra enriquecida con estiércol, tierra de jardín no calcárea y arena.

Riego: el suelo debe secarse antes de volver a regar (una o dos veces por semana).

Enemigos y enfermedades: las cochinillas son los parásitos más frecuentes y tenaces, promueven la aparición de hongos. Los ácaros provocan una decoloración que se traduce en la caída de las hojas.

Empleo: aislada o con otros cítricos, palmeras y buganvillas.

Consejo: en las regiones sometidas al hielo, resguarde el recipiente en una galería, de octubre a principios de mayo, a una temperatura de 5 a 8 ºC.

Fothergilla gardenii
FOTHERGILLA

Flores magníficas, follaje encantador.
Arbusto (1,5 m, –20 ºC).
Follaje: caduco, verde radiante. Las hojas ovales y dentadas adquieren una espléndida coloración otoñal de color rojo escarlata. 1 m de altura por 1,5 m de anchura.

Floración: muy perfumada, en abril y mayo. Las flores de color blanco crema se reúnen en grupos aterciopelados de 3 cm de largo, aparecen en las ramas después de un año.

Especies y variedades: «Blue mist» desarrolla un follaje de color azul eucalipto que tiene un gran efecto.

Comportamiento en el recipiente: crece lentamente y debe cambiarse de recipiente cada tres años.

Dimensiones del recipiente: de 30 a 40 cm de profundidad y diámetro para un ejemplar joven.

Exposición: a pleno sol o a media sombra. La floración puede helarse con los fríos primaverales. Instale el recipiente resguardado de las corrientes de aire frío.

Tierra: tierra y mantillo a partes iguales.

Riego: dos o tres veces a la semana.

Enemigos y enfermedades: en general, ninguno.

Empleo: en una gran jardinera, combine esta planta con otros arbustos de floración veraniega o con follaje ornamental y con plantas vivaces para compensar su aspecto discreto en verano.

Consejo: realice una poda de mantenimiento en invierno para equilibrar la forma.

Fragaria vesca
FRESERO

Recoger algo fácilmente.
Planta vivaz (25 cm, –10 ºC).

Follaje: una mata expansiva, de color verde, semiperenne. Sus grandes hojas tienen tres lóbulos y son dentadas.

Floración: de primavera a finales de verano, según las variedades. Las flores sencillas tienen cinco pétalos blancos.

Especies y variedades: existen dos grupos principales, uno ofrece una producción de frutas en verano y el otro fructifica regularmente de junio a octubre. Entre estas últimas está la variedad «Mara de los bosques», que se distingue por su intenso sabor a fresa silvestre. «Gento» es una variedad tersa y jugosa, una de las más productivas. «Reina de los valles» es una variedad mejorada de la fresa silvestre. «Pink Panda» y «Vivarosa» se distinguen por una floración de color rosa intenso muy original. Esta última fructifica bastante bien.

Comportamiento en el recipiente: la fresa ofrece excelentes resultados en recipiente. Elija preferentemente una variedad estolonífera.

Dimensiones del recipiente: 20 cm de diámetro y de profundidad para una sola planta.

Exposición: a pleno sol pero no abrasador.

Tierra: una buena tierra para geranios. Abone con abono orgánico en el momento del cultivo y después cada primavera.

Riego: durante la estación de fructificación mantenga el suelo siempre fresco, sin que llegue a estar empapado.

Enemigos y enfermedades: la virosis, el oídium, la botritis, los pulgones y las arañas rojas pueden erradicar toda esperanza de recolección. Trate de un modo preventivo a principios y a finales de la floración.

Empleo: instale varias plantas en una jarra con aberturas laterales para obtener una cosecha más abundante en el mínimo espacio.

Consejo: renueve todos los cultivos de fresas cada tres años con plantas sanas.

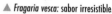
▲ *Fragaria vesca:* sabor irresistible.

Freesia
FREESIA

Flores originales de perfume sutil.
Planta bulbosa (40 cm, 5 ºC).

Follaje: verde intenso, estrecho y lanceolado.

Floración: en verano. Las flores son muy perfumadas y se agrupan en espigas alargadas. Colores variados.

Especies y variedades: Existe una gran cantidad de híbridos que normalmente se venden mezclados.

Comportamiento en el recipiente: como es muy sensible al frío, lo más fácil consiste en cultivar en recipiente. Renueve los bulbos anualmente.

Dimensiones del recipiente: 25 cm de profundidad y de diámetro para una decena de cormos.

Exposición: calor y a pleno sol.

Tierra: tierra arenosa, muy porosa.

Riego: una o dos veces a la semana durante el crecimiento. Nada durante el período de descanso.

Enemigos y enfermedades: atención a los ataques de pulgón y arañas rojas.

Empleo: en un gran recipiente, combine las freesias con plantas anuales rastreadoras como las sanvitalias, las verbenas o las petunias.

Consejo: plante los cormos en abril, después de las últimas heladas. Entiérrelos a 5 cm de profundidad, dejando un espacio de 5 a 7 cm.

▲ Los fresales pueden decorar un cesto.

Freesia x *hybrida:* perfume único y flores perfectas. ▶

▲ *Fremontodendron californicum:* una magnífica rareza.

▲ *Fritillaria meleagris:* flores de gran belleza.

◀ *Fritillaria imperialis:* a los topos no les gusta mucho.

Fremontodendron californicum
FREMONTIA

Una avalancha de flores doradas.
Arbusto (2,50 m, 0 ºC).
Follaje: semipersistente. Las hojas aterciopeladas están profundamente lobuladas, glaucas por encima y marrones por el reverso. Porte semitrepador.
Floración: de mayo a octubre. Las flores grandes simples presentan un precioso color amarillo.
Especies y variedades: «California Glory» es un espléndido híbrido con flores grandes, de hasta 10 cm de diámetro. Su crecimiento es rápido, pero su vida es corta. Puede hibernar en una galería.
Comportamiento en el recipiente: la fremontia en maceta puede vivir de tres a cinco años. No les gustan los trasplantes.
Dimensiones del recipiente: 40 cm de ancho y de profundidad, para que se pueda instalar bien.
Exposición: a pleno sol. Emplazamiento cálido y resguardado de los vientos fríos.
Tierra: una mezcla bien drenada con 1/3 de tierra de hojas, de turba y de arena de río.
Riego: entre dos aportes de agua abundantes, deje secar la tierra de la superficie de la maceta.

Enemigos y enfermedades: en general ninguno.
Empleo: colóquela en una pared expuesta al sur o suroeste, o contra una valla bien protegida. Plante en la base lavandas, *Teucrium* y artemisas.
Consejo: empalice los brotes jóvenes a medida que vayan creciendo.

Fritillaria spp.
FRITILARIA

Una sinfonía de campanillas.
Planta bulbosa (80 cm, –15 ºC).
Follaje: verde o glauco, aciculado o lanceolado. Las hojas alternas se disponen en grupos.
Floración: de marzo a mayo, según las especies. Las flores, en forma de campanillas colgantes, se agrupan alrededor de un bohordo floral rígido.
Especies y variedades: *Fritillaria michaïlowsky* crece muy bien en maceta. Las flores, de color chocolate con un ribete amarillo, aparecen en abril y mayo. *Fritillaria imperiales,* la corona imperial, puede alcanzar los 80 cm en una maceta. Un grupo de brácteas verdes corona las campanillas colgantes. *Fritillaria eduardii* se parece a la corona imperial, pero en tamaño reducido. Su floración inodora es más precoz. *Fritillaria meleagris,* la planta pintada, desarrolla grandes flores que presenta el típico dibujo de rombos de color púrpura o blanco puro. *Fritillaria persica* «Adyaman» desarrolla una gran espiga de flores de color oscuro, casi negro. Precisa de un emplazamiento cálido.
Comportamiento en el recipiente: las fritilarias crecen sin problemas en maceta, pero su período vegetativo es corto. Se sustituyen después de la floración.
Dimensiones del recipiente: prevea un recipiente de 15 cm de diámetro, y de la misma profundidad, para un bulbo de corona imperial. Puede plantar de tres a cinco bulbos de especies pequeñas.
Exposición: a pleno sol o en semisombra.
Tierra: una mezcla de tierra de jardín, de arena, de turba y de tierra de hojarasca, a partes iguales.
Riego: una vez por semana durante el crecimiento. Evite los aportes de agua después de la floración.
Enemigos y enfermedades: prácticamente ninguno.
Empleo: para crear un precioso ambiente primaveral, con muchas flores, en compañía de tulipanes, narcisos y jacintos.

▲ *Fuchsia* x «Nancy Lou»: de color suave.

▲ *Fuchsia* x «Cover girl»: generosa.

▲ *Fuchsia* x «Claudie Bonheur»: fina.

▲ *Fuchsia* x «Orange Crush»: armoniosa.

Consejo: manipule los bulbos de *Fritillaria imperiales* con mucha precaución. La plantación precoz tiene lugar desde finales de agosto hasta septiembre, enterrando los bulbos a 8 o 10 cm de profundidad. Intente conservarlos en el mismo recipiente durante tres o cuatro años, sin tocar nada.

Fuchsia spp.
FUCSIA

Una increíble composición de colores.
Arbusto (2 m, o 0 a 5 °C).

Follaje: caduco, de color verde mate. Las hojas, lanceoladas o cordiformes, pueden ser lisas o aterciopeladas. Porte erguido o colgante.

Floración: la fucsia florece sin problemas desde el mes de mayo hasta las primeras heladas, sin interrupción. Las flores en general son colgantes, en principio tubulares, se abren en cuatro sépalos estrellados y cuatro pétalos que forman una campanilla.

Las flores aparecen en los brotes nuevos. Presentan numerosos colores en los distintos tonos de blanco, rosa, naranja, malva y violeta. En los híbridos normalmente se mezclan dos colores.

Especies y variedades: las especies botánicas son muy raras en cultivos. *Fuchsia procumbens* presenta un porte extendido y bajo, con unas curiosas florecitas de color amarillo anaranjado, púrpura y verde. Los horticultores han creado un gran número de híbridos realmente espectaculares.

● Las rústicas: *Fuchsia magellanica,* de color rojo oscuro y rojo violáceo; *Fuchsia magellanica* var. *gracilis,* de color rojo y púrpura; *Fuchsia magellanica* var. *pumila,* rojo oscuro y púrpura violáceo; *Fuchsia magellanica* «Riccartonii», de color rojo púrpura y violeta purpúreo.

● Las formas enanas: «Frau Alice Hoffmann», de color rosa y blanco con nervaduras rojas; «Minirosa», de color blanco con tonos rojos y púrpura; «Sun of Thumb», rosa fuerte y rosa claro; «Tom Pouce», de color rojo vivo o bien malva.

● Las colgantes para suspensiones: «Cascade», de color blanco con tintes de color carmín y rojo oscuro; «Berba's Trio», rosa-rojo, azul con reflejos púrpura; «La Campanella», blanco rosáceo, púrpura con tintes azul lavanda con ranuras de color rojo cereza; «Belle de Spa», rosa y rojo anaranjado; «Golden Lena», de color blanco, rojo rosáceo y violeta oscuro; «Onna», rojo anaranjado.

● Fucsias con el follaje coloreado: «Anjo», follaje gris verdoso, amarillo y crema y con flores blancas y rosa-rojo; «Cloth of Gold», follaje verde amarillento con el reverso de color rojo rosáceo, con flores púrpura; «Golden Marinka», con el follaje multicolor y venas de color rojo y con flores de color carmín con tintes púrpura; «Sunray», tiene el follaje verde grisáceo, crema y rosa, con flores azules y carmesí.

● Flores simples: «Beacon», de color cereza y púrpura; «Hathor», rosa y asalmonado; «Misión Bells», rojo y púrpura; «Citation», rosa pálido y blanco; «Madame Cornelissen», rojo vivo y blanco; «Rosa de Castilla», rosa pálido y color frambuesa; «Ting-a-Ling», blanco puro; «Joy Patmore», blanco y rojo rosáceo; «Carolina», rosa fresco.

● Flores dobles: «Alaska», blanco; «Pink Galore», de color rosa; «Nancy Lou», rosa claro y blanco; «Sharon Allsop» carmín y blanco; «Swingtime», rojo vivo y blanco; «Blue Peral», blanco-marfil y violeta azulado; «Abundante», rojo vivo y violeta.

Comportamiento en el recipiente: la fucsia es una planta excelente y muy recomendable para el cultivo en jardinera. Puede vivir de dos a tres años sin necesidad de trasplantes.

▼ *Fuchsia* x «Mr Hugget»: todo un clásico.

▼ *Fuchsia* x «Citation»: bien desarrollada.

▼ *Fuchsia magellanica* «Gracilis»: ligera.

▼ *Fuchsia* x «Frank Unsworth».

▲ *Fuchsia* x «Charming»: hace honor a su nombre.

▲ *Fuchsia* x «Daisy Bell»: un porte francamente llorón.

Fuchsia spp.
FUCSIA *(continuación)*

Dimensiones del recipiente: 25 cm de ancho y de profundidad, como mínimo, para cada planta.

Exposición: en semisombra o bajo el sol, evitando una situación demasiado cálida y abrasadora al mediodía. Proteja la maceta de las corrientes de aire. A mediados del mes de agosto se aconseja colocar la jardinera en semisombra. Algunas horas de sol por la mañana o por la tarde serán suficientes para las fucsias.

Tierra: una mezcla ligera y porosa de tierra de hojarasca, mantillo y tierra franca en proporciones de 1/3 cada una. En el momento de plantar, añada un puñado de abono orgánico (sangre seca) o de estiércol bien descompuesto.

La fucsia es una planta que necesita mucho aporte de nutrientes porque su crecimiento es rápido y generoso. Durante la temporada quizás tendrá que cambiar la tierra de la superficie y sustituirla por una mezcla nueva de tierra.

Riego: durante el período vegetativo, mantenga el suelo siempre fresco, sin empaparlo. Se debe evitar que pase sed ya que las hojas se estropean y las flores y yemas se caen. Pero, por el contrario, la fucsia también es muy sensible al exceso de humedad, que provoca que las raíces se pudran. Riegue moderadamente

◀ Una fucsia puede florecer hasta el mes de octubre.

después del trasplante ya que mientras no termine el período vegetativo, las necesidades de agua son limitadas. El agua no debe quedarse nunca en el platillo. Sea muy cuidadoso con las plantas cultivadas en cestos colgantes, pues normalmente son más exigentes con el agua. Durante los días más calurosos de verano, pulverice el follaje de la fucsia y moje el suelo alrededor de la maceta, para aumentar la humedad ambiental. En invierno reduzca los aportes de agua. Sólo debe evitar el desecamiento total, puesto que ello provocaría la muerte de las raíces. Es importante utilizar siempre agua no calcárea.

Enemigos y enfermedades: vigile los ataques de los pulgones, de la mosca blanca y de la araña roja. Cuando observe los primeros síntomas trate rápidamente. Después hágalo de forma regular, para evitar el desarrollo y proliferación de parásitos. Cuando empiece a crecer, proteja el follaje joven de los caracoles y las babosas. A finales de temporada tenga cuidado con las cochinillas harinosas.

Empleo: sola o en macetas grandes y jardineras, con begonias, impatiens, coleus o bacopas. En una composición que agrupe varias plantas, plante las fucsias manteniendo una distancia de 30 cm entre cada planta. Las especies rústicas pueden combinarse con *Begonia grandis* «Evansiana», hostas, helechos caducos o con ortiga muerta. Los híbridos con el porte colgante deben colocarse en suspensiones o en una maceta colocada encima de una columna, resguardada del viento. No dude en comprar una fucsia en tallo siempre y cuando pueda protegerla de las heladas. Las especies bien desarrolladas crean un magnífico aspecto decorativo.

Consejo: las fucsias que se cultivan en el exterior durante todo el año, merecen una especial atención por ello, y es muy recomendable cortarlas a ras de tierra después de las primeras heladas.

Cubra la cepa con un espeso lecho de hojas, de helechos o de paja. Proteja también el recipiente, envolviéndolo con una capa protectora o con un plástico. Retire todas las protecciones en primavera, después de las heladas. Los brotes jóvenes no aparecerán hasta el mes de mayo.

Todas las especies y variedades que no sean rústicas deben colocarse en el interior, desde mediados de octubre hasta principios del mes de mayo, en un inverna-

Una suspensión de fucsia acompaña a una akebia. ▷

dero frío o una galería con poca calefacción (de 5 a 10 ºC). Retire algunas hojas y ramas para vaciar un poco la maceta.

Cuando finalice el período de invernación, a finales del mes de marzo, y haya realizado una buena poda, trasplante la planta a una maceta ligeramente mayor. Si mientras realiza esta operación observa que las raíces son muy extensas, es recomendable reducir el cepellón. Para hacerlo, debe eliminar al menos 1/3 de su volumen.

Seguidamente, realice un aporte abundante de abono orgánico. Si la planta es demasiado voluminosa, realice la siguiente operación: procure retirar los primeros centímetros de tierra delicadamente para no estropear las raíces. A continuación, proceda a rellenar con tierra nueva, enriquecida previamente con abono orgánico. Cuando los brotes nuevos hayan desarrollado de cuatro a seis hojas, pince las extremidades. Con las variedades vigorosas, puede realizar esta operación hasta tres veces durante el crecimiento. Para obtener unos buenos resultados, deje pasar un mes entre cada operación. La floración se retrasará un poco, pero el porte de la planta será mucho más homogéneo.

Hasta que no aparezcan las primeras flores, encárguese de realizar generosos aportes de abono líquido una vez por semana.

Instale tutores a los brotes jóvenes a medida que vayan creciendo, ya que son mucho más flexibles que los tallos leñosos.

Retire regularmente las hojas amarillas, marchitas y los frutos que molesten a la planta. Recoja las flores que estén sobre el suelo para evitar de este modo la propagación de diversas enfermedades.

El método más fácil y rápido de reproducción para las fucsias es sin duda el de la reproducción por esquejes. La época más favorable para llevarlo a cabo es la que va desde mediados de agosto hasta mediados de septiembre. En la operación, retire esquejes de 8 a 10 cm. Elija brotes vigorosos sin botones florales. Retire las dos hojas situadas en la base. A continuación, coloque los esquejes en cubiletes rellenos de mantillo y tierra hortícola. Entonces, húndalos hasta el primer par de hojas. Riegue abundantemente e instale los esquejes en un miniinvernadero.

Cuando se retome el período vegetativo y se hayan formado las radículas, airee el cultivo y endurezca progresivamente las plantas jóvenes antes de trasplantarlas dos veces, con un intervalo de cuarenta días, en recipientes cada vez más grandes (prevea un diámetro superior de 1 o 2 cm).

Pince los tallos para estimular la ramificación y la producción de flores.

Fuchsia x «Condesa de Aberdeen» y «Swin»: magníficas. ▷

Breve historia de las fucsias

La primera especie de fucsia fue descubierta y descrita en 1704 por el reverendo Plumier, que la dedicó a Leonhardt Fuchs, médico, botánico y profesor de la universidad de Thuringe (Alemania). Era la *Fuchsia triphylla*. La mayoría de las especies se encuentran en Perú, Chile y México, en las altas montañas o en lugares sombríos y húmedos en el corazón de la selva. Tan sólo hay dos especies, *Fuchsia excortica* (página siguiente) y *Fuchsia procumbens*, originarias de Nueva Zelanda. Entre 1788 y 1852, se introdujeron en Inglaterra y Francia varias semillas y plantas de fucsias. Antes de 1830, las pocas especies cultivadas solían presentar escaso follaje. Sin embargo, fueron sustituidas paulatinamente por especies mexicanas de follaje abundante y grandes flores. A partir de éstas, se obtuvieron nuevos híbridos, más robustos y floríferos. »

G

Galanthus nivalis
CAMPANILLA DE INVIERNO

La tierna flor de invierno.

Planta bulbosa (15 cm, –20 ºC).

Follaje: aciculado, glauco y bastante rígido.

Floración: de enero a marzo. Las flores tienen el aspecto de pequeñas campanillas colgantes de color blanco, con la punta de los pétalos de color verde.

Especies y variedades: *Galanthus nivalis* «Plenus» es una bonita forma con flores dobles. *Galanthus plicatus,* por la anchura de la mata y el tamaño de las flores, es la campanilla de invierno más grande. Alcanza los 20 cm de altura. «Dionisios» es una variedad con flores semidobles. *Galanthus nivalis reginae-olgae* se distingue por su floración otoñal.

Comportamiento en el recipiente: debe colocarse en un primer plano en las composiciones. Plántelas en masa para obtener un efecto decorativo excelente. Puede vivir muchos años en el mismo recipiente.

Dimensiones del recipiente: coloque una veintena de bulbos en todos los sentidos, en una maceta de 18 cm.

Exposición: en semisombra, con un poco de sol durante el día. En regiones de clima cálido y seco coloque las campanillas de invierno en la sombra.

Tierra: mezclar 1/3 de tierra de jardín, 1/3 de tierra universal y 1/3 de arena de río.

▲ *Galanthus nivalis:* una floración en pleno invierno.

Riego: moderado, para mantener el suelo ligeramente húmedo, pero no empapado, durante la temporada.

Enemigos y enfermedades: robusta y rústica, la campanilla de invierno puede ser atacada por la mosca del narciso, cuya larva se desarrolla en el interior del bulbo.

Empleo: combínela con muscaris, narcisos y brezo de floración invernal.

Consejo: plante los bulbos cuando estén listos, a finales de agosto o a principios de septiembre. Colóquelos a 5 o 7 cm de profundidad, dejando 3 cm entre cada planta.

Gaultheria procumbens
GAULTERIA

Caramelos para devorar con los ojos.

Arbusto (50 cm, –10 ºC).

Follaje: perenne. Las hojas son ovaladas, brillantes y de color verde oscuro. El crecimiento es muy lento.

Floración: muy discreta, desde mayo hasta septiembre. Las flores pequeñas en forma de urna forman frutos rojos que persisten de octubre a marzo.

Especies y variedades: *Gaultheria procumbens* es la más rústica. *Gaultheria cuneata* forma una zarza de 30 cm de alto, que se cubre de frutos blancos. *Gaultheria* «Shallon» alcanza los 50 cm de altura en maceta. Las flores de color blanco rosáceo se convierten en frutos que parecen caramelos rojos y negros en septiembre-octubre.

Comportamiento en el recipiente: la gaulteria estará bien en una maceta en la sombra. Evite las corrientes de aire frías y la humedad permanente.

Dimensiones del recipiente: unos 30 cm de ancho y de profundidad para una planta.

Exposición: en semisombra o a la sombra.

Tierra: mantillo puro o tierra forestal.

Riego: regular en verano, para mantener la humedad constante del suelo.

Enemigos y enfermedades: la gaulteria en maceta es muy sensible al hongo phytophtora, característico de suelos húmedos.

Empleo: como tapiz denso en la base de las azaleas o rododendros.

Consejo: plante varias plantas para obtener una fecundación cruzada que le garantizará una fructificación importante.

◄ *Gaultheria* x «Shallon»: ideal con el brezo.

Gazania x híbrida
GAZANIA

Estrellas a pleno sol.
Planta vivaz (30 cm, 2 ºC).

Follaje: lanceolado y dentado. Las hojas son de color verde oscuro por la parte superior y gris plateado por la inferior. La planta forma una mata ancha.

Floración: desde el mes de julio hasta las primeras heladas. Colores variados, a menudo cálidos y vivos. Las cabezuelas en forma de estrella sólo se abren a pleno sol.

Especies y variedades: «Chansonete» presenta un follaje pequeño y floración de color rosa. «Mini Star» es una bonita variedad con el porte compacto.

Comportamiento en el recipiente: excelente si recibe sol durante todo el día. Trasplante cada dos años.

Dimensiones del recipiente: 15 cm de ancho y de profundidad, como mínimo, para una planta.

Exposición: muy soleada.

Tierra: mantillo y tierra de jardín a partes iguales.

Riego: cada dos días cuando haga calor.

Enemigos y enfermedades: los pulgones, las babosas y las arañas rojas pueden afectar a la planta.

Empleo: plante la gazania con dimorphotecas, lantanas y antemis.

Consejo: coloque las plantas en mayo. En verano, ponga abono cada diez días. Retire las flores marchitas.

Genista lydia
GENISTA O RETAMA

Una floración espectacular pero efímera.
Arbusto (60 cm, –8 ºC).

Follaje: prácticamente inexistente. Las ramas glaucas adquieren un porte erguido de 80 cm en edad adulta.

Floración: abundante en el mes de mayo y de junio. Las flores de color dorado se encuentran agrupadas en el extremo de los tallos, los cuales se doblan ligeramente debido al peso.

Especies y variedades: *Genista pilosa* presenta un porte postrado. Sus variedades «Vancouver Gold» y «Yellow Spreader» forman alfombras que no superan los 35-45 cm de altura y adquieren la forma del recipiente. Soportan el frío y el calcáreo.

Comportamiento en el recipiente: la genista crece muy bien en maceta. Colóquela en un lugar elevado para

apreciar el porte colgante y la floración en cascada.

Dimensiones del recipiente: 30 cm de ancho y de profundidad, como mínimo, para una planta.

Exposición: a pleno sol.

Tierra: una tierra de jardín ligera, arenosa.

Riego: no regar más de una vez por semana. La genista resiste mejor el frío en un suelo seco.

Enemigos y enfermedades: en general ninguno.

Empleo: aproveche las ramas colgantes para disimular un recipiente poco estético.

Consejo: los aportes de abono no son necesarios ya que esta especie aprecia los suelos pobres.

Gentiana spp.
GENCIANA

Maravillosa pero caprichosa.
Planta vivaz (25 cm, –10 ºC).

Follaje: constituido de rosetas, con hojas ovaladas alargadas en forma de lanza.

Floración: las gencianas europeas florecen en primavera, las de origen asiático en verano y en otoño. Las flores parecen trompetas.

Especies y variedades: *Gentiana acaulis* forma una alfombra de color verde con flores de color azul en mayo y junio. *Gentiana sino-ornata* florece en otoño. Las flores son de color azul vivo, con rayas de color azul oscuro y verde amarillento. *Gentiana septemfida* tiene un porte compacto. Las flores de color azul intenso aparecen en verano.

Comportamiento en el recipiente: para el cultivo en maceta elija las especies pequeñas. Instale la maceta sobre una columna para admirar la excepcional floración.

Dimensiones del recipiente: de 15 a 20 cm de ancho y de profundidad son suficientes para una planta.

Exposición: en sol suave o en una sombra ligera.

Tierra: una mezcla de tierra y mantillo, la mitad de cada. El recipiente debe estar bien drenado.

Riego: de una a dos veces por semana.

Enemigos y enfermedades: cuidado con la podredumbre de las raíces cuando el suelo está demasiado húmedo.

Empleo: una planta ideal puede realizar una pequeña rocalla en un recipiente de piedra.

Consejo: trasplante anualmente en la misma época de la plantación inicial.

Gentiana septemfida: una deliciosa miniatura. ▶

▲ *Gazania* x «Daybreack Bronze»: un rico colorido.

▲ *Genista hispanica:* una marea de preciosas flores.

▲ *Gentiana lagodechiana:* la perfección de color azul.

Gentiana

◀ *Geranium endresii*: una mata compacta como un tapiz.

la sombra; *Geranium sanguineum* «Album», blanco puro, muy florífero, resiste bien el calor y la sequía; *Geranium clarkei* «Kashmir White», con flores blancas y nervaduras de color rosa-violeta, desarrolla un precioso follaje recortado como el del arce; *Geranium macrorrhizum* «Spessart» se distingue por sus flores blancas con sépalos rojizos; *Geranium renardii*, de color blanco con nervaduras púrpura, desarrolla un precioso follaje aterciopelado y de color verde mate.

● **Los geranios vivaces de color rosa:** *Geranium cinereum* «Ballerina» presenta durante mucho tiempo grandes flores de color rosa subido con nervaduras más oscuras y un centro negro; *Geranium endresii* en la forma «Jean Poligné» es una miniatura, de color rosa subido, con el porte compacto; *Geranium endresii* «Wargrave Pink», florece en color rosa asalmonado satinado; *Geranium* x *oxonianum* «Bressingham Delight» es de color rosa salmón pálido y con mucha nervadura; *Geranium sanguineum* var. lancastriense presenta grandes flores de color rosa pálido, con nervaduras de color rosa oscuro; *Geranium pylzowianum*, con pequeñas flores de color rosa brillante, forma un gran número de tubérculos y cada uno da lugar a una nueva planta. Esta especie florífera no supera los 15 cm y crece sin problemas en maceta.

● **Los geranios vivaces de color azul:** «Brookside», de color azul claro con el centro blanco, es ascendente en otoño; «Johnson's Blue», de color azul intenso con nervaduras púrpura y un ojo blanco, adquiere bonitas coloraciones en otoño; *Geranium phaeum* «Lily Lovell» es vigoroso y florece de color malva, un poco antes que la especie tipo.

● **Los geranios vivaces de color rojo o púrpura:** *Geranium cinereum* «Subcaulescens», de color rojo carmesí,

Geranium spp.
GERANIO VIVAZ

Una planta sin problemas.
Planta vivaz (60 cm, –20 °C).

Follaje: las hojas, más o menos lobuladas o dentadas, son palmeadas y con estípulas. Las especies que viven en la sombra a menudo tienen un follaje persistente. A los geranios que les gusta el sol tienen hojas más divididas, con colores más oscuros.

Floración: desde finales del mes de abril hasta mediados de agosto, en períodos sucesivos, con un pico en el mes de junio, de color blanco, rosa, púrpura y azul. Las especies botánicas florecen durante un o dos meses, las híbridas durante cuatro meses. Las flores simples tienen forma de copa más o menos acampanadas.

Especies y variedades: existen 375 especies de geranios. El número de híbridos no para de aumentar.

● **Los geranios vivaces blancos:** *Geranium phaeum* «Album», de color blanco puro, perfecto como cobertor en

▼ *Geranium cinereum* «Ballerine»: estriado.

▼ *Geranium cinereum* «Subcaulescens».

▼ *Geranium oxonianum*: de color rosa suave.

▼ *Geranium phaeum*: prácticamente negro.

Geranium

◀ El magnífico follaje otoñal de *Geranium dalmaticum.* ▶

tiene el centro y las venas de color negro; «Dylis», de color malva-púrpura con nervaduras de color rojo oscuro, florece desde el mes de agosto hasta las primeras heladas; «Little David», de color rojo magenta con tonos púrpura, con el porte erguido no excede los 25 cm de altura; *Geranium x magnificum,* de color violeta-púrpura, es estéril y muy florífero; *Geranium psilostemon* «Bressingham Flair», de color rojo magenta con el centro con vetas negras, alcanza 80 cm; *Geranium sanguineum* «Max Frei», de flores magenta, es compacto y denso con flores muy bellas durante el otoño; *Geranium* «Ann Folkard», de color rojo magenta con el centro y vetas negras, florece de junio a octubre.

● **Los geranios vivaces de follaje decorativo:** *Geranium phaeum* «Maggie's Delight» tiene hojas con motas de color amarillo-crema con nervios oscuros; *Geranium phaeum* «Variegatum», con marcas de color blanco, crema y rojo.

Comportamiento en el recipiente: salvo el *Geranium maderense* y otras especies de las Canarias y de Suráfrica, la mayor parte de los geranios cultivados alcanzan temperaturas muy bajas. Las especies compactas viven más años en recipiente. Los ejemplares más grandes se deben cambiar de recipiente cada primavera.

Dimensiones del recipiente: 35 cm en todas las magnitudes.

Exposición: soleado pero no muy abrasador, excepto en el caso del *Geranium phaeum, macrorrhizum* y *nodosum,* que crecen en la sombra. Las especies del Himalaya, como el *Geranium sinense, wallichianum, erianthemum* o *lambertii,* adoran la exposición norte.

Tierra: una buena tierra para geranios que sea bastante compacta. *El Geranium sanguineum* y sus respectivas variedades aprecian mucho que 1/4 del sustrato sea de tierra calcárea.

Riego: una vez a la semana. Durante el tiempo cálido y seco, aumente la frecuencia de riego para estimular la reaparición del follaje y el desarrollo de las flores.

Enemigos y enfermedades: el oídium suele ser frecuente sobre todo en el *Geranium pratense.* Después de una fuerte lluvia veraniega, vigile los ataques eventuales de la roya, sobre todo en el caso del *Geranium pyrenaicum.* Pode las hojas que estén afectadas y pulverice con un producto fungicida. Las larvas de los otiorrincos atacan las raíces de los geranios que están en recipiente. La planta puede morir en sólo unas semanas. Las solución más eficaz consiste en cambiar la planta de recipiente y sacudir el cepellón para que caigan las larvas. Cambie de recipiente y póngalo en un sustrato completamente renovado.

Empleo: los geranios conservan su belleza durante mucho tiempo, sobre todo en el caso de los *Geranium cinereum* «Ballerina», *Geranium cantabirgensis, Geranium* x «Bikovo», *Geranium pylzowianum, Geranium macrorrhizum* «Ingwersen», *Geranium renardii, Geranium psilostemon* «Bressingham Flair», *Geranium sanguineum* «Max Frei» y *Geranium sylvaticum* «Meran», que son los más adecuados para recipiente. Combínelos con alquimilas, rosales, ancolias, nepetas, lavandas, artemis «Powis Castle» o knautias. En la sombra plante geranios vivaces con ortigas, astilbos y helechos.

Consejo: tutore las especies más grandes como las del *Geranium psilostemon, sylvaticum* y *pratense.* Pode las matas después de la floración para mejorar el crecimiento, además de mejorar el aspecto global. En invierno divida las matas más voluminosas.

▼ *Geranium psilostemon:* muy vigoroso.

▼ *Geranium renardii:* de gran delicadeza.

▼ *Geranium* x «Brookside».

▼ *Geranium* x «Johnson's Blue»: intenso.

G

Gerbera

▲ *Gerbera* x *jamesonii*: requiere riegos frecuentes.

▲ *Glechoma hederacea* «Variegata»: siempre colgante.

◄ *Godetia* x «Azalea Rembrandt»: espectacular.

Gerbera jamesonii
GERBERA

Una margarita gigante de colores subidos.
Planta vivaz (40 cm, 5 ºC).

Follaje: verde medio, perenne, en forma de anchas rosetas de hojas aterciopeladas, lanceoladas y lobuladas.

Floración: desde el mes de mayo hasta agosto. Las inflorescencias simples o dobles parecen margaritas. Colores variados, en todas las tonalidades de blanco, amarillo, naranja, rosa, rojo y púrpura.

Especies y variedades: «F1 Jaguar» es ideal para el cultivo en maceta. Alcanza los 30 cm de altura.

Comportamiento en el recipiente: la gerbera crece muy bien en un recipiente ancho. Protéjalo del frío y colóquelo en una galería en invierno, a una temperatura de 5 a 7 ºC.

Dimensiones del recipiente: como mínimo 20 cm de ancho y de profundidad para una planta.

Exposición: protegida del viento y soleada.

Tierra: una buena tierra bien drenada.

Riego: moderado, para mantener la tierra fresca.

Enemigos y enfermedades: un exceso de humedad favorece la podredumbre de las raíces. Cuidado con los pulgones.

Empleo: para un decorado estival lleno de flores, combine la gerbera con otras flores bellas y exóticas, como la lantana y los pelargoniums.

Consejo: trasplante anualmente en el mes de marzo. Desde mayo hasta septiembre, haga aportes de abono para plantas de flor, cada diez días. Corte los tallos de las flores marchitas a ras de tierra.

Glechoma hederacea
HIEDRA TERRESTRE

Una cascada de hojas moteadas.
Planta vivaz (15 cm, –10 ºC).

Follaje: perenne. Las pequeñas hojas reniformes son dentadas. Porte tapizado o colgante.

Floración: desde marzo hasta junio. Las flores, de color azul violáceo con el labio de color lavanda, se sostienen sobre tallos erguidos.

Especies y variedades: «Variegata» presenta hojas moteadas o con el reborde de color crema.

Comportamiento en el recipiente: excelente y duradera, trasplántela cada dos años. Sus tallos pueden alcanzar 1 m de longitud en algunos meses.

Dimensiones del recipiente: 14 cm de ancho y de profundidad para una planta.

Exposición: en un lugar parcialmente sombreado.

Tierra: una buena tierra que no sea muy compacta.

Riego: una vez por semana es suficiente.

Enemigos y enfermedades: es frecuente la presencia de oídio sobre el follaje moteado. A partir del mes de mayo trate preventivamente con un fungicida. Si el tiempo es húmedo, repita la operación cada diez días.

Empleo: la hiedra terrestre es perfecta para crear suspensiones delicadas y divertidas.

Consejo: a finales de invierno, pode los tallos a ras de tierra para favorecer la aparición de brotes nuevos, más vigorosos y decorativos.

Godetia grandiflora
GODETIA

Una floración opulenta por descubrir.
Planta anual (40 cm, –3 ºC).

Follaje: verde medio. Las hojas son estrechas y puntiagudas, el porte erguido y breñoso.

Floración: desde julio hasta octubre, dependiendo de la fecha de la siembra. Las flores, en forma de copa ancha, se agrupan en ramilletes.

Especies y variedades: «Parade d'Azalée» forma bonitas matas de 35 cm de altura, cubiertas de flores dobles. «F1 Satín» se distingue por el porte compacto (20 cm de altura) y una abundante floración simple.

Comportamiento en el recipiente: las especies enanas se adaptan mejor al cultivo en macetas o jardineras.

Dimensiones del recipiente: 18 cm de ancho y de profundidad, como mínimo, para una planta.

Exposición: a pleno sol, pero que no sea abrasador.

Tierra: una buena tierra ligera y porosa.

Riego: mantenga el suelo ligeramente húmedo.

Enemigos y enfermedades: en general ninguno.

Empleo: su crecimiento y su floración la convierten en la planta ideal para tapar agujeros en las jardineras.

Consejo: siembre en abril y hasta finales del mes de mayo, directamente en la maceta definitiva, pues la godetia no soporta bien los trasplantes. Esparza las semillas colocando una planta cada 25 cm.

Gomphrena globosa
AMARANTIA

Cabezuelas coloreadas inmortales.

Planta anual (30 cm, 0 °C).

Follaje: verde claro, aterciopelado. Las hojas son oblongas u ovaladas, de porte leñoso.

Floración: desde julio hasta septiembre. Las flores se agrupan en cabezuelas ovoides en el extremo de los tallos.

Especies y variedades: *Gomphrena ajena* «Leuchtfunk» forma una mata de 30 cm. Las grandes flores de color naranja se conservan bien. *Gomphrena globosa* «Buddy» presenta un porte compacto (15 cm). La floración es blanca o púrpura.

Comportamiento en el recipiente: aún no se cultiva mucho, pero la amarantia se adapta bien y es de fácil mantenimiento.

Dimensiones del recipiente: 14 cm de ancho y de profundidad, como mínimo, para cada planta.

Exposición: soleada y bastante calurosa.

Tierra: una tierra clásica, que no sea demasiado compacta.

Riego: de una a dos veces por semana según que temperatura haga. Mantenga la base en la sombra.

Enemigos y enfermedades: ninguno

Empleo: combine la amarantia con Reina Margarita o inmortales.

Consejo: siembre las plantas en mayo en las jardineras, dejando de 15 a 20 cm de distancia entre cada planta.

Grevillea robusta
ROBLE AUSTRALIANO O PINO DE ORO

Una planta con carácter.

Arbusto (1,50 m, 0 °C).

Follaje: perenne, con hojas de color verde claro, finamente recortadas y pinatífidas.

Floración: en primavera y a principios de verano.

Especies y variedades: *Grevillea manigera* «Mount Tamboritha» presenta un porte rastrero y un crecimiento muy rápido. En primavera tiene una floración de color rojo y amarillo. *Grevillea juniperia* presenta flores rojas en arbustos de dos años. *Grevillea rosmarinifolia* tiene un follaje fino y persistente. Presenta flores de color rojo desde marzo hasta julio, porte compacto.

Comportamiento en el recipiente: su crecimiento es más lento que en la tierra, pero vive mucho tiempo.

Dimensiones del recipiente: 30 cm de profundidad y de ancho, para una planta de 1 m de altura.

Exposición: cálida, soleada y resguardada.

Tierra: una tierra de turba le va muy bien.

Riego: en época de calor riegue cada dos o tres días. En invierno una vez a la semana.

Enemigos y enfermedades: en general ninguno.

Empleo: solo, en segundo plano en una composición de plantas con follaje decorativo.

Consejo: trasplante cada dos años en marzo. Hiberne la maceta a una temperatura de 4 a 7 °C. En abril corte las ramas estropeadas.

▲ *Gomphrena globosa:* una miniatura inmortal.

Griselina litoralis
GRISELINA

Un falso bonetero para la orilla del mar.

Arbusto (1,50 m, -2 °C).

Follaje: perenne, barnizado y coriáceo. Las hojas de color amarillo verdoso tienen una forma ovalada u oblonga, un poco como las del bonetero.

Floración: insignificante en abril o mayo. Las pequeñas flores de color verde son unisexuadas.

Especies y variedades: «Variegata» presenta un precioso follaje de color verde moteado de amarillo y blanco. *Griselina lucida*, pequeña planta delicada, posee hojas brillantes de color verde oscuro.

Comportamiento en el recipiente: reserve este arbusto para zonas cálidas si no lo puede guardar en una galería durante el invierno. Es resistente a la bruma y a los vientos.

Dimensiones del recipiente: 30 cm de ancho y de profundidad para una mata de 1 m.

Exposición: cálida y soleada, incluso con viento.

Tierra: mantillo y tierra de jardín, bien drenadas.

Riego: una vez por semana.

Enemigos y enfermedades: ninguno.

Empleo: coloque una sola planta en una maceta decorativa, o en una jardinera grande, para crear un seto que nos resguarde del viento.

Consejo: pode en el mes de junio o julio para equilibrar la forma.

▲ *Gravillea* x «Olympic Flame»: para zonas cálidas.

Griselina littoralis «Variegata»: una excelente cortavientos. ▶

G

Gunnera

▲ *Gunnera manicata:* mucha presencia y amplitud.

▲ *Gymnocalycium* spp.: un cactus de crecimiento lento.

◄ *Gypsophila petraea:* una alfombra de flores vaporosas.

Gunnera manicata
GUNNERA

Una especie de ruibarbo gigante.
Planta vivaz (1,5 m, −5 ºC).

Follaje: inmenso y caduco. Las amplias hojas lobuladas y dentadas pueden alcanzar 80 cm de diámetro en maceta. Los pecíolos están recubiertos de espinas.

Floración: en mayo y junio. La inflorescencia cónica es erecta, y mide hasta 1 m de longitud.

Especies y variedades: *Gunnera magellanica* es una especie que no es rústica, rastrera, de 10 cm de altura. *Gunnera tinctoria* alcanza los 2 m de envergadura, con grandes flores lobuladas y punzantes.

Comportamiento en el recipiente: esta planta vivaz no vive más de cuatro años en maceta ya que muy pronto se encuentra estrecha. Protéjala del viento.

Dimensiones del recipiente: de 40 a 50 cm de ancho y de profundidad, como mínimo, para una planta joven.

Exposición: en un emplazamiento con sombra moderada.

Tierra: tierra, turba y mantillo a partes iguales. Anualmente, en primavera, realice un aporte de estiércol bien descompuesto.

Riego: mantenga siempre la tierra húmeda.

Enemigos y enfermedades: en general ninguno.

Empleo: una planta sola en un recipiente decorativo. Es perfecta para crear un ambiente exótico.

Consejo: en invierno proteja la cepa recubriéndola con sus propias hojas.

Gymnocalycium spp.
GYMNOCALYCIUM

De aspecto casi prehistórico.
Cactus (de 5 a 20 cm, 5 ºC).

Follaje: espinoso. El cuerpo de la planta es globuloso, achatado, y con el tiempo se vuelve cilíndrico.

Floración: espectacular pero sólo aparece en verano en las plantas viejas. Las flores, en el extremo de un largo pedúnculo, sólo duran algunos días.

Especies y variedades: *Gymnocalycium gibbosum* es una especie robusta y florífera, con flores blancas. *Gymnocalycium baldianum* seduce por su maravillosa floración de color rojo. *Gymnocalycium mihanowichii f. rubra* es un mutante de color rojo vivo, sin clorofila. También existen variedades de color amarillo, naranja, rosa, violeta o negro.

Comportamiento en el recipiente: una planta excelente de dimensiones reducidas que se cultiva fácilmente y solamente se trasplanta cada tres o cuatro años.

Dimensiones del recipiente: utilice uno que sea 2 cm más ancho que el diámetro del tallo de la planta.

Exposición: a pleno sol, cálida y árida.

Tierra: 2/3 de arena, 1/3 de tierra.

Riego: una vez por semana. La humedad permanente provoca la podredumbre de las raíces y del cuello. En invierno deje secar el suelo.

Enemigos y enfermedades: vigile los ataques de pulgones, cochinillas y arañas rojas.

Empleo: coloque el gymnocalycium en un balcón formando parte de una pequeña colección de cactus.

Consejo: debe hibernar entre 8 y 12 ºC en una habitación luminosa y seca.

Gypsophila repens
GISÓFILA

La ligereza convertida e flor.
Planta vivaz (10 cm, −15 ºC).

Follaje: azul verdoso. Las hojas son estrechas y pequeñas, el porte tapizante.

Floración: desde mayo hasta agosto. Las minúsculas flores simples se agrupan en inflorescencias ligeras.

Especies y variedades: *Gypsophila repens* «Alba» presenta una floración de color blanco. *Gymnocalycium* «Rosa Schönleit» tiene flores más grandes de color rosa oscuro. *Gypsophila paniculata* alcanza los 60 cm en jardinera. En verano encontramos gran cantidad de flores de «Bristol Fairy», con grandes flores dobles de color blanco, y «Flamingo» semidobles de color rosa.

Comportamiento en el recipiente: hay que remplazar la planta cada tres años, más o menos.

Dimensiones del recipiente: las formas enanas tienen suficiente con 20 cm de ancho y de profundidad.

Exposición: soleada y cálida.

Tierra: una tierra ligera a base de corteza.

Riego: cada ocho o doce días. La tierra se puede secar entre dos aportes de agua.

Enemigos y enfermedades: a veces moho blanco.

Riego: regular cuando el tiempo sea cálido y seco. Prácticamente nulo en invierno. Evite la humedad permanente.

Enemigos y enfermedades: en general ninguno.

Empleo: cree jardineras maravillosas en otoño con crisantemos de flor pequeña, aster y brezo.

Consejo: si no se encuentra en una región de clima suave, proteja la planta en una galería durante el invierno. Después de la floración retire todas las flores marchitas.

Hedera helix
HIEDRA

▲ *Hebe* x *franciscana* «Variegata»: flores en otoño.

Crece en cualquier parte y sirve para todo.

Planta trepadora (2,5 m, –20 °C).

Follaje: perenne y brillante. Los tallos jóvenes llevan raíces aéreas. Las hojas lobuladas son de color verde oscuro o plateado en las nervaduras.

Floración: insignificante, en octubre. Las flores aparecen sobre los tallos erguidos, sin raíces aéreas. Presentan bayas de color negro.

Especies y variedades: existen más de 350 variedades. Las de follaje moteado son más sensibles al hielo. «Aureovariegata», «Russell's Gold» y «Gold Heart», moteadas de amarillo, son aconsejables para maceta. «Buttercup» se distingue por el maravilloso follaje amarillo. «Discolor» y «Glacial» presentan manchas blancas y luminosas.

Comportamiento en el recipiente: de fácil cultivo. Las variedades con hojas pequeñas tienen un desarrollo más lento y más débil que la especie tipo. Están mejor adaptadas al cultivo en balcón.

▲ *Hedera helix* «Gracilis» en suspensión: muy vigorosa.

Dimensiones del recipiente: 25 cm en todas las magnitudes.

Exposición: con sol moderado o sombra. Evitar las situaciones abrasadoras y los vientos fríos.

Tierra: una buena tierra de jardín bien drenada.

Riego: cada ocho o diez días en promedio.

Enemigos y enfermedades: atención a las cochinillas y a la araña roja en balcones que están muy protegidos.

Empleo: para cubrir rápidamente cualquier superficie poco estética. También para crear bonitas suspensiones.

Consejo: pode una o dos veces al año para limitar las proporciones de esta trepadora que invade rápidamente cualquier lugar. Los tallos no deben alcanzar el techo, las tuberías o el balcón del vecino.

La hiedra moteada dura mucho tiempo en suspensión. ▶

Empleo: el porte en forma de cascada es ideal para revestir una columna de piedra.

Consejo: elija bien el emplazamiento ya que se deben evitar los trasplantes frecuentes; la planta no los tolera bien.

Hebe spp.
HEBE

Una graciosa composición otoñal.

Arbusto (50 cm, –3 °C).

Follaje: perenne. Algunas especies tienen hojas en forma de escamas, imbricadas sobre los tallos.

Floración: estival y otoñal, en forma de racimos terminales. Color blanco, rosa, violeta o azul.

Especies y variedades: *Hebe ochracea* presenta un follaje decorativo de color amarillo-ocre, parecido al de un ciprés. Floración blanca en verano. *Hebe pinguifolia* «Pager» tiene el aspecto de una gran almohada de color gris azulado. Flores blancas en verano. *Hebe* x *andersonii* forma, en maceta, una zarza de 70 cm de ancho. Su floración en forma de ramilletes de color azul lavanda es muy apreciada a finales de verano. Hay numerosas variedades que ofrecen un follaje moteado que puede ser color crema o blanco.

Comportamiento en el recipiente: el cultivo en maceta no comporta ningún problema y permite desplazar fácilmente a la planta para la hibernación. Presenta una buena resistencia a los vientos y a la bruma.

Dimensiones del recipiente: 20 cm de ancho y de profundidad para una mata de menos de 50 cm de altura. Trasplante anualmente en marzo o abril.

Exposición: protegida del frío, a pleno sol.

Tierra: arena, mantillo y tierra de jardín a partes iguales.

H

▲ *Helianthemum nummularium:* un verdadero tapiz en flor.

▲ *Helianthus x hybridus:* una vivaz de flores pequeñas.

Helianthemum nummularium
HELIANTEMO O JARILLA DE MONTE

Un magnífico cojín de flores.
Planta vivaz (25 cm, –10 ºC).

Follaje: perenne y decorativo durante todo el año. Las pequeñas hojas estrechas y peludas son verdes por el anverso y plateadas por el reverso.

Floración: desde mayo hasta agosto. Las flores simples de 1 a 2 cm de diámetro son aplanadas y de colores variados.

Especies y variedades: «Anjou», con flores simples de color rosa carmín. «Ben Hope» carmín, con el centro naranja oscuro, forma un precioso efecto. «Cerza Queen» se distingue por su floración doble de color rojo claro. «Elfenbeinglanz» se cubre de flores simples de color blanco marfil con el corazón amarillo zafrán. «Jubileo» y «Golden Ball» producen abundantes flores dobles en tonos amarillos. «Sterntaler», muy rústica, forma flores de color amarillo canario a principios de verano.

Comportamiento en el recipiente: el segundo año la mata coge cuerpo y parece una bonita alfombra. Trasplante cada cuatro años.

Dimensiones del recipiente: 20 cm de diámetro y 18 cm de profundidad, como mínimo, para cada planta.

Exposición: a pleno sol, incluso cuando hace calor.

Tierra: mezclar tierra de jardín, mantillo y arena.

Riego: resiste la sequía. Riegue cada ocho o doce días.

Enemigos y enfermedades: cuando el verano sea cálido y húmedo, el oídio puede cubrir el follaje.

Empleo: es perfecto para las minirrocallas. Colóquelos en el borde o en suspensión para sacar provecho a su porte.

Consejo: corte los tallos sin flor a finales de verano para que la planta mantenga un aspecto más denso y compacto. Divida la planta cada cuatro o cinco años.

Helianthus spp.
GIRASOL SILVESTRE

Anuncia el final del verano.
Vivaz o anual (1,50 m, –15 ºC).

Follaje: verde medio. Las hojas más o menos cordiformes o alargadas, cubren los tallos. El crecimiento es rápido.

◄ *Helichrysum angustifolius:* un fuerte olor a curry.

Floración: en verano y en otoño. Las inflorescencias parecen grandes margaritas amarillas.

Especies y variedades: Helianthus atrorubens «Monarch» florece desde el mes de julio. Produce grandes flores simples, de color amarillo anaranjado. Helianthus «Lemon Queen» supera 1 m de altura. Sus flores son de color amarillo limón. Entre las especies anuales, «F1 Pleno Sol» tiene grandes flores amarillas con el centro oscuro (1,50 m de altura). «Belleza de otoño» puede presentar una mezcla de tonos rojos, amarillo y naranja. «Sunspot» es una planta enana de 40 cm de altura que produce una flor enorme de 20 cm de diámetro.

Comportamiento en el recipiente: la mayoría de los girasoles crecen rápidamente. Trasplántelos regularmente y protéjalos de las corrientes de aire violentas.

Dimensiones del recipiente: como mínimo 30 cm de profundidad y de diámetro para una planta.

Exposición: a pleno sol, preferiblemente resguardado.

Tierra: ordinaria pero drenada.

Riego: moderado en cantidad pero regular, cada dos días cuando haga calor y el tiempo sea seco, para mantener la humedad del suelo.

Enemigos y enfermedades: el oídio pude cubrir las hojas en verano. Trate cuando aparezcan los primeros síntomas.

Empleo: en segundo plano, para formar en unos meses una cortina vegetal provisional.

Consejo: siembre en el lugar definitivo, las especies anuales en abril. Procure utilizar tutores para las matas grandes.

Helichrysum spp.
HELICRISO O PERPETUA ORIENTAL

Una planta de múltiples facetas.
Anual o vivaz (60 cm, –5 ºC).

Follaje: verde o gris más o menos plateado.

Floración: estival, blanca o amarillo dorado.

Especies y variedades: entres las especies que no son rústicas, *Helichrysum petiolare* y sus variedades con follaje decorativo moteado, dorado o miniatura, se utilizan para las suspensiones o los decorados con hojas. *Helichrysum ramosissimum* tiene una bonita forma de cojín. Esta anual está recubierta, en verano, de pequeñas flores de color amarillo oro. *Helichrysum bracteatum*, la inmortal, florece en verano. Está muy buscada para la creación de ramos secos. *Helichrysum angustifolium* es una planta vivaz, con follaje gris plateado y que desprende un fuerte olor a curry.

Comportamiento en el recipiente: los helicrisos son plantas excelentes de rápido crecimiento. Proteja la cepa en invierno ya que las especies vivaces a menudo son poco rústicas.

Dimensiones del recipiente: 18 cm de ancho y 20 cm de profundidad, como mínimo.

Exposición: cálida y soleada.

Tierra: una buena tierra de plantación.

Riego: deje que la superficie del suelo se seque entre dos aportes de agua.

Enemigos y enfermedades: en general ninguno.

Empleo: en jardineras, en grandes macetas o en suspensión, combinado con pelargoniums, verbenas, petunias o artemisas.

Consejo: pince regularmente los brotes nuevos para que se mantenga el porte compacto.

Heliotropium x *hybridum*
HELIOTROPO

Flores perfumadas con color de noche.

Planta vivaz (40 cm, 0 ºC).

Follaje: verde oscuro, rugoso al tacto. Las hojas oblongas y lanceoladas tienen un aspecto arrugado. El porte es leñoso.

Floración: desde junio hasta octubre. Las pequeñas flores se agrupan en largas inflorescencias terminales e irregulares. Color azul violáceo más o menos oscuro. Cuando hace calor, la planta desprende un perfume a vainilla, azucarado, un poco empalagoso.

Especies y variedades: adopte las formas híbridas. Tienen un porte más compacto, con flores de colores vivos y subidos.

Comportamiento en el recipiente: esta planta que se cultiva como una anual prospera bien en un centro.

Dimensiones del recipiente: 25 cm de ancho y 18 cm de profundidad son las medidas mínimas para una planta.

Exposición: cálida y soleada.

Tierra: conviene utilizar una tierra a base de turba enriquecida con un puñado de abono orgánico para cada maceta.

Riego: regular, dos veces por semana para mantener el suelo siempre húmedo. Reducido en invierno.

Enemigos y enfermedades: la mosca blanca invade a menudo el follaje, sobre todo en invierno en el invernadero o en la galería. Trate varias veces con un insecticida.

Empleo: combine el heliotropo con plantas de follaje plateado, que resaltan su floración con tonos oscuros.

Consejo: coloque las plantas jóvenes en el exterior hacia el mes de abril o mayo. El heliotropo vivaz debe hibernar en una habitación luminosa, con poca calefacción (de 7 a 10 ºC). Trasplante anualmente en el mes de marzo.

Helleborus spp.
ELÉBORO

Un verdadero encanto en el corazón del invierno.

Planta vivaz (40 cm, –15 ºC).

Follaje: perenne, coriáceo. Las hojas lobuladas y recortadas son de color verde más o menos oscuro.

Floración: desde el mes de noviembre y hasta abril, según las especies, y con una gran gama de tonalidades.

Especies y variedades: *Helleborus argutifolius,* el eléboro de Córcega alcanza los 60 cm en maceta. Floración de color verde claro. *Helleborus niger,* rosa de Navidad, no supera los 30 cm de altura. Su floración es de color blanco puro. Los numerosos híbridos de *Helleborus orientalis* ofrecen una amplia gama de colores que van desde el blanco hasta el color ciruela, pasando por el verde del follaje.

Comportamiento en el recipiente: necesita de tres a cinco años para instalarse bien y formar una mata robusta, magnífica en invierno.

Dimensiones del recipiente: como mínimo 20 cm de ancho y de profundidad para una planta.

Exposición: sombra o sombra moderada.

Tierra: rica y bien drenada.

Riego: durante el crecimiento riegue cada tres días, para mantener el suelo húmedo, pero no empapado.

Enemigos y enfermedades: en general ninguno.

Empleo: plante el eléboro en una gran vasija con hostas o epimediums. Combine diferentes especies y variedades para prolongar la floración.

Consejo: espere que la mata sobresalga de la maceta antes de trasplantarla, ya que a los eléboros no les gusta que se toqueteen sus raíces. Intervenga después de la floración.

Helleborus orientalis: una bella floración en pleno invierno. ▶

▲ *Helichrysum ramosissimum* «Baby Gold» en suspensión.

▲ *Heliotropium peruvianum:* floración de larga duración.

▲ *Heuchera sanguinea «Bressingham Blaze»: de gran finura.*

▲ *Hibiscus rosa-sinensis: sólo se lleva al exterior en verano.*

◄ *Hibiscus syriacus «Oiseau bleu»: lo mejor para el verano.*

Heuchera sanguinea
CAMPANAS DE CORAL

Una nube rosa.

Planta vivaz (80 cm, –15 °C).

Follaje: perenne, de color verde oscuro. Las hojas son redondeadas o cordiormes, a veces jaspeadas.

Floración: de mayo a agosto. Los bohordos florales llevan pequeñas campanillas por encima del follaje.

Especies y variedades: *Heuchera sanguinea* «Splendens» es un tapizado, con hojas de color verde oscuro y jaspeadas. La abundante floración es de color rojo carmín. «Bressingham Blaze» es de color rosa coral vivo. «Virginal» es una forma en blanco puro. *Heuchera micrantha* «Palace Purple» desarrolla un precioso cojín de hojas púrpura y brillantes, con flores blancas y vaporosas.

Comportamiento en el recipiente: de fácil cultivo, las campanas de coral se expanden un poco más anualmente. Trasplante o divida cada tres años.

Dimensiones del recipiente: 18 cm en todas las magnitudes.

Exposición: sol suave o sombra moderada.

Tierra: una tierra rica y bien aireada.

Riego: en verano de dos a tres veces por semana.

Enemigos y enfermedades: prácticamente ninguno.

Empleo: este excelente tapiz se planta en una jardinera grande, en la base de algunos arbustos o de rosales. También puede colocarlo en el reborde, con hostas, aguileñas o helechos.

Consejo: después de la floración, corte los bohordos florales al nivel del follaje.

Hibiscus spp.
HIBISCO

Exuberante y muy exótico.

Arbusto (2 m, de 5 °C a –20 °C).

Follaje: verde brillante, satinado o mate. Las hojas son ovaladas, más o menos dentadas y recortadas. Los hibiscos rústicos son caducos.

Floración: las flores aparecen en verano sobre las ramas secas. Duran poco tiempo pero se suceden sin interrupción durante todo el verano.

Especies y variedades: *Hibiscus rosa-sinensis* y sus híbridos no soportan las heladas. En invierno deben situarse en una habitación con luz. *Hibiscus syriacus* es un bonito arbusto rústico, con floración estival. Alcanza los 2 m de altura. *Hibiscus moscheutos* forma una mata vigorosa de 1 m. En verano produce flores impresionantes de 15 cm de diámetro, de color blanco, rosa o rojo oscuro.

Comportamiento en el recipiente: el crecimiento rápido implica un trasplante anual.

Dimensiones del recipiente: 25 cm en todas las magnitudes.

Exposición: soleada y cálida.

Tierra: plante en una mezcla de mantillo, estiércol, arena y tierra de jardín a partes iguales.

Riego: cuando haga calor cada dos días. En invierno deje que la tierra se seque un poco.

Enemigos y enfermedades: atención a los ataques de la mosca blanca, de pulgones y de ácaros.

Empleo: solo en una maceta decorativa, o en segundo plano en una jardinera grande junto a diferentes arbustos. *Hibiscus syriacus* y *Hibiscus rosa-sinensis* pueden reconducirse sobre tallo.

Consejo: estimule la floración con aportes quincenales de abono, en verano.

♣ *Hosta* spp.
HOSTA

Hojas de gran belleza.

Planta vivaz (60 cm, –20 °C).

Follaje: muy decorativo, caduco, a menudo moteado, sostenido por una mata extensa y tapizante.

Floración: del mes de junio al mes de agosto, según las variedades. Las flores en forma de trompeta se agrupan en el extremo de los bohordos florales que se elevan por encima de las hojas. De color blanco, azul violáceo o malva.

Especies y variedades: *Hosta plantaginea* «Grandiflora» soporta un ambiente soleado. En verano produce una abundante floración de color blanco puro, con perfume de flor de naranjo. *Hosta sieboldiana* «Elegans» seduce por el azul intenso de sus grandes hojas. «Frances Williams» desarrolla una mata imponente, de color azul, verde y crema; las flores son de color violeta. *Hosta crispula* necesita algunos años para alcanzar su máximo desarrollo. Pero entonces la planta puede medir 70 cm de alto, con grandes hojas de color verde oscuro y borde blanco. *Hosta venusta* es una miniatura de follaje verde, perfecta para los pequeños balcones.

Comportamiento en el recipiente: una excelente planta que se cultiva fácilmente con cuidados mínimos. Evite las corrientes de aire violentas.

Dimensiones del recipiente: 20 cm de ancho y profundidad, como mínimo.

Exposición: a plena sombra o sombra moderada.

Tierra: una buena tierra a base de turba. A principios de primavera, haga un aporte de estiércol de bovino bien descompuesto y abono orgánico.

Riego: frecuente cuando el tiempo sea seco y caluroso, para mantener la humedad. Debe reducirlo en invierno.

Enemigos y enfermedades: atención a las babosas que a menudo devoran las hojas jóvenes.

Empleo: agrupe diferentes variedades de hostas en macetas grandes de barro aprovechando la gran diversidad de colores y de mezclas. Combine las hostas con helechos, fucsias y carex.

Consejo: las hostas son plantas que precisan de un período de adaptación. La mata tarda tres años en alcanzar el máximo esplendor. No trasplante muy a menudo.

▲ Una colección de hostas en macetas adorna una escalinata.

Houttuynia cordata
HOTONIA

Un sorprendente follaje multicolor.

Planta vivaz (40 cm, –15 °C).

Follaje: verde azulado, cordiforme, caduco. Los tallos tienen tonalidades rojas.

Floración: en junio. Las flores minúsculas se agrupan en espigas cilíndricas, rodeadas de cuatro grandes brácteas de color blanco, muy decorativas.

Especies y variedades: *Houttuynia cordata* «Flore Pleno» ofrece una floración doble en pompón. «Chamaelon» presenta un follaje muy coloreado, donde se mezclan tonos rojos, amarillos y verdes.

Comportamiento en el recipiente: bien cultivada, la planta se despliega rápidamente y pronto se encuentra estrecha en la maceta. Debe dividirla cada dos o tres años.

Dimensiones del recipiente: 20 cm de alto y de ancho.

Exposición: a pleno sol pero no abrasador.

Tierra: tierra normal pero húmeda.

Riego: casi a diario cuando haga calor y en tiempo seco, para mantener la tierra siempre húmeda.

Enemigos y enfermedades: las babosas.

Empleo: en un pequeño estanque, en compañía de cola de caballo, botón de oro y menta acuática.

Consejo: suprima los brotes verdes que aparecen a veces en la variedad «Chamaelon» ya que son más vigorosos que los otros.

▲ *Hosta decorata:* una planta luminosa en la sombra.

Houttuynia cordata «Chamaeleon» adora la humedad. ▶

▲ *Hyacinthus* x «Blue Jacket»: utilice tutores.

▲ El jacinto «City of Harlem» presenta colores luminosos.

Hyacinthus orientalis
JACINTO

Una flor con encanto y perfume poderoso.
Planta bulbosa (30 cm, –20 ºC).

Follaje: en rosetas erguidas. Las hojas verdes, un poco rígidas, son estrechas y alargadas.

Floración: en marzo y abril. Las flores simples o dobles, muy perfumadas, se agrupan en racimos cilíndricos, a veces muy voluminosos que pueden alcanzar los 20 cm de altura. De colores variados pero con predominio del blanco, rosa, azul y violeta. Los horticultores han obtenido, por selección, variedades con flores amarillas o anaranjadas.

Especies y variedades: entre las variedades tempranas de flor simple, cultive: «Ana Maria», con grandes racimos de color rosa claro; «Marconi» rosa violáceo; «Pink Pearl», rosa vivo; «Delft Blue», azul intenso, e «Innocence», de color blanco puro. Para floraciones posteriores elija «King of the Blues», con flores alargadas de color azul índigo oscuro; «Gypsy Queen», naranja asalmonado; «Woodstock», que se distingue por su color burdeos oscuro; «City of Harlem», de un bonito tono amarillo oscuro poco corriente; «China Pink», rosa claro con estrías de color rosa coral; «Orange Bowen», naranja asalmonado y «Paul Hermann», malva púrpura con violeta oscuro. Entre los híbridos con flores dobles retenga «Hollyhock», con flor de color rojo oscuro; «King Kodro», azul violáceo, «Snow Crystal» y «Ben Nevis», con grandes inflorescencias de color blanco puro, al igual que «Pink Royal», con flores dobles de color rosa vivo.

Comportamiento en el recipiente: es de fácil cultivo tanto en recipientes poco profundos como en jardineras. En un balcón con viento hay que colocar tutores para aguantar los bohordos florales, que son bastante pesados.

Dimensiones del recipiente: como mínimo 20 cm de ancho y de profundidad para cinco o seis bulbos.

Exposición: a pleno sol o sombra moderada.

Tierra: arenosa, rica y bien drenada. En el momento de la plantación, haga un aporte de compost bien descompuesto.

Riego: deje que la superficie de la tierra se seque antes de volver a regar (una vez cada ocho o diez días).

Enemigos y enfermedades: la descomposición de los bulbos se traduce en la aparición de una podredumbre gris y seca que destruye la yema. Hay que eliminar la tierra y los bulbos contaminados. La larva de la mosca del narciso puede desarrollarse en el interior del bulbo y provocar que éste se pudra.

Empleo: para obtener un bonito balcón con flores en primavera, combine los jacintos con margaritas, pequeñas *Viola cornuta*, myosotis y tulipanes.

Consejo: plante los bulbos de forma escalonada desde finales de septiembre y hasta noviembre. Entierre la altura del bulbo. Después de la floración corte los bohordos florales. Arranque los bulbos cuando las hojas se sequen.

◄ El jacinto «Amsterdam» presenta grandes flores.

H

Hydrangea

Hydrangea
HORTENSIA

Un delicioso arbusto de mil caras.

Arbusto (2 m, -10 °C).

Follaje: caduco, amplio, ovalado, de bordes dentados, a veces aterciopelado, con nervios marcados.

Floración: desde el mes de junio hasta las primeras heladas. Las pequeñas flores en forma de estrella se agrupan en grandes panículas o en corimbos situados en el extremo de los tallos. Acompañadas de brácteas aparecen sobre los brotes del año precedente.

Especies y variedades: Hydrangea macrophylla y sus numerosas variedades florecen generosamente en una variada gama de colores, donde el blanco, el rosa, el rojo y el azul violáceo dominan. «Madame Émile Mouillère» presenta inflorescencias en forma de grandes bolas blancas. «Mariesii» forma una preciosa zarza de 2 m de altura. Su floración semitemprana de color rosa es espléndida. «Merveille sanguine» es apreciada por el color prácticamente negro de su follaje. «Tricolor» presenta hojas verdes con tonos plateados y con un reborde amarillo oro. Hydrangea serrata aprecia los ambientes con sombra y húmedos. «Preziosa» no supera 1,20 m de altura con pequeñas inflorescencias redondas que van del blanco al rojo. «Tokio Delight» forma una zarza de 2 m, que se cubre con grandes inflorescencias aplanadas de color blanco que van adquiriendo tonalidades rosa. Hydrangea paniculada «Grandiflora» alcanza 2 m en maceta. Sus largas panículas de color blanco se abren a finales de julio. Cuando se marchitan se vuelven de color rosa viejo. «Pink Diamond», más vigorosa, desarrolla inflorescencias de casi 30 cm. Son blancas con el centro rosa pero se van volviendo de color rosa. Hydrangea arborescens «Annabelle» en verano se cubre de bolas de color blanco puro que superan

▲ *Hydrangea arborescens «Annabelles»: espectacular.*

los 30 cm de diámetro. Hydrangea quercifolia «Snow Flake» presenta flores muy gruesas, agrupadas en inflorescencias terminales. Forma una zarza de unos 2 m. Hydrangea aspera «Villosa» presenta un follaje de color verde, recubierto de pelos suaves. Las grandes inflorescencias aplanadas son de color malva pálido.

Comportamiento en el recipiente: mejor si evita las corrientes de aire frío. Trasplante cada tres años.

Dimensiones del recipiente: de 30 a 40 cm de profundidad y de ancho, como mínimo, para cada planta.

Exposición: protegida, al sol o sombra moderada, resguardada de los vientos fríos.

Tierra: una mezcla formada por 1/3 de tierra de hojarasca, 1/3 de turba y 1/3 de estiércol bien descompuesto.

Riego: cada tres días cuando haga calor y el tiempo sea seco, siempre con agua no calcárea.

Enemigos y enfermedades: en un balcón o terraza resguardados, los ácaros pueden provocar la decoloración y desecación de las hojas. Cuando el suelo o el agua utilizada para regar son demasiado calcáreos, la clorosis se manifiesta por la aparición de una coloración amarilla en las hojas mientras que los nervios se mantienen de color verde.

Empleo: sola en una bonita maceta decorativa o en segundo plano en una jardinera grande con pie de león, hostas, geranios e impatiens.

Consejo: en febrero o marzo debe cortar todos los tallos cuya edad sea de más de tres años. Para ello, proceda a cortar por la mitad los tallos de *Hydrangea paniculata* e *Hydrangea arborescens* que hayan florecido el año anterior.

▼ *Hydrangea macrophylla:* cabezas aplanadas.

▼ *Hydrangea paniculata «Tardiva».*

▼ *Hydrangea aspera:* todo terciopelo.

▼ *Hydrangea quercifolia «Show flake».*

▲ *Hypericum patulum* «Hidcote»: un arbusto fácil.

▲ *Hypericum olympicum:* una alfombra de oro en verano.

Hypericum spp.
HIPÉRICO
O PERICÓN

Se adapta a todas partes.
Subarbusto (1 m, –8 ºC).

Follaje: de color gris verdoso o verde intenso según las especies. Las hojas perennes o semiperennes son ovaladas y enteras.

Floración: desde junio hasta agosto. Las flores simples se abren en un bonito color amarillo oro.

Especies y variedades: *Hypericum olympicum* «Citrinum» tiene flores de color amarillo limón. *Hypericum calycinum* es tapizante y bastante extensa, no sobrepasa los 30 cm de altura. En verano forma bonitas flores amarillas. *Hypericum patulum* «Hidcote» forma una mata que puede alcanzar 1 m en maceta. Es semiperenne y presenta grandes flores amarillas, muy abundantes, en verano. *Hypericum* x *moserianum* es un híbrido de *Hypericum patulum* e *Hypericum calycinum*. Su porte es arbustivo, un poco abierto, con follaje verde perenne. La floración amarilla aparece en el extremo de los tallos, desde el mes de julio hasta octubre. La variedad «Tricolor», menos vigorosa y poco rústica, se distingue por el follaje verde moteado de blanco y rojo. *Hypericum androseanum* «Orange flair», «Excellent flair» y «Autumn Blaze» ofrecen una magnífica fructificación en otoño en forma de bayas de color rojo vivo, muy decorativas.

Comportamiento en el recipiente: todos los hipéricos crecen fácilmente en recipiente. Evite combinar *Hypericum calycinum* con otras vivaces menos vigorosas, que pronto se sentirían ahogadas por sus rizomas. Atención, los hipéricos arbustivos son menos resistentes a las heladas cuando se cultivan en maceta. Protéjalos adecuadamente.

Dimensiones del recipiente: como mínimo 30 cm de ancho y 20 cm de profundidad para una mata.

Exposición: a pleno sol. *Hypericum calycium* soporta un emplazamiento con una sombra suave, pero entonces es dará menos flores.

Tierra: una buena tierra de jardín bien drenada.

Riego: una vez cada ocho o diez días más o menos. Deje que la tierra se seque ligeramente entre dos aportes de agua. No moje mucho las hojas.

◄ *Hypoestes phyllostachya:* decora la casa en invierno.

Enemigos y enfermedades: la roya cubre a menudo las hojas de pequeñas pústulas de color naranja y marrón. Trate preventivamente las variedades más sensibles como «Elstead» y *Hypericum calycium*. Elimine los tallos contaminados.

Empleo: en pequeños grupos para las especies arbustivas. «Hidcote» se poda muy bien. Los hipéricos tapizadores rellenan agujeros en las macetas.

Consejo: en primavera, corte los tallos de las especies vivaces no arbustivas a ras de tierra para favorecer el crecimiento de las hojas y así conservar el porte compacto.

Hypoestes phyllostachya
HYPOESTES

Un follaje que se sonroja de placer.
Planta vivaz (25 cm, 5 ºC).

Follaje: verde en forma de corazón, moteado de color rosa y crema. Porte arbustivo.

Floración: en primavera. Las pequeñas flores de color violeta y de color blanco aparecen en el extremo de los tallos.

Especies y variedades: «Pink splash Select» muestra un precioso follaje jaspeado de rosa pálido. También existen formas con hojas moteadas de rosa-rojo oscuro o de blanco puro.

Comportamiento en el recipiente: el crecimiento es rápido. Atención, la planta crece en longitud si no recibe la luz suficiente.

Dimensiones del recipiente: 14 cm de ancho y de profundidad para una planta joven.

Exposición: sombra ligera o moderada.

Tierra: tierra, arena y turba a partes iguales.

Riego: cada tres días en verano. En invierno, reduzca los aportes de agua y deje que la superficie de la tierra se seque antes de regar. No moje las hojas.

Enemigos y enfermedades: las cochinillas pueden instalarse en el reverso de las hojas y sobre los tallos.

Empleo: el principal interés de esta pequeña planta es su follaje de colores vivos. Combínela con impatiens, chlorophytums o miserias.

Consejo: pince regularmente los brotes jóvenes para que la planta mantenga un aspecto denso. Cada dos o tres años cree esquejes nuevos en el agua para renovar las macetas.

I

Iberis sempervirens
CARRASPIQUE
O SIEMPRE VERDE

Una alfombra blanca como la nieve.
Planta vivaz (25 cm, –15 ºC).

Follaje: como un extenso cojín de color verde oscuro, persistente. Las pequeñas hojas coriáceas son ovaladas y de forma alargada.

Floración: desde marzo hasta mayo. Las flores blancas se agrupan en umbelas en el extremo de los tallos.

Especies y variedades: «Show Flake» es una de las variedades más extendidas. Se distingue por su floración abundante de color blanco puro. «Weisser Zweg» tiene un porte más compacto con un follaje más fino. «Pygmaea» no supera los 15 cm de altura. *Iberis gibraltarica* forma una alfombra de 30 cm de altura. Las flores blancas con tonos violeta aparecen en abril y mayo.

Comportamiento en el recipiente: una excelente planta para cultivar en maceta, que sigue preciosa después de la floración. Evite los recipientes con reserva de agua.

Dimensiones del recipiente: 20 cm de profundidad y de ancho para colocar una planta.

Exposición: a pleno sol.

Tierra: una buena tierra de jardín ordinaria, con un alto grado en silicio y calcárea, bien drenada.

Riego: cada semana. La tierra puede secarse ligeramente entre dos aportes de agua.

Enemigos y enfermedades: en general ninguno.

Empleo: en el reborde, en una gran jardinera o en una maceta grande, con bulbos de floración primaveral (narcisos, tulipanes, etc.). Puede formar una rocalla en miniatura si lo combina con el cestillo de oro.

Consejo: después de la floración, corte los bohordos florales a nivel del follaje.

Ilex spp.
ACEBO

Las bayas que nos recuerdan la Navidad.
Arbusto (2 m, –10 ºC).

Follaje: perenne, punzante, ovalado o lobulado.

Floración: insignificante, se produce en mayo y junio. Las flores macho y hembra aparecen sobre plantas diferentes. Debe plantar, pues, como mínimo una pareja de acebos para obtener una bonita fructificación vivamente coloreada que sea capaz de resistir hasta el final del invierno.

Especies y variedades: *Ilex aquifolium* «J.-C. Van Tol» presenta hojas perennes brillantes, casi sin espinas. «Green Pilar» muestra un porte fastigiado. Produce una fructificación abundante, que perdura hasta el mes de abril del año siguiente. Existen numerosas variedades de acebo con follaje moteado de amarillo, crema u oro. La variedad *Ilex aquifolium* «Golden Milkboy» es una forma macho, con largas máculas amarillas. *Ilex x koehneana* «Chesnut Leaf» crece muy rápido. En maceta, forma brotes de 30 a 40 cm en un año. Es perenne y fructifica de forma muy generosa.

Comportamiento en el recipiente: en invierno, el follaje puede estropearse con las fuertes heladas. Proteja su maceta de las corrientes de aire frías.

Dimensiones del recipiente: como mínimo 35 cm de ancho y de profundidad por planta.

Exposición: sombra o sombra moderada.

Tierra: una mezcla de tierra de bosque y tierra de jardín con sielcea, a partes iguales.

Riego: dos veces por semana en tiempo seco y cálido. El acebo, cuando está adecuadamente instalado, resiste bien la sequía.

Enemigos y enfermedades: las larvas de minadoras del acebo atacan a las hojas, que presentan entonces manchas claras poco estéticas.

Empleo: una planta en una maceta decorativa o como pequeño seto defensivo.

Consejo: en el momento del trasplante, hay que procurar no romper el cepellón, ya que el enraizamiento del acebo es delicado. En las variedades de follaje moteado, procure eliminar las ramas con hojas completamente verdes.

El acebo crea bellas composiciones de desarrollo lento. ▶

▲ *Iberis sempervirens* «Show Flake»: ¡qué blancura!

▲ *Illex aquifolium*: sólo las plantas hembra fructifican.

▲ Una bonita jardinera de impatiens de Nueva Guinea.

Impatiens spp.
IMPATIENS

Las flores de la sombra.
Anual o vivaz (40 cm, 5 ºC).

Follaje: verde claro u oscuro. El porte es arbustivo. Las hojas ovaladas, toman un aspecto satinado o brillante. Los tallos quebradizos son espesos y carnosos, saciados de savia.

Floración: abundante y de larga duración, se prolongan desde mayo hasta las primeras heladas. Colores variados, unicolores o bicolores.

Especies y variedades: *Impatiens holstii* (también llamada *Impatiens walleriana*) e *Impatiens sultanii,* dos especies africanas, son el origen de la mayoría de híbridos de impatiens que puede encontrar actualmente en los comercios.

Son plantas vivaces no rústicas, a menudo cultivadas como flores anuales. Entre todas ellas, retenga «F1 Belizzy», que particularmente da muchas flores. Su vegetación compacta (de 20 a 25 cm) y su floración abundante y prolongada hacen que sea ideal para el cultivo en maceta. Existe una forma espléndida con flores gruesas, que parecen rosas en miniatura.

«F1 Starbright» se cubre de una profusión de flores grandes simples y bicolores, con tonos variados muy luminosos.

«Midinette» es un grupo de cultivos enanos y compactos (de 20 cm de altura) que resisten bien el sol. «Sparkles» presenta un follaje verde muy moteado de blanco, que crea un bello efecto decorativo. Las flores simples son de color rosa oscuro.

Las *Impatiens hawkeri* o de «Nueva Guinea» presentan una vegetación más vigorosa y grandes flores simples en forma de copa. El abundante follaje puede ser de color verde oscuro brillante, con algunos tonos bronce o verde muy moteados de color amarillo crema. Estos híbridos soportan un emplazamiento soleado.

Impatiens balsamina, o alegría, es una anual de pequeñas flores simples, de color rosa, que aparecen en la base de las hojas durante todo el verano. En maceta, forma una bonita mata de unos 50 cm de altura, con un tallo central espeso y carnoso. Ha dado cultivos de flores simples y dobles.

«Flores de Camelia» produce grandes flores pegadas al tallo, que parecen pequeñas rosas dobles. Elija «Tom Pouce», que no supera los 25 cm de altura y queda muy bien en balcones pequeños.

Impatiens balfouri es una pequeña especie himalaya anual que se multiplica fácilmente por semillas, en primavera. En algunas semanas forma una bonita mata de unos 40 a 60 cm de alto cubierta, hasta las primeras heladas, de flores de color rosa con manchas amarillas.

Impatiens roylei (también llamada *Impatiens glandulifera*) es una especie anual muy desarrollada que debe reservar para macetas grandes. Puede superar 1 m en algunos meses. Sus grandes flores de color rosa violáceo aparecen en racimos terminales, desde agosto hasta octubre.

Impatiens niamniamensis se distingue por las flores en forma de cono, bicolores rojo bermellón y amarillo vivo. A menudo poco ramificada, desarrolla un tallo principal muy grueso y erguido, de color marrón. Las hojas se agrupan en la extremidad superior. En maceta, la mata puede alcanzar 60 cm de altura. Aunque un poco más frágil que las especies y variedades precedentes, esta impatiens vivaz, de origen africano, es muy florífera y espectacular. Desde finales de septiembre hasta mediados de mayo es preferible su coloca-

▼ *Impatiens niamniamensis*: sorprendente.

▼ Impatiens de Nueva Guinea «tango».

▼ Una variedad con flores dobles.

▼ *Impatiens* x «Doble bicolor»: tónica.

ción en una habitación muy luminosa y cálida; de esta manera seguirá floreciendo generosamente durante gran parte del invierno.

Comportamiento en el recipiente: los impatiens se cultivan fácilmente en cualquier tipo de recipiente, incluyendo recipientes con reserva de agua, que resultan muy prácticos en caso de ausencias prolongadas o repetidas. En lugares con mucho viento, plante variedades enanas.

En especies muy voluminosas, es muy conveniente utilizar tutores, ya que los tallos se rompen como el cristal. Coloque los impatiens en un lugar protegido de las corrientes de aire. Todas las especies temen las heladas. Para conservar los impatiens vivaces en invierno, es conveniente colocarlos en una galería o dentro de casa, con una temperatura mínima de 13 ºC para que mantengan la floración.

Dimensiones del recipiente: 12 cm de ancho y de profundidad son suficientes para el desarrollo de una planta, excepto para *Impatiens roylei,* que necesita un recipiente de unos 30 cm. A los impatiens no les gusta un recipiente muy grande ya que el sustrato tarda en secarse.

Exposición: sombra o sombra moderada. Los impatiens de Nueva Guinea pueden colocarse en un emplazamiento más soleado.

Tierra: tierra de trasplante bien drenada.

Riego: los impatiens no toleran bien la sequía, pero tampoco el exceso de humedad, puesto que ésta provoca la caída de las hojas y a menudo la podredumbre en raíces y cuello. Entre aporte y aporte de agua, asegúrese primero de que el suelo se haya secado ligeramente.

Enemigos y enfermedades: atención a los ataques de arañas rojas, moscas blancas y pulgones que pueden

▲ Los impatiens híbridos se desarrollan bien a la sombra. Sólo se han necesitado dos plantas para esta jardinera de 40 cm.

invadir rápidamente todo el follaje y provocar que la planta se marchite. Trate cuando aparezcan los primeros parásitos y después de forma regular durante la época estival, siguiendo las instrucciones de uso del producto. Las hojas tiernas no soportan los productos muy concentrados. Las babosas pueden causar verdaderos destrozos en siembras y plantas jóvenes. Otra buena alternativa consiste en colocar cebos en forma de gránulos.

Empleo: coloque los impatiens con fucsias, begonias, chlorophytums, plectranthes o tradescantias. Cuidado con los colores fluorescentes, son difíciles de mezclar y combinar. Es preferible colocar varias plantas del mismo color, que indudablemente otorgarán un efecto en masa más bonito. El color blanco da luminosidad a una terraza o un patio oscuros.

Los cultivos enanos o tapizadores pueden colocarse en un primer plano de la jardinera. También puede colocarlos como tapiz, en la base de los arbustos, en particular las especies de tierra de mantillo, como las camelias, las hortensias, arces o rododendros. El cultivo en recipientes colgantes puede dar unos excelentes re-

sultados, siempre y cuando pueda asegurarse perfectamente el riego cotidiano en tiempo seco y cálido.

Consejo: siembre los híbridos y las especies anuales en marzo o en abril, en un pequeño recipiente dentro de casa. No entierre las semillas finas. Cuando las plantas desarrollen dos o tres hojas verdaderas, realice un primer trasplante en un cubilete. Colóquelas en el lugar definitivo en mayo, dejando una separación de 25 cm entre cada una.

Los impatiens toleran muy bien los trasplantes y arraigan enseguida. Durante los meses de mayo a septiembre, añada abono líquido para plantas en flor, cada diez días.

Puede reproducir fácilmente por esquejes las especies vivaces, en primavera o en verano. Elija esquejes de unos 8 o 10 cm de largo. Seguidamente, póngalos en un vaso de agua o directamente en una mezcla formada por arena de río y turba, a partes iguales, que debe mantenerse húmeda hasta que aparezcan las primeras raíces.

Si compra plantas, espere a que las heladas hayan pasado, a finales de abril.

▼ Una bonita forma con follaje moteado.

▼ *Impatiens* x «Olympus»: mezclados.

▼ *Impatiens balsamina:* flores en espiga.

▼ *Impatiens roylei:* una gigante de 1 m.

▲ *Iochroma cyaneum*: largos tubos de color violeta en abril.

▲ *Ipheion uniflorum*: una pequeña bulbosa por descubrir.

▲ *Ipomaea tricolor*: una trepadora anual con mucha floración, ideal para adornar una valla o una celosía.

Iochroma spp.
IOCHROMA

Sensible al frío pero muy florífera.
Arbusto (1,50 m, 5 ºC).

Follaje: las amplias hojas ovaladas son de color verde oscuro y vellosas, el porte es arbustivo.

Floración: desde principios de verano hasta las primeras heladas, en forma de largos tubos en racimos terminales.

Especies y variedades: Iochroma cyanea se cubre de una profusión de flores violetas con reflejos azules. Iochroma grandiflora es una especie más vigorosa, con grandes flores de color azul violáceo.

Comportamiento en el recipiente: prevea un recipiente suficientemente grande, ya que presenta un crecimiento rápido e importante. Todas las especies son muy sensibles al frío. Póngalas en una galería desde octubre hasta principios de mayo.

Dimensiones del recipiente: como mínimo 30 cm de diámetro y de profundidad para una planta.

Exposición: muy soleada y cálida, resguardada.

Tierra: tierra enriquecida con estiércol descompuesto.

Riego: abundante, en verano cada dos o tres días. En invierno deje secar la superficie del suelo.

Enemigos y enfermedades: las moscas blanca invaden el follaje en unas semanas. En tiempo seco existe la posibilidad de ataques de la araña roja.

Empleo: una planta sola o en segundo plano en una jardinera con antemis, lantanas, verbenas o salvia.

Consejo: en primavera, cuando haga el trasplante anual, realice un aporte abundante de estiércol bien descompuesto y de abono orgánico.

Ipheion uniflorum
IPHEION

Una magnífica alfombra de estrellas.
Planta bulbosa (30 cm, –15 ºC).

Follaje: en mata, caduco. Las hojas estrechas y alargadas parecen las de una gramínea.

Floración: en abril y en mayo. Las flores simples tienen seis pétalos dispuestos en forma de estrella.

Especies y variedades: «Wisley Blue» da un gran número de flores pequeñas, estrelladas, y de color violeta claro. «Froyle Mill» es de color violeta subido. «Album», con flores de color blanco, queda magnífica en una maceta grande.

Comportamiento en el recipiente: los ipheion pueden permanecer en la maceta de un año al otro.

cuando las noches empiecen a ser frías. Trasplante cada dos años.

Dimensiones del recipiente: los kalanchoes se venden en pequeños recipientes de plástico de 10 cm de diámetro. El follaje a veces es tan denso que la planta puede volcar. Trasplante a una maceta más estable, y vigile que el agujero de drenaje no quede taponado.

Exposición: el kalanchoe precisa luz, pero no sol directo que puede estropear las hojas.

Tierra: una mezcla rica y de buen drenaje, que no contenga turba. Añada unos puñados de arena.

Riego: deje secar entre dos riegos.

Enemigos y enfermedades: las cochinillas pueden instalarse en los tallos. Trate preventivamente.

Empleo: agrupe varios kalanchoes en una jardinera. Combínelos con sedums u otras plantas crasas.

Consejo: intente conservar el kalanchoe de un año a otro, pero la floración no estará garantizada. Utilícela como anual.

Kalmia spp.
LAUREL DE LAS MONTAÑAS O KALMIA

Flores de una rara perfección.

Arbusto (1,50 m, –20 °C).

Follaje: lanceolado, coriáceo, perenne.

Floración: las largas inflorescencias se componen de flores pequeñas en forma de copa, de color rosa, rojo o blanco. Son tan finas que parecen porcelana.

Especies y variedades: *Kalmia angustifolia* es muy recomendable para balcones pequeños ya que mide como máximo 1 m en todos los sentidos. «Rosea» tiene flores de color rosa; «Rubra», flores rojas o rojo oscuro. *Kalmia latifolia*, el laurel de las montañas, es menos compacto.

Comportamiento en el recipiente: persistente y florífera, la kalmia es ideal para las terrazas orientadas al norte. Vive muchos años en recipiente.

Dimensiones del recipiente: trasplante el laurel cada dos años, a una maceta ligeramente mayor, para terminar con un recipiente de 30 a 35 cm de ancho y alto, para un ejemplar adulto.

Exposición: sombra o sombra moderada.

Tierra: tierra de mantillo. Si el agua que utiliza para regar es calcárea, ponga encima de la maceta 3 cm de turba y un lecho del mismo espesor de hojas de pino, que actuarán como filtro.

Riego: no deje que el laurel se seque.

Enemigos y enfermedades: ninguno.

Empleo: combine el laurel con plantas de tierra de mantillo como el arce, rododendros enanos, brezo, camelias, etc.

Consejo: retire las flores marchitas.

▲ *Kalanchoe blossfeldiana:* pasa el invierno dentro de casa.

Kolkwitzia amabilis
KOLKWITZIA O ARBUSTO AMOROSO

La ternura de una flor primaveral.

Arbusto (2 m, –15 °C).

Follaje: velloso, de color verde oscuro. Las hojas ovaladas son dentadas.

Floración: las ramas, ligeramente arqueadas, presentan flores de color rosa y amarillo, en mayo y en junio.

Especies y variedades: «Pink Cloud» presenta flores de color rosa más oscuro que la especie tipo.

Comportamiento en el recipiente: la kolkwitzia ocupa el centro de la escena un mes al año. El resto del tiempo pasa a un segundo plano en el cual forma una bonita pantalla.

Dimensiones del recipiente: trasplante según el crecimiento de la planta. Cuando es adulta puede alcanzar los 2 m de altura. El recipiente debe medir 40 cm en todas las magnitudes.

Exposición: precisa de una mañana o una tarde de sol.

Tierra: cualquier tierra de jardín le conviene.

Riego: no abandone a la kolkwitzia cuando es joven y el recipiente es pequeño. Necesita tres o cuatro riegos semanales.

Enemigos y enfermedades: normalmente no suele tener.

Empleo: queda preciosa la combinación de kolkwitzia con las alchemilas de color verde ácido. Coloque en la base impatiens de color blanco o rosa y fucsias.

Consejo: después de la floración pode las ramas más o menos por la mitad de su tamaño. Retire la leña.

Kolkwitzia amabilis: en primavera se cubre de flores. ▶

▲ *Kalmia latifolia:* debe plantarla en tierra de mantillo.

L

Lactuca sativa
LECHUGA

Para disfrutar de un huerto colgante.
Planta anual (15 cm, –3 ºC).

Follaje: Los especialistas en híbridos han creado una infinidad de variedades con formas muy diferentes. Hay lechugas con hojas planas, recortadas, rizadas, verdes, marrones, moteadas, moradas.

Floración: cuando florece la lechuga es síntoma de que ha llegado a su fin, pero la floración es muy original y decorativa.

Especies y variedades: las lechugas redondas de primavera, como la «Reina de Mayo», se adaptan perfectamente al recipiente. Las variedades con follaje encarnado son muy decorativas. Adopte la variedad «Barba Roja», tiene un cogollo muy denso, de color rojo oscuro, resiste perfectamente al calor y se puede poner sin problemas en los balcones de las ciudades. «Brunia», compacta, con hojas curiosamente recortadas, también es muy resistente al calor. «Malibu» es una variedad de lechuga italiana densa, muy coloreada, con el follaje carnoso, rizado y de color rojo oscuro e intenso. «Valdaï» es de color rojo vivo, muy brillante, se siembra sin problemas. Elija también las lechugas como la «Salad Bowl», que se pueden cortar y plantar en suspensión sin problemas.

▲ Las lechugas quedan bien en maceta.

Comportamiento en el recipiente: no es muy frecuente cultivar las lechugas en los balcones, pero de hecho no es nada complicado.

Dimensiones del recipiente: una jardinera de 25 cm de ancho. Disponga una buena capa de drenaje con piedras de 5 cm de grosor. Compruebe que los agujeros de drenaje estén bien perforados.

Exposición: evite el sol tórrido. Unas horas de sol durante la mañana y algunas al final de la tarde serán suficientes.

Tierra: rica en materia orgánica, ligera y muy drenada. Realice una mezcla nutritiva que incluya a partes iguales: tierra de follaje, tierra de jardín rica en silicio, tierra vegetal, arena de río y abono orgánico (estiércol descompuesto).

Riego: en promedio cada dos días, sin que el sustrato quede empapado. Cuando la planta tenga frescor suficiente, sólo riegue lo estrictamente necesario.

Enemigos y enfermedades: en los suelos pesados, existen hongos que atacan de los brotes más jóvenes hasta que perecen. Cuando las hojas se marchitan y se secan a menudo es por culpa del mildíu. Los pulgones se instalan en los pliegues de las hojas. A veces las hojas tienen agujeros triangulares que son síntoma de los picotazos de los pájaros.

Empleo: mezcle las lechugas con el resto de hortalizas cultivables en terrazas y también con las plantas que se portan bien, como los claveles de la India o las dalias en miniatura.

Consejo: cuando plante esquejes de lechugas, intente sólo enterrar hasta el cuello. No la entierre totalmente aunque le parezca que está «flotando». De lo contrario la joven planta puede pudrirse de golpe.

Lagerstroemia indica
LILAS DE LAS INDIAS

Una floración excepcional.
Planta anual (1,5 m, –5 ºC).

Follaje: persistente, oval, elíptico, ligeramente puntiagudo, con tallos de color marrón mármol muy decorativos.

Floración: en panículos muy anchos con flores con pétalos frisados, normalmente de color rosa, pero tam-

◄ Hay lechugas que se pueden cortar y plantar en suspensión.

bién rojos, con estambres de color amarillo oro que aparece de junio a octubre.

Especies y variedades: los especialistas en jardinería han creado a partir de la *Lagerstroemia indica* una gran cantidad de variedades. «Kimono» es una de las más raras por su blanco puro; «Eleonor de Aquitania», de color rosa oscuro, los especialistas la recomiendan para el cultivo en recipientes pequeños; «Yang Tse» de color carmesí subido, es más rústica que el resto de variedades; «Souvenir d'Hubert Puard» tiene colores liláceos y todos los tonos del malva.

Comportamiento en el recipiente: las lilas de las Indias se encuentran a gusto en las áreas más cálidas y de clima mediterráneo. En el resto de zonas requiere una protección invernal, o un invernadero frío. Resiste sin problemas la contaminación de las ciudades. Cambie de recipiente cada dos años.

Dimensiones del recipiente: elija un recipiente profundo de 30 cm como mínimo, ya que las raíces de las lilas son muy penetrantes.

Exposición: soleada y resguardada.

Tierra: las lilas de las Indias requieren materia orgánica y suelo arcilloso. Ofrézcales una mezcla de tierra para rosales y tierra de hojarasca.

Riego: este arbusto tolera los olvidos, pero dará más flores cuando no está más de tres o cuatro días sin agua.

Enemigos y enfermedades: generalmente ninguno.

Empleo: las lilas de las Indias se comercializan en mata o en tallo. Esta última variedad es más decorativa. Combínela con los rosales, las buganvillas o las *Solanum crispum*.

Consejo: pode en febrero en las regiones donde el clima sea suave. Insista en las ramas que hayan florecido durante el verano anterior.

Lamium spp.
ORTIGA

Un follage en forma de tapiz para la sombra.

Planta anual (30 cm, –15 °C).

Follaje: persistente y semipersistente, tapizante, de color plata y bronce.

Floración: flores tubulares, rosas, malvas o blancas, con tallos cortos erguidos que aparecen por encima del follaje en los meses de junio y julio. Interés decorativo medio.

Especies y variedades: *Lamium maculatum* «Pink Pewter» se cubre por una multitud de flores rosas, de abril a finales de junio y durante todo el otoño. Es una de las plantas con follaje plateado, más curiosas que existen y que crecen sin problemas a la sombra. «Shell Pink» alcanza 20 cm, sus flores son de color rosa muy suave, y las hojas verdes tiene un trazo de color plateado. «Aureum» tiene un follaje de color dorado muy luminoso y flores de color rosa malva. *Lamiastrum galeobdon* es más vigoroso y forma matas un poco más altas, (30 cm) con tallos más dúctiles y de porte colgante.

Comportamiento en el recipiente: las ortigas no se emplean con demasiada frecuencia en los balcones, los jardineros se contentan con colocarlas en los rincones salvajes de los jardines. Sin embargo, son excelentes plantas de sombra, poco exigentes, que crecen con vigor en recipiente. Cámbialas de recipiente cada dos o tres años.

Dimensiones del recipiente: la frondosidad es la virtud de las ortigas. Proporcióneles un recipiente lo bastante ancho para que puedan extenderse con comodidad. Una copa baja de 30 cm de diámetro y de 15 a 20 cm de altura formará un decorado espectacular.

Exposición: todas las ortigas crecen en la sombra. También crecen cuando el sol está tamizado y siempre que tengan la base húmeda.

Tierra: las ortigas no requieren de muchos cuidados. Basta con una buena tierra de jardín con algunos puñados de abono orgánico. No abuse del abono con nitratos porque las matas pierden vigor y belleza, sobre todo cuando están bajo la sombra total.

Riego: si pasan por algún período de sequía no pasa absolutamente nada. Pero no abuse de su resistencia. En verano riegue dos o tres veces a la semana.

Enemigos y enfermedades: normalmente ninguno.

Empleo: utilice el carácter expansivo de las ortigas para realizar suspensiones excepcionales que serán decorativas durante todo el año gracias a su follaje. Empléelas en los bordes de los recipientes de mayor porte para que cubran los laterales. Recree composiciones de sotobosque combinándolas con helechos, hostas, epimediums y bulbos.

Consejo: las matas se dividen cómodamente en primavera. Saque la mata de su recipiente y pode el follaje con un cuchillo muy aislado.

Lamium maculatum «White Nancy»: ideal bajo la sombra. ▷

▲ *Lagerstroemia indica:* florece en verano.

▲ *Lamiastrum galeobdolon* «Herman's Pride»: llorón.

▲ *Lantana camara «Professeur Raoux»: muy equilibrada.*

▲ *Lathyrus odoratus «Mamut variado»: vigor total.*

Lantana spp.
LANTANA

Una planta muy resistente.
Arbusto (1,50 m, –8 °C).

Follaje: perenne en los climas suaves, elíptico, verde oscuro, rugoso, enmarañado.

Floración: durante todo el verano aparecen capullos abombados de flores pequeñas con colores que van del amarillo anaranjado al rojo o el malva.

Especies y variedades: *Lantana camara* forma una nube pequeña de flores naranja teñidas de color rojo. *Lantana sellowiana* tiene un porte extenso y flores malvas. Es más

rústica que la anterior y revive sin problemas después de los fríos inferiores a –8 °C.

Comportamiento en el recipiente: la lantana es una planta vigorosa difícil de controlar dado que la floración se produce en los extremos de las ramas.

Dimensiones del recipiente: a principios de la estación, un recipiente de 20 cm de diámetro es suficiente.

Exposición: las lantanas toleran el pleno sol. Riegue frecuentemente el suelo de la terraza para crear un ambiente húmedo.

Tierra: la floración escasa demuestra que la tierra está agotada. Cambie de recipiente con tierra para geranios. Ponga en la superficie un puñado de abono orgánico.

Riego: las lantanas son famosas por su gran resistencia a la sequía. Un riego semanal basta para conservarlas en flor. En pleno verano hay que duplicar el ritmo de riego.

Enemigos y enfermedades: normalmente ninguno.

Empleo: *Lantana sellowiana* se planta en los bordes de las jardineras, a las que también viste. *Lantana camara* es sensacional, en tallo, o mezclada con heliotropos en forma de matojo.

Consejo: entre la planta en invierno y reduzca el riego hasta lo más mínimo.

Lathyrus odoratus
GUISANTE DE OLOR

Voluble y de olor huidizo.
Planta anual (1,0 cm, –2 °C).

Follaje: liso, con un único par de folículos ovales. El pecíolo se prolonga a través de un zarcillo.

Floración: tiernas mariposas perfumadas con colores variados que aparecen de junio a septiembre.

Especies y variedades: para obtener un buen perfume, elija una variedad bastante antigua, como la «Antique Fantasy». Para los ramos el guisante de olor del grupo «Spencer» o «Mamut» ofrece largos tallos con flores grandes y una excepcional floración.

Comportamiento en el recipiente: el guisante de olor crece perfectamente en recipiente, pero hay que empalizarlo con cuidado para que el recipiente conserve su estética, dado que tienden a crecer en todas direcciones.

Dimensiones del recipiente: para conseguir un efecto de masa siembre una decena de granos en un recipiente de 30 cm de ancho y de 20 cm de profundidad.

Exposición: pleno sol.

Tierra: mezcle la mitad de la tierra con tierra para rosales y añada un puñado de abono descompuesto para plantas de flor.

Riego: dos veces a la semana como mínimo.

Enemigos y enfermedades: el moho blanco destruye las plantas más jóvenes. El mildíu y el oidium crean manchas blancas o grises en las hojas.

Empleo: a menudo se aconseja mezclar los guisantes de olor con otras plantas. El resultado es decepcionante a veces, porque es una planta muy hambrienta que sufre cuando debe entrar en competencia con otras. Empalícelas lo más pronto posible en una celosía o con un alambre.

Consejo: siembre lo antes posible para obtener un crecimiento vigoroso en primavera.

Laurus nobilis
LAUREL-ARCE

Hojas deliciosamente aromáticas.
Arbusto persistente (2 m, –8 °C).

Follaje: aromático, lanceolado, persistente, verde oscuro, de consistencia coriácea.

Floración: las flores no tiene pétalos, son de color verde-amarillo, con estambres prominentes que no tienen valor decorativo.

Especies y variedades: *Laurus nobilis* sólo se vende en centros de jardinería.

Comportamiento en el recipiente: el laurel vive confortablemente en recipiente pero no soporta los vientos fríos. Apóyelo contra las paredes de la casa.

Dimensiones del recipiente: existen plantas de laurel del tamaño de un lápiz. Cuando las trasplante, hágalo en un recipiente de 15 cm de diámetro, y no olvide que pueden llegar a alcanzar

Laurel-arce:
ideal para modelar
mediante la poda. ▶

2 m de altura cuando son adultas. Cambie el recipiente cuando las raíces cubran totalmente el interior de éste o una vez al año.

Exposición: el laurel se malvive en la sombra. Requiere, como mínimo, cuatro horas de sol al día.

Tierra: una buena tierra de jardín o una mezcla de tierra con tierra para rosales.

Riego: no deje que el laurel pase demasiada sed durante mucho tiempo. Dos riegos a la semana.

Enemigos y enfermedades: las cochinillas son el enemigo principal del laurel-arce.

Empleo: el laurel resiste sin problemas las podas considerables, en forma de cono, de bola etc. Combínelo con romero y lavanda.

Consejo: pode las ramas que se hayan secado.

Lavandula spp.
LAVANDA

Flores y perfume.
Arbusto (60 cm, –8 ºC).
Follaje: fino, gris plateado, altamente aromático.
Floración: espigas azules que crecen de la raíz y forman una bola de color azul a partir de junio.
Especies y variedades: en un balcón, las lavandas que se desarrollan poco son las más recomendables, por ejemplo, la variedad «Hidcote», muy compacta, con flores de color violeta oscuro. Existe una lavanda de color blanco, *Lavandula angustifolia* «Edelweiss». Pero, sin duda alguna, no tiene el encanto que desprenden las lavandas azules. *Lavandula stoechas* «Pedunculata», la lavanda «Mariposa», forma una bola de 60 cm de diámetro. Una gran cantidad de espiguillas púrpuras que aparecen en los extremos de los tallos.
Comportamiento en el recipiente: los recipientes que se riegan demasiado dan plantas menos lucidas que pueden perecer en menos de dos años. Conserve la lavanda en un lugar seco y no abuse de los abonos que contengan nitrato.
Dimensiones del recipiente: una mata pequeña para un recipiente de 25 cm de ancho y alto. Las plantas de edad más avanzada requerirán un recipiente 10 cm más grande.
Exposición: al sur, sin lugar a dudas.
Tierra: una buena tierra de jardín incluso calcárea.
Riego: los excesos de humedad estropean la lavanda incluso más que la falta de riego.

Enemigos y enfermedades: hay unos hongos que atacan los tallos más jóvenes y que castigan a las matas.
Empleo: utilice y abuse de la lavanda si la combina con plantas mediterráneas, como las jaras, los abutilones, la salvia, los agapantos, el romero, el tomillo y los jazmines.
Consejo: no pode nunca las lavandas a ras de tierra. Debe dejar algunos centímetros de la mata para el año que viene.

Lavatera spp.
LAVATERA

Una silueta relajada.
Planta vivaz arbustiva (1,5 m, –8 ºC).
Follaje: oval, lobulado, de color verde pálido.
Floración: grandes flores en forma de cáliz, con pétalos sedosos de color rosa o blanco, se extienden en una mata irregular y desordenada.
Especies y variedades: *Lavatera thuringiaca* «Barnsley» tiene un gran éxito gracias a sus flores de color rosa pálido. «Shorty» posee una vegetación muy compacta, que se adapta perfectamente a los balcones.
Comportamiento en el recipiente: no espere que las lavateras contribuyan a su decorado invernal porque desaparecen (debe podarlas a ras de suelo) en octubre. Pero volverán a aparecer aún más bellas en primavera.
Dimensiones del recipiente: en el caso de que no quiera regar a diario, intente que el recipiente no sea muy pequeño, como mínimo 25 cm en todas las magnitudes.
Exposición: a pleno sol o sombra parcial.
Tierra: la tierra para geranios es la más apropiada.
Riego: las lavateras toleran perfectamente la sequía, pero su floración será más duradera si se riega regularmente cada tres o cuatro días.
Enemigos y enfermedades: la roya provoca el fallecimiento de la planta.
Empleo: combínela con una mata grande de *Carex lanceolata*, con follaje denso y colgante, o sencillamente con una base de ageratums.
Consejo: entierre la base de las ramas en la primera plantación y corte las ramas un tercio de su tamaño: la planta se expandirá con más rapidez.

Lavatera oíbia «Rosea»: una cierta fantasía. ▶

▲ *Lavandula angustifolia*: un perfume delicado en verano.

▲ *Lavandula stoechas* «Pedunculata»: bellas mariposas.

L

▲ *Leonotus leonorus:* para las terrazas meridionales.

▲ *Leptospernum scoparium:* sensible al frío pero con flores.

◄ *Lespedeza thunbergii:* floración al final de la estación.

Leonotis leonurus
LEONOTIS O COLA DE LEÓN

Un carácter de fuego.

Soto arbusto (80 cm, 3 ºC).

Follaje: perenne, velludo, de color gris verde.

Floración: corolas tubulares, de color naranja vivo que se reúnen en matas, en la extremidad de sus tallos. Se expanden a partir del mes de agosto, para mayor felicidad de los insectos que liban.

Especies y variedades: *Leonotis leonurus* es la especie común. También existe una extraña variedad en blanco.

Comportamiento en el recipiente: si el invierno es clemente, puede pasarlo en el balcón. De lo contrario, es mejor que lo pase en una galería. Cambie de recipiente anualmente en primavera.

Dimensiones del recipiente: 20 cm de ancho y profundidad durante el primer año.

Exposición: Instale esta variedad surafricana cerca de una pared con orientación al sur para que absorba el máximo de calor.

Tierra: tierra de plantación enriquecida con un 20 % de abono orgánico a base de estiércol.

Riego: la leonotis no sufre si nos olvidamos de regarla, siempre que no sea por mucho tiempo.

Enemigos y enfermedades: las moscas blancas a veces invaden la planta, sobre todo cuando pasa el invierno en el interior de la casa.

Empleo: el color naranja vivo de las leonotis combinan perfectamente con el violeta oscuro de los heliotropos o de algunas variedades de petunia.

Consejo: pince a menudo los tallos para que la planta adquiera un porte compacto.

Leptospermum scoparium
LEPTOSPERMUM

Un festival de flores en invierno.

Arbusto (1 m, -3 ºC).

Follaje: perenne, muy fino, casi con pinchos, de color verde oscuro que tiende a ser de color bronce en invierno.

Floración: rosas minúsculas que aparecen en masa de diciembre a abril.

Especies y variedades: *leptospermum scoparium* «Winter Cheer» enarbola flores dobles, rojas, muy luminosas. «Nanum kea» tiene un porte compacto en forma de bola, con flores bellísimas de color rosa pálido. Es una variedad que se adapta muy bien a los balcones pequeños.

Exposición: requiere de sol total.

Comportamiento en el recipiente: el *leptospermum* puede resistir las heladas breves. Cuando haga frío, se debe resguardar en una habitación muy luminosa y poco cálida. Cambiar de recipiente cada dos años.

Dimensiones del recipiente: este arbusto supera en pocas ocasiones el metro de altura cuando se encuentra en recipiente. Requiere un recipiente de como mínimo 30 cm de diámetro.

Tierra: necesita suelos ligeros y no calcáreos. Mezcle tierra para geranios con un 15 % de perlita o vermiculita.

Riego: la planta resiste la sequía, aun así, florece mejor si la regamos semanalmente.

Enemigos y enfermedades: pueden aparecer cochinillas y moscas blancas que invadirán la planta cuando se encuentre en un invernadero frío.

Empleo: combine el *leptospermum* con plantas de follaje gris: phlomis, artemisas, retama, lavanda, santolinas.

Consejo: pode ligeramente las ramas después de la floración para conseguir un equilibrio formal.

Lespedeza thunbergii
LESPEDEZA

Floración otoñal.

Arbusto (1,50 m, -3 ºC).

Follaje: verde suave, compuesto con tres folículos, posee largos tallos ligeros y arqueados.

Floración: la lespedeza es preciosa gracias a su floración que aparece tarde y que confiere una segunda juventud al balcón. Los tallos largos y ligeros tiene flores de agosto a octubre, ligeras, rosas violáceos, muy agradables.

Especies y variedades: *Lespedeza thunbergii,* también denominada «Desmodium», es la única que se cultiva.

Comportamiento en el recipiente: la vegetación aparece muy tarde, en mayo. Cuando el invierno ha sido muy frío, se deben podar todos los tallos al máximo. Si el verano no ha sido muy soleado, la floración no será muy espectacular.

Dimensiones del recipiente: 30 cm en todas las magnitudes.

Exposición: a pleno sol.

Tierra: sustrato (2/3) y arena (1/3).

Riego: una vez a la semana con generosidad. Dos o tres veces cuando llegue la canícula.

Enemigos y enfermedades: el hielo, su enemigo más severo, destruye la parte aérea de la planta.

Empleo: con una mata bella de asters enanos, sedums «Autum Joy», anémonas japonesas, liatres y colchicos.

Consejo: la lespedeza debe resguardarse en invierno. Si se hiela, pode las ramas muertas a ras de suelo y la planta renacerá de sus raíces.

Leucojum spp.
NEVADILLAS

Nacen de la nieve.

Planta bulbosa (40 cm, –10 ℃).

Follaje: lineal y de color verde oscuro.

Floración: grandes campanillas con pétalos blancos y cálices verdes de igual tamaño.

Especies y variedades: *Leucojum vernum*, la auténtica nevadilla, aparece en febrero. Lo mejor para ella es la sombra. *Leucojum aestivum*, la más grande, con 40 cm de altura, ofrece flores de 2 a 3 cm de diámetro entre abril y mayo.

Comportamiento en el recipiente: las nevadillas detestan ser trasplantadas. Métalos de una vez para siempre en el recipiente. Así vivirán más años.

Dimensiones del recipiente: las nevadillas demuestran todo su esplendor en recipientes anchos de 30 cm de largo por 15 de profundidad.

Exposición: toleran perfectamente la sombra parcial.

Tierra: están a gusto en la tierra para rosales.

Riego: cada cinco u ocho días cuando no tengan flor.

Enemigos y enfermedades: normalmente ninguno.

Empleo: en macetas, en los bordes de las jardineras, combínelas con tulipanes y narcisos.

Consejo: divida las matas cuando vea que el follaje predomina por encima de la floración.

Leucothoe walteri
LEOCOTHOE

Hojas mágicas.

Arbusto (1,5 m, –12 ℃).

Follaje: persistente elíptico, verde o moteado con tonos púrpura en invierno.

▲ *Leucojum «Gravetyne Giant»*.

Floración: las ramas arqueadas tienen, en mayo, pequeños racimos de campanillas blancas que se parecen a las de los pieris.

Especies y variedades: «Rainbow» ofrece hojas de color mármol rosado y crema, que se broncean en otoño. «Scarletta» tiene un porte compacto. Los brotes jóvenes surgen de color rojo y rápidamente se vuelven de color verde brillante y en invierno son de color liliáceo.

Comportamiento en el recipiente: las leucothoes disfrutan en las terrazas sombrías. Cambie de recipiente cada tres años.

Dimensiones del recipiente: un gran recipiente de 30 cm de alto y ancho bastará para una mata.

Exposición: sombra parcial y resguardada. La sombra total podría deslucir el moteado de sus hojas.

Tierra: sustrato, turba y tierra de brezo.

Riego: riegue abundantemente, sobre todo cuando la temperatura ambiente supere los 20 ℃.

Enemigos y enfermedades: la tierra, o incluso el agua de riego que sea demasiado calcárea, puede provocar el amarilleamiento de las hojas (clorosis férrica).

Empleo: la leucothoe destaca cuando la combinamos con las plantas propias de la tierra de brezo; kalmia, rododendros, azaleas, pieris, hydrangeas, brezos, pernettyas, etc.

Consejo: vaporice el follaje cada vez que riegue en los períodos veraniegos.

Leucothoe fantanesiasa «Rainbow»: follaje sorprendente. ▶

▲ *Leucothoe walteri* «Scarletta»: maravillosa en invierno.

▲ *Lewisia cotyledon:* aprecia una cierta sequía.

▲ *Liatris spicata:* flores en capas muy originales.

Lewisia spp.
LEWISIA

Una caprichosa encantadora.
Planta vivaz (0,20 cm, –5 °C).

Follaje: en rosetas, compuestas por hojas un poco espesas, ovales, puntiagudas, onduladas.

Floración: la planta se cubre, en junio, con una masa de flores estrelladas con colores vivos que tiene pedúnculos de 10 cm de largo.

Especies y variedades: *Lewisia cotyledon* «Sunset Strain» ofrece flores impactantes de color crema con trazos rosas. También existen en otros tonos.

Comportamiento en el recipiente: las lewisias tienen la mala costumbre de desaparecer totalmente por exceso de agua.

Dimensiones del recipiente: una única planta vive cómodamente en un recipiente de 10 cm de diámetro.

Exposición: soleada, no demasiado ardiente.

Tierra: el drenaje debe ser perfecto. Ponga como mínimo 1/3 de arena gruesa, o gravilla fina, mezclada con tierra de hojarasca que no sea muy fina.

Riego: riegue poco, pero regularmente. De hecho, las lewisias sufren más por exceso que por falta de agua. Si llueve demasiado, procure que la planta no quede empapada. Reduzca el riego cuando aparezcan flores.

Enemigos y enfermedades: puede aparecer la podredumbre del cuello cuando el ritmo de riego es abundante y puede acabar con la planta en pocos días.

Empleo: la lewisia es ideal para los jardines pequeños de rocalla. Colóquela con sedums, jubarbos y saxífragas.

Consejo: ponga en el fondo del recipiente una capa de 1 cm de gravilla como mínimo. Haga lo mismo en la superficie para que el cuello de la planta siempre esté seco.

Liatris spp.
LIATRIS

Una planta generosa y sin problemas.
Planta vivaz (0,60 m, –10 °C).

Follaje: lineal y denso.

Floración: espigas densas de color rosa o blanco que alcanzan los 50-60 cm de altura y que surgen del fo-

◄ *Ligustrum ovalifolium* «Aureum»: una dorada belleza.

llaje. Las flores que se encuentran en las extremidades eclosionan primero que aquellas que están a un nivel inferior, que por tanto lo hacen posteriormente.

Especies y variedades: *Liatris spicata* con espigas densas de flores rosas. *Liatris scariosa* «Alba» con florescencias blancas, plumosas y más ligeras que las de las otras especies.

Comportamiento en el recipiente: la liatris forma bellas macetas densas que crecen en las terrazas soleadas. Cambie de recipiente cada dos años.

Dimensiones del recipiente: una jardinera de 40 cm de longitud y 20 cm de profundidad es lo más apropiado para el cultivo de las liatris. Se deben dividir las matas con regularidad.

Exposición: a pleno sol para conseguir una floración excelente.

Tierra: las liatris prefieren la tierra pesada que conserva el frescor en verano. Como contrapartida, la planta sufre mucho con la humedad invernal. Mantenga el recipiente a buen recaudo para que no le caiga mucha lluvia, cerca de una pared o protéjala con una película plástica.

Riego: abundante en verano, un poco menos en otoño y menos aún en invierno (una vez que haya desaparecido totalmente todo el follaje).

Enemigos y enfermedades: generalmente ninguno, salvo las babosas que devoran sus hojas.

Empleo: combine las liatris con plantas de floración ligera como las *Coreopsis verticillata*, los erigerons, las boltonias o los sidalceas. Quedan de maravilla con las gramíneas como la cebada, la *Hakonechloa*, o el cárex.

Consejo: las espigas florecen de arriba abajo, elimine las flores marchitas para que el recipiente tenga un aspecto impecable.

Ligustrum spp.
ALHEÑA

Al fin y al cabo no es tan vulgar.
Planta anual (2 m, –12 °C).

Follaje: oval, verde más o menos oscuro o moteado, lustroso y semipersistente.

Floración: en panículas de color verde crema, muy perfumadas. En función de las especies, la floración es más o menos espectacular, aparece a finales de mayo y dura hasta julio.

Especies y variedades: la alheña japonesa, *Ligustrum japonicum,* es nuestra preferida. Sus hojas son semiperennes y coriáceas, como las de la camelia. Florece bastante tarde, pero abundantemente a partir del mes de julio. Existe una variedad enana, «Rotondifolium», con hojas esparzas y de crecimiento lento. *Ligustrum vulgare* «Lodense» es un arbusto muy denso de follaje fino. En septiembre, *Ligustrum quihoui* se destaca por su floración y su perfume, pero no está muy a gusto en las regiones de clima temperado.

Comportamiento en el recipiente: las alheñas aguantan las podas repetitivas, por ello son unos arbustos ideales para las terrazas de superficie mediana. También resisten la contaminación de las ciudades.

Dimensiones del recipiente: una mata joven puede vivir en un recipiente de 20 cm de diámetro y profundidad. Un arbusto de 2 m de alto requiere un recipiente de como mínimo 35 a 40 cm de diámetro.

Exposición: las alheñas toleran la sombra parcial, la sombra ligera, sobre todo la variedad dorada.

Tierra: una buena tierra de mantillo.

Riego: la alheña puede pasar períodos de sequía, pero, normalmente, no tolera los suelos demasiado secos. Será más bella si no sufre sequías.

Enemigos y enfermedades: la podredumbre ataca normalmente las alheñas que se encuentran plantadas directamente en el suelo. En recipiente esta enfermedad no es muy frecuente. Pero aun así, no tiene solución.

Empleo: la alheña forma remansos de hojas verdes y adorna los rincones sombríos. Esta planta se puede podar para darle forma. Combínela con plantas de floración vistosa como las seringas, weigelias, deutzias, spireas, forsythias, hibiscos, etc.

Consejo: pode después de la floración para conservar un arbusto de porte compacto y dimensiones compatibles con el balcón. Proteja todas las especies semipersistentes del frío y del viento en invierno. Aproxímelas a las paredes de la casa y póngales varias capas de velo de hibernación alrededor de las ramas y del recipiente.

Lilium spp.
LILIUMS

Majestuosidad y motitas.
Planta bulbosa (1 m, –8 °C).
Follaje: lineal, estrecho y verde intenso.

Floración: largas trompetas, cálices muy expansivos que aparecen en grupos con unas cuantas pocas flores en la cúspide de los tallos erguidos.

Especies y variedades: los liliums de la Virgen (*Lilium cabdidum*) son una de las variedades más rústicas y de las que tienen más perfume. Entre los liliums híbridos, elija preferentemente aquellos que no superen el metro de altura como los «Snow Queen», de color blanco muy perfumado, los «Côte d'Azur» de inmensas flores rosas o los «Stargazer» rosas y blancos, con graciosas flores.

Comportamiento en el recipiente: intente no abonar demasiado a los liliums que se cultivan en recipiente porque crecen en altura pero florecen mal.

Dimensiones del recipiente: un recipiente oval de 40 cm de diámetro y 25 cm de ancho y profundidad para formar un decorado compacto y seductor. En general, disponga dos o tres bulbos por recipiente de 25 cm de diámetro.

Exposición: sólo sombra parcial. Si el lugar donde se encuentra es muy sombreado, los liliums florecerán pero con menos esplendor.

Tierra: agregue 1/4 de arena de río gruesa a la tierra de hojarasca.

Riego: riegue en función del crecimiento de la planta. Cuando los brotes aparezcan, riegue suficientemente para mantener la tierra en el punto justo de humedad. Aumente el ritmo de riego en función del crecimiento. En pleno verano, no deje que la tierra se seque durante más de tres días. Reduzca el riego después de la floración.

Enemigos y enfermedades: el hongo azul puede destruir los bulbos en invierno. Algunos virus provocan la debilitación de la planta y contagian la fragilidad. Las larvas adultas de las crioceras devoran las hojas.

Empleo: utilice los liliums en recipientes grandes y bien repletos con estas flores o póngalos de tres en tres en jardineras con plantas con follaje como los helichrysums, las ortigas o la hiedra, además de gramíneas.

Consejo: permita que las hojas se amarillezcan sin cortarlas para que los bulbos puedan recuperar su energía antes del invierno. Cámbielos de recipiente cada dos años.

▲ Liliums americanos híbridos: geniales para las jardineras.

▲ *Lilium candidum:* un blanco de suave perfume.

▲ *Linaria maroccana: un híbrido con tiernas flores.*

▲ *Liriope platyphylla: debe protegerse del frío.*

◄ *Lithospermum diffusum: para tapizar suelos drenados.*

Linaria spp.
LINARIA

Una delicada belleza por descubrir.
Planta vivaz (60 cm, –10 °C).
Follaje: lanceolado, erguido, lineal.
Floración: en junio y hasta agosto finas espigas esbeltas, muy delgadas que tienen muchas florcillas que parecen bocas de lobo pequeñas y de colores muy variados.
Especies y variedades: *Linaria purpurea* «Canonn Went» tiene flores de color rosa pálido sobre un follaje ligeramente azulado. Se pueden sembrar fácilmente si recogemos las semillas en otoño. *Linaria dalmatica* tiene delicadas flores amarillas.
Comportamiento en el recipiente: las linarias son flores que se adaptan sin problemas. Incluso los que se inicien en la jardinería podrán tener bellas matas.
Dimensiones del recipiente: una planta lineal requiere un recipiente de 20 cm ancho y profundidad.
Exposición: las linarias adoran el pleno sol.
Tierra: estas flores en la naturaleza surgen en los bordes de los caminos y a lo largo de los muros, por ello aceptan cualquier tipo de tierra, incluso pobre.
Riego: si reciben demasiada agua durante la floración, puede que ésta dure menos.
Enemigos y enfermedades: normalmente ninguno.
Empleo: combine las linarias con asters, erigerons, salvias, plantas de follaje gris, *Convolvulus cneorum*, bayas o orejas de oso *(Syachys lanata)*.
Consejo: las linarias, a pesar de ser vivaces, no viven demasiado tiempo, sólo duran de dos a tres años. Cabe considerar un cultivo anual con plantaciones de sustitución.

Liriope spp.
LIRIOPE

Una bella y original mata.
Planta vivaz (0,30 cm, –10 °C).
Follaje: romboidal, estrecho, de color verde oscuro, persistente, crece en matas densas.
Floración: pedúnculos erectos que tienen una gran cantidad de flores en forma de campanillas de color lila, se agrupan a lo largo del tallo. Las espigas se mezclan con el follaje y dan un aspecto natural a la planta.

Especies y variedades: *Liriope muscari* también se denomina *Liriope platyphylla*. Es la variedad más común, tiene espigas malvas esbeltas y rígidas que aparecen de septiembre a noviembre.
Comportamiento en el recipiente: el liriope forma recipientes con hojas densas, y se debe dividir cada dos años. Debe resguardarse del frío obligatoriamente.
Dimensiones del recipiente: un recipiente ancho de 30 cm y 25 cm de profundidad como mínimo, para que los rizomas de las raíces se encuentren a gusto.
Exposición: sombra parcial o sol ligero, como en los claros que se producen en la campiña japonesa, de donde proviene.
Tierra: tierra arenosa, ácida.
Riego: la planta resiste a la sequía más de lo que parece, porque puede almacenar agua en sus raíces gracias a los rizomas. Riegue dos veces a la semana en verano.
Enemigos y enfermedades: generalmente ninguno.
Empleo: con helechos, brezos y en compañía de rododendros y pieris.
Consejo: el liriope es muy goloso. Aliméntelo regularmente con abono de rápida asimilación y de concentrado débil.

Lithospermum difusa
ONOQUILES

Una alfombra de azul intenso.
Soto arbusto (220 cm, –2 °C).
Follaje: oval, verde oscuro, fino con ramas que forman matas expansivas.
Floración: abundan las campanillas de color azul intenso que aparecen intermitentemente de mayo a julio.
Especies y variedades: «Heavenley Blue» es la variedad más común. Tiene flores de color azul intenso. «Grace Ward» tiene flores más grandes.
Comportamiento en el recipiente: *Lithospermum diffusum*, también denominado *Lithodora difusa*, se puede cultivar en un recipiente de piedra, como las plantas de rocalla, pero por culpa de su vigor, puede que se desborde y podría ahogar a sus vecinas.
Dimensiones del recipiente: una planta joven puede desarrollarse en un recipiente de 15 cm de ancho y profundidad durante el primer año. Cámbiala de recipiente enseguida.
Exposición: sol, pero no muy intenso o sombra parcial.

Tierra: mezcle 1/3 de tierra de río con turba rubia y tierra de hojarasca.

Riego: deje que se seque un poco la tierra antes de volver a regar. Ignórela en invierno.

Enemigos y enfermedades: ninguno. Sólo deberemos evitar la humedad y el frío invernal.

Empleo: ponga el onoquiles en la base de los rododendros, de los pieris y de las hydrangeas.

Consejo: resguarde la planta del frío con una buena capa de turba rubia seca.

Lobelia erinus
LOBELIA

Una bruma de flores azules.
Planta anual (30 cm, 5 °C).

Follaje: verde claro, con hojas alargadas que se estrechan al final del tallo.

Floración: centenares de florcillas, con corolas abiertas que recubren la planta desde mayo hasta que llegan los primeros fríos.

Especies y variedades: «Rosamond» ofrece flores de color rosa oscuro, con el corazón blanco. «Snowball» es de color blanco puro, luminoso. «Palacio azul» es generosa, con flores de color azul oscuro y con en corazón de color blanco.

Comportamiento en el recipiente: la lobelia tiende a quemarse cuando el sol es demasiado intenso. Emplácela en un lugar del balcón que reciba una luz tamizada. Las formas en «cascada» se cultivan, preferiblemente, solas.

Dimensiones del recipiente: plántelas en masa, para conseguir un efecto visual sin par. Una jardinera de 40 cm de longitud puede acoger hasta cinco matas.

Exposición: protegida de los vientos fríos, preferentemente bajo la sombra ligera.

Tierra: ofrezca a las lobelias una tierra nutritiva enriquecida con estiércol y algas compostadas.

Riego: a las lobelias no les gusta la sequía; riéguelas a diario durante el verano.

Enemigos y enfermedades: algunos hongos atacan las hojas y les dan un aspecto seco. La podredumbre de las raíces hace que la planta muera completamente.

Empleo: las variedades de porte colgante, como la «saphir» de color azul brillante, con corazón blanco, o la «Rosa cascada» decoran las suspensiones. Las de porte más erguido forman macetas vaporosas. Combínelas con fucsias rosas, pensamientos, alquemilas y begonias tuberosas.

Consejo: una vez a la semana, aporte a las lobelias abono soluble para geranios para que su floración tan duradera pueda soportar las heladas. No fertilice las plantas que estén sedientas.

Lobularia marítima
LOBULARIA MARÍTIMA

Un delicioso olor a miel.
Planta anual (15 cm, 0 °C).

Follaje: los tallos verticales, semierguidos, tiene pequeñas flores estrechas. Las matas forman pequeños cojines musgosos.

Floración: centenas de flores pequeñas de color blanco, rosa o violeta, en ramilletes densos y vaporosos que duran durante todo el verano y perfuman el ambiente con olor a miel.

Especies y variedades: «Lilac Queen» forma una alfombra densa de color violeta. «Rosie O'Day» con matices sutiles de color blanco y rosa. «Alfombra de las Nieves» una densa moqueta de color blanco.

Comportamiento en el recipiente: la lobularia marítima se desarrolla igual de bien en maceta que directamente en la tierra.

Dimensiones del recipiente: 15 cm de profundidad. Para tener un efecto masificado, deje un espacio de entre 15 a 10 cm entre mata y mata.

Exposición: soleada o ligeramente sombreada.

Tierra: tierra de jardín de calidad o tierra universal.

Riego: riegue sin ahogar a las plantas, una vez que la tierra de la superficie esté seca.

Enemigos y enfermedades: el oídium y el mildíu son las enfermedades más comunes.

Empleo: la lobularia marítima es perfecta como base para los arbustos y combina perfectamente con los heliotropos y los geranios. También se puede aplicar en las suspensiones.

Consejo: corte las flores con unas tijeras, después de la primera floración para que en verano el crecimiento sea mayor.

Lobularia marítima «Golfy»: una floración duradera. ▶

▲ Los híbridos de lobelias cunden bien en recipientes.

▲ *Lobelia erinus:* una cascada magnífica de flores.

L

Lonicer

▲ *Lonicera x hecrottii*: decorativa durante todo el año.

▲ *Lotus maculatus*: sensible al frío pero sorprendente.

▲ *Lunaria annua*: ya se intuye su encanto cuando florece.

◄ *Lunaria annua*: con forma de luna.

Lonicer spp.
MADRESELVA

Atractiva y perfumada.
Planta trepadora(3 m, -10 ºC).
Follaje: caduco, semipersistente, oval.
Floración: en racimos ligeros, perfumados, blancos que tienden al amarillo, al rosa o al púrpura.
Especies y variedades: por su perfume, *Lonicera periclymeum*, sin lugar a dudas. La variedad «Bélgica», de color rojo púrpura y amarillo, es una de las más impresionantes. Para tener un follaje semipersistente es preferible que opte por la *Lonicera japonica*. «Halliana», de color blanco puro y amarillo, es de las más perfumadas. Cabe destacar la novedosa madreselva arbustiva «Honey Baby» que crea un bola enorme de 50 cm de diámetro.
Comportamiento en el recipiente: se necesita un recipiente profundo para que la madreselva se luzca en la terraza. De lo contrario, las ramas serían débiles.
Dimensiones del recipiente: como mínimo 50 cm de diámetro para una planta que cubra algunos m^2.
Exposición: no es necesario que esté a pleno sol. La madreselva también está a gusto bajo la sombra parcial.
Tierra: tierra universal con estiércol compostado.
Riego: la madreselva detesta la sequedad, las hojas amarillean y caen antes de tiempo.
Enemigos y enfermedades: el oídium cubre las hojas con una pelusilla de color gris. Los pulgones invaden el follaje y facilitan que se instale la fumagina.
Empleo: una única mata de madreselva en un gran recipiente puede recubrir una celosía, una barandilla o una columna. Puede combinarse con una clematita.
Consejo: pode la madreselva con severidad, una vez que empiece a perder las flores. A partir de marzo apórtele abono para geranios.

Lotus berthelotii
LOTO

Una pátina de plata con destellos dorados.
Planta vivaz (40 cm, 2 ºC).
Follaje: muy fino, semipersistente, de color gris plateado con reflejos metálicos y muy luminoso. Surge de los largos tallos colgantes.
Floración: racimos de flores de sorprendente color coral, en forma de cuernos cuando aún no han florecido del todo. Las flores se abren en verano.
Especies y variedades: sólo se cultiva la especie básica. *Lotus maculatus* de color amarillo oro.
Comportamiento en el recipiente: al principio, el crecimiento es generalmente lento, pero una vez superado este inconveniente, el loto forma excelentes suspensiones.
Dimensiones del recipiente: una copa de 30 cm de diámetro y 20 cm de profundidad bastará.
Exposición: preferiblemente a pleno sol. El loto no es rústico, éntrelo a partir del mes de octubre.
Tierra: mitad de arena, mitad de tierra para plantación.
Riego: deje secar un poco el recipiente antes de volver a regar. No deje que el follaje se marchite.
Enemigos y enfermedades: generalmente ninguno.
Empleo: el loto cubre como ninguna otra planta las barandillas y los recipientes.
Consejo: ponga pinzas en el final de las ramas para favorecer la ramificación. En primavera, pode corto.

Lunaria annua
LUNARIA

Bellas flores y frutos.
Planta bianual (80 cm, -8 ºC).
Follaje: verde medio, cordiforme, dentado.
Floración: en primavera aparecen racimos de flores malvas que se parecen a los de los alhelíes. A continuación formarán cápsulas lisas llanas, que recuerdan a las monedas transparentes... o a los monóculos.
Especies y variedades: lo más interesante son sus frutos, y la mejor es la *Lunaria annua* «Variegata» que tiene un follaje moteado de color blanco. La variedad «Alba» tiene ramilletes generosos de flores de color blanco puro durante el mes de abril. Existe una especie vivaz, *Lunaria rediviva*.
Comportamiento en el recipiente: para aprovechar al máximo las flores desde el mes de abril, plante esta bianual en otoño. Arranque las matas después de la fructificación.
Dimensiones del recipiente: bastará con un recipiente de 25 cm de alto y ancho.
Exposición: la sombra parcial es lo más idóneo, dado que la sombra total impide que fructifique bien.
Tierra: mitad de tierra de plantación y mitad de arena.
Riego: si el recipiente recibe agua de lluvia, ésta bastará

durante el invierno. A partir del mes de marzo, riegue dos veces a la semana.

Enemigos y enfermedades: la roya blanca mancha las hojas y los tallos. Algunos virus deforman las flores.

Empleo: Mezcle la lunaria con physalis, julianas, saponarias y no tema utilizarla en recipientes grandes.

Consejo: la lunaria florece sólo una vez. Por ello coja algunas semillas para el futuro, se pueden plantar directamente en el mismo recipiente.

Lycospersicon esculentum
TOMATE

Las delicias de la manzana del amor.

Planta anual (1 m, 0 °C).

Follaje: verde franco, rígido y peludo, aromático.

Floración: insignificante, pero con frutos rojos, a veces amarillos.

Especies y variedades: los tomates *cherry* amarillos o rojos, redondos o en forma de pera, se adaptan perfectamente a los balcones pequeños. «Harzglut» muy precoz, madura incluso si no recibe el sol adecuado. «Matina» no se marchita nunca, su gusto es intenso. «Mon Plaisir» es una variedad de porte colgante y de frutos miniatura de excelente sabor.

Comportamiento en el recipiente: el tomate tolera pocos cuidados. Aun así, debe regarse, alimentarse, pinzarse y tutorarse si queremos obtener una buena cosecha.

Dimensiones del recipiente: un recipiente de 30 cm de altura y anchura bastará para una mata.

Exposición: requiere, preferentemente, sol total.

Tierra: mezcle sustrato (2/3) con una base de estiércol y algas (1/3).

Riego: riegue poco cuando la planta aún es joven. Así, podrá desarrollar sus raíces profundamente. Aumente el ritmo cuando la planta rebrote.

Enemigos y enfermedades: la mosca blanca y la araña roja son sus dos principales enemigos. Sin embargo, no causan la muerte de la planta. En contrapartida, el mildíu puede atacar cuando el clima es muy húmedo y puede resultar fatal para la planta.

Empleo: deje el tomate aislado en un recipiente, ya que requiere mucha agua y nutrientes.

Consejo: elimine los tallos secundarios que crecen en la axila folicular para que toda la savia se dirija hacia los frutos.

Lysimachia spp.
LISIMAQUIA

Un autoservicio para las mariposas.

Planta vivaz (80 cm, –10 °C).

Follaje: lanceolado, de color verde medio, a veces aterciopelado, con tonalidades rojas en otoño.

Floración: espigas de flores pequeñas de color blanco o amarillo. Se parecen a las de las buddleias, aparecen hacia mayo y duran hasta junio.

Especies y variedades: *Lysimachia clethroides* florece con espigas blancas en verano, en forma de coma. *Lysimachia congesta*, color oro, una nueva variedad que ha conseguido rápidamente un gran éxito gracias a su porte semicolgante. Esta variedad se cultiva como anual.

Comportamiento en el recipiente: la lisimaquia tiene un gran vigor, por ello las jardineras pequeñas no le convienen. No soporta que se olviden de regarla.

Dimensiones del recipiente: una jardinera de 25 cm de ancho por 20 cm de profundidad bastará a la *Lysimachia congesta* para que se desarrolle perfectamente.

Exposición: sol o sombra tenue.

Tierra: la lisimaquia quiere una tierra rica con aluvión fluvial.

Riego: constante, de lo contrario florece poco.

Enemigos y enfermedades: normalmente ninguno.

Empleo: combine las lisimaquias con gramíneas, asters y hemerocalas.

Consejo: pode las matas en octubre.

El tomate *cherry* es ideal para el cultivo en balcones. ▶

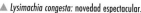
▲ *Lysimachia congesta*: novedad espectacular.

▲ El tomate de pera amarillo: curioso y delicioso.

M

Magnolia stellata
MAGNOLIA

Buena presencia y prestigio.
Arbusto (2 m, –7 °C).

Follaje: caduco, lanceolado, verde pálido. Aparece en primavera, después de que se haya producido la floración.

Floración: desde finales del mes de marzo aparecen unas estrellas blancas de unos 10 cm. Incluso los arbustos jóvenes florecen abundantemente, hecho que no es normal en las magnolias de hoja perenne.

Especies y variedades: *Magnolia stellata* es uno de los más pequeños. En maceta no supera los 2 m de altura. Algunas variedades americanas, como «Water Lily», dan flores más amplias, con muchos pétalos. «Susan», muy vigorosa, es adecuada para terrazas grandes. Produce gran cantidad de flores rosa carmín, incluso cuando es joven.

Comportamiento en el recipiente: *Magnolia stellata* crece lentamente, lo cual es una gran ventaja para el cultivo en maceta. Trasplante a un recipiente más grande de cada tres años.

Dimensiones del recipiente: la magnolia precisa de gran cantidad de nutrientes y en un recipiente demasiado pequeño sufre enseguida la falta de agua y de elementos nutritivos. Colóquela en un primer recipiente de al menos 30 cm de diámetro. Al cabo de unos años el arbusto necesitará un recipiente definitivo de 50 cm de ancho y alto.

Exposición: sombra moderada o sol, en regiones no muy calurosas en verano, es lo que más le conviene. Protéjala de los vientos fríos.

Tierra: debe ser rica y retener bien el agua. La magnolia no es amante del suelo calcáreo, pero tampoco de la tierra de mantillo pura, demasiado pobre. Prepare una mezcla a partes iguales de tierra de hojarasca, abono orgánico a base de estiércol y algas, turba parda, tierra para rosales y tierra neutra de jardín. Puede añadir también un puñado de abono para árboles de descomposición lenta.

Cada año, ponga en la parte superior de la maceta un puñado de compost casero, abono orgánico o estiércol de granja compuesto.

▲ *Magnolia stellata* «Royal Star»: hechizo primaveral.

◀ *Mahonia aquifolium* «Apolo»: vegetación compacta.

Riego: la magnolia detesta los períodos de sequía. Procure mantener el sustrato húmedo con dos o tres riegos semanales en verano.

Enemigos y enfermedades: el hielo hace que los botones florales se vuelvan marrones y se pudran enseguida.

Empleo: coloque bulbos en la base de las magnolias, como ciclámenes, jacintos y cebolla albarrana.

Consejo: no deje el arbusto a pleno viento, pues las flores son sensibles a la lluvia, a las heladas y al viento. Protéjalo detrás de una valla y no dude en cubrirlo con un velo en invierno.

Mahonia spp.
MAHONIA

Un arbusto que no presenta problemas.
Arbusto (1,50 m, –20 °C).

Follaje: compuesto, perenne, coriáceo y con bordes espinosos que da a la planta adulta un toque exótico.

Floración: los densos racimos de flores de color amarillo mimosa adornan el balcón en pleno invierno o en primavera.

Especies y variedades: *Mahonia* x *media* «Charity» ofrece un amplio follaje bien recortado, con jóvenes hojas cobrizas. Desde diciembre hasta febrero forma espectaculares espigas de color amarillo limón. *Mahonia japonica* es el más clásico y rústico. Flores en invierno.

Comportamiento en el recipiente: la mahonia tiene un crecimiento lento. Compre, preferentemente, una que ya esté bastante desarrollada. Tampoco requiere de muchos cuidados. Trasplante cada tres años, es suficiente.

Dimensiones del recipiente: una mahonia adulta, en recipiente, pocas veces supera 1 m de altura. Prevea un recipiente de 30 cm de diámetro.

Exposición: la mahonia acepta indiferentemente sol o sombra. Pero, si está en un lugar de sombra moderada, obtendremos mejores resultados.

Tierra: una mezcla mitad tierra de jardín y mitad tierra universal.

Riego: en invierno, bastará con un aporte de agua por semana, mientras que en verano precisará dos o tres según la temperatura ambiente.

Enemigos y enfermedades: el oídio, la roya y otros hongos parásitos provocan una capa blanca o manchas

M

Malus

marrones sobre las hojas. Se aconseja un tratamiento preventivo.

Empleo: las mahonias soportan bien la poda y pueden formar pequeños setos que evitan las miradas indiscretas. Plante eléboros en la base.

Consejo: corte las ramas viejas para rejuvenecer la silueta de la mahonia. Corte sobre una yema bien visible, o por debajo de una hoja, para asegurar que reinicie el crecimiento vegetativo.

Malope trifida
MALOPE

La prima pequeña de las malvas.
Planta anual (60 cm, 0 °C).

Follaje: verde medio, ligeramente lobulado, sujeto por tallos ramificados.

Floración: desde junio hasta septiembre se abren las flores en forma de embudos de unos 7 cm de diámetro. Son de color rosa, violeta o rojo, y delicadamente veteadas.

Especies y variedades: las variedades tetraploides presentan flores más grandes y son de color púrpura veteadas de granate («Vulcan»), rosa («Rosea») o en blanco puro con el centro verde («White Queen»).

Comportamiento en el recipiente: las malopes forman matas más grandes cuando no están en maceta. Pero, si una vez por semana las riega con abono líquido, florecerán generosamente en el recipiente.

Dimensiones del recipiente: bien cultivadas, las malopes alcanzan los 60 cm. Para una planta prevea un recipiente de 20 cm de ancho y alto.

Exposición: se aconseja colocarlas a pleno sol, pero éste no debe ser abrasador.

Tierra: un sustrato ligero y bien adaptado al cultivo de las malopes. Añada arena a la tierra de plantación.

Riego: procure mantener siempre el sustrato húmedo.

Enemigos y enfermedades: las pústulas de color naranja indican un ataque de roya. Trate rápidamente.

Empleo: mezcle las malopes con hinojo.

Consejo: las plantas jóvenes son muy sensibles al trasplante. Es preferible no tocarlas y sembrarlas, en marzo-abril, directamente en el recipiente definitivo. Siembre bastante espaciado, dejando dos o tres plantas en un recipiente de 30 cm de diámetro. Fertilice una vez por semana en cuanto empiece a salir alguna hoja.

Malus spp.
MANZANO

Y crujir de placer.
Arbusto (2 m, –12 °C).

Follaje: ovalado, verde moderado. Algunas especies producen brotes jóvenes de color rojo cobrizo, que tienden al verde y al púrpura en verano. Otras presentan colores vivos en otoño.

Floración: los ramilletes de botones florales, de color rosa carmín o blanco, que devienen en flores simples y a veces dobles. Éstas generarán frutos de diferentes tamaños, de color amarillo, naranja o rojo muy apreciados por los pájaros.

Especies y variedades: «Evereste» se cubre de flores de color rosa pálido, después de minimanzanas de color naranja con estrías rojas. Para balcones pequeños se recomienda «Van Eseltine», con grandes flores semidobles de color rosa encarnado, que se vuelve rosa pálido con la edad, y con porte piramidal. Es muy decorativo sobre todo por su follaje de color verde brillante. Las formas con porte llorón, como «Red jade», necesitan mucho espacio. Los manzanos genéticamente enanos, producen frutos de tamaño normal pero en menor cantidad.

Comportamiento en el recipiente: elija una variedad de desarrollo pequeño que pueda vivir en la maceta. Las formas que en plena tierra superan los 3 o 4 m de altura presentan problemas para vivir en maceta.

Dimensiones del recipiente: las ramas pueden alcanzar una gran envergadura, por ello se recomienda utilizar un recipiente grande y pesado, de unos 40 cm por lado como mínimo, para asegurar una buena estabilidad.

Exposición: los manzanos precisan sol.

Tierra: tierra, arena y tierra de jardín mezcladas.

Riego: deje secar ligeramente los primeros centímetros de tierra antes de regar.

Enemigos y enfermedades: el fuego bacteriano es uno de sus principales enemigos, aunque hay variedades como «Evereste» que son resistentes.

Empleo: combine los manzanos con flores simples, como las ancolias, los narcisos, corazón de María, etc.

Consejo: debe podar en invierno para poner las ramas en orden.

Los manzanos enanos son ideales en recipiente. ▶

▲ *Malope trifida*: siembre directamente en la jardinera.

▲ *Malus* x «Evereste»: una profusión de flores y frutos.

M

Mandevilla

▲ *Mandevila* x *amabilis* «Alice Dupont»: belleza tropical.

▲ *Manettia bicolor:* una trepadora con flores impecables.

◄ *Matteucia struthiopteris:* la gracia convertida en helecho.

Mandevilla spp.
MANDEVILLA

Una liana exuberante.

Planta trepadora (2 m, –6 °C).

Follaje: los largos tallos, enroscados alrededor del soporte, sujetan grandes hojas ovaladas, de color verde oscuro mate, en forma de enjambre. Son semipersistentes.

Floración: las largas trompetas de color blanco, rosa o carmín florecen en el extremo de las ramas anuales. Se abren durante el día y se cierran por la noche.

Especies y variedades: *Mandevilla splendens* existe en blanco, rosa pálido y rosa subido con la variedad «Alice Dupont». *Mandevilla laxa,* o jazmín de Chile, presenta flores blancas perfumadas. Puede resistir algunos días a –10 ºC.

Comportamiento en el recipiente: la fuerza de esta liana es tan grande que un recipiente de 20 cm de ancho puede resultar pequeño al cabo de dos meses.

Dimensiones del recipiente: cuando las raíces cubren las paredes, trasplante la mandevilla a un recipiente de 30 cm de ancho y alto.

Exposición: a pleno sol y máxima luminosidad.

Tierra: mezcle a partes iguales mantillo y tierra de jardín. Añada también un puñado de abono de descomposición lenta.

Riego: deje secar ligeramente la superficie de la tierra entre dos riegos.

Enemigos y enfermedades: las cochinillas y las arañas rojas pueden invadir toda la planta.

Empleo: la mandevilla adorna las celosías, trepa por las ventanas o por la barandilla.

Consejo: no tire la planta a finales de verano, se conserva en el interior hasta la primavera.

Manettia bicolor
MANETTIA

Una brasileña original.

Planta sarmentosa (1 m, 2 °C).

Follaje: pequeño, verde puro, ovalado y puntiagudo, sujeto por ramas bastante volubles.

Floración: el extremo de las corolas tubulares, de color naranja vivo, parece que haya sido sumergido en un bote de pintura.

Especies y variedades: *Manettia bicolor* es la que se vende normalmente. *Manettia inflata* desarrolla flores menos voluminosas.

Comportamiento en el recipiente: la manettia sufre en un recipiente demasiado pequeño.

Dimensiones del recipiente: utilice un recipiente de 30 cm de ancho y alto.

Exposición: la manettia precisa de luminosidad pero no pleno sol ya que sus hojas podrían quemarse.

Tierra: mezcle mantillo y tierra para plantar con un 15% de estiércol seco.

Riego: riegue dos o tres veces por semana.

Enemigos y enfermedades: generalmente ninguno.

Empleo: la manettia adorna las celosías. En suspensión forma generosas cascadas.

Consejo: en invierno colóquela en el interior.

Matteucia spp.
MATTEUCIA

Frondas dentadas.

Helecho (1 m, –7 °C).

Follaje: las anchas frondas de color verde puro se levantan verticalmente en matas generosas.

Floración: los helechos no florecen.

Especies y variedades: *Matteucia orientalis,* de 60 cm de altura, hace recordar algunos helechos tropicales. Las frondas anchas de *Matteucia pennsylvanica,* que alcanzan 1 m de altura, nos recuerdan a las plumas de avestruz.

Comportamiento en el recipiente: pueden formar grandes matas muy densas en cuatro o cinco años.

Dimensiones del recipiente: los rizomas precisan mucho espacio. Coloque estos helechos en un recipiente de 30 cm de ancho y alto, como mínimo.

Exposición: con un sistema de riego por goteo las matteucias soportan un sol suave. Si no es posible, es mejor situarlas en la sombra.

Tierra: mezcle tierra de hojarasca, turba marrón y una buena tierra vegetal.

Riego: lo más regular posible, pulverizando las hojas cada tarde en verano.

Enemigos y enfermedades: generalmente ninguno.

Empleo: las matteucias, solas, formas bellas matas. Puede combinarlas con azaleas y con la mayoría de plantas vivaces.

Consejo: corte las hojas secas.

Matthiola incana
ALELÍ

De un colorido extraordinario.

Planta vivaz (50 cm, – 4 °C).

Follaje: largo, estrecho, aterciopelado y de color gris verdoso.

Floración: las flores densas, simples o dobles, aparecen a finales de verano envolviendo las ramas. Dura todo el otoño. En zonas cálidas los alelíes pueden vivir dos o tres años.

Especies y variedades: «Dama» es una de las variedades más cultivadas en maceta. Florece en todos los tonos de rosa, del más claro al violeta intenso.

Comportamiento en el recipiente: los alelíes de verano se adaptan bien al cultivo en maceta, pero para mantener la floración debe realizar riegos semanales de abono líquido (abono para plantas en flor).

Dimensiones del recipiente: las raíces pivotantes de los alelíes están mejor en recipientes profundos. Póngalos en una jardinera de 25 cm de altura.

Exposición: sol ligero. Un poco de sombra durante el día no les hará ningún daño, al contrario, se mantendrán radiantes.

Tierra: cualquier tierra de jardín buena y bien drenada, incluso calcárea, es conveniente para los alelíes.

Riego: en verano, riegue por la noche, en días alternos. Diariamente cuando haga mucho calor.

Enemigos y enfermedades: los pulgones pueden invadir los brotes jóvenes. Los ataques de mildíu pueden retrasar el crecimiento de la planta.

Empleo: forma composiciones maravillosas. Combínelo con plantas de follaje gris que unifican los colores.

Consejo: corte las flores después de la floración, para asegurar la del próximo año.

Melissa officinalis
MELISA

La fuerza de la naturaleza.

Planta vivaz (40 cm, – 8 °C).

Follaje: ovalado, dentado. La melisa forma preciosos cojines redondeados con olor a limón.

Floración: en verano aparecen ramilletes de pequeñas flores blancas. Dan gran cantidad de semillas que se siembran en todas las macetas de alrededor.

Especies y variedades: *Melissa officinalis* «All Gold» ofrece un follaje de color amarillo oro. *Melissa officinalis* «Variegata» es una versión muy decorativa, con hojas moteadas en verde y amarillo.

Comportamiento en el recipiente: la melisa no presenta ningún problema de adaptación a la jardinera dado que puede llegar a crecer en el jardín incluso entre dos piedras.

Dimensiones del recipiente: un recipiente de 30 cm de ancho y 20 cm de profundidad permitirá el desarrollo de un bonito cojín de flores.

Exposición: la melisa prefiere estar a pleno sol. Las variedades moteadas prefieren sin duda la sombra al mediodía.

Tierra: para la melisa puede utilizar cualquier tipo de tierra, excepto aquellas que retienen el agua permanentemente.

Riego: evitar los excesos. Una media de dos veces por semana es suficiente.

Enemigos y enfermedades: generalmente ninguno.

Empleo: en una maceta o en suspensión pero siempre sola. La melisa es muy voraz y ninguna planta puede desarrollarse bien a su lado.

Consejo: a principios de invierno, cuando la mata sea antiestética, córtela. Divida la melisa en otoño, cada dos o tres años.

▲ *Matthiola incana:* también llamada alelí de verano.

▲ *Melissa officinalis* «Variegata»: muy aromática.

La melisa es muy vigorosa incluso en recipiente. ▶

M

Mentha

▲ *Mentha suaveolens «Variegata»: una cascada perfumada.*

▲ *Mentha pulegium: la menta Poleo, muy perfumada.*

Mentha spp.
MENTA

Un perfume refrescante.
Planta vivaz (50 cm, -10 °C).

Follaje: ovalado, alargado, puntiagudo que desprende un fuerte olor aromático al frotarlo.

Floración: pequeños ramilletes de flores que no tienen ningún interés decorativo.

Especies y variedades: algunas, especies como *Mentha requienii* o *Mentha pulegium*, forman alfombras rastreras. *Mentha suaveolens* «Variegata» presenta hojas redondas, moteadas de color blanco, con un dulce olor a manzana. Existen otras mentas con aroma de jengibre, bergamota o agua de colonia.

Comportamiento en el recipiente: la menta colonizará rápidamente todo el espacio disponible. Es recomendable dividirla a menudo para que conserve un buen aspecto.

Dimensiones del recipiente: una jardinera alargada de 30 o 40 cm de largo permitirá que los tallos subterráneos de la menta se expandan libremente.

Exposición: a pleno sol según la región, ya que las hojas podrían quemarse.

Tierra: cualquier tierra equilibrada.

Riego: si la tierra se mantiene húmeda y los riegos son regulares, el follaje será más bonito.

Enemigos y enfermedades: es frecuente que las hojas tengan roya.

Empleo: en macetas o en suspensiones. Deje a la menta sola en su maceta ya que invade cualquier planta que crezca a su lado.

Consejo: a finales de otoño, cuando las hojas se vuelvan feas, córtelas. Divida anualmente, cambiando la tierra, pues la planta agota rápidamente su sustrato.

Metrosideros
METROSIDEROS

Un encanto tropical.
Arbusto (1,50 m, 0 °C).

Follaje: ovalado, alargado, perenne, de color verde grisáceo.

Floración: cinco pétalos desplegados que rodean a nu-

◄ *Metrosideros excelsa: una exótica desgreñada.*

merosos estambres alargados, como en el caso de los calistemons, del que el metrosideros es pariente próximo.

Especies y variedades: *Metrosideros robusta*, con flores rojas, se puede comprar sin problemas. Existe una variedad de color blanco puro más difícil de encontrar.

Comportamiento en el recipiente: el metrosideros crece más despacio en maceta que en la tierra. En un clima suave y con los cuidados adecuados forma un bonito arbusto de silueta compacta.

Dimensiones del recipiente: trasplante a medida que la planta vaya creciendo. El recipiente definitivo debe medir unos 30 o 40 cm de ancho y alto.

Exposición: a pleno sol, pero no abrasador.

Tierra: prepare una mezcla a partes iguales de tierra de hojarasca, turba y arena.

Riego: de dos a tres veces por semana. La planta resiste olvidos eventuales.

Enemigos y enfermedades: las cochinillas se colocan en los tallos y en la axila de las hojas, sobre todo en invierno cuando la planta está en la galería.

Empleo: el metrosideros es un arbusto espléndido que decora por sí solo. Combínelo con palmeras o helechos.

Consejo: no es un arbusto rústico. En invierno póngalo en el interior, en un lugar fresco y luminoso. Disminuya el riego proporcionalmente a la temperatura ambiente.

 *Microbiota decussata*
MICROBIOTA

Desenrolle la alfombra verde...
Conífera (30 cm, -10 °C).

Follaje: perenne, verde claro pero tiende al bronce dorado en invierno. La planta apenas supera los 30 cm de altura, pero puede llegar a tener 1 m de ancho.

Floración: las coníferas no tienen flores.

Especies y variedades: *Microbiota decussata* es la única especie disponible.

Comportamiento en el recipiente: la microbiota aprecia los recipientes grandes y puede llegar a cubrirlos.

Dimensiones del recipiente: coloque esta conífera en una jarra de barro de 50 cm de altura y deje que caiga en forma de elegantes cascadas.

Exposición: sol no muy fuerte o sombra moderada.

Tierra: prepare una mezcla que esté formada por la mitad de tierra de hojarasca, una cuarta parte de tierra vegetal y la otra restante de arena de río.

Riego: prefiere una tierra húmeda permanentemente, pero si de vez en cuando se olvida de regarla lo soporta, sobre todo en invierno.

Enemigos y enfermedades: generalmente ninguno.

Empleo: asocie esta conífera con brezo u otras coníferas para crear un ambiente de balcón o terraza «forestal».

Consejo: la microbiota se reproduce por injertos fácilmente. Curve una de las ramas laterales y entierre una parte del tallo.

Mimulus luteus
MÍMULO

Una explosión de flores preciosas.
Planta vivaz (40 cm, –5 °C).

Follaje: verde claro, simple, opuesto, dentado y con textura un poco rugosa.

Floración: las corolas son de color amarillo y el labio inferior, más ancho que los otros pétalos, tiene un tono marrón. Las flores se abren a partir de junio hasta septiembre.

Especies y variedades: *Mimulus luteus* ha dado lugar, mediante cruces con otras especies, a numerosos híbridos moteados que presentan colores espléndidos. Estas flores nos recuerdan las orquídeas tropicales.

Comportamiento en el recipiente: los mímulos adoran las tierras húmedas. Coloque un platillo debajo de la maceta y deje, de vez en cuando, que se llene con el agua sobrante. No se olvide de fertilizar.

Dimensiones del recipiente: para crear un efecto de masa, elija una jardinera ovalada de 40 cm de longitud y 20 cm de altura.

Exposición: sombra moderada o sol suave.

Tierra: a los mímulos les va bien una tierra rica en materia orgánica y que retenga el agua. Mezcle, a partes iguales, tierra de hojarasca con tierra para rosales o tierra vegetal.

Riego: no se olvide. Si tienen agua permanentemente, los mímulos serán mucho más bonitos.

Enemigos y enfermedades: generalmente ninguno.

Empleo: combínelos con matteucias o con *Deschampsia cespitosa*.

Consejo: la vida de estas vivaces es bastante corta. Es preferible cultivarlas como anuales y renovar la plantación cada primavera. Puede sembrar dentro de casa.

Miscanthus sinensis
EULALIA

Una planta moteada.
Gramínea vivaz (1,80 m, –8 °C).

Follaje: linear, verde con reflejos grises o azulados, ornamentado con una nervadura central de color blanco. Adquiere unos tonos otoñales muy bonitos.

Floración: en verano aparecen las panículas, plumosas, de tonos marrones tirando a plateados. Duran prácticamente hasta verano.

Especies y variedades: la especie tipo puede alcanzar unos 2 m. «Adagio», de 80 cm de altura, es la que se adapta mejor a una terraza. Presenta un follaje fino, denso y plateado, con inflorescencias de color rosa que se vuelven blancas con la edad. «Yaku Jima» no supera 1 m. «Zebrinus» presenta rayas de color oro.

Comportamiento en el recipiente: en una jardinera bastante grande y con riegos frecuentes, la Eulalia puede llegar a vivir varios años.

Dimensiones del recipiente: en plena tierra, una planta adulta precisa de 1 m². Se debe prever una jardinera o recipiente de 50 cm de ancho y 40 cm de profundidad, como mínimo.

Exposición: sombra moderada o sol suave.

Tierra: una buena tierra vegetal.

Riego: cuanto más regulares sean los aportes de agua, más bonitas serán las matas.

Enemigos y enfermedades: generalmente ninguno.

Empleo: asocie la Eulalia con otras gramíneas, asters, rudbeckias, *Sedum spectabile*, margaritas y arbustos perennes.

Consejo: a principios de año, corte las cañas a ras de suelo y fertilice la maceta.

Molucela laevis
CAMPANAS DE IRLANDA

Una extraña floración.
Planta anual (80 cm, 0 °C).

Follaje: redondeado, verde claro y brillante.

Floración: cada flor, de color blanco verdoso, está rodeada de un largo cáliz verde, en forma de embudo.

Miscanthus sinensis «Zebrinus»: una hierba muy bella. ▶

▲ *Microbiota decussata:* una conífera próxima al suelo.

▲ *Mimulus luteus:* un encanto durante el verano.

▲ *Molucella laevis:* una de las raras y bellas flores verdes.

▲ *Monopsis lutea:* una suspensión excepcional.

Especies y variedades: solamente se cultiva la especie tipo.

Comportamiento en el recipiente: *Molucella laevis* puede formar bonitas matas si recibe aportes de abono de vez en cuando.

Dimensiones del recipiente: plante las campanas de Irlanda en una maceta de 25 cm de diámetro, como mínimo.

Exposición: deberá colocar la planta en un lugar soleado y ventilado.

Tierra: tierra de geranios de calidad con un puñado de estiércol de granja descompuesto.

Riego: son necesarios de dos a tres riegos semanales en función de la temperatura.

Enemigos y enfermedades: generalmente ninguno.

Empleo: coloque las campanas de Irlanda en compañía de plantas con más colorido, como la hierba de San Juan con corolas amarillas y frutos de color rojo anaranjado, que combina a la perfección.

Consejo: siembre las semillas en abril, directamente en la maceta, y después distribúyalas.

Monopsis lutea
MONOPSIS

Fuegos fatuos para el verano.
Planta anual (60 cm, 5 °C).

Follaje: linear, lanceolado, muy fino, con tonos burdeos cuando envejece.

Floración: las flores, de color amarillo, se colocan por encima del follaje rastrero. El pétalo inferior está profundamente dividido en tres y confiere a la flor un aspecto estrellado y ligero muy original.

Especies y variedades: *Monopsis lutea* es una planta que vuelve a ser comercializada.

Comportamiento en el recipiente: los principiantes tendrán problemas para conservar la monopsis, la cual teme las corrientes de aire y las irregularidades en el riego y fertilización.

Dimensiones del recipiente: 30 cm de ancho y alto.

Exposición: a pleno sol siempre y cuando no sea abrasador.

Tierra: realice una mezcla que permita un buen

◄ *Musa cavendishii:* para un ambiente exótico.

drenaje a base de arena, tierra de hojarasca y tierra de jardín.

Riego: un exceso de agua provoca que el cuello de la planta se pudra, pero, contrariamente, puede morir si no tiene suficiente. Es muy difícil encontrar el equilibrio deseado.

Enemigos y enfermedades: generalmente no tiene ninguno.

Empleo: en suspensión.

Consejo: intente el cultivo en galería que da, normalmente, mejores resultados.

Musa spp.
BANANO

Unas hojas desmesuradas.
Planta vivaz (2,50 m, -5 °C).

Follaje: elíptico, destaca por su tamaño que puede alcanzar 1 m de longitud y 30 cm de ancho.

Floración: las brácteas protegen manojos de pequeñas flores sin pétalos.

Especies y variedades: *Musa ensete,* en maceta, no supera 1,50 m o 2 m, como *Musa cavendishii,* el banano de Canarias que puede formar flores si el verano es cálido.

Comportamiento en el recipiente: cuando el banano florece, muere, no sin antes haber formado retoños. Sepárelos y, a continuación, trasplante las plantas jóvenes.

Dimensiones del recipiente: el banano se debe trasplantar una o dos veces al año, hasta que la planta esté en una maceta de 30 o 40 cm.

Exposición: las hojas jóvenes temen al sol abrasador. A partir de agosto, deje el banano al sol.

Tierra: tierra enriquecida con abono orgánico. Ponga compost regenerador, rico en elementos nutritivos, en la superficie de la tierra.

Riego: desde el mes de abril y hasta agosto riegue con frecuencia. Puede disminuir la cadencia a partir de septiembre.

Enemigos y enfermedades: generalmente ninguno.

Empleo: combine el banano con las palmeras o bambúes con vistas a dar de este modo un toque tropical a su terraza.

Consejo: recubra la cepa con paja para protegerla del frío invernal.

Muscari spp.
MUSCARI

La cabeza en el cielo...
Planta bulbosa (20 cm, –8 °C).

Follaje: linear, verde medio.

Floración: las espigas presentan flores azules con bordes blancos, en forma de pequeñas urnas. Las flores de arriba son estériles y no se abren.

Especies y variedades: en «Blue Spike» cada flor da lugar a una inflorescencia en miniatura. *Muscari comosum* «Plumosum» presenta una borla plumosa muy rara de color azul violáceo.

Comportamiento en el recipiente: las macetas de muscaris son de fácil mantenimiento, incluso para los principiantes.

Dimensiones del recipiente: un recipiente de 20 cm de ancho y 10 cm de profundidad es suficiente para una decena de bulbos.

Exposición: a pleno sol, incluso con calor.

Tierra: 1/3 de arena de río y 2/3 de tierra.

Riego: riegue con moderación en invierno, con más regularidad cuando empiecen a salir las hojas. Evite los excesos de agua que provocan la podredumbre de los bulbos.

Enemigos y enfermedades: el tiempo lluvioso provoca que los bulbos se pudran.

Empleo: en pequeñas macetas, en masa en la base de los arbustos o con plantas de rocalla.

Consejo: no conserve los bulbos, renueve la plantación cada otoño.

Myosotis spp.
MYOSOTIS

Un azul dulce que no se olvida...
Planta bianual (25 cm, –4 °C).

Follaje: aterciopelado, verde medio, lanceolado.

Floración: espigas flexibles de flores, con pétalos redondeados de un azul inimitable, que aparecen en abril.

Especies y variedades: «Anne-Marie Fischer» es una de nuestras preferidas para el cultivo en maceta. Crece en forma de matas compactas. «Rosylva» se cubre de grandes flores de color rosa malva. «Victoria Alba» presenta flores blancas con centro amarillo.

Comportamiento en el recipiente: la planta forma composiciones efímeras que hay que eliminar después de la floración.

Dimensiones del recipiente: un recipiente ancho y poco profundo acogerá una planta cada 15 cm.

Exposición: la sombra moderada conviene a esta planta de sotobosque.

Tierra: la tierra de hojarasca es muy conveniente.

Riego: evite que se seque la tierra y riegue con abono líquido desde marzo.

Enemigos y enfermedades: el oídio y la podredumbre gris a veces invaden las hojas.

Empleo: combine los myosotis con narcisos de flores pequeñas y rodee la composición con helechos para crear un ambiente fresco. También queda muy bien con tulipanes.

Consejo: compre las plantas en flor desde principios de primavera, tendrá un decorado perfecto.

Myrtus communis
MIRTO

Pompones exuberantes.
Arbusto (1,50 m, –4 °C).

Follaje: brillante, ovalado, aromático y perenne.

Floración: los numerosos estambres de color blanco se apoyan sobre un cáliz de pétalos blancos, en verano. El perfume es agradable y sutil.

Especies y variedades: «Flore pleno» presenta flores dobles; «Nana» es un arbusto enano, perfecto para balcones; *Myrtus communis* var. *tarentina* presenta hojas más estrechas y un porte denso, ideal para macetas.

Comportamiento en el recipiente: si lo abona, el mirto puede durar muchos años en un recipiente.

Dimensiones del recipiente: el arbusto adulto vivirá cómodamente en un recipiente de 30 cm de lado.

Exposición: soleada y protegida de los vientos fríos.

Tierra: tierra de jardín ordinaria. Substituya anualmente, en primavera, la superficie de la tierra por tierra regeneradora para rosales.

Riego: el mirto soporta la sequía ocasional, pero prefiere riegos continuos.

Enemigos y enfermedades: generalmente ninguno.

Empleo: el mirto forma preciosos rincones verdes para las grandes macetas en flor.

Consejo: en marzo corte las ramas muertas.

Myrtus communis: original y deliciosamente perfumada. ▶

▲ *Muscari armeniacum:* una bulbosa muy voluntariosa.

▲ *Myosotis sylvatica:* una deliciosa planta primaveral.

N

Nandina domestica
NANDINA Y BAMBÚ DOMÉSTICO

Un caleidoscopio de colores.
Planta anual (1,5 m, –8 °C).

Follaje: persistente, en forma de plumas, denso en la parte superior de la planta, con tallos rígidos poco ramificados. Las hojas más jóvenes son de color rojo y conforme pasa el tiempo se colorean de verde. En otoño se tiñen de color caoba, rosa o violeta. En los inviernos más fríos la nandina puede perder todo su follaje.

Floración: panículas de flores blancas que se abren en verano. Forma frutos rojos muy resistentes.

Especies y variedades: *Nandina domestica* «Fire Power» es una variedad enana que alcanza en octubre un tono anaranjado muy intenso. «Richmond» da muchos más frutos que la especie base y, por ello, es más decorativa.

Comportamiento en el recipiente: la nandina crece, a veces, lentamente durante los primeros años de la plantación. Vive varios años en recipiente.

Dimensiones del recipiente: algunas variedades pueden alcanzar 1,5 m. Por lo tanto, disponga de un recipiente proporcional a su silueta, como mínimo de 30 cm de ancho. Elija un recipiente que sea consistente para ofrecer la máxima estabilidad a la planta en caso de que haya rachas fuertes de viento.

Exposición: la nandina requiere la sombra parcial pero resiste el pleno sol durante algunas horas al día.

Tierra: mezcle arena de río con tierra de brezo. Añada un puñado de abono orgánico a base de estiércol descompuesto.

Riego: este arbusto tolera la sequía. Pero muestra su belleza plenamente si no le falta agua.

Enemigos y enfermedades: generalmente ninguno.

Empleo: la nandina forma una mata sensacional de colores cambiantes. Combínela con en arce del Japón, con hostas, photinias, azaleas u brezos.

Consejo: limpie la nandina dos veces al año, después de la floración y después del invierno. Erradique las hojas y la leña muerta, además de los tallos secos, para que adquiera una silueta sorprendente. Pode también las ramas excesivas.

◀ **Un narciso con deliciosas flores pequeñas.**

Narcissus spp.
NARCISO

Las trompetas de la primavera.
Planta bulbosa (40 cm, –4 °C).

Follaje: lineal, de color verde medio, bastante rígido, se amarillea después de la floración.

Floración: trompetas más o menos abiertas, sencillas o dobles, que surgen de sus tallos largos. Aparecen al mismo tiempo que las hojas y duran más o menos veinte días.

Especies y variedades: por lo general, todos los narcisos se adaptan perfectamente a los recipientes. Los pequeñas «Tête-à-tête» crean conjuntos sin par, pero, se deben plantar los bulbos a bastante profundidad (10 cm como mínimo). «Thalia» tiene las flores más grandes (de 7 a 8 cm) es una de nuestras favoritas, del color de la luna, blanco apenas amarillo. «Ici Folies» blanco puro con corazón amarillo, da bastantes flores en recipiente.

Comportamiento en el recipiente: para que los narcisos consigan el éxito esperado, respete tres normas básicas: plántelos pronto, entierre todos los bulbos a la misma profundidad, tres veces su altura, y evite el exceso de agua.

Dimensiones del recipiente: una maceta de 20 cm de ancho para que acoja cinco o seis bulbos.

Exposición: sol o sombra parcial.

Tierra: el drenaje debe ser perfecto, añada 1/4 de tierra de río a la tierra. Disponga una capa de piedras en el fondo del recipiente, facilitará el perfecto drenaje del agua.

Riego: la tierra debe estar un poco húmeda en invierno. Cuando las flores florezcan riegue una o dos veces a la semana, sin dejar que el agua se estanque en el platillo.

Enemigos y enfermedades: la podredumbre de los bulbos es la causa principal de un posible fracaso. Se produce por un riego desajustado en invierno.

Empleo: los narcisos siempre acaban ganando en belleza cuando se combinan con platas de follaje. Coloque una capa de hiedra de hojas pequeñas en la base, helxinas o sencillamente musgo.

Consejo: no pode las hojas antes de que hayan amarilleado completamente. El bulbo requiere de éstas para abastecerse de energía.

▲ *Nandina domestica* «Fire Power»: genial en recipiente.

▲ Un tiesto de narcisos «Rosy Worthy».

Nemesia spp.
NEMESIA

Colores cálidos para el verano.

Planta anual (30 cm, 0 °C).

Follaje: verde claro, fino, lanceolado, ligeramente dentado.

Floración: Los pétalos son sólidos y tiene un labio inferior prominente, que a veces no es del mismo color que los pétalos superiores.

Especies y variedades: a partir de la *Nemesia strumosa*, los seleccionadores han creado un abanico de variedades espectaculares. «Mello Red & White», tiene flores grandes que contrastan los tonos rojizos con el blanco. «Blue Bird» tiene un estupendo color azul celeste que acentúa el blanco del centro de las flores.

Comportamiento en el recipiente: las nemesias no soportan los olvidos. Por ello, los jardineros de «fin de semana» tendrán problemas para conseguir recipientes atractivos con nemesias.

Dimensiones del recipiente: una maceta de 15 cm de diámetro basta para acoger una planta. El efecto es más sorprendente cuando las nemesias crecen en masa. Plante entre cinco y seis matas en una jardinera de 40 cm.

Exposición: soleada pero no abrasadora.

Tierra: mejore la tierra de la plantación con un puñado de abono de descomposición lenta.

Riego: lo más equilibrado y regular posible (cada dos días en verano).

Enemigos y enfermedades: algunos hongos hacen que el cuello de esta planta llegue a pudrirse.

Empleo: las nemesias crean bordes llenos de alegría tanto en las suspensiones como en las macetas.

Consejo: siembre en marzo, en el interior, sin cubrir las semillas demasiado. Realice los injertos cuando las plantas hayan dados sus primeras cuatro o cinco hojas.

Nepeta spp.
NEPETA

Éxito garantizado.

Planta vivaz (50 cm, –10 °C).

Follaje: oval, de color verde gris y plateado, aterciopelado y aromático cuando se frota. Los gatos adoran pasearse por dentro de estas matas ya que su olor les seduce enormemente.

Floración: los tallos presentan una gran profusión de flores tubulares de color azul petróleo y azul violáceo. Se desarrollan en forma de espiga suaves y ligeras.

Especies y variedades: *Nepeta faassenii* «Six Hills Giant» florece muchísimo y alcanza 50 cm de altura. *Nepeta sibirica* forma una mata densa y erguida. Sus tallos son muy lisos y dan flores de un azul intenso espectacular. *Nepeta mussinii* ofrece una vegetación despampanante con flores de color azul-violeta claro. Se desarrolla hasta que llegan las primeras heladas.

Comportamiento en el recipiente: las matas de *Nepeta faassenii* tienden a marchitarse un poco, justo cuando empiezan a florecer. Por ello, es una buena idea tutorar discretamente las matas más grandes. Después de la floración es necesario cortar la mata uno 10 cm de altura para que vuelva a florecer en otoño.

Dimensiones del recipiente: la planta es vigorosa y, por ello, enseguida le parece poco el espacio de cualquier maceta que sea inferior a 30 cm de profundidad.

Exposición: el pleno sol es, sin duda alguna, el factor clave para una floración abundante y para que su follaje se conserve sano.

Tierra: da lo mismo el tipo de tierra. No abuse del abono porque éste favorece el desarrollo de las hojas en detrimento de las flores.

Riego: la nepeta no se enfada si la olvidamos, si no tenemos experiencia o nos mostramos negligentes con ella. Excelente para los principiantes.

Enemigos y enfermedades: normalmente ninguno, excepto el afecto que le profieren los gatos.

Empleo: las especies bajas como la *Nepeta mussinii* forman pequeños recipientes que adornan las partes frontales de los grandes recipientes. Se recomienda que las otras nepetas de mayor tamaño estén solas en las jardineras porque su vigor es tan grande que dejarían poco espacio vital al resto de plantas. El azul de sus flores combina con casi todas las flores. Intente mezclar con flores de color naranja, como las lantanas, las amapolas orientales o los heliantemos. Estas combinaciones siempre resultan sensacionales.

Consejo: No espere a que desaparezcan totalmente las flores para podar la planta a ras del suelo a principios de verano. Cuanto antes la pode, antes volverá a florecer antes de que lleguen los primeros fríos.

Nepeta x *faassenii:* opulencia en recipiente. ▶

▲ *Narcissus cyclamineus:* una variedad ideal para

▲ *Nemesia strumosa:* una especie híbrida con grandes flores.

Nerium

▲ *Nerine bowdenii*: máximo encanto a final de temporada.

▲ *Nerium oleander* «Album roseum»: adora el sol.

◄ El laurel rosa crece durante años en tiesto.

Nerium oleander
LAUREL ROSA O ADELFA

Un estallido mediterráneo.

Arbusto (1,5 m, –4 °C).

Follaje: estrecho con un nervio central muy neto en forma de lanza, persistente y coriáceo.

Floración: surgen en la extremidad de los tallos ramilletes rosas, blancos, rojos o amarillos.

Especies y variedades: «Italia» es precoz y bastante rústica, así como «Margaritha», «Mont Blanc» y «Recuerdos de Emma Schneider». Esta última variedad desprende un perfume muy agradable. Para los balcones pequeños, «Petite red» es idónea, no superará nunca los 60 cm de altura y es perfumada.

Comportamiento en el recipiente: los laureles rosa viven varios años en recipiente si están protegidos del hielo. Cambie de tiesto cada tres o cuatro años.

Dimensiones del recipiente: para los laureles enanos basta con un recipiente de 30 cm de altura y anchura. Para los ejemplares adultos y el resto de variedades conviene un recipiente de 50 cm de lado.

Exposición: pleno sol, en el caso de que el riego sea regular.

Tierra: mezcle mitad de tierra para geranios con tierra de jardín consistente.

Riego: el laurel-rosa es reconocido por su sobriedad. Pero la mayoría de las variedades florecen más si el riego es regular, una o dos veces a la semana, por ejemplo.

Enemigos y enfermedades: las cochinillas son las «bestias negras» de los laureles rosas.

Empleo: en recipientes italianos, sola o mezclada con plumbagos, lavandas o brezos.

Consejo: realice injertos de los laureles rosa en verano, así podrá conservar la variedad aunque el invierno sea muy frío. Los tallos echan raíces en un vaso de agua.

Nerine bowdenii
LIS DE GUERNESEY

Una opulenta floración otoñal.

Planta bulbosa (60 cm, –5 °C).

Follaje: lineal, romboidal, no persistente. Desaparece, curiosamente, antes de la floración.

Floración: pequeñas trompetas rosas, generalmente agrupadas de siete en siete, con pétalos curvos que forman sombrillas, y que aparecen en la cúspide de los tallos lisos, entre septiembre y noviembre.

Especies y variedades: *Nerine bowdenii* supera el invierno si la protegemos correctamente. La variedad «Pink Triumph» da grandes flores de color rosa intenso. *Nerine flexuosas* «Alba» tiene flore de un blanco inmaculado, dentadas con suavidad.

Comportamiento en el recipiente: las *nerine* forman matas densas sensacionales si no las molestamos mucho.

Dimensiones del recipiente: en una jardinera de como mínimo 30 cm de diámetro.

Exposición: soleada en verano, resguardada en invierno.

Tierra: arena, sustrato y tierra de jardín a partes iguales.

Riego: ¡sin exceso! Deje que los primeros centímetros de tierra se sequen antes de volver a regar.

Enemigos y enfermedades: las cochinillas harinosas pueden invadir el follaje.

Empleo: las nerines no se adaptan a sus vecinas cuando viven en el mismo recipiente. Intente que convivan con valores seguros como los asters, los *Miscanthus sinensis* o los *Sedum spectabile* «Brilliant».

Consejo: en invierno protéjalas de la humedad y del frío.

Nicotiana spp.
TABACO DECORATIVO

Un verano lleno de colores y perfume.

Planta anual (1 m, –5 °C).

Follaje: oblongo y pegajoso, al igual que los tallos.

Floración: ramilletes de flores tubulares, de color rosa, crema o blanco, desde junio hasta las primeras heladas.

Especies y variedades: *Nicotiana affinis* tiene un gran número de híbridos que van del color verde ácido al rojo más profundo. *Nicotiana sylvestris* crece hasta 2 m en recipiente. Es más espectacular que decorativa pero se aprecia su perfume en las tardes al fresco.

Comportamiento en el recipiente: el tabaco florece más tiempo si lo regamos cada semana con abono líquido. La planta se elimina en otoño.

Dimensiones del recipiente: una jardinera de 60 cm de largo y 15 cm de ancho puede contener hasta cinco plantas.

Exposición: pleno sol durante media jornada bastará para obtener una floración máxima.

N

Nymphaea

Tierra: mejore la tierra de la plantación con un puñado de abono orgánico.

Riego: los riegos irregulares hacen que esta planta se marchite y la floración disminuya. Compruebe la humedad de la tierra diariamente en verano.

Enemigos y enfermedades: los pulgones y el mildíu atacan normalmente el tabaco.

Empleo: use y abuse del tabaco para cubrir los espacios vacíos de los recipientes, en las bases de los arbustos. Agrúpelos en recipientes de colores.

Consejo: es conveniente poner pinzas a las plantas jóvenes desde el momento de su plantación para obligarlas a ramificarse.

Nierembergia spp.
NIEREMBERGIA

Miles de campanillas.

Planta vivaz (40 cm, 0 ºC).

Follaje: flores estrechas y alargadas que forman cojines perfectamente redondos.

Floración: en forma de pequeñas campanillas que florecen a principios de verano y hasta el otoño.

Especies y variedades: *Nierembergia hippomanica* forma una mata redonda bastante baja. *Nierembergia repens* se expande a ras de suelo formando un tapiz.

Comportamiento en el recipiente: es caprichosa y es mejor evitar las heladas si queremos que florezca.

Dimensiones del recipiente: un recipiente de 15 cm de diámetro basta para que se desarrolle una planta.

Exposición: si es posible, sol leve.

Tierra: bien drenada y rica para que la nierembergia sienta que está en sus rocallas originarias.

Riego: tal vez sea el punto más delicado del cultivo de la nierembergia. Ni mucho, ni poco. Un día de sequía entre riego y riego.

Enemigos y enfermedades: los pulgones atacan a veces a las plantas instaladas recientemente.

Empleo: utilice las nierembergias en los bordes de los recipientes de piedra, en macetas y suspensiones.

Consejo: a veces no se consigue lo esperado la primera vez que las plantamos, pero merecen una segunda oportunidad gracias a su floración espectacular. Sea perseverante y evite siempre los excesos.

Nymphea hybride: una genial idea para florecer en tonel. ▶

Nymphaea spp.
NENÚFAR

Serenidad acuática.

Planta acuática (15 cm, –10 ºC).

Follaje: hay tres tipos de follaje: el follaje exterior, muy pequeño, el flotante, semicoriáceo, y en algunos casos hojas aéreas muy coriáceas.

Floración: los cálices coloridos parece que floten en el agua, cuando están abiertos totalmente.

Especies y variedades: «Escarboucle» es de color rojo y es de los más rústicos. «Helvola» es enano con flores amarillas y hojas púrpuras de 20 cm.

Comportamiento en el recipiente: elija una variedad que se adapte al tamaño del recipiente. Las hojas no deben cubrir más de un 50-60% de la superficie del agua.

Dimensiones del recipiente: un tonel de como mínimo 60 cm de profundidad y 40 de anchura.

Exposición: los nenúfares requieren estar en un sitio soleado. La temperatura del agua se calienta bastante rápido en primavera.

Tierra: lo mejor es tierra de jardín un poco pesada, casi como la tierra del trigo (tierra acuática).

Riego: los nenúfares siempre deben estar entre 40 y 60 cm de agua.

Enemigos y enfermedades: los pulgones pueden invadir las yemas de las flores.

Empleo: en un recipiente elevado.

Consejo: vigile siempre que el agua esté más o menos al mismo nivel.

▲ *Nicotiana sylvestris:* decorado generoso y original.

▲ *Nierembergia hippomanica:* ideal en suspensión.

Ocymum basilicum
ALBAHACA

Un recipiente apropiado para el sur.
Planta anual (40 cm, 0 °C).

Follaje: verde brillante, liso y muy aromático, sobre todo en la albahaca común.

Floración: pequeñas espigas de flores blancas que aparecen en verano. Es mejor que las corte lo antes posible para que el follaje se conserve tierno.

Especies y variedades: «Balconstar», con minúsculas hojas de color verde, forman macetas sensacionales muy densas. Hay albahaca con olor a limón, a canela, a anís, a menta y a clavo.

Comportamiento en el recipiente: incluso los principiantes pueden conseguir bellas matas de albahaca en recipiente, ya que esta planta resiste muy bien los veranos.

Dimensiones del recipiente: una mata de albahaca crece perfectamente en un recipiente de 15 a 18 cm en todas las magnitudes.

Exposición: a pleno sol, como mínimo medio día a plena luz.

Tierra: tierra para plantas verdes.

Riego: deje que la tierra se seque ligeramente antes de volver a regar.

Enemigos y enfermedades: las primeras heladas destrozan la hojas.

Empleo: la albahaca forma bordes muy bellos en las jardineras sobre todo las especies de hojas pequeñas

Consejo: si dispone de una ventana bien expuesta, puede conservar la planta durante un mes en el interior durante el invierno.

▲ *Ocimum basilicum «Grand vert»: muy aromática.*

Oenothera spp.
ENOTERA

Silvestre y con flores de oro.
Planta anual (50 cm, -10 °C).

Follaje: verde oliva, alargado, con bordes dentados.

Floración: todas las enoteras producen una floración larga espectacular de color rosa, amarillo o blanco que dura de julio hasta las primeras heladas.

Especies y variedades: *Oenothera fruticosa* forma hermosos recipientes con flores de color amarillo oro que se

◀ *Oenothera tetragona «Yellow River»: color cálido.*

abren mucho. *Oenothera tetragona* se parece mucho a la anterior pero es un poco más grande. *Oenothera odorata* variedad *sulphura* en recipiente forma una mata de 50 cm de altura, con florescencias ramificadas. Las grandes flores de color amarillo pastel se vuelven de color rosa al día siguiente. *Oenothera drummondii* tiene hojas semipersistente de color verde-gris, aterciopeladas y flores de color amarillo limón que se vuelven rojas a medida que se van marchitando.

Comportamiento en el recipiente: todas las enoteras se muestran sólidas, generosas y poco exigentes.

Dimensiones del recipiente: cuanto más ancho sea el recipiente más bella será esta maceta. Como mínimo se requiere un recipiente de 30 cm.

Exposición: a pleno sol, incluso muy cálido.

Tierra: sobre todo pobre, arenosa y con piedras.

Riego: las enoteras soportan la sequía, pero si las regamos cada dos semanas, tendrán una floración uniforme a lo largo de toda la temporada.

Enemigos y enfermedades: generalmente ninguno.

Empleo: *Oennothera speciosa* se expande por todos los claros de los recipientes y macetas, en la base de los arbustos, mezclada con anuales. Combine las enoteras con asters, coreopsis, erigerons, liatris y salvia.

Consejo: la enotheras no se reproducen correctamente por semillas, por ello, adquiera plantas.

Olea europea
OLIVO O ACEBUCHE

El símbolo de la eternidad.
Árbol (4 m, -8 °C).

Follaje: lanceolado, ceroso y de color gris plateado.

Floración: de abril a junio se reagrupan panículas blancas en la axila folicular, encima de las ramas del año.

Especies y variedades: «Amygdalolia» es una variedad que tiene un desarrollo muy pequeño y que resiste a las temperaturas moderadamente frías. «Aglandaou» y «Fantoio» son de tamaño medio y ofrecen una muy buena resistencia al frío y a los parásitos.

Comportamiento en el recipiente: las raíces superficiales del árbol toleran bien los trasplantes. Si lo permite la bonanza del sol, con inviernos suaves y cuidados regulares, el olivo puede desarrollarse perfectamente en recipiente. Se deberá cambiar de recipiente cada tres o cuatro años.

O

Ophiopogon

Dimensiones del recipiente: un recipiente que tenga un diámetro equivalente a los 2/3 del diámetro de la corona del olivo para que haya una proporción adecuada.

Exposición: a pleno sol, resguardada de los fríos intensos.

Tierra: el olivo exige una tierra bien drenada, neutra o calcárea. Añada un puñado de abono completo para los árboles de la plantación.

Riego: el olivo tiene fama de crecer en las tierras áridas. En recipiente requiere de riegos moderados pero regulares una vez a la semana.

Enemigos y enfermedades: una bacteria provoca la deformación de las ramas. Las cochinillas pueden invadir las ramas y causar daños irreparables.

Empleo: en un recipiente individual y en las terrazas que tengan un clima suave durante todo el año.

Consejo: intente que las ramas adquieran una forma aérea y regular. Pode las ramas del centro y aquellas que sean demasiado largas.

Olearia spp.
OLEARIA

La amiga del mar.
Arbusto (1,50 m, 5 °C).

Follaje: oval, reluciente, persistente y coriáceo.

Floración: racimos densos de pequeñas margaritas aterciopeladas que aparecen en verano.

Especies y variedades: *Olearia* x *haastii* es una de las variedades más rústicas. Esta mata de 1,5 m de alto puede vivir perfectamente en todas partes. *Olearia* x *scillionensis* ofrece un follaje gris y persistente. Las flores la invaden en mayo. Es una buena planta para los balcones o terrazas mediterráneos y de clima templado.

Comportamiento en el recipiente: todas las olearias resisten sin problemas la contaminación de las ciudades e incluso las rachas de viento fuerte. Viven durante mucho tiempo en recipiente.

Dimensiones del recipiente: un recipiente de 30 a 40 cm de lado es lo ideal para las olearias adultas.

Exposición: imprescindible sol total. Calor.

Tierra: un suelo bien drenado, neutro o ligeramente ácido (tierra de brezo con tierra de jardín).

Riego: la planta resiste la sequía, pero agradece si la regamos cada cinco o seis días.

Enemigos y enfermedades: el hielo es el principal responsable de los daños de la olearia.

Empleo: la olearia forma remansos pequeños que pueden vestir los rincones más cálidos de la terraza. Puede, aisladamente, formar recipientes redondos que serán decorativos en invierno.

Consejo: justo después de la floración, pode un tercio de las ramas que hayan florido.

Ophiopogon japonicus
OFIOPOGON

Se denomina también planta de las turquesas.
Planta vivaz (20 cm, -6 °C).

Follaje: lineal, verde oscuro, brillante en la planta tipo, en matas densas y persistente.

Floración: tallos graciosos y pequeños con campanillas blancas o de color rosa pálido, en junio y julio tiene pequeños frutos de color azul porcelana.

Especies y variedades: «Nigrescens» tiene un follaje muy curioso de color negro brillante del que surgen racimos de flores con un tenue color rosa. «Stephen Taffler» ofrece un follaje luminoso moteado de color crema. «Minor» es menos vigorosa que sus parientes, pero es ideal para los recipientes pequeños.

Comportamiento en el recipiente: el vigor del ofiopogon es tan evidente que es mejor dividir las raíces una vez al año y cambiar de recipiente.

Dimensiones del recipiente: una jardinera de 25 cm a 35 cm de ancho es lo más conveniente.

Exposición: sol, sombra o sombra parcial pero siempre resguardada de los fríos intensos.

Tierra: ligera, rica en materia orgánica, sobre todo ácida (sustrato y tierra de brezo mezclada).

Riego: moderado cada tres o cuatro días en verano. Si alguna vez nos olvidamos de regarlo no sufrirá.

Enemigos y enfermedades: generalmente ninguno, salvo la destrucción producida por las heladas.

Empleo: el ofiopogon es una planta que cubre el suelo y tiene la mala costumbre de asfixiar a sus vecinas más débiles que ella. Combínela con plantas vigorosas como el *liriopas*, el *polygonum*, la valeriana, el *carex* y el bambú.

Consejo: a finales de invierno pode al nivel de la altura del recipiente, sobre todo, el follaje estropeado por causa del frío. Coloque un producto antibabosas cerca de los recipientes.

Ophiopogon jaburan «Variegatus»: elegancia natural. ▶

▲ *Olea europaea:* el olivo envejece en el recipiente.

▲ *Olearia ranii:* vapor de flores.

O

Origanum

▲ *Origanum vulgare* «Compactum»: ideal en recipiente.

▲ *Osmanthus heterophyllus* «Tricolor»: belleza puntiaguda.

Origanum spp.
ORÉGANO

Flores y hojas perfumadas.
Planta anual (40 cm, –8 ºC).

Follaje: redondo y oval, de color verde claro o verde gris.

Floración: el orégano salvaje *(Origanum vuldare)* forma grandes matas con flores tubulares de color rosa violáceo. Los oréganos híbridos son más decorativos gracias a sus brácteas coloridas.

Especies y variedades: *Origanum rotondifolium* «Kent Beauty» tiene brácteas sensacionales de color rosa. *Origanum vulgare* «Roseum» forma un cojín denso de color rosa intenso de julio a agosto. La variedad dorada «Thumble's Variety» es más baja (30 cm) y también más perfumada. Su floración es de color crema. «Compactum» se convierte en un auténtico manto de flores de color violeta claro de 20 cm de altura.

Comportamiento en el recipiente: los oréganos híbridos forman macetas pequeñas cuya belleza se observa de cerca. El orégano salvaje es muy apropiado para las terrazas que no se pueden cuidar asiduamente. Todos los oréganos en flor atraen a las mariposas.

Dimensiones del recipiente: de 10 cm de diámetro para las plantas híbridas más pequeñas, hasta 30 cm para las especies que siempre son más vigorosas.

Exposición: los oréganos aprecian mucho el sol. Plántelos a conciencia orientados al sur sin temer el exceso de calor.

Tierra: una tierra bastante pobre e, incluso, con piedras para que no retenga el agua, es perfecta para el orégano. Los oréganos híbridos son mucho menos exigentes. Una buena tierra de jardín mezclada con la mitad de mantillo les será suficiente.

Riego: semanal, excepto en verano, conviene aumentar el ritmo, en función de la temperatura ambiente y el tamaño del recipiente.

Enemigos y enfermedades: normalmente ninguno.

Empleo: para una jardinera de estilo natural mezcle el orégano con geranios vivaces, campanillas, centáureas, nepetas, tomillo decorativo y claveles.

Consejo: pode las matas a ras del recipiente después de la floración, de lo contrario se resquebrajarían.

◄ *Osmarea* x *burkwoodii*: una mata perfumada.

Osmanthus spp.
OSMANTO

Un perfume que nos hace soñar.
Arbusto persistente (1 m, –7 ºC).

Follaje: persistente, de color verde oscuro reluciente, coriáceo.

Floración: a principios de otoño, o en abril, según las especies, el arbusto tiene flores blancas en forma de trompetas que emanan un perfume que se huele a varios metros de distancia.

Especies y variedades: los *Osmanthus heterophyllus* tienen unas hojas fuertemente dentadas, como el acebo. Las hay que presentan una forma oval perfecta. La variedad «Purpureus» desarrolla jóvenes brotes y tallos de color morado oscuro. Las primeras ramas que aparecen en la variedad «Tricolor» eclosionan en rojo, pero según avanza el desarrollo del follaje, se tiñe de amarillo crema. Las hojas de «Variegatus» tienen bordes de color amarillo crema. *Osmanthus delavayi* tiene hojas mucho más pequeñas, espesas y firmes. El perfume de su floración evoca el perfume del jazmín. *Osmanthus fortunei* vive también en recipiente. Llega a medir 2 m de ancho y 1 m de alto. Su floración es una de las más perfumadas, sobre todo cuando llega septiembre.

Comportamiento en el recipiente: este arbusto persistente crece lentamente, por ello, es muy conveniente para las terrazas de reducido tamaño. Un osmanto de 10 años, raramente alcanza los 2 m en recipiente.

Dimensiones del recipiente: cambie el arbusto cada dos años a un recipiente de tamaño superior para finalmente ubicarlo en un recipiente de 40 cm de lado.

Exposición: nunca lo exponga a un sol ardiente. La sombra parcial es la exposición más adecuada.

Tierra: el osmanto rechaza la tierra que retiene el agua. Por ello, lo más adecuado es una mezcla de tierra, sustrato, tierra de brezo y tierra de jardín.

Riego: moderado, una vez a la semana.

Enemigos y enfermedades: generalmente ninguno.

Empleo: el osmanto integra el grupo de plantas que, gracias a su follaje persistente, dan estructura a la terraza. Combínela con pittosporums para tener largos meses de floración perfumada.

Consejo: resguarde el osmanto de los vientos ya que lo podrían llegar a secar. Compruebe que el orificio de drenaje es lo suficientemente ancho. Si es necesario agrándelo hasta conseguir el tamaño de una moneda de cinco céntimos de euro.

Osmarea burkwoodii
OSMAREA

Un excelente arbusto todoterreno.
Planta anual (1,5 m, –8 ºC).

Follaje: persistente, oval, ligeramente dentado, verde oscuro bastante brillante y denso.

Floración: en abril se desarrollan pequeñas flores blancas y perfumadas que se desdoblan en racimos de seis o siete flores.

Especies y variedades: *Osmarea burkwoodii* es un híbrido de *Osmanthus delavayi* y *Phyllyrea decora.* No tiene más variedades.

Comportamiento en el recipiente: la osmarea tiene un porte mucho más compacto que el osmanto. No supera un metro y medio y es muy apropiada para los balcones pequeños.

Dimensiones del recipiente: en un recipiente de 30 cm de diámetro de altura puede durar muchos años si cada primavera se reponen los cinco primeros centímetros de tierra.

Exposición: sus necesidades de luminosidad quedarán cubiertas con algunas horas de sol por la mañana o al final de la tarde.

Tierra: lo más apropiado es una buena tierra bien drenada o tierra de plantación con un puñado de arena gruesa.

Riego: no deje que la tierra se seque completamente. Riegue una vez que los primeros centímetros de tierra se hayan secado, es decir, cada cinco u ocho días en función de la estación.

Empleo: en macetas aisladas, en recipientes bajos dentro de una gran jardinera, en la barandilla como pantalla, o también cerca de la ventana para disfrutar de su perfume.

Consejo: pode ligeramente después de la floración para conservar una forma armoniosa de arbusto. La osmarea se reproduce por esqueje muy fácilmente en septiembre si mojamos la base de las ramas con hormonas de reproducción. Éstos arraigan en el período de dos meses. Las plantas jóvenes deben plantarse individualmente y conservarse resguardadas hasta el mes de mayo.

Osteospermum ecklonis
DIMORFOTECA

Una explosión de flores a pleno sol.
Planta vivaz (30 cm, –5 ºC).

Follaje: verde, persistente, alargado, áspero al tacto, con un aroma inesperado cuando lo frotamos.

Floración: espectaculares margaritas bien equilibradas con corolas que se abren en verano. Poseen un corazón más oscuro.

Especies y variedades: los nuevos híbridos adquieren prácticamente todos los tonos que van del blanco al azul.

Comportamiento en el recipiente: la floración surge en forma de flechas en junio, después la planta se ralentiza a principios del mes de agosto. Si afloran descontroladamente, pode los tallos justo dos tercios por debajo del principio de las hojas. Si la resguardamos del hielo, la dimorfoteca puede vivir varios años en el recipiente. Transplantar cada dos años.

Dimensiones del recipiente: la dimorfoteca es una planta bastante vigorosa. Un recipiente de 25 cm de lado es lo más adecuado hasta finales de temporada.

Exposición: exposición total, de lo contrario las flores no se abren completamente.

Tierra: una buena tierra de geranios será suficiente. Enriquézcala con una brizna de sangre seca (una cucharilla de café en un recipiente de 20 cm).

Riego: diario en verano o incluso dos veces al día cuando el calor arrecie. Dos veces a la semana, añada abono líquido diluido para estimular el joven follaje y formar una planta compacta.

Enemigos y enfermedades: generalmente ninguno. Atención a las primeras heladas, que pueden llegar a destruir la planta si está demasiada expuesta a las temperaturas gélidas.

Empleo: la dimorfoteca tiende a perder las hojas inferiores a lo largo de la estación, por ello, gana en belleza cuando se mezcla con plantas de follaje como el marrubio, el helicrisum, la senecia o la verbena.

Consejo: es más fácil utilizar la dimorfoteca como si fuera una anual. Pero se puede perfectamente conservar a lo largo de los años si disponemos de un invernadero, de una galería o de una habitación cálida y bien iluminada.

▲ *Osteospermum* x *ecklonis:* estrellas de extremada finura.

Osteospermum x «Las Vegas»: colores chillones. ▶

Osteospermum

P

Pachysandra terminalis
PACHYSANDRA

Un tapiz denso y uniforme.
Sotoarbusto (20 cm, –10 °C).

Follaje: persistente, de color verde oscuro, coriáceo con hojas en forma de rosetas dentadas. Los tallos trepan y colonizan con vigor el espacio que está libre.

Floración: en abril, minúsculos ramilletes de flores sin pétalos. No tienen mucho interés decorativo.

Especies y variedades: «Green Carpet» es más mate que la especie. «Variegata» es menos vigorosa y tiene flores de color verde gris con los bordes de color blanco.

Comportamiento en el recipiente: una única planta puede formar una bella maceta en una sola temporada. Es necesario dividir la mata cada dos o tres años.

Dimensiones del recipiente: se siente a gusto en los recipientes grandes. Se ajusta de maravilla a un recipiente de 40 a 50 cm de diámetro y 20 cm de profundidad. Una buena idea es ponerla en una suspensión.

Exposición: la pachysandra requiere sombra parcial pero puede soportar la sombra total.

Tierra: una buena tierra húmeda para que los rizomas puedan desarrollarse sin problemas. Añada un 50% de tierra de hojarasca con sustrato de plantación.

Riego: una vez a la semana. La pachysandra adora que la pulvericen con agua.

Enemigos y enfermedades: generalmente ninguno.

Empleo: la pachysandra es, ante todo, una planta rastrera. Combínela con bulbos como los tulipanes, jacintos, narcisos, muscaris, y así podrá esconder sus hojas amarillentas.

Consejo: en primavera, si el follaje parece que esté estropeado, pódela a ras de tierra.

▲ *Pachysandra terminalis «Variegata»: rastrera.*

Pandorea jasminoides
PANDOREA
O FALSO JARDÍN

La exuberancia de las lianas africanas.
Planta trepadora (4 m, 5 °C).

Follaje: persistente, de color verde oscuro, brillante, muy decorativo. Los tallos se alzan y trepan invadiendo todo el

◄ *Pandorea jasminoides: una bella trepadora insólita.*

soporte que encuentran. Alcanzan hasta los 4 m de altura en recipiente si las condiciones de cultivo son buenas.

Floración: corolas tubulares, muy abiertas, de color rosa muy suave, con un centro más oscuro. Se despliegan en verano.

Especies y variedades: «Lady Di» ofrece flores blancas; «Variegata» es una mutación moteada con flores de color rosa. «Power of beauty» tiene flores de color rosa intenso y con corazón violeta.

Comportamiento en el recipiente: en la mayoría de las regiones, la pandorea sólo surge en los meses más cálidos del año. Se siente a gusto en las terrazas resguardadas de la cuenca mediterránea. Por causa de su crecimiento tan rápido requiere un cambio de recipiente anual.

Dimensiones del recipiente: colóquela en un recipiente de 30 cm de diámetro y profundidad.

Exposición: para obtener una floración abundante es necesario que reciba mucho sol.

Tierra: mezcle 1/3 de tierra de brezo, de tierra de hojarasca y de arena gruesa o vermiculita.

Riego: no deje que la tierra se seque en los períodos de crecimiento. Riegue cada dos días si es necesario. Durante el invierno, resguárdela en una galería o invernadero.

Enemigos y enfermedades: las moscas blancas y las cochinillas abundan en invierno dentro del invernadero o la galería.

Empleo: La pandorea es una de las plantas que muestra un mejor desarrollo en las zonas de clima cálido. En el resto de regiones vive mejor en una galería.

Consejo: ponga la pandorea dentro de casa cuando la temperatura nocturna descienda por debajo de 5 o 6 °C. Es el momento ideal para podar más de un tercio.

Pasiflora spp.
PASIFLORA
O PASIONARIA

Corolas fascinantes.
Planta trepadora (3 m, 0 °C).

Follaje: la cantidad de lóbulos y de hojas puede variar, hecho que caracteriza a esta especie. Pueden tener dos, tres, incluso siete o, a veces, ¡ninguno!

Floración: las flores, al igual que los órganos reproductivos, tienen perfume y aparecen solas. Presentan una distribución un poco peculiar. Los primeros misioneros de América Latina vieron en estas flores la representación

▲ *Pasiflora quadrangularis:* una belleza inquietante.

▲ *Pasiflora caerulea:* un fuerte olor almendrado.

de la pasión de Cristo. Los diez pétalos representan los apóstoles, excepto Pedro, que renegó de Cristo, y Judas, que lo traicionó. La corola, formada por filamentos ondulados de color blanco, azul y púrpura, representa la corona de espinas. Los tres pistilos con sus grandes estigmas evocan los clavos de la crucifixión y los estambres los martillos. Cuando hace calor las flores aparecen de junio a octubre y se convierten en frutos de color naranja o amarillo, de 4 a 20 cm de largo. Tienen forma oval y se pueden comer si se trata de las variedades *Pasiflora edulis* y *Pasiflora quadrangularis.*

Especies y variedades: *Pasiflora caerulea* es la más rústica. La variedad «Constance Elliot» se distingue por el blanco marfil de sus sépalos y pétalos. Pasiflora *alato-caerulea* «Imperatrice Eugénie» tiene flores un poco más grandes con pétalos de color rosa púrpura claro y filamentos violetas. *Pasiflora quadranagularis* las flores de color púrpura se desarrollan resiguiendo la longitud de los tallos. Éstas están formadas por largos filamentos de color blanco y violeta. *Pasiflora coccinea* es de color rojo vivo, sólo se puede cultivar en el exterior y en las zonas muy cálidas.

Comportamiento en el recipiente: Las regiones de clima continental no son las más apropiadas para obtener frutos de la flor de la pasión. Cambie de recipiente anualmente en primavera.

Dimensiones del recipiente: un recipiente de 30 a 40 cm de lado es lo más apropiado porque la planta es voluminosa.

Exposición: en las zonas mediterráneas se puede poner en cualquier lugar que esté soleado. En las otras zonas es mejor que esté cerca de una pared bien resguardada, con una exposición sur.

Tierra: muy rica. Mezcle a partes iguales con 1/4 de tierra de jardín, tierra de hojarasca, de abono orgánico y de arena de río gruesa, que normalmente se encuentra en la sección de animales de los supermercados.

Riego: en primavera y otoño requiere riegos continuos. Deje que el recipiente se seque muy ligeramente cada dos riegos. En invierno, para seguir con el ritmo natural de la planta, se debe regar sólo cada quince días.

Enemigos y enfermedades: el mosaico del pepino ataca las hojas de la pasiflora y las deforma además de mancharlas de color amarillo. No llega a matar la planta pero ésta pierde atractivo.

Empleo: la pasiflora adorna las pérgolas y las celosías. Es necesario ayudarla cuando aún es joven y atar los tallos en el soporte. Luego, se formarán zarcillos que harán que la planta trepe sola.

Consejo: pode las pasifloras después de la floración y éntrelas cuando las temperaturas disminuyan o, proteja el recipiente con un colchón denso realizado con helechos o paja y cubra finalmente con un velo de hibernación.

▲ *Pasiflora alato-caerulea:* bello híbrido bastante sólido.

Pasiflora coccinea: esplendor cálido. ▶

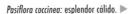

P

Pelargonium

▲ *Pelargonium graveloens:* especiado.

▲ *Pelargonium tomentosum:* mentolado.

▲ *P. «Messiel Unique»:* olor a pimienta.

▲ *Pelargonium quercifolium:* acidulado.

Pelargonium spp.
PELARGONIOS DECORATIVOS

Un mudo sutil y perfumado.

Sotoarbusto (60 cm, –5 ºC).

Follaje: La forma de las hojas varía de una especie a la otra. Pueden tener pelusilla o no, pueden ser rizadas o lisas, medir de 10 cm a 1 m de ancho, ser angulosas o casi redondas. En la mayoría de los casos, las hojas rizadas emanan un olor característico a especias. Muchos pelargonios desprenden un fuerte olor a menta. Por ejemplo, el caso de *Pelargonium tomentosum*, «Chocolat» con aroma a chocolate mentolado o «Grey Lady Plymouth» con olor a menta especiada. Las hay que desprenden aroma a limón como «Joy Lucille», «Lemon Fancy», «Mabel grey», «Prince Ruppert», *Pelargonium crispum*, *Pelargonium denticulatum* o *Pelargonium radula*. Algunas producen un olor a rosas, como el famoso «geranium rosat» (*Pelargonium graveolens*) y el «Attar of Rose».

La colección se completa con otros perfumes variados como el de manzana (*Pelargonium adoratissimum*), el de melocotón (*Pelargonium ribifolium*), eucalipto o pino (*Pelargonio ribifolium*) o incluso a zanahoria como en el caso de «Scarlet Unique».

Floración: todos estos pelargonios no se cultivan precisamente por sus flores, ya que a menudo son poco espectaculares. Los amantes de estas plantas creen, por ejemplo, que las flores del *Pelargonium crispum*, de color blanco suave, son encantadoras, o que los pequeños ramilletes de color rosa con franjas violáceas de los *Pelargonium radula*, son de gran belleza. Aun así, es cierto que hay variedades que poseen una floración muy decorativa como en el caso de los *Pelargonium*

denticulatum «Mabel Grey», de los *Pelargonium capitatum* y toda la serie «Unique»: «Scarlet Unique». «Paton's Unique» o «Jessiel Unique» con flores sencillas de color rojo intenso, muy decorativas. Las *Pelargonium regale* también se denominan *Pelargonium x domesticum* o pelargonio de grandes flores. Es una planta híbrida, que proviene de varios cruces, y desarrolla gran cantidad de flores bicolores.

Especies y variedades: los novatos cultivarán fácilmente el *pelargonium tomentosum*. Sus grandes hojas aterciopeladas, de color verde casi gris, perfuman todo de olor a menta con la más mínima brisa. Las hojas del *pelargonium quercifolium* son muy decorativas, y recuerdan a las del roble. Hay a quien no le gusta esta variedad ya que recuerda el olor de las farmacias. En mayo, una espuma de flores de color blanco rosado se apodera de los *pelargonium odoratissimum* que poseen un follaje redondo, de color verde almendra, aterciopelado como la piel de un bebé. *Pelargonium fragans* huele a nuez moscada, a resina y a eucalipto. Su follaje aterciopelado de color verde grisáceo se aclara en verano con un manto de florcillas de color rosa pálido. *Pelargonium crispum* tiene un follaje rizado como las hojas del perejil y se encuentra en múltiples variedades como la «Peach» que posee hojas moteadas de color amarillo y verde, o la «minor», que tiene un follaje aún más rizado. Los especialistas consideran que la variedad *Pelargonium x grandiflorum* es la «aristócrata de los pelargonium», tiene una floración con pétalos sedosos que van del color blanco crema al rosa violáceo. *Pelargonium graveolens* tiene un follaje rugoso y muy recortado. Posee una floración con destellos rosas que se manifiesta en todos los tonos pastel; esta lista no puede ser exhaustiva ya que la diversidad de género es inmensa.

Sin embargo, no podemos dejar de citar algunas especies curiosas como *Pelargonium abrotanum*, que posee pequeñas agujas finas y azuladas que huelen a pino; el *Pelargonium filicifolium*, con un follaje tan fino como el de los helechos y con flores de color rosa, y el *Pelargonium fragans* «Variegated», que posee un follaje colgante moteado de color amarillo y verde.

Comportamiento en el recipiente: las especies más pequeñas forman bellos recipientes bajos. Es necesario tutorar las ramas más grandes para evitar que los tallos se rompan bajo el efecto de los embates del viento. Los pelargonios en recipiente requieren una fertilización más continuada que la de aquellos que se cultivan directamente en la tierra, en macizo. Incluso si usted ha pensado alguna vez en añadir un puñado de abono de descomposición lenta en el momento de la plantación, ello no le impedirá regar una vez a la semana con abono líquido.

Cabe destacar también que los recipientes que acogen pelargonios se van volviendo inestables según va avanzando la temporada porque el follaje tiene un desarrollo importante. El más mínimo viento puede llegar a volcar una planta. Un buen truco consiste en colocarlo, desde el principio, en un recipiente un poco más grande y sujetarlo con una piedra grande. También puede instalar pelargonios en recipientes más anchos que altos.

Los pelargonios pueden vivir varios años en recipiente, pero deberá cambiarlos de tiesto anualmente en primavera debido a su notable crecimiento.

Dimensiones del recipiente: al principio de la temporada, las plantas nuevas que acabamos de comprar se pueden colocar en un recipiente de 15 a 20 cm de diámetro. Es increíble pensar que en sólo seis meses doblarán el volumen. Si la planta es vigorosa como los

P

Pelargonium

▲ *Pelargonium fragrans* «Variegatum».

▲ *Pelargonium odoratissimum*: olor cítrico.

▲ *Pelargonium crispum* «Variegatum».

▲ *Pelargonium* x *domesticum*: florífero.

Pelargonium tomentosum, por ejemplo, piense que deberá cambiarlos de recipiente a lo largo de la temporada y colocarlos en un recipiente de 25 a 30 cm de altura. Es preferible realizar una división de cepellones o reproducir por esqueje antes de conservar demasiado tiempo una planta madre que lo invadiría todo y perdería belleza en su base.

Exposición: todos los pelargonios perfumados requieren de mucho sol si no es demasiado ardiente, excepto el *Pelargonium tomentposum*, que gana en belleza cuando se encuentra protegido por la sombra ligera de un árbol o de un arbusto.

Tierra: los pelargonios son plantas golosas que requieren de una mezcla rica. Mezcle 1/3 de tierra de hojarasca, 1/3 de tierra de jardín y 1/6 de tierra de arena burda de río y de abono orgánico compuesto, respectivamente. A su vez puede también aportarles tierra para geranios, cuya composición está pensada para que el sustrato no se apelmace con los riegos continuos.

Si sólo se usa un sustrato de cultivo como la tierra de «geranios», ello implica la necesidad de una fertilización regular y controlada.

Riego: los pelargonios pueden soportar cortos períodos de sequía, pero su crecimiento será mucho más bello y su porte más compacto si le aportamos riegos regulares, cada dos días en verano. Los pelargonios que posean un follaje peludo no deben regarse por encima, sino que deben recibir el agua directamente en la base. En efecto, el estancamiento de agua en este tipo de follaje favorece el desarrollo de un moho que puede estropear la planta.

Enemigos y enfermedades: bastante pocos en general. Algunos hongos pueden atacar los tallos y provocar manchas en las hojas. Las moscas blancas invaden el follaje, especialmente en invierno cuando las plantas se guardan en casa.

Empleo: los pelargonios perfumados forman recipientes que ganan en belleza si se admiran desde cerca. En esta especie, que tiene tantos y tan variadas características, se gana cuando se apuesta por la abundancia de la misma. Puede componer una pequeña colección en función del olor, de la forma de las hojas o del color del follaje. Las especies cuyo olor se aprecia unánimemente, como es el caso del *Pelargonium tomentosus*, que huele a menta, o el *Pelargonium denticulatum*, que huele a hierba de limón, se pueden colocar en la entrada para que perfumen el ambiente a nuestro paso.

Consejo: antes de resguardar los pelargonios, en octubre, realice una limpieza generalizada. Retire todas las hojas muertas o enfermas que aún pueda tener, limpie la superficie de la tierra, pode las ramas demasiado largas y limpie con una esponja los recipientes y los platillos. Si no puede conservar resguardada toda la colección durante el invierno, realice los esquejes en primavera u otoño. Lo más idóneo es podar justo por debajo del nudo (justo el punto por donde salía la planta) y conseguir una rama de 8 cm con tres nudos. No se olvide de las hojas superiores, reduzca su limbo por la mitad y plante el brote en un recipiente lleno de turba y arena. Puede ayudar a que las raíces se desarrollen mojando la base de la raíz, una vez cortada, con hormonas de crecimiento.

Un soberbio pelargonio híbrido con grandes flores. ▶

Pelargonium peltatum
GERANIO HIEDRA

Cascadas de flores para todo el verano.
Sotoarbusto (1 m, –5 °C).

Follaje: verde básico, bastante carnoso, lobulado como el de la hiedra, generalmente liso y a menudo brillante. Los tallos pueden alcanzar 1 m de longitud en condiciones de cultivo óptimas (2 m en la naturaleza surafricana, su país de origen).

Floración: sombrillas con largos pedúnculos que tienen hasta una decena de flores, sencillas o dobles. Van del blanco al rojo y adquieren todos los tonos del malva y el rosa.

Especies y variedades: los geranios hiedra que no se lenifican forman cascadas exuberantes. «Rey de los balcones», rosa salmón, es una de las más populares; «Ville de Paris» tiene flores de color rojo vivo. Los geranios hiedra con tallos leñosos presentan un porte más compacto. Se encuentran bajo la denominación de «Decora». Los «Mini Cascada» con vegetación densa, en forma de bola, poseen una floración ligera que queda de maravilla en las jardineras de talla media. También es posible encontrar, en las tiendas especializadas, minigeranios hiedra como los «Pink-Baby», con flores de color rosa suave, o los «Sugar baby», los más pequeños de todos. Florecen en color blanco apenas teñido de color rosa.

Las variedades con follaje de colores acentúan la decoración, como en el caso del «Duc d'Anjou», con hojas blancas y verdes; «Flakey», una minihiedra de color verde y blanco o la variedad «Elegante», una planta de pequeño porte. Su sorprendente follaje verde, blanco y lila se vuelve rosa violáceo cuando no la regamos con regularidad.

Comportamiento en el recipiente: los geranios hiedra en recipiente, conforme pasa la temporada, tienden a ser menos floridos. Por ello, se les debe prestar atención ofreciéndoles todos los cuidados que necesiten, como limpieza de las hojas muertas y de las flores marchitas, y abonarlos regularmente con abono líquido. De este modo seguirán desplegando todos sus valores decorativos hasta las primeras heladas.

Dimensiones del recipiente: cuanto más grande sea el recipiente, se deberá regar con menos frecuencia. Un geranio hiedra puede crecer en un recipiente de 25 cm de diámetro y profundidad. Pero puede obtener composiciones más generosas si reúne varias plantas en una jardinera de 50 cm de largo y 25 cm de ancho o en un recipiente de 40 cm de diámetro.

Exposición: la exposición total de sol favorece una floración generosa. Pero los geranios hiedra pueden tolerar algunas horas de sombra ligera en una jornada.

Tierra: existen dos sustratos pensados para el uso de los geranios. A menudo contiene puzolana, un material ligero que impide que el sustrato se apelmace bajo los efectos de los riegos repetidos. Estos sustratos a veces se enriquecen con potasa para obtener una floración más bella y una rigidez superior de los tallos.

Riego: los geranios hiedra son resistentes a los olvidos, sobre todo si el recipiente es grande. Lo más adecuado son dos riegos a la semana.

Enemigos y enfermedades: la podredumbre gris puede instalarse en los tallos y las hojas. Cuando aparece es porque las condiciones de cultivo son demasiado húmedas.

Empleo: normalmente los geranios hiedra se utilizan bastante poco como plantas trepadoras. Si empalizamos sus ramas en una celosía, se puede obtener un bello abanico

▼ «Balcón imperial»: estrella inconfundible.

▼ «Duque de Anjou»: hojas moteadas.

▼ «Amethyst»: flores dobles, sólidas.

▼ «Roulettta»: hermosa floración bicolor.

▲ «Doudou»: rojo vivo.

▲ «Gold Papa» y «Willian Languth».

▲ «Apple Blossom»: crispado.

▲ «Pulsar»: se obtiene mediante semillas.

florido, sobre todo si conservamos las plantas de un año al otro. Otro uso espectacular consiste en hacer crecer varios tallos, atados juntos y crear un efecto de paraguas. Esconda las hoja inferiores para que los tallos queden completamente desprovistos de hoja, como si se tratara de un tronco y, después, deje que caiga la cascada de tallos repletos de flores cubriendo el soporte en forma de sombrilla. Para conseguir este arreglo se deben conservar las plantas varios años. El empleo más clásico de los geranios hiedra es que integren bellos recipientes, colgantes o no. Combinan con todas las anuales.

Consejo: evite las dosis exageradas de abono con nitratos ya que hacen que las hojas moteadas acaben siendo completamente verdes y favorecen el desarrollo de las hojas en detrimento de las flores.

Pelargonium x *hortorum*
GERANIO ZONAL

El rey del verano.
Soto arbusto (1 m, –5 °C).

Follaje: bastante redondo, aterciopelado, a veces adornado con una corona marrón, desprende un perfume muy acentuado, poco agradable cuando frotamos las hojas.

Floración: sencilla o doble. Las inflorescencias se producen en la axila folicular superior en forma de sombrillas redondas y compactas, de mayo hasta que llegan las primeras heladas. Adquiere una gama infinita de colores que van desde el blanco hasta el rojo intenso, pasando por el lila y el rosa. Algunas flores muy finas recuerdan pequeñas pavesas y entran en la clasificación de las «Stellar», otras tienen flores dobles con pétalos distribuidos como los de una rosa. Las denominan «Botones de rosa».

Especies y variedades: existe un centenar de variedades, sencillas o dobles. La selección es difícil, ya que los especialistas en híbridos han conseguido mejorar mucho las variedades. Varias son nuestras preferidas. La «Multibloom» (literalmente «floración múltiple»), que hace honor a su nombre porque florece hasta la llegada de las heladas. Existe en versión roja, rosa, blanca, morada y salmón. Las grandes flores de color rojo anaranjado del «Jardín de las plantas» se pueden apreciar desde lejos. «Apple blossom» tiene unas rosas de color blanco muy pequeñitas con matices de color rosa. Los geranios blancos no gustan tanto a los apasionados de esta planta, ya que si la temporada es muy lluviosa las flores se tiñen como si fueran un trapo sucio. Con todo, las variedades rosa y blanca tienen su encanto: una estela de color rosa bordea las flores blancas de «Noche de Bodas», el borde de los pétalos de «Cathy» se tiñen ligeramente de color rosa. La variedad «Kees» es un poco extraña, es el único geranio zonal que florece en un color amarillo. Sus largos pedúnculos tienen flores simples de un sorprendente color amarillo limón.

Comportamiento en el recipiente: los geranios tienen una clara tendencia a marchitarse con la edad. No dude en pinzarlos.

Dimensiones del recipiente: una mata de geranio zonal vive en un recipiente de 20 a 25 cm de diámetro y profundidad.

Exposición: pleno sol, incluso cálido, con sombra parcial muy tenue.

Tierra: la tierra para geranios es lo más ideal. A mitad de la temporada cubra la superficie del recipiente con un regenerador para plantas floridas.

Riego: la mayoría de los geranios fallecen no por falta de agua sino por exceso de humedad. Controle que los primeros centímetros de tierra estén secos antes de volver a regar las plantas.

Enemigos y enfermedades: la roya aparece a finales de verano en el reverso de las hojas. Si el ataque es reducido, pode las hojas que estén afectadas. Algunos hongos provocan manchas pálidas en las hojas. Los pulgones y las moscas blancas se deben erradicar, sobre todo en invierno, cuando las plantas están durante mucho tiempo confinadas en el interior.

Empleo: los vegetales de follaje realzan los geranios zonales. Utilice y abuse de los *helichrysums*, de los *plectranthus*, de las hiedras moteadas. Combínelos con bacopas, con follaje pequeño, y lobelias «Cascada», que combinan perfectamente con el color naranja o con los pasteles.

Consejo: evite siempre que pueda el riego por aspersión por encima de las hojas. Es preferible regar las plantas con una regadera de cuello largo.

Geranio zonal con flores redondeadas. ▷

391

▲ *Pennisetum compressum:* espigas muy graciosas.

▲ *Penstemon «Recuerdo de Adrien Regnier»:* ¡gran clase!

Pennisetum compressum
PENNISETUM

Aprecie sus dorados.

Planta vivaz (60 cm, –7 ºC).

Follaje: estrecho, lineal, romboidal, en matas densas, de color verde azulado, con tonos marrones en septiembre.

Floración: una multitud de espigas cilíndricas plumosas que recuerdan plumeros y que aparecen en agosto. Son decorativos hasta navidad.

Especies y variedades: los pequeños balcones pueden adaptar la variedad «Hameln» que no supera los 60 cm. «Moundry» tiene hojas más anchas y glaucas, con espigas de color castaño oscuro.

Comportamiento en el recipiente: el pennisetum debe cambiarse de recipiente anualmente en primavera.

Dimensiones del recipiente: una mata adulta puede vivir tranquilamente en una jardinera de 30 a 40 cm.

Exposición: a pleno sol, de lo contrario la planta produce menos espigas.

Tierra: sustrato y tierra de jardín mezclada.

Riego: Hay que tener cuidado para que la tierra no se seque nunca, hecho que suele pasar cuando la raíz ocupa todo el volumen del recipiente. Tres veces a la semana.

Enemigos y enfermedades: generalmente ninguno, pero a veces la roya mancha las hojas.

Empleo: el pennisetum tiene una presencia fuerte en el decorado, por la generosidad de la mata que contrasta con la ligereza de la floración. Normalmente se deja solo en el recipiente. Combina excelentemente cerca de las coníferas ya que aligera sus silueta. Colocadas en el sentido opuesto del sol, sus espigas plumosas captan perfectamente la luz.

Consejo: la rusticidad de esta planta vivaz no es muy adecuada para las zonas septentrionales más frías. Por ello, es necesario protegerla en invierno.

Penteom spp.
PENSTEMON

Largas semanas de floración.

Planta vivaz (80 cm, –4 ºC).

Follaje: lanceolado, estrecho, más ancho en la base.

Floración: espigas laxas con flores tubulares que se de-

◄ *Pernettya mucronata:* pequeños caramelos ácidos.

---

sarrollan de mayo a octubre, a menudo con tonos rosa y rojo o mezclados.

Especies y variedades: *penstemon pinifolius* «Recuerdo de Adrien Régnier» tiene grandes flores en forma de campánulas, de color rosa suave, con el centro blanco. «Russian River» tal vez es la más original gracias a sus flores violetas con reflejos de color azul marino. Los penstemons híbridos ofrecen una floración espectacular. «Alice Hindley» tiene flores de color violeta pálido con el centro de color blanco, es una de nuestras favoritas.

Comportamiento en el recipiente: la mayor parte de los penstemons híbridos no son rústicos, sobre todo en recipiente. Por ello, es necesario renovarlos anualmente.

Dimensiones del recipiente: un penstemon requiere un recipiente de 25-30 cm de diámetro y profundidad.

Exposición: pleno sol para una bella floración.

Tierra: tierra de geranios ya que su composición está pensada para no retener demasiada agua.

Riego: lo más regular posible, sin exceso, ni episodios de sequía (cada dos o tres días).

Enemigos y enfermedades: generalmente ninguno.

Empleo: la riqueza y la abundancia de su floración es la característica principal de los penstemons, por ello componen excelentes recipientes floridos y aislados de otros. Combinan perfectamente con los geranios vivaces, las salvias con follaje púrpura, y las artemisas grises.

Consejo: es mejor cultivar los penstemons híbridos comprando plantas jóvenes en primavera y eliminarlos después de la floración.

Pernettya mucronata
PERNETTYA

Grandes caramelos que se comen con los ojos.

Arbusto (60 cm, –8 ºC).

Follaje: pequeño, coriáceo, verde oscuro y persistente, con hojas mucronatas (muy puntiagudas).

Floración: racimos de campanillas discretas de color blanco rosado, con espectaculares bayas de color encarnado, rosa suave o blanco marfil.

Especies y variedades: «Bells Seedling» es una variedad de grandes frutos de color rojo oscuro; «Crimsonian» en otoño da frutos de color rojo grosella. «Mother of pearl» tiene frutos de color rosa. «Winter Times» se cubre con bayas de color blanco marfil.

Comportamiento en el recipiente: la pernettya en recipiente, expuesta a los vientos fríos en invierno, sobre todo en los balcones que se encuentran en los pisos superiores, puede perder una parte de sus hojas. Resguárdela en diciembre.

Dimensiones del recipiente: al principio, un recipiente de 20 cm de ancho, luego será necesario uno de 30 cm.

Exposición: sombra parcial bastante densa en verano y una buena luminosidad en invierno.

Tierra: se debe eliminar cualquier tipo de restos calcáreos. La turba y la tierra de brezo a partes iguales son lo más adecuado.

Riego: conserve la tierra siempre ligeramente húmeda con un riego cada dos o tres días.

Enemigos y enfermedades: generalmente ninguno. Los riegos con agua demasiado calcárea provocan el amarilleamiento de las hojas (clorosis férrica).

Empleo: la pernettya forma excelentes recipientes decorativos durante todo el año. Combínela con camelias, azaleas, rododendros enanos. Plántelas en la sombra con arces japoneses o hydrangeas, brezos o pieris moteados.

Consejo: la especie es dioica (macho y hembra separados), plante varias plantas conjuntamente para obtener una fructificación abundante.

Perovskia atriplicifolia
PEROVSKIA

Azul como el cielo de verano.

Arbusto (1m, −6 °C).

Follaje: fino, gris verde, casi cenizo, oval, alargado, desprende un olor aromático cuando hundimos la mano en el follaje.

Floración: las ramas difusas tiene panículas de flores de color azul pálido que dan, de lejos, la sensación de ser una nube de lavanda en pleno septiembre.

Especies y variedades: «Blue Spire» tiene espigas de color azul subido. «Superba» es un híbrido denso que alcanza rápidamente su tamaño adulto.

Comportamiento en el recipiente: la planta gana cuando se renueva cada tres o cuatro años.

Dimensiones del recipiente: plante dos matas en una jardinera de 40 cm de ancho y 30 cm de alto.

Exposición: pleno sol para obtener esta «bruma» azul tan decorativa que la caracteriza.

Tierra: prepare una mezcla a partes iguales de tierra de cortezas y tierra vegetal.

Riego: deje que el recipiente se seque un poco entre riego y riego (una vez a la semana).

Enemigos y enfermedades: generalmente ninguno.

Empleo: en segundo plano, agrupada con anuales de color pastel o flores con colores fuertes, como las cosmos naranja, las zinnias o las rosas de la India.

Consejo: después del invierno, pode los tallos a ras de tierra. Ponga pinzas en los brotes más jóvenes para obtener matas más densas. No fertilice demasiado.

Petroselinum crispum
PEREJIL

Vitaminas al alcance de la mano.

Planta bianual (30 cm, 0 °C).

Follaje: verde intenso, frisado o liso, con tallos tersos bien ramificados.

Floración: aparece al segundo año de cultivo, pero generalmente no se ve, ya que las plantas se sustituyen anualmente.

Especies y variedades: el perejil plano posee más sabor que el rizado. «Gigante de Italia» tiene grandes hojas planas.

Comportamiento en el recipiente: el perejil tiende a formar matas laxas que se marchitan un poco.

Dimensiones del recipiente: un recipiente de 15 cm de diámetro basta para una planta durante toda la temporada.

Exposición: sol o sombra ligera.

Tierra: rica y bien drenada. Añada un puñado de vermiculita o de arena de río con sustrato para plantas verdes.

Riego: no olvide abonar a diario en verano, sobre todo si el recipiente es pequeño.

Enemigos y enfermedades: algunos años, los pulgones invaden las hojas. Cuando amarillean es porque requieren un abono de nitrato, porque se encuentran en un emplazamiento demasiado caluroso o porque los riegos son excesivos.

Empleo: en el borde de las jardineras, mezclada con recipientes de anuales, en cestos colgantes, en jarra de fresales, con otras hierbas aromáticas.

Consejo: para activar la germinación de las semillas, póngalas en remojo el día antes en un vaso con agua. El nacimiento se dará antes de los veinte días.

▲ *Prevskia atriplicifolia* «Blue Spire»: floración tardía.

▲ *Petroselium crispum:* el perejil enano rizado.

El perejil común es más sabroso. ▶

Petunia

Petunia x *híbrida*
PETUNIA

La generosidad hecha flor.
Planta anual (40 cm, 5 ºC).

Follaje: sencillo, verde malta, pegajoso al tacto con minúsculos pelos secretores presentes en toda la parte central de la planta (tallo, pecíolo, etc.).

Floración: trompetas anchas que pueden alcanzar los 10 cm, se abren normalmente de mayo hasta el período de heladas. Los horticultores han seleccionado una vasta paleta de colores que van del azul más profundo al blanco casi translúcido, pasando por todos los tonos del rosa, del lila, del rojo y del malva e incluso del amarillo. Las flores normalmente son simples, pero existe una variedad de flores dobles con corolas livianas, como las faldas de las bailarinas. Las variedades bicolores tienen un gran atractivo con pétalos bordeados de color blanco o rosa o incluso estrellados con franjas coloridas.

Especies y variedades: los híbridos F1 tienen una floración generosa y una buena resistencia a la lluvia y a las enfermedades. Entre éstos cabe destacar la serie «Grandiflora» con flores enormes que crecen de maravilla en las regiones con lluvias moderadas. A menudo se venden en función de sus colores, sin el nombre de la variedad. Destacan también las petunias blancas, las estrellas púrpuras, con pétalos ligeramente ri-

zados. Se encuentran a gusto en los grandes recipientes, con otras plantas de floración exuberante. Las petunias de la serie «Fantasy» presentan una vegetación más compacta y una floración excepcional. Las formas azul noche, con pétalos aterciopelados, perfuman el aire cuando cae la noche. Son las únicas petunias realmente perfumadas. Las amarillas a menudo demuestran un carácter más caprichoso. «California Girl» de color limón es la que tiene más encanto. Las petunias de la serie «Péndula» presentan un porte colgante. Las *petunia* x *surfinia* aparecieron en las tiendas especializadas a principios de los años 90. Normalmente se denominan «Surfinias» y existen gracias a un investigador japonés que ha acentuado el carácter trepador de algunas variedades y que ha trabajado para que tengan más vigor y profusión de la floración. Todo esto hace que sean unas plantas excelentes para los recipientes colgantes cuyos tallos pueden llegar a medir 1 m de largo. Los tonos originarios están faltos de sutileza, pero los de las variedades más recientes tienen corolas blancas de color rosa y rosa ligeramente teñido de malva. «Million Bells» es una selección que ha aparecido recientemente en el mercado. Los tallos más o menos erguidos tienen una multitud de pequeñas flores que forman grandes matas redondas a lo largo de la temporada.

Comportamiento en el recipiente: según avance la

Una suspensión de *Petunia* x *surfinia* «Pink Vein». ▶

estación, las petunias tienden a producir largos tallos que pierden vegetación y que hacen que los recipientes sean menos atractivos. No dude en pinzar los brotes demasiado largos para provocar ramificaciones que rápidamente florecerán.

Dimensiones del recipiente: una única petunia puede pasar el verano en un recipiente de 20 cm de diámetro. Sus flores son más bellas en masa. Un gran recipiente de 40 cm de ancho y 30 cm de alto puede acoger tres plantas. En el momento de la plantación puede que las tres plantas estén perdidas en tanto espacio, pero no olvide que después de dos meses ocuparán todo el recipiente. Para realizar una suspensión florida, elija un cesto tan ancho como pueda (30 cm como mínimo), para disponer de un volumen de tierra suficiente que evitará que tenga que regar dos veces al día en verano.

Exposición: las petunias no tienen miedo del sol, en las zonas meridionales están a gusto con medio día de sol. No las exponga a las corrientes de aire violentas que estropean las flores y rompen los tallos.

Tierra: una mezcla rica y de buena calidad para garantizar la nutrición de las plantas a lo largo de toda la temporada. Elija tierra para geranios y enriquézcala con un gran puñado de abono orgánico por cada 10 l de sustrato.

Riego: los riegos irregulares provocan una ralentiza-

▲ *Petunia* x *grandiflora* «Prism»: opulenta.

▲ Petunias híbridas: mezcla de colores.

▲ *Petunia multiflora* «Horizon»: sencilla.

▲ Petunias híbridas con flores dobles.

ción de la floración. En verano, riegue por lo menos cada dos días si el recipiente es de un buen tamaño y el volumen de la tierra es abundante. En el caso de las suspensiones es un poco diferente. Cuando se exponen a las corrientes de aire, en un volumen de tierra limitado, las plantas se secan rápidamente. Es necesario regarlas cada tarde en verano y dos veces al día cuando el calor arrecie. Es conveniente descolgar los cestos una vez a la semana y ponerlos en remojo diez minutos en un cubo con agua que tenga abono para plantas de flor.

Enemigos y enfermedades: un hongo casi indestructible, el *Rhizoctonia*, provoca la podredumbre de las raíces y del cuello. Las plantas a punto de florecer se mueren de golpe. Hay que desprenderse de las plantas afectadas, además de la tierra, y lavar el recipiente con agua caliente y jabón ayudándonos con un cepillo. Después, remoje el recipiente diez minutos en agua con lejía. Hay virus que provocan que las plantas se marchiten y deforman las hojas y las flores. No se puede hacer nada en dicho caso, sólo tirar las plantas más enfermas.

Empleo: las formas sencillas de petunia, de color azul oscuro con su olor tan característico, se pueden combinar perfectamente con los helichrysums moteados o con verónicas de follaje crema y amarillo, y también con algunas matas de «California Girl» que tiene un toque de limón. Las petunias blancas se adaptan a todo y proporcionan unidad a la terraza. Para conseguir un broche de color pastel, combine flores rosas con tabacos viejos de color rosa, diascias y alquimilas de color verde ácido. A su vez, puede combinarlas con cosmos, con cabezas suaves de color rosa y blanco. Si además

desea añadir un toque azul, puede añadir a la paleta scaevolas, heliotropos y lobelias (se deben plantar en el lugar menos soleado del recipiente). Las petunias igualmente combinan con los pelargonios de follaje perfumado.

Consejo: compre plantas en primavera, puesto que se trata del momento en el que están más desarrolladas. Espere, sin embargo, hasta finales de abril o a principios de mayo. Elija las plantas más densas, las más repletas de capullos, pero que aún no han tenido tiempo suficiente para florecer. Nuestros especialistas aconsejan incluso pinzar estas primeras flores para permitir que la planta arraigue y se fortalezca adecuadamente. A continuación, retire las flores que se vayan marchitando. No basta con sacar las corolas secas, se debe

pinzar, con las uñas, el pedúnculo que se encuentra en el ovario de la flor.

Las surfinias son plantas estériles y, por ello, no tiene sentido que realicemos esta operación con estas plantas. Su esterilidad se explica además por la abundante floración de estas plantas que, consecuentemente, no se pueden multiplicar por semillas. Se deben realizar esquejes, por ello se justifica su precio más elevado. Las surfinias se deben fertilizar una vez cada dos riegos, preferentemente con abono líquido diluido. No aplique nunca abono en una tierra seca, ya que podría quemar las raíces. Moje el cepellón por la mañana, por ejemplo, y riegue con abono por la tarde. De todos modos, las petunias nunca tienen suficiente.

Petunia x *surfinia* «Million Bells»: una avalancha florida. ▶

P

Phaseolus

▲ *Phaseolus coccineus:* la judía más vigorosa.

▲ *Philadelphus coronarius* «Aureus»: la jeringuilla dorada.

Phaseolus spp.
JUDÍA

Una apabullante rapidez de crecimiento.
Planta anual (2,5 m, 0 ºC).
Follaje: trifoliado, de color verde mate, con foliolos ovales.

Floración: en la axila folicular aparecen ramilletes blancos, rosas o violetas que se convierten en vainas verdes comestibles.

Especies y variedades: la variedad *Phaseolus multiflores* es la única especie realmente interesante para cultivar en un balcón. También la variedad *phaseolus coccineus* forma flores de color rojo bermellón. *Phaseolus vulgaris*, la judía común, no es muy decorativa y se deben plantar una cierta cantidad de matas para obtener una cosecha más o menos digna.

Comportamiento en el recipiente: *Phaseolus multiflores* en recipiente puede desarrollar tallos de 2 a 3 m.

Dimensiones del recipiente: bastará con un recipiente de 30 cm de alto y ancho.

Exposición: requiere pleno sol.

Tierra: tierra de plantación, ligera y rica.

Riego: es mejor regar abundantemente, cada dos días, de lo contrario, la planta dejará de florecer.

Enemigos y enfermedades: las arañas rojas y los pulgones negros invaden frecuentemente el follaje. Algunos hongos provocan la aparición de manchas negras o marrones en las hojas.

Empleo: *Phaseolus multiflores* cubre las celosías, viste las barandillas o decora las ventanas con gran rapidez.

Consejo: los vainas de las judías son comestibles. Aun así... ¡no se las coma todas! Deje que se desarrollen también algunas para decorar.

Philadelphus spp.
JERINGUILLA

Flores inmaculadas y perfume embriagador.
Arbusto (1,50 m, –15 ºC).
Follaje: oval, verde claro, con nervios centrales claramente marcados.

Floración: las ramas despliegan con la llegada de la primavera una nieve espesa de corolas de color marfil que perfuman el aire con un embriagador aroma de jazmín.

Especies y variedades: *Philadelphus coronarius*, la jeringuilla de los jardines, presenta flores de color blanco crema muy perfumadas. Su versión dorada «Aureus» requiere sombra parcial. «Beauclreck», un híbrido, tiene grandes flores simples de color blanco con un corazón rojo y el borde de los pétalos es crespado. «Bouquet blanc» se cubre de flores semidobles y perfumadas. Las flores dobles o semidobles de «Virginal» tienen un color blanco inmaculado. «Silvershower» forma una mata redonda de 1 m de altura, es perfecta para las pequeñas terrazas.

Comportamiento en el recipiente: la jeringuilla en recipiente a veces es menos densa que cuando está en plena tierra. Pince el arbusto con rigor después de la floración para obligarlo a que se ramifique. Pode las ramas que sean prescindibles.

Dimensiones del recipiente: una jeringuilla adulta puede vivir en un recipiente cuadrado de 30 a 40 cm de lado.

Exposición: se aconseja pleno sol, pero la sombra parcial no es un obstáculo a la floración. Sólo que en dicho caso, el follaje será menos dorado en otoño.

Tierra: prepare una mezcla a partes iguales de tierra vegetal y tierra de plantación.

Riego: aumente el ritmo según vayan apareciendo las hojas. Dos veces por semana deberá utilizar una regadera entera, sobre todo en verano.

Enemigos y enfermedades: los pulgones atacan la extremidad de las ramas jóvenes en primavera.

◄ Jeringuilla con flores dobles: *Philadelphus x lemoinei.*

Empleo: en segundo plano, en grandes jardineras, en pantalla o en las esquinas.

Consejo: los jóvenes brotes (con corteza verde) como son más floridos debemos cortarles las ramas de más edad (corteza marrón-gris).

Phlomis fruticosa
AGUAVIENTOS O SALVIA DE JERUSALÉN

Conocida como la salvia de Jerusalén.
Planta anual (80 cm, –10 °C).
Follaje: oval, sencillo, de color gris verde, lanoso y muy suave al tacto, forma masas compactas de color verde almendra persistentes.

Floración: flores tubulares, amarillas, con pétalos en forma de sombrero que aparecen entre junio y julio. Algunos jardineros las suprimen para conservar la masa del follaje.

Especies y variedades: *Phlomis fruticosa* es la más común de todas. *Phlomis italica* florece en color rosa pálido pero es menos rústica. La floración amarilla de *Phlomis viscosa* realza el valor de los tallos marrones de la planta.

Comportamiento en el recipiente: los aguavientos tienden a ocupar masivamente el espacio. No dude en podarlos para que conserven unas proporciones razonables.

Dimensiones del recipiente: un recipiente de 30 cm de ancho y alto permite un desarrollo armonioso.

Exposición: el pleno sol es necesario.

Tierra: utilice tierra de plantación o tierra para plantas verdes.

Riego: el aguavientos puede resistir algunos olvidos porque resiste perfectamente a la sequía.

Enemigos y enfermedades: generalmente ninguno.

Empleo: el follaje aterciopelado del aguavientos se utiliza para realzar el estallido de las anuales.

Consejo: tápese la boca con un pañuelo cuando pode los aguavientos porque los pelos de las hojas secas producen irritaciones en la garganta.

Phlox spp.
FLOX

Una planta con mil rostros.
Anual o vivaz (70 cm, –10 °C).
Follaje: lanceolado, de color verde franco, más o menos ancho y denso en función de las especies.

Floración: las corolas casi siempre son muy abiertas. Los pétalos (cinco normalmente) pueden ser rectos u ondulados. Las flores se reagrupan en masa a veces tan densas que no se ven casi las hojas (sobre todo en las especies tempranas).

Especies y variedades: los flox enanos forman espectaculares cojines compactos y coloridos. *Phlox Douglasii* «Boothman's variety» se cubre con flores de color rosa malva con corazón oscuro. «Crackerjack» tiene un color rojo carmín sorprendente. Los híbridos de *Phlox subulata* forman a veces tapices de flores en primavera: «Drumm» posee flores blancas, manchadas con tonos lila. Los híbridos de *Phlox paniculata* tienen una vegetación vigorosa y racimos generosos, ricamente coloreados a finales de verano. La elección de los colores es muy amplia: azul, rojo, malva, salmón...

Comportamiento en el recipiente: los flox enanos a menudo encuentran en el recipiente las condiciones que requiere, como si se tratara de una rocalla. Sea cual sea su recipiente, los *Phlox paniculata* tienden a doblarse con la primera lluvia. Por ello, no olvide colocar tutores.

Dimensiones del recipiente: de 15 cm para los enanos a 30 cm de ancho y alto para los híbridos que forman matas anchas, bastante golosas.

Exposición: los flox en recipiente resisten mucho mejor la sequía cuando están en sombra parcial. Si instala un sistema de riego gota a gota puede plantarlas al sol.

Tierra: la tierra de geranios es la más conveniente para todas las especies de flox.

Riego: estas flores toleran algunos períodos de sequía, pero los flox prefieren riegos regulares (cada tres días).

Enemigos y enfermedades: le atacan gusanos minúsculos que viven en el suelo y que hacen perecer las raíces. Las plantas afectadas se deforman y los brotes más jóvenes se secan, provocando así su desaparición. Las especies enanas y los flox anuales generalmente son indemnes a estos gusanos. El oídium también es frecuente en el caso del *Phlox paniculata*. Cubre las hojas con un polvo gris. La humedad demasiado pronunciada tampoco es beneficiosa porque hace amarillear el follaje.

Empleo: combine los flox con tabacos, coreopsis rosas y cosmos.

Consejo: pode los tallos marchitos en octubre, a 3 cm por encima de la tierra.

«Twinkle»: un flox anual con flores en finas estrellas. ▶

▲ *Phlomis fruticosa*: un crecimiento impresionante.

▲ *Phlox subulata*: una rica floración a finales de abril.

P

▲ *Phoenix canariensis:* la palmera de las Canarias.

▲ *Phoenix roebelenii:* elegancia y ligereza.

Phoenix spp.
PALMERA DATILERA

Para un ambiente muy exótico.
Palmera (2 m, –4 °C).

Follaje: el tronco tiene una corona de palmas rígidas, plumeadas, de color verde básico, que pueden alcanzar 2 m de ancho o más.

Floración: florescencias densas, constituidas por pequeñas flores de color miel que aparecen entre las hojas en primavera en las regiones de clima cálido.

Especies y variedades: *Phoenix canariensis,* la datilera de las Canarias, sólo es rústica en las regiones que están bien protegidas del frío. *Phoenix dactylifera,* la auténtica palmera datilera, menos densa que la anterior, resiste mejor los embates aunque es más sensible al frío cuando se encuentra en recipiente.

Comportamiento en el recipiente: las *phoenix* no crecen tan bien en recipiente como directamente en tierra. A menudo vegetan durante los primeros años y requieren mucha paciencia. Es inútil cambiarlas de recipiente muy a menudo.

Dimensiones del recipiente: un gran recipiente de como mínimo 40 cm de lado para cuando lleguen a la edad adulta.

Exposición: a pleno sol, excepto en pleno verano ya que las palmeras prefieren la sombra parcial en esta estación.

Tierra: realice una mezcla a partes iguales de tierra de hojarasca, arena y tierra de jardín.

Riego: riegue muy poco de noviembre a marzo. Aumente regularmente la frecuencia de riego en abril y mayo (una vez a la semana) y después riegue abundantemente durante todo el verano.

Enemigos y enfermedades: las cochinillas atacan frecuentemente las palmeras en recipiente, sobre todo en invierno. Algunos hongos manchan las hojas.

Empleo: las palmeras se utilizan aisladamente con otras plantas de clima cálido como las buganvillas, los plumbagos, las yucas, los formiums y los cítricos.

Consejo: cambie de recipiente sólo cada tres años, pero sustituya la tierra de la superficie cada primavera con una tierra regeneradora para plantas. Traslade las palmeras en invierno a un lugar con una temperatura de entre 7 y 12 °C. Pueden soportar incluso una pequeña helada si la tierra está bien seca.

◄ *Phormium* «Rainbow Sunris»: una coloración sutil.

Phormium spp.
FORMIUM O LINO DE NUEVA ZELANDA

El lino de Nueva Zelanda.
Planta vivaz (1,20 cm, 0 °C).

Follaje: coriáceo, alargado, romboidal, verde pero también anaranjado, rojo, albaricoque, dorado o moteado.

Floración: el formium no florece cuando es joven. Hay que esperar entre cinco o seis años para que emerjan del corazón de la planta los grandes pámpanos cuyas flores en panículas ramificadas pueden alcanzar varios metros de altura.

Especies y variedades: *Phormium cookianum* «Yellow Wave», con largas hojas de color amarillo oro, bordeadas con una franja verde, o *Phormium tenax* «Atropurpureum» rojo bronce es el más común. Es imposible dejar de admirar el «Rainbow maiden», con hojas de color coral, crema o rojo intenso. El grupo de los «Maori» ofrece colores bastante divertidos, como el «Maori Maiden», que tiene un color rosa vibrante que se funde en color albaricoque con un toque de verde oliva. Desde hace poco tiempo han ido apareciendo variedades enanas. No superan los 60 cm de altura y parece que hayan nacido para vivir en recipiente como la «Thumbellina», de color verde finamente rayado con tonos bronce, o «Jack Sprat», una de las variedades más pequeñas que existen con hojas de color bronce que emergen del centro de la planta con un movimiento en espiral casi animal.

Comportamiento en el recipiente: las raíces de los formiums se adaptan muy bien a los espacios limitados. Cambie de recipiente cada dos o tres años.

Dimensiones del recipiente: se requiere de un recipiente de como mínimo 40 cm de profundidad y anchura para un formium adulto. Las especies enanas pueden vivir en un recipiente de 25 cm de diámetro.

Exposición: plena luz, sin excesivo calor.

Tierra: una mezcla homogénea de arena, sustrato y tierra de jardín enriquecida.

Riego: aunque el formium se adapta bastante bien a los suelos secos, las variedades enanas poseen un sistema menos desarrollado. Por ello, se debe pensar en regarlas dos veces a la semana como mínimo. Cuando haga mucho calor, es conveniente mojar el suelo de la terraza.

Enemigos y enfermedades: generalmente ninguno.

Empleo: el formium en recipiente es una escultura viva. Combínela con yucas, cordilíneas, gramíneas bajas con follaje moteado, palmeras o con flores vivaces de porte ligero.

Consejo: en las zonas más frías se deben resguardar los formiums en invernaderos fríos.

Photinia x *fraseri*
PHOTINIA

Jóvenes tallos rojos.

Arbusto (1,60 m, –10 °C).

Follaje: persistente, verde sombra, sencillo, barnizado. Los brotes más jóvenes que se producen a finales de verano son de color rojo vivo. Su color se acentúa durante el invierno para colorearse en tonos bronce en primavera.

Floración: entre los meses de mayo y junio crecen panículas blancas. Después se transforman en frutos rojos en septiembre, los cuales aparecen sólo en las regiones más cálidas.

Especies y variedades: «Red Robin» es una variedad mejorada con brotes muy rojos. «Robusta Compact» es una selección más ramificada, más densa, más regular y más resistente al frío que la anterior, pero de menos color.

Comportamiento en el recipiente: la photinia crece sin problemas en el recipiente. Sólo se debe retocar su silueta de vez en cuando porque tiende a formar ramas poco proporcionadas.

Dimensiones del recipiente: un recipiente de 40 cm de alto y ancho es lo más conveniente para los arbustos adultos.

Exposición: sol o sombra parcial.

Tierra: utilice una buena tierra de jardín, mezclada con 1/3 de sustrato para que la photinia se encuentre a gusto.

Riego: una vez a la semana, como mínimo.

Enemigos y enfermedades: generalmente ninguno.

Empleo: en segundo plano de las jardineras, para crear un fondo de color que tenga la función de protección. El follaje de color cobre de la photinia queda de maravilla con todas las plantas de color rosa vivo o rosa pálido como las heléboras, los brezos, las anémonas del Japón o los arbustos.

Consejo: los dos primeros años, la silueta de la photinia puede parecer alborotada. Tenga paciencia y ponga pinzas en todas las extremidades demasiado largas para equilibrar la forma. Pode los brotes centrales.

Phyllitis scolopendrium
ESCOLOPENDRA y
LENGUA DE CIERVO

La belleza de la sombra.

Helecho (60 cm, –10 °C).

Follaje: persistente, de color verde medio. Las frondas son alargadas y completas (es el único género rústico que presenta este tipo de follaje).

Floración: los helechos no florecen.

Especies y variedades: *Phyllitis scolopendrium* «Angustifolia» tiene un porte recto muy elegante, el borde de las hojas es ligeramente crispado. Las extremidades de las frondas de la variedad «Cristata» son onduladas y se dividen, un poco como la escarola. «Furcata» tiene frondas muy planas, divididas como los dientes de un tenedor, mientras que las frondas de «Undulata» se amontonan.

Comportamiento en el recipiente: las escolopendras viven sin problema en recipiente, la única condición que requieren es que el drenaje sea perfecto. Cambie de recipiente cada tres años.

Dimensiones del recipiente: de 25 cm de diámetro y de igual altura para las variedades más pequeñas. Para el tipo y la variedad «Angustifolia», que pueden alcanzar 60 cm de altura, se requiere un recipiente de 30 cm de diámetro.

Exposición: sombra media, o incluso sombra intensa.

Tierra: la escolopendra requiere suelos ácidos o necesita suelos calcáreos. Realice una mezcla con 1/3 de arena de río, 1/3 de tierra de jardín calcárea y 1/3 de tierra de hojas.

Riego: la tierra debe mantenerse siempre húmeda.

Enemigos y enfermedades: generalmente ninguno.

Empleo: la escolopendra es una planta idónea para los jardines pequeños de rocalla. Decora los balcones sombreados.

Consejo: de vez en cuando, vaporice las frondas y riegue a menudo el suelo de la terraza en verano para aumentar la humedad.

Phyllitis scolopendrium: en la sombra densa.. ▶

▲ Diversos recipientes de formiums.

▲ *Photinia* x *fraseri* «Red Robin»: enrojece en primavera.

Phyllostachys

▲ *Phyllostachys pubescens heterocycla «Kikko»: con nudos.*

▲ *Physalis franchetii: farolillos chinos.*

Phyllostachys spp.
FILOSTAQUIS O BAMBÚ-CAÑA DE INDIAS

Un crecimiento extraordinario.
Bambú (4 m, –15 °C).
Follaje: las cañas, con nudos marcados tienen hojas lineales de color verde.
Floración: sólo aparece en pocas ocasiones. Todas las especies idénticas florecen a la vez y por todo el mundo. Esta floración marca la muerte de la planta.
Especies y variedades: *Phyllostachys pubescens* «Kikko» presenta entrenudos muy originales, hinchados por un lado y más delgados por el otro. Hecho que ofrece a los tallos un aspecto muy decorativo. *Phyllostachys aureosilcata* «Spectabilis» tiene tallos amarillos estriados de color verde. En primavera, los brotes más jóvenes que están bajo el sol adquieren excelentes colores caoba. *Phyllistachys humilis* es una de las especies más pequeñas de su género. No supera los 3 m en recipiente.
Comportamiento en el recipiente: por causa de sus raíces tan potentes y de su crecimiento rápido, los bambúes se encuentran rápidamente incómodos en los recipientes. Divida y cambie de recipiente cada dos años.
Dimensiones del recipiente: disponga de un recipiente de 40 cm como mínimo, más ancho que alto y pesado para estabilizar el conjunto. Los recipientes de gres son perfectos.
Exposición: sombra parcial o pleno sol.
Tierra: ligera, rica, fresca y bien drenada.
Riego: a diario en verano.
Enemigos y enfermedades: generalmente ninguno.
Empleo: aisladamente o formando cortinas.
Consejo: los bambúes en recipiente se deben rejuvenecer cada tres o cuatro años. Separe un esqueje joven de la planta madre. Elimine ésta última y plante el esqueje en un sustrato completamente nuevo.

Physalis franchetii
FISALIS O OROVAL

Como farolillos.
Planta vivaz (1 m, –8 °C).
Follaje: de color verde claro, oval, en matas que pueden llegar a invadir mucho.

 Physocarpus opulifolius «Dart's Gold»: un bello dorado.

Floración: la axila folicular de las hojas superiores resguarda en julio flores en forma de estrellas blancas, que se transforman en frutos envueltos por unos espectaculares cálices de color naranja que persisten muy bien hasta después de otoño.
Especies y variedades: *Physalis alkekengi* «Pigmy» es una selección con vegetación moderada.
Comportamiento en el recipiente: no se aconseja combinarla en el mismo recipiente porque el vigor de las fisalis acaba con cualquier vecino. Cambie de recipiente cada dos años.
Dimensiones del recipiente: cualquier modelo que mida entre 20 y 30 cm de ancho.
Exposición: sol total para favorecer la fructificación.
Tierra: cualquier tipo de tierra siempre que no retenga demasiado el agua.
Riego: los fisalis pueden soportar una tierra con una superficie parcialmente seca entre riego y riego.
Enemigos y enfermedades: generalmente ninguno. En noviembre, los farolillos se agujerean como si fueran bordados, pero es un aspecto que se considera natural producido por efecto de las bacterias.
Empleo: en recipientes aislados o en compañía de pequeñas plantas rastreras. Se debe colocar en segundo plano porque la planta a menudo pierde la decoración en la base.
Consejo: divida la mata anualmente cuando llegue la primavera y rejuvenézcala.

Physocarpus apulifolius
FISOCARPO

Una bella bola dorada.
Arbusto (1,5 m, –15 °C).
Follaje: caduco, alternado, trilobulado, dentado, con aspecto ligero y bien repartido a lo largo de las ramas.
Floración: las ramas secas del año anterior tienen corimbos blancos de 5 cm de diámetro que suelen aparecer en el mes de junio.
Especies y variedades: «Dart's Gold» tiene un porte compacto y denso, de 1,5 m de alto y 1 m de ancho. El follaje es amarillo oro hasta mediados de verano y en seguida reverdece ligeramente, antes de que llegue a ser naranja en otoño. «Diabolo» es una variedad sorprendente porque tiene hojas de color verde oscuro que se tiñen de cobre en octubre.

Comportamiento en el recipiente: compre el fisocarpo más grande que encuentre para evitar los años de juventud, bastante molestos debido a su delgadez tan frecuente.

Dimensiones del recipiente: en función del tamaño, el recipiente deberá medir de 30 a 40 cm de lado y de alto.

Exposición: sol no demasiado intenso, sombra parcial, como mínimo de cuatro a cinco horas de sol por día.

Tierra: realice una mezcla a partes iguales de tierra vegetal y de tierra de plantación.

Riego: regular y moderado. Aumente el ritmo a partir de junio, dos veces a la semana hasta septiembre.

Enemigos y enfermedades: generalmente ninguno.

Empleo: utilice el color del follaje del fisocarpo para colorear el balcón con tonos amarillos y combine esta planta con flores azules (ceanotos, delfiniums, campánulas, lavandas, ageratums) y amarillas (tabacos «Lime Green», flomis).

Consejo: pode ligeramente después de la floración.

Phyteuma comosum
FITEMA

Una miniatura con flores muy originales.
Planta vivaz (10 cm, –10 °C).

Follaje: en pequeñas matas densas. Las hojas ovales, muy bien dentadas, puntiagudas, son de color verde bastante sombrío.

Floración: flores cortas que emergen del cojín de hojas y que en julio tiene pequeñas flores que se reúnen en cabezas globulosas, muy originales.

Especies y variedades: *Phyteuma comosum* es la más común con flores de color morado.

Comportamiento en el recipiente: la fiteuma es bastante difícil de conservar en recipiente clásico, porque es ante todo una planta de rocalla calcárea y seca.

Dimensiones del recipiente: ofrezca a la fiteuma un recipiente de 10 cm de diámetro con una gran agujero de drenaje en el fondo. Pero tendrá más éxito si coloca en uno de los agujeros una piedra calcárea.

Exposición: sol o sombra leve.

Tierra: una tierra de plantación con la misma cantidad de tierra de jardín bastante ácida.

Riego: moderado entre cada seis o diez días.

Enemigos y enfermedades: generalmente ninguno, excepto las babosas. La planta se marchita más a menudo debido a condiciones de cultivo desfavorables (demasiada humedad).

Empleo: en minirrocallas. Es aconsejable colocarlas en recipientes pequeños individuales para conseguir un mayor placer visual.

Consejo: divida la planta para rejuvenecerla permanentemente.

Picea spp.
EPICEA O ÁRBOL
DE NAVIDAD

Un pequeño abeto perezoso.
Conífera (1,50 m, –20 °C).

Follaje: las ramas tienen agujas finas y cortas de color verde suave en primavera.

Floración: poco decorativa, en forma de cono.

Especies y variedades: la variedad enana y globulosa *Picea glauca* «Alberta Globe» no supera los 50 cm de altura. «Cónica» puede alcanzar 1,50 m de alto en recipiente. Su porte es cónico, regular y denso. Es un arbusto que tiene una presencia excepcional. «Laurin» es una variedad enana de «Cónica». «Echiformis» forma una especie de cojín de plumas de 50 cm de altitud con follaje glauco. *Picea abies* «Pigmea», muy compacto, alcanza lentamente 80 cm de altura.

Comportamiento en el recipiente: el cultivo de la epicea en recipiente es muy fácil si se trata de especies enanas y si no están expuestas al calor intenso. Resisten perfectamente la contaminación de las ciudades.

Dimensiones del recipiente: cambie de recipiente cada dos años para que éste se adapte en proporción a la altura de la planta. Un ejemplar pequeño de 25 cm de altura puede estar en un recipiente de 14 o 15 cm de diámetro.

Exposición: se aconseja sombra parcial.

Tierra: tierra de bosque ácida, enriquecida con una cucharilla de café de sangre seca para un recipiente de 14 cm.

Riego: cada tres o cuatro días en verano.

Enemigos y enfermedades: las arañas rojas que atacan las acículas son el principal enemigo que hay que erradicar.

Empleo: con otros coníferas enanos y gramíneas que ofrezcan ligereza y flexibilidad.

Consejo: cuando riegue, vaporice el follaje lo más rápido posible ya que las arañas rojas detestan la humedad.

Picea abies «Aurea» y «Nidiformis» con *Picea orientalis*. ▶

▲ *Phyteuma comosum:* una floración increíble.

▲ *Picea glauca* «Conica»: un bello cono natural.

P

Pieris

▲ *Pieris* x «Forest Flame»: las jóvenes hojas son rojas.

▲ *Pinus mugo* «Pumilio»: un crecimiento muy lento.

◀ *Pittosporum tenuifolium* «Variegatum»: muy gracioso.

Pieris japonica
PIERIS

Lo tiene todo para gustar.
Arbusto (1,50 cm, –12 °C).
Follaje: persistente, bastante fino, elíptico, coriáceo, verde oscuro y brillante en la parte superior.

Floración: racimos de campanillas que se forman en invierno. Aparecen a partir del mes de febrero y marzo. Tienen una textura cerosa y adquieren un color marfil teñido de rosa o rosa intenso.

Especies y variedades: el porte compacto de *Pieris japonica* «Bolero» se acentúa cuando se cultiva en recipiente, del mismo modo que el «Cupido», que tiene un crecimiento lento con brotes jóvenes de color rosa anaranjado. «Dorothy Wyckoff» tiene brotes de color bronce con capullos florales carmesíes y flores rosas. «Forest Flame» tiene hojas nuevas de color rojo intenso. Algunas variedades son decorativas durante todo el año. Es el caso de «Flaming Silver» o de «Variegata». Para los pequeños balcones o terrazas, la miniatura «Little Hearth» es idónea tanto en su modalidad verde como moteada.

Comportamiento en el recipiente: los pieris en recipiente crecen de 5 a 10 cm al año, nunca más.

Dimensiones del recipiente: adapte el recipiente al tamaño de la planta que haya comprado. Una vez haya llegado a su edad adulta se sentirá mejor en un recipiente de 30 a 40 cm de diámetro y profundidad.

Exposición: sombra parcial o ligera.

Tierra: prepare una mezcla con mitad de tierra de brezo y mitad de turba y enriquézcalo con 1 o 2 l de abono orgánico por cada 10 l de mezcla.

Riego: deje que se seque la tierra ligeramente antes de volver a regar.

Enemigos y enfermedades: generalmente ninguno. Aun así, a veces las ramas se secan sin causa aparente.

Empleo: la forma compacta y el aspecto siempre decorativo de los pieris hace que estén pensados para un segundo plano.

Consejo: anualmente, sustituya la tierra de la superficie del recipiente con un regenerador de superficies para plantas de tierra de brezo.

Pinus mugo
PINO DE MONTAÑA O PINO MUGO

Un bello bonsái natural.
Conífera (40 cm, 5 °C).
Follaje: las agujas de color verde esmeralda son bastante largas y se distribuyen en parejas, en las ramas lisas y erectas.

Floración: los conos ovalados de color marrón claro se oscurecen según vayan madurando.

Especies y variedades: *Pinus mugo* «Columnaris» pocas veces alcanza 1 m de altura. «Hesse» tiene agujas ligeramente rizadas. Los pequeños balcones pueden acoger sin problema la especie «Humpy», uno de los pinos de montaña más pequeños de su especie «Gnom», muy compacto y de crecimiento lento.

Comportamiento en el recipiente: los pinos temen la humedad estancada. Crecen lentamente en recipiente. Se deben cambiar de recipiente sólo cada tres años.

Dimensiones del recipiente: es mejor que disponga de un recipiente de 30 a 40 cm de ancho y alto.

Exposición: soleada, no demasiado cálida.

Tierra: cualquier tierra de jardín es adecuada, incluso calcárea o pobre, o también tierra universal.

Riego: una vez a la semana en promedio, sin que se encharque. Prácticamente nada en invierno.

Enemigos y enfermedades: existe un hongo que amarillea y marchita las agujas que acaban por caer. Los pulgones forman bolas lanosas en las base de las agujas. Las cochinillas atacan los ejemplares más débiles.

Empleo: los pinos de montaña soportan bien el viento. Utilícelos para resguardar las plantas más frágiles. Se combinan con gramíneas.

Consejo: podar las ramas que se disparan y dar una forma de bola.

Pittosporum spp.
PITOSPORUM O AZAHAR DE CHINA

Compacto, perfumado y persistente.
Arbusto (1,50 m, –3 °C).
Follaje: sencillo, alargado, con bordes a veces ondulados, coriáceo y persistente.

Floración: las flores tubulares con pétalos abiertos son de color crema y desprenden olor a azahar. Las que son de color marrón púrpura tienen un perfume a vainilla. Los pitosporums están en flor durante varios meses a partir de abril.

Especies y variedades: la rusticidad de la *Pittosporum tobira* le permite vivir durante todo el año fuera. Existe una forma enana («Nana») para los balcones pequeños. *Pittosporum tenuifolium* tiene follaje ondulado, sólo resiste el invierno en regiones de clima suave. «Silver Queen», con follaje gris plateado y listas blancas, es más decorativo que la variedad tipo. La variedad enana «Tiki» se adapta perfectamente a los balcones de dimensiones reducidas. En primavera, las hojas jóvenes de «Irene Patterson» aparecen de color blanco crema, se convierten en color verde mármol y adquieren tonos rosas en invierno.

Comportamiento en el recipiente: los pitosporums demuestran poca rusticidad en recipiente, la poca protección de las raíces los vuelve aún menos rústicos. Deben estar a buen recaudo en las regiones más frías.

Dimensiones del recipiente: el pitosporum no superará el 1,5 m de altura en un recipiente de 30 cm de diámetro y profundidad.

Exposición: cálida y soleada protegida de los vientos septentrionales.

Tierra: una buena tierra de plantación bien drenada.

Riego: una o dos veces a la semana.

Enemigos y enfermedades: las cochinillas aparecen sobre todo en las plantas más débiles.

Empleo: en segundo plano, para dar estructura arquitectónica vegetal a la terraza. Aisladas o en recipiente con anuales en la base.

Consejo: una vez que se alcancen temperatura negativas por la noche, será preciso acercar el recipiente a la pared. Proteja la planta cubriéndola con un velo de invernadero.

Plectranthus spp.
PLECTRANTO

Un follaje que desborda vitalidad.
Planta vivaz (60 cm, 7 °C).

Follaje: casi redondo, a penas dentado, verde y verde bronce con zonas plateadas a lo largo de los nervios o en el borde del limbo.

Floración: tallos rectos que en verano tienen inflorescencias suaves de color blanco rosado.

Especies y variedades: *Plectranthus oertendahlii* tiene

un porte colgante que es ideal para las suspensiones. *Plectranthus mexicana* se parece a una variedad del sauce. Sus hojas peludas, de color verde oscuro en el anverso y de color violeta en el reverso, aparecen en tallos que alcanzan más de 1 m de longitud. Florece en color azul-malva.

Comportamiento en el recipiente: las raíces recubren muy rápidamente las paredes del recipiente. Esto no significa que sea necesario cambiar de recipiente inmediatamente. Sólo será necesario una vez cada temporada si la planta está bien fertilizada.

Dimensiones del recipiente: un recipiente de 25 cm de diámetro y 20 cm de profundidad es lo más adecuado.

Exposición: luminosa pero no pleno sol. La planta debe reguardarse a principios de octubre.

Tierra: una tierra de plantación para plantas verdes es la mejor opción para el plectranto.

Riego: tres veces a la semana en verano, menos en invierno ya que la tierra casi no debe estar húmeda en esta estación.

Enemigos y enfermedades: generalmente ninguno.

Empleo: en recipientes individuales, en suspensiones generosas, combinados con plantas anuales como las petunias o las lobelias que saldrán ganando gracias al follaje del plectranto.

Consejo: rápidamente nos damos cuenta de que cuando el plectranto tiene sed, sus tallos se marchitan un poco y sus hojas empiezan a tener un aspecto menos brillante. Es el momento ideal para regar.

▲ *Pittosporum tobira* «Nana»: una bola compacta en maceta.

▲ *Pittosporum tenuifolium* «Silver Queen»: sensible al frío.

Plectranthus coleoides «Marginatus»: crece rápidamente. ▶

Pleione

▲ *Pleioblastus viridistriatus «Auricoma»: un bambú enano.*

▲ Pleione «Versalles» *(Pleione formosana x limprichtii).*

◄ *Polemenium caeruleum «Brisa de Anjou»: moteada.*

Pleione spp.
PLEIONE

Para los coleccionistas.
Orquídea de jardín (10 cm, 0 °C).

Follaje: elíptico, con nervios muy marcados, aparece generalmente después de las flores.

Floración: los capullos se abren en primavera y ofrecen flores de 6 a 10 cm de diámetro, con pétalos expansivos, con forma tubular y dentadas. Los colores varían del rosa al malva, del blanco al amarillo.

Especies y variedades: *Pleione formosana*, la más corriente, no siempre es la que más florece. Los principiantes pueden empezar con la *Pleione speciosa*, una de las más fáciles de cultivar, con sus flores de color rosa púrpura, con pistilos amarillos manchados de color rojo denso. Adopte las pleiones híbridas como la «Versailles» (la primera se obtuvo en 1963) que florece en tonos de color rosa y malva. Es muy vigorosa y florece mucho. Tiene dos flores por rama. «Pitón» se distingue por sus flores que duran más tiempo, son del color de la lavanda y tienen los pistilos de color rojo violáceo.

Comportamiento en el recipiente: los híbridos florecen cómodamente en recipiente. Estas pequeñas plantas no superan nunca los 15 cm de altura. Es mejor colocarlas en un lugar destacado para aprovechar su floración espectacular.

Dimensiones del recipiente: un recipiente de 10 a 12 cm de diámetro y 10 cm de profundidad serán suficientes.

Exposición: resguarde los pleiones de los rayos directos del sol, pero proporcióneles una buena luz.

Tierra: realice una mezcla de tierra de hojarasca (2/3) y turba (1/3) o utilice tierra especial para orquídeas con 1/5 de sustrato.

Riego: no deje nunca que la raíz se seque en primavera. Cuando el follaje amarillee, reduzca los riegos. En invierno, mantenga los pleiones casi secos.

Enemigos y enfermedades: las arañas rojas provocan el amarillamiento y la caída de las hojas.

Empleo: una colección, en pequeños recipientes para cada una de las variedades o en minirrocallas.

Consejo: en invierno guarde los pleiones en un lugar muy resguardado, en el exterior, por ejemplo bajo una campana de cristal.

Plumbago spp.
PLUMBAGO, JAZMÍN AZUL O CELESTINA

Una sorprendente profusión.
Arbusto sarmentosos (2 m, 2 °C).

Follaje: oval, con tallos rectos que tienden a doblarse si no se sujetan.

Floración: millares de flores pequeñas con cinco pétalos, de color azul en verano y que van apareciendo en panículas irregulares de abril a noviembre.

Especies y variedades: *Plumbago capensis* existe en dos versiones, la azul y la blanca. *Plumbago rosea* ofrece flores de color escarlata de junio a agosto.

Comportamiento en el recipiente: no se acostumbra a poner tutores grandes a los plumbagos. Pero a final de temporada, el recipiente a menudo pierde encanto porque las ramas se han enredado y caído. Por ello, coloque tutores y ate los tallos a lo largo de la estación.

Dimensiones del recipiente: un recipiente de como mínimo 40 cm y de 30 cm de profundidad para que los plumbagos adquieran su justa medida.

Exposición: pleno sol, rotundamente. Luz y un lugar protegido de las heladas invernales.

Tierra: la tierra de geranios es la más conveniente, además de una mezcla de tierra de jardín y sustrato.

Riego: dos o tres veces a la semana.

Enemigos y enfermedades: en invierno, dentro de un invernadero, las moscas blancas atacan a sus anchas.

Empleo: con tallos que pueden alcanzar más de 2 m en una temporada, es idónea para recubrir una pared, ocultar una barandilla o esconder un pilar. Se puede también construir recipientes colgantes que desbordarán de flores.

Consejo: protéjalo del hielo en invierno y pode la mata a conciencia en primavera.

Polenium caeruleum
♣ VALERIANA GRIEGA

Gracia y ligereza naturales.
Planta vivaz (40 cm, –10 °C).

Follaje: ligero, gracioso, con hojas en forma de pluma con un sinnúmero de folículos.

Floración: largos tallos ligeros que tiene espigas suaves de flores redondas, de color azul o blanco, con estambres dorados y que aparecen de mayo a julio.

Especies y variedades: «Album» ofrece un blanco puro. «Brise d'Anjou» es decorativa por su follaje moteado de color verde y oro, y sus flores son de color azul intenso.

Comportamiento en el recipiente: «Brise d'Anjou» forma recipientes completamente redondos de 30 cm de altura antes de que florezca. El cultivo en recipiente no impide que florezca generosamente. Cambio de recipiente cada dos años.

Dimensiones del recipiente: un recipiente de 15 cm de diámetro y profundidad, bastará para el primer año.

Exposición: se aconseja la sombra parcial.

Tierra: tierra para geranios rebajada con un puñado de arena para optimizar el drenaje.

Riego: no le gusta tener las raíces en remojo. Por ello, bastará regarlo una o dos veces a la semana.

Enemigos y enfermedades: generalmente ninguno.

Empleo: combine las diferentes variedades con plantas de follaje púrpura, como la heuchera «Palace Purple», el ofiogon o las *Ajuga reptans*.

Consejo: pode después de la primera floración, volverá a florecer a finales de verano.

Polygala myrtifolia
POLYGALA DE HOJA DE MIRTO

Un buen arbusto en recipiente.
Arbusto (1,50 m, 2 °C).

Follaje: estrecho, de color verde oscuro y persistente. La planta presenta un aspecto denso y ramificado.

Floración: racimos terminales de color malva y morado, que se desarrollan desde primavera hasta el otoño.

Especies y variedades: sólo se puede conseguir la especie tipo de fácil cultivo en las zonas meridionales.

Comportamiento en el recipiente: la polygala es ideal en recipiente. Crece de un modo satisfactorio si no pasa frío. Cambio de recipiente cada tres o cuatro años.

Dimensiones del recipiente: la polygala adulta mide 1,50 m y vive mucho tiempo en un recipiente de 35 cm de diámetro y profundidad.

Exposición: cálida y soleada. En invierno, la polygala debe estar resguardada de los vientos fuertes y de las heladas, pues no las resiste durante mucho tiempo.

Tierra: realice una mezcla con una mitad de tierra de jardín y tierra de geranios.

Riego: cuando haga calor, requiere riegos diarios.

Enemigos y enfermedades: las moscas blancas y las arañas rojas son frecuentes.

Empleo: combine la polygala con jaras, salvias, artemisas, euforbias, heliantemos, hiniestas pequeñas y fucsias.

Consejo: guarde la polygala en invierno y mantenga la tierra muy poco húmeda.

Polygonum spp.
CENTINODIA O POLÍGONO RUSO

Vigor a toda prueba.
Planta vivaz (25 cm, –15 °C).

Follaje: simple, lineal u oval y puntiagudo.

Floración: en espigas densas, o en inflorescencias laxas de color rosa o rojo.

Especies y variedades: *Polygonum affine* «Donald Lowndes» forma recipientes densos de 25 cm de altura, con espigas de color rosa que rápidamente pasan a ser de color rojo. Florece de abril a julio. Las espigas cortas de *Polygonum capitat,* de color rosa claro, tienen su apogeo entre julio y septiembre. Son muy decorativos en una maceta italiana del mismo tono.

Comportamiento en el recipiente: todas las especies de centinodia invaden el espacio. Este defecto se convierte en una ventaja cuando se trata de adornar rápidamente los recipientes de un balcón que está un poco vacío.

Dimensiones del recipiente: a partir de 25 cm de ancho y alto.

Exposición: sol o sombra parcial, no son muy exigentes.

Tierra: cualquier tierra de calidad.

Riego: soporta una ligera sequía pero prefiere la regularidad en el riego.

Enemigos y enfermedades: generalmente ninguno.

Empleo: en recipientes bajos, en la base de los arbustos que están en macetas. Intente no combinarlas en el mismo recipiente con especies frágiles o de crecimiento lento. Estas últimas perderían el poco vigor que tienen ante la vitalidad de las centinodias.

Consejo: pode los tallos a ras de tierra a partir de noviembre. Nunca utilice la centinodia trepadora en el balcón ya que sería una auténtica plaga que lo invadiría todo por ser de difícil control. No es necesario fertilizar esta planta.

Polygonum affine «Donald Lowndes»: un tapiz florido. ▶

▲ *Plumbago auriculata*: la generosidad hecha flor.

▲ *Polygala myrtifolia* «Grandiflora» en tallo.

P

Polypodium

▲ *Polypodium vulgare:* muy resistente al frío.

▲ *Polystichum aculeatum* «Grandiceps»: expansiva.

Polypodium spp.
POLIPODO

Lo resiste todo.

Helecho (30 cm, –20 °C).

Follaje: las frondas tienen pínulas divididas finamente y se reúnen en matas densas y rectas que persisten durante todo el invierno.

Floración: los helechos no florecen.

Especies y variedades: *Polypodium interjectum* tiene pínulas afiladas, ligeramente dentadas. *Polypidium vulgare* «Cornubiense», con frondas finamente divididas, forma grandes matas elegantes.

Comportamiento en el recipiente: los polipodos poseen rizomas que suelen invadir todo el espacio disponible. Es difícil en estas condiciones que cohabiten en el mismo recipiente con otras plantas, salvo con los bulbos.

Dimensiones del recipiente: extraiga la planta del recipiente de plástico original y póngala en un recipiente de unos 20 cm. Después, al año siguiente, la podrá trasplantar a una jardinera de 30 cm de diámetro y altura.

Exposición: sombra completa o sombra parcial.

Tierra: los polipodos requieren una tierra húmeda y con piedras. Mezcle una parte de tierra de hojarasca con un cuarto de gravilla fina y de arena gruesa.

Riego: riegue abundantemente durante el período de crecimiento, menos en invierno.

Enemigos y enfermedades: generalmente ninguno.

Empleo: los polipodos realzan el valor de las plantas que florecen en verano. Siguen persistiendo en los decorados invernales y resguardan a los bulbos.

Consejo: en primavera, cuando sienta que la planta está demasiado estrecha en el recipiente, divida la raíz en dos y cambie a un recipiente más grande.

◀ *Polystichum setiferum* «Herrenhausen».

Polystichum spp.
POLÍSTICO O HELECHO DE NAVIDAD

Puntillas para la sombra.

Helecho (80 cm, –15 °C).

Follaje: esta planta es interesante por sus elegantes frondas finamente divididas y tiene un porte expansivo y regular que crea una presencia elegante en todos los recipientes y macetas en los que se encuentra.

Floración: los helechos no tiene flores.

Especies y variedades: para el cultivo en jardinera se aconseja *Polystichum aculeatum.* Este gran helecho, que puede alcanzar 80 cm de altura, desarrolla frondas muy lúcidas y coriáceas. *Polystuchum polyblepharum* forma matas muy bellas y abiertas, que miden entre 60 y 80 cm de altura, con frondas muy anchas de color verde brillante. Es imposible dejar de caer en la tentación cuando vemos un *Polystichum setiferum* «Plumosums Densum» con excelentes frondas compactas y volátiles a la vez.

Comportamiento en el recipiente: siempre que el recipiente se encuentre bajo una sombra tamizada, el helecho conservará su aspecto más bello. Es difícil que pueda sobrevivir en los balcones demasiado cálidos en verano. Cambie de recipiente cada dos o tres años.

Dimensiones del recipiente: una mata adulta requiere un recipiente de unos 30 cm de ancho y alto para crecer adecuadamente.

Exposición: sombra o sombra parcial.

Tierra: las necesidas son diferentes en función de las especies. Todos estos helechos requieren un suelo húmedo, pero el *Polystichum aculeatum* prefiere la tierra calcárea, y el *Polystichum polublepharum* exige un suelo ácido, igual que el *Polystichum setiferum.*

Riego: regulares y más abundantes en verano. Vaporice el follaje con agua fresca durante los días más cálidos.

Enemigos y enfermedades: generalmente ninguno.

Empleo: aislado, sobre todo el *Polystichum stiferum,* que destaca por su follaje. También se pueden crear macizos compactos en jardineras para protegernos de las miradas indiscretas colocándolos a lo largo de las barandillas, en un balcón con orientación norte.

Consejo: abone con abono líquido para plantas verdes, cada mes y durante el período de crecimiento.

Portulaca grandiflora
VERDOLAGA
DE FLORES GRANDES

Una alfombra de flores al sol.
Planta anual (20 cm, 0 °C).

Follaje: estrecho, suculento y cilíndrico.

Floración: entre junio y septiembre la planta se cubre con corolas de aspecto sedoso y frágil, sencillas o dobles con tonos muy vivos.

Especies y variedades: existen verdolagas con flores dobles de todos los colores, excepto de color azul. «Sundial Peppermint» es un híbrido con flores dobles, rosa lavanda, moteado y estriado con color púrpura. «Camaleón» tiene flores dobles con pétalos de color fucsia mezclado con amarillo, naranja asalmonado o amarillo anaranjado.

Comportamiento en el recipiente: las verdolagas en recipiente resisten todo los que el resto de plantas no pueden soportar por causa del calor y de la sequía en verano.

Dimensiones del recipiente: un ejemplar puede vivir en un recipiente de 12 cm de diámetro. Es mejor plantar unas cinco o seis verdolagas en recipientes de 30 cm × 10 cm para obtener un efecto muy bello de masa.

Exposición: esta planta brasileña exige el calor de pleno sol. Los rincones áridos son los mejores.

Tierra: una mezcla de tierra de cactus (2/3) y tierra para plantación (1/3) para poder garantizar el éxito de la plantación y ofrecerle así el máximo drenaje.

Riego: riegue sólo cuando las hojas carnosas se empiecen a arrugar.

Enemigos y enfermedades: los pulgones adoran la savia de estas plantas crasas.

Empleo: como alfombra o colgante con otras plantas crasas o cactus.

Consejo: siembre en marzo, en el interior e instale progresivamente las plantas en el exterior, a partir de mayo, después de haber realizado un primer esqueje.

Potentilla fruticosa
POTENTILLA
O CINCOENRAMA

Imposible no tener éxito con ella.
Arbusto (1 m, -20 °C).

Follaje: fino, con cinco foliolos en forma de pluma más o menos cubiertos de pelos que hacen que las hojas sean de color grisáceo o plateado. El follaje es caduco pero se cae tarde, un poco antes de Navidad.

Floración: de junio a octubre, la mata se cubre de minúsculas flores de 2 a 3 cm de diámetro. Todos los colores del blanco y el rojo existen, pasando por el amarillo y el rosa. Las corolas rosas o rojas se aclaran con la luz del sol.

Especies y variedades: «Abbotswood» forma grandes flores de color blanco puro con el corazón amarillo. El porte de la planta es evasivo, casi tapizador. «Goldstar» es de color amarillo oro y tiene un porte erguido, posee las flores más grandes de esta especie (6 cm de diámetro). Los balcones más pequeños pueden acoger la «Raspberry Ripple», una planta de débil desarrollo con flores anaranjadas muy cálidas, o la «Red Ace Bloace», de color carmín con el reverso amarillo y que no supera los 50 cm de altura. «Vilmorianiana» es interesante por su follaje plateado que capta toda la intensidad de la luz.

Comportamiento en el recipiente: en un recipiente lo suficientemente ancho, la potentilla vive varios años sin que haya necesidad de trasplantar.

Dimensiones del recipiente: una planta que alcanza su tamaño máximo puede vivir en una jardinera de como mínimo 30 cm de ancho y alto.

Exposición: a pleno sol para las variedades de flores amarillas, la sombra parcial con el sol de la mañana o del final de la tarde, para los híbridos con flores rosas, rojas o asalmonadas.

Tierra: tierra universal no muy ácida o cualquier tipo de tierra de jardín.

Riego: moderado para una floración óptima. Los dos o tres primeros centímetros de tierra se deben secar antes de volver a regar.

Enemigos y enfermedades: los capullos florales se forman demasiado pronto, las heladas primaverales pueden dañarlos si la planta está expuesta al frío.

Empleo: la potentilla forma un decorado permanente en verano. Debería estar entre las plantas de base que se deben instalar en cualquier terraza que tenga varias horas de sol al día. Se pueden combinar perfectamente con las anuales.

Consejo: pode corto en primavera para mantener un porte denso y sobre todo hay que rejuvenecer la planta, de este modo florecerá mejor.

▲ *Portulaca grandiflora:* resiste bien la sequía.

▲ *Potentilla fruticosa:* un arbusto fácil en jardinera.

▲ *Potentilla fruticosa* «Abbotswood»: muy compacta.

Potentilla atrosanguinea «Gibson's Scarlet»: muy sólida. ▷

407

◄ *Primula denticulata:* cabezas graciosas.

tierra de brezo (2/3) y tierra de jardín (1/3). Les conviene tierra ligera.

Riego: a partir del mes de marzo compruebe cada dos días que el cepellón está húmedo.

Enemigos y enfermedades: los pulgones y las moscas blancas son difíciles de erradicar.

Empleo: en jardineras alargadas o en recipientes redondos con bulbos, hiedras moteadas, coníferas enanas y bianuales.

Consejo: no abuse de los abonos porque podría obtener plantas igual de altas que las lechugas, pero casi sin flores.

Primula spp.
PRIMAVERA

La mensajera de la primavera.

Planta anual (30 cm, –12 °C).

Follaje: verde claro, a veces persistente, oblongo, a menudo en forma de panal.

Floración: del corazón de las matas emergen ramos de flores que tienen más o menos flores con formas y tamaños diferentes.

Especies y variedades: existen más de 600 especies y variedades de primaveras. *Primula vulgaris* y sus innumerables cultivos de múltiples colores son las más fáciles de cultivar. *Primula denticulata* florece con grandes bolas de color rosa, blanco o púrpura de marzo a mayo. *Primula vialii* forma matas de hojas lanceoladas. Los tallos de las flores se alzan hasta 50 cm y tiene inflorescencias en forma de cohete con la punta púrpura

(cuando los capullos no están abiertos) y con la base rosa pálido (cuando las flores ya están abiertas). Los jardineros que no disponen de espacio en las ventanas pueden adoptar la *Primula aurícula* cuya altura y expansión no superen los 15 cm. A pesar de su tamaño reducido sus numerosas variedades ofrecen una espectacular floración de marzo a mayo. Algunos ofrecen flores de color gris con corazón blanco o verde musgo con corazón blanco. «Doublet» tiene incluso olor. ¡Irresistible!

Comportamiento en el recipiente: a veces tenemos la tendencia de olvidar las primaveras una vez que ya ha pasado el período de floración. Sin embargo, se trata de vivaces que pueden prosperar varios años.

Dimensiones del recipiente: a partir de 10 cm de diámetro para las especies enanas y hasta 20 cm para las más grandes. 15 cm de profundidad como mínimo.

Exposición: se aconseja la sombra parcial.

Tierra: fresca, rica, neutra o ligeramente ácida. Mezcle

Prostanthera cuneata
PROSTANTERA

Original y simpática.

Arbusto (40 cm, –6 °C).

Follaje: de tamaño pequeño, redondo y persistente. Desprende un agradable olor cuando se frota.

Floración: a principios de primavera centenares de flores de color lila invaden la planta.

Especies y variedades: *Prostanthera cuneata* posee un porte erguido y una floración de color blanco rosado que aparece en abril-mayo y dura hasta finales de verano. Bastante rústica.

Comportamiento en el recipiente: la planta al ser naturalmente de porte erguido, se adapta perfectamente a la vida en recipiente.

Dimensiones del recipiente: 25 cm de ancho y alto.

Exposición: bastante cálida y a pleno sol.

Tierra: la prostantera requiere un suelo ligero, bien drenado y no calcáreo. Añada arena al sustrato.

▼ *Primula vulgaris:* bellos colores.

▼ *Primula vialii:* sutileza y originalidad.

▼ *Primula aurícula* «Gem»: una joya.

▼ *Primula obconica:* sensible al frío.

Riego: a pesar de que la planta resiste la sequedades mejor regarla cada tres o cuatro días.

Enemigos y enfermedades: si el agua de riego de su zona es demasiado calcárea, riegue con un producto anticlorosis.

Empleo: combine la prostantella con jaras, potentillas, romero, nepetas lavandas y todas las plantas que, como la prostantella, requieren mucha luz.

Consejo: disponga de una protección invernal con una capa doble de velo no tejido.

Prunus spp.
CIRUELO, MELOCOTONERO y CEREZO

Mil árboles para el balcón.
Árbol (3 m, de –5 ºC a –12 ºC).
Follaje: sencillo, verde básico, a veces de color malva, y adquiere todos los tonos del otoño.

Floración: en primavera, las ramas se llenan de flores blancas rosadas o de color rosa intenso.

Especies y variedades: *Prunus persica,* el melocotonero, presenta una forma genéticamente enana que se adapta al cultivo en recipiente. «Garden Gold» da grandes frutos de pulpa amarilla; «Crismon» es un melocotonero decorativo de hojas púrpuras que no supera el metro de altura al cabo de cinco años. «Diamond», después de tener una floración de color rosa oscuro, da frutos de pulpa blanca en el mes de julio. *Prunus armeniaca,* el albaricoquero, tiene también su correspondiente variedad enana. «Garden Aprigold» da grandes frutos de color amarillo dorado. *Prunus cerasus,* el cerezo, vive a gusto en las terrazas, al igual que sus variedades «Griotella», de porte llorón, o «Garden Bing» que produce cerezas de excelente calidad. Entre los ciruelos decorativos el *Prunus x cistena* es muy apropiado para recipientes, con su follaje púrpura que se vuelve rojo en otoño. No supera el 1,50 m de altura. *Prunus glandulosa* «Alba Plena» es un pequeño arbusto denso de 2 m de altura que se cubre con flores blancas dobles a finales del mes de abril. *Prunus triloba* da en marzo flores dobles de color rosa antes de que aparezcan las hojas. Puede alcanzar los 3 m de altura.

Prunus triloba: uno de los más precoces en primavera. ▶

Comportamiento en el recipiente: al no poder estar nunca demasiado profundas, las raíces pueden sufrir en recipiente. Por ello, es mejor controlar su desarrollo. Conviene tutorar los ciruelos que superen el 1,50 m de altura.

Dimensiones del recipiente: elija recipientes pesados con 30 cm de ancho y alto.

Exposición: a pleno sol es lo más conveniente tanto para los árboles decorativos como para los frutales.

Tierra: mezcle a partes iguales tierra de jardín y tierra de plantación. Añada un 20 % de una mezcla de abono animal y algas compuestas.

Riego: si los *prunus* decorativos pueden perdonar ciertos olvidos de riego, no les pasa lo mismo a los frutales enanos, sobre todo durante la maduración de las frutas. Conserve el cepellón siempre húmedo pero no excesivamente. Vigile que el agua no se estanque en el platillo.

Enemigos y enfermedades: los melocotoneros enanos necesitan un tratamiento contra el herrumbre en invierno. El albaricoquero exige una pulverización a base de cobre contra la monilia, de otoño a primavera.

Empleo: en recipiente siempre es mucho mejor plantar los árboles frutales enanos aislados porque requieren una fertilización óptima para que den buenos frutos. No se requiere plantar dos variedades diferentes para obtener una polinización más adecuada, las formas enanas son autofértiles.

Consejo: en el momento de la plantación, aporte una cucharada de abono para árboles frutales, rico en potasa. En otoño repita la operación. Anualmente, cambie la tierra de la superficie y sustitúyala por un producto regenerador. Cambie de recipiente cada tres o cuatro años.

▲ *Prostanthera cuneata:* flores fantasmales.

▲ Un melocotonero enano en una magnífica maceta china.

P

Punica

▲ *Punica granatum* «Nana»: el magnífico granado enano.

◀ El peral «Garden Pearl» es genéticamente enano.

Punica granatum
GRANADO

Una exquisita miniatura.

Arbusto (1 m, 0 °C).

Follaje: sencillo oblongo y caduco. Las hojas aparecen de color cobre y en verano se vuelven de color verde brillante, para convertirse en color oro en otoño.

Floración: a finales de primavera, tubos de color rojo vivo de 4 cm de largo. Solitarias o reunidas en las extremidades de las ramas, las flores se transforman en bayas de color amarillo anaranjado con una corteza dura.

Especies y variedades: para el cultivo en recipiente, adopte variedades enanas como la *Punica granatum* «Nana gracilissima», una miniatura de 30 cm de alto con pequeñas flores livianas de color naranja vivo que producen granadas pequeñas no comestibles. Esta planta crece lentamente. Es sensible al frío y requiere de una protección en invierno. «Nana racemosa» alcanza 1 m de altura. Produce muchas flores de color rojo anaranjado y después granadas no comestibles.

Comportamiento en el recipiente: las variedades enanas se adaptan tan bien a los recipientes que hasta se pueden hacer bonsáis.

Dimensiones del recipiente: a partir de 10 cm de diámetro para una planta enana joven y hasta 25 cm de ancho y alto para los granados más grandes.

Exposición: una pared cálida, expuesta al sur. Aunque el granado es rústico en las regiones meridionales, proteja las variedades enanas cuando el termómetro descienda por debajo de los 0 °C.

Tierra: cuide el drenaje. Vigile que el agujero del fondo del recipiente sea ancho. Ponga una capa de gravilla de 3 cm en el fondo del recipiente y añada 1/5 de arena de río con una buena tierra de plantación.

Riego: las plantas que viven en pequeños recipientes requieren riegos diarios ya que no disponen de mucha tierra.

Enemigos y enfermedades: a veces las cochinillas invaden la planta. Trate convenientemente.

Empleo: aislado o con plantas meridionales como las jaras, los laureles rosa o la lavanda.

Consejo: no dude en podar el granado durante el invierno para conservar una forma armoniosa.

Pyrus communis
PERAL

Por el sencillo placer de los ojos y las papilas...

Árbol (2 m, -15 °C).

Follaje: sencillo, brillante y de color verde musgo.

Floración: el arbusto en primavera se cubre de una gran cantidad de flores sencillas de color blanco puro.

Especies y variedades: existen variedades enanas que son ideales para cultivarlas en balcón. Adquiera la «Garden pearl» que produce, a pesar de su tamaño reducido (no más de 2 m), grandes frutos redondos y dulces. Los perales decorativos, muy diferentes de los perales frutales, sólo tienen en común con estos últimos sus orígenes botánicos. *Pyrus salicifolia* «Pendula» se parece más a un sauce pequeño que a un peral. Está cubierto por un vello plateado y se parece a una gran bola de Navidad. Resérvelo para las terrazas bastante grandes ya que alcanza fácilmente en recipiente los 2 m de altura y 1,5 m de anchura.

Comportamiento en el recipiente: los arbustos frutales en recipiente se muestran tal vez más sensibles a las enfermedades que los árboles frutales plantados directamente en la tierra. Por ello, es muy importante respetar un calendario de tratamientos para obtener bellos frutos.

Dimensiones del recipiente: elija un recipiente de 30 cm de ancho y un poco más profundo.

Exposición: pleno sol no ardiente.

Tierra: una tierra rica y fresca, a ser posible no calcárea. Añada un poco de cuerno tostado.

Riego: los perales reaccionan mal ante la sequía. Intente evitarles este mal trago y compruebe el estado del cepellón a diario en pleno verano.

Enemigos y enfermedades: los pulgones negros atacan frecuentemente a los perales. Elimínelos a mano si sólo tiene un árbol. De lo contrario aplique un tratamiento. Los meses primaverales húmedos favorecen la aparición de manchas que perjudican a las hojas. Pulverice en otoño con una solución que contenga caldo bordelés.

Empleo: en recipiente, aislada, para un balcón huerto. Los perales decorativos forman una bella pantalla plateada o un segundo plano para parar el viento.

Consejo: el peral florece muy pronto. Cuidado con los hielos tardíos que puedan dañar la fructificación. Cúbralo con un velo en marzo y no lo quite hasta que hayan aparecido completamente las flores.

Quamoclit pennata
BEJUCO

Llámame Mina.

Planta anual (3 m, 5 ºC).

Follaje: los tallos trepadores tiene hojas de color verde claro con tres lóbulos.

Floración: las corolas son de color rojo y amarillo, tubulares, curvas, y hacen pensar en las zarpas.

Especies y variedades: «Exotic Love» tiene flores de color naranja vivo. «Citronella» es de color amarillo limón.

Comportamiento en el recipiente: esta planta tropical requiere temperaturas calurosas. El resultado puede ser decepcionante si no la ponemos en un recipiente orientado al sur.

Dimensiones del recipiente: 25 cm de alto y ancho.

Exposición: contra una pared expuesta al sur, resguardada de los vientos fuertes. Protección invernal obligatoria.

Tierra: tierra de hojarasca y estiércol.

Riego: cuidado porque el cepellón se seca muy rápido. Intente que siempre esté húmeda (cada dos días).

Enemigos y enfermedades: cuidado con las arañas rojas, vaporice el follaje con agua limpia cuando el calor arrecie. Trate en caso de ataque.

Empleo: haga que esta trepadora suba por una celosía o mediante hilos alrededor del balcón.

Consejo: el quamoclit pocas veces se encuentra en recipiente. Siembre en marzo en el interior y trasplante en mayo. Cuando quiera poner las plantas más jóvenes en el exterior procure que no haya riesgos de heladas.

Ranunculus spp.
RANÚNCULO
O BOTÓN DE ORO

Un encanto salvaje.

Planta vivaz (25 cm, 0 ºC).

Follaje: ancho y muy recortado.

Floración: las corolas sencillas, semidobles o dobles, siempre ofrecen colores sorprendentes, amarillos en las especies botánicas y de color rosa, rojo o naranja en el caso de los híbridos de las floristerías.

Especies y variedades: *Ranunculus acris* «Multiplex», es la estrella porque se ha mejorado enormemente. Los pompones dobles de color amarillo oro y de corazón verde aparecen sin cesar entre junio y julio. *Ranunculus crenatus* presenta en primavera, bellas flores blancas que duran mucho tiempo. Los ranúnculos de las floristerías desarrollan espléndidas corolas de seda en colores ácidos.

Comportamiento en el recipiente: las especies botánicas se desarrollan sin problemas en recipiente. Los ranúnculos de los floristas son un poco más efímeros.

Dimensiones del recipiente: plante a partir de septiembre en un recipiente de 15 cm de diámetro y 15 cm de altura.

Exposición: a pleno sol, pero no demasiado ardiente.

Tierra: rica y con buena retención de humedad.

Riego: dos veces a la semana, aproximadamente.

Enemigos y enfermedades: en caso de que haya una excesiva humedad puede aparecer oídio. En primavera los pulgones pueden invadir los tallos más jóvenes.

Empleo: mezcle los ranúnculos con flores azules que realzarán su valor, como los asters de primavera (aster «Bergarten») o los polemoniums «Brisa de Anjou». También se produce una bella combinación con los narcisos.

Consejo: antes de la plantación instale durante 48 horas en turba húmeda, matas de ranúnculos de floristas, para rehidratarlos. Después, puede enterrarlas a 4 cm de profundidad.

Ranunculus x *hybridus*: la perfección de las flores dobles. ▶

▲ *Quamoclit lobata*: también denominado *Mina lobata*.

▲ Ranúnculos híbridos con narcisos en jardinera.

▲ Se pueden recoger gran cantidad de rábanos en un balcón.

▲ *Raphiolepis delacourii* «Grandiceps»: sensible al frío.

Raphanus sativus
RÁBANO

Fácil de cultivar, delicioso y crujiente.
Planta bianual (20 cm, 0 °C).

Follaje: simple, rugoso al tacto, irregularmente lobulado, en forma de mata bastante flexible.

Floración: el rábano es bianual, florece el segundo año, pero se cultiva como anual.

Especies y variedades: los rábanos de primavera son los más adecuados para balcones. «Fluo», «Bamba», «Falco», no pican. Para el verano, «Gloriette», de un color rojo maravilloso o «Prinz Rotin», redondo, escarlata y con el interior blanco.

Comportamiento en el recipiente: se pueden obtener rábanos redondos en un recipiente de 25 cm de profundidad.

Dimensiones del recipiente: se precisa una jardinera de 40 cm × 15 cm de ancho, para cuarenta o cincuenta rábanos.

Exposición: sol suave o sombra moderada. Un emplazamiento demasiado caluroso da lugar a rábanos muy picantes.

Tierra: una buena tierra universal.

Riego: la tierra debe estar siempre fresca, de otro modo los rábanos no crecerán bien.

Enemigos y enfermedades: en general ninguno, ya que el cultivo dura poco tiempo (de tres a cinco semanas).

Empleo: en un pequeño huerto, en el balcón, para iniciar a los niños en los secretos de la jardinería.

Consejo: entierre las semillas a 1 cm de profundidad, de no ser así, los rábanos crecen deformes. No olvide espaciarlos 3 cm.

Raphiolepis spp.
RAPHIOLEPIS

Una nube de color rosa de marzo a agosto.
Arbusto (1 m, 3 °C).

Follaje: perenne, de color marrón claro en un principio, después verde oscuro. Las hojas, ovaladas, lanceoladas y espesas, miden de 4 a 7 cm de longitud.

Floración: a partir de febrero, en las regiones cálidas, aparecen unos ramilletes de flores; en las otras zonas en marzo y abril. Se abren hasta verano.

 Reseda odorata: una bella espiga con perfume mareante.

Especies y variedades: *Raphiolepis indica* «Spring Time» es de color rosa. «Enchanteress», una forma enana y compacta (80 cm en maceta), es muy recomendable para balcones pequeños. *Raphiolepis umbellata* «Ovata» presenta largas hojas ovaladas y flores blancas muy perfumadas que preceden a los frutos negros, azulados en invierno.

Comportamiento en el recipiente: se adapta bien al cultivo en maceta si se trasplanta cada dos o tres años.

Dimensiones del recipiente: coloque los raphiolepis en un recipiente de 30 cm de ancho y 35 cm de alto.

Exposición: soleada y resguardada de los vientos del norte. En invierno proteja la planta a partir de -3 °C.

Tierra: una buena tierra de plantación.

Riego: una vez cada cinco u ocho días.

Enemigos y enfermedades: generalmente ninguno.

Empleo: su follaje verde oscuro y brillante pone de relieve las plantas moteadas y con flores claras.

Consejo: a principios de primavera ponga abono para rosales, resulta muy eficaz.

Reseda odorata
RESEDA O GUALDA

Espigas sin brillo pero muy perfumadas.
Planta anual (60 cm, 0 °C).

Follaje: linear, verde claro, espatulado y liso.

Floración: de junio a octubre presenta largos bohordos portadores de minúsculas flores de color amarillo verdoso, a veces con tonos rojos, que desprenden un olor muy agradable.

Especies y variedades: *Reseda odorata* «Grandiflora», de color amarillo verdoso, no supera los 40 cm de altura. «Red Monarch» está moteada en tonos rojos.

Comportamiento en el recipiente: la reseda crece bien en maceta, pero no es muy espectacular. Esto se le perdona debido a su perfume único.

Dimensiones del recipiente: un recipiente de 25 cm de diámetro y 20 cm de altura es suficiente.

Exposición: soleada, incluso cálida.

Tierra: no utilice turba. Utilice tierra vegetal y añada arena de río.

Riego: bastante moderado, espere a que la tierra se seque un poco entre dos aportes de agua.

Enemigos y enfermedades: generalmente ninguno.

Empleo: combine el verde amarillento de las resedas con flores de color rojo anaranjado, como cosmos naranjas o adormideras «Rasberry Queen».

▲ *Rhamnus alaternus* «Argenteo Variegatus»: maravillosa.

Consejo: ponga pinzas en los brotes jóvenes para obligar a la planta a que se ramifique y florezca.

Rhamnus alaternus
LADIERNA

La providencia de los balcones despejados.
Arbusto (2 m, –5 °C).

Follaje: perenne, espeso, verde oscuro y brillante, con perfume aromático.

Floración: en abril aparecen unos discretos ramilletes de color crema. En septiembre dan lugar a frutos rojos que se vuelven de color negro.

Especies y variedades: los tallos rojos de *Rhamnus alaternus* «Argenteovariegatus» contrastan con su follaje verde de oliva ribeteado de blanco.

Comportamiento en el recipiente: la ladierna en maceta soporta un fuerte calor en verano y la calima de los balcones situados cerca del mar.

Dimensiones del recipiente: 30 cm en todas las magnitudes.

Exposición: sombra moderada o semisombra.

Tierra: cualquier tierra de jardín con 1/3 de una buena tierra porosa.

Riego: moderado, una vez por semana.

Enemigos y enfermedades: las cochinillas pueden invadir las plantas débiles.

Empleo: la ladierna es un perfecto cortavientos y pone de relieve las plantas más bajas.

Consejo: córtela cada invierno para conservar una forma equilibrada y compacta.

Rheum rhaponticum
RUIBARBO

Exuberancia y generosidad.
Planta vivaz (1 m, –8 °C).

Follaje: hojas anchas sostenidas por grandes pecíolos de lados cuadrados, forman matas opulentas. Los tallos comestibles tienen un sabor acidulado.

Floración: el ruibarbo florece en forma de grandes espigas majestuosas color crema. Pero siempre es en detrimento de la vegetación. Si deseas matas de follaje, corte los tallos florales en el momento de su formación.

Especies y variedades: el ruibarbo de lados rojos es muy decorativa y menos vigorosa.

Comportamiento en el recipiente: una planta no vive más de dos años en la misma maceta.

Dimensiones del recipiente: a las raíces del ruibarbo les gusta la profundidad. Elija un recipiente de 30 cm de lado y los mismos de profundidad.

Exposición: a pleno sol, incluso con bastante calor.

Tierra: mezcle a partes iguales tierra vegetal con tierra de plantación. Añada un 20% de abono orgánico (estiércol descompuesto).

Riego: mantenga siempre la tierra fresca.

Enemigos y enfermedades: un virus puede provocar la aparición de manchas amarillas en las hojas pero sin gravedad. La podredumbre del cuello destruye a la planta cuando el sustrato es demasiado pesado.

Empleo: en grandes y espectaculares composiciones.

Consejo: respete a la planta y sólo retire algunas hojas adultas a la vez.

Rhodochiton atrosanguineus
RHODOCHITON

Exuberancia y fantasía exótica.
Planta trepadora (3 m, 5 °C).

Follaje: simple, cordiforme, con algunas dentaduras en los bordes.

Floración: durante todo el verano, aparecen unas originales campanillas de color rosa tirando a burdeos, que cuelgan del extremo de un largo pecíolo.

Especies y variedades: sólo se comercializa normalmente *Rhodociton atrosanguineus*.

Comportamiento en el recipiente: los tallos volubles pueden alcanzar de 2 a 3 m en la temporada.

Dimensiones del recipiente: prevea, como mínimo, un recipiente de 25 cm de ancho y alto.

Exposición: a pleno sol, sin que sea abrasador.

Tierra: es muy conveniente la tierra para geranios. Añada un pellizco de sangre seca por maceta.

Riego: cada tres días durante el período de floración. En invierno redúzcalo al mínimo.

Enemigos y enfermedades: generalmente ninguno.

Empleo: recubre celosías, pérgolas y vallas. Puede reconducirlo sobre una pirámide fabricada con palos de bambú.

Consejo: pode después de la floración y colóquela en un lugar fresco y luminoso. Manténgala prácticamente seca.

Rhodochiton atrosanguineus: una suspensión sublime. ▷

▲ *Rheum rhaponticum:* una planta joven de ruibarbo.

◀ *Rhododendron* x «Anna Rose Whitney»: una gran clase.

dad. Un recipiente de 30 cm de ancho y 20 cm de profundidad es suficiente para empezar. Al cabo de dos o tres años deberá cambiarlos a un recipiente más grande.

Exposición: una sombra demasiado densa impide obtener una buena floración. En semisombra es donde se desarrollan mejor.

Tierra: mantillo puro.

Riego: mantenga la tierra húmeda. Los excesos de agua son tan dañinos como la sequía.

Enemigos y enfermedades: algunas ramas se vuelven de color marrón y se secan de repente. Se trata del ataque de un hongo temible: phytophthora. Deberá tirar la planta afectada. La clorosis es debida a una tierra o agua demasiado calcáreas. La roya provoca manchas sobre las hojas.

Empleo: los rododendros van muy bien en balcones orientados al norte o noreste, que tienen poca luz. Combínelos con hostas, fucsias, helechos...

Consejo: cambie la superficie del sustrato cada dos años y sustitúyala por mantillo nuevo. Trasplante totalmente cada cinco años.

Rhododendron spp.
RODODENDRO y AZALEA

El arbusto más majestuoso.
Arbusto (1,50 m, –10 °C).

Follaje: casi siempre perenne, estrecho, coriáceo, verde medio por el anverso y más pálido por el reverso.

Floración: normalmente en forma de campanillas o embudos. La gama de colores es de una riqueza excepcional. El período de floración va de abril a junio.

Especies y variedades: existen más de quinientas especies de rododendro. Para el cultivo en maceta elija los más pequeños. Los híbridos *Rhododendron yakushimanum*, un enano de 60 cm de altura, con el reverso del follaje plateado, tienen mucho éxito. El botón floral de color rosa, rojo, blanco puro o amarillo pálido, se abre en forma de copa de colores más claros. *Rhododendron williamsianum* ofrece un follaje en forma de corazón, atractivo durante todo el año. El híbrido «Elisabeth» con trompetas de color rojo, no supera los 90 cm de altura. Las azaleas, que en botánica se clasifican entre los rododendros, forman maravillosas matas que se pueden podar. «Palestrina», de color blanco puro, pertenece al grupo de las azaleas japonesas, perennes y con grandes flores. «Harvest moon», de color amarillo pálido, resulta adecuada para balcones pequeños. Sus hojas son caducas.

Comportamiento en el recipiente: normalmente los rododendros se desarrollan mejor en maceta que en plena tierra, ya que no soportan el terreno calcáreo. Crecimiento lento.

Dimensiones del recipiente: las raíces de los rododendros se expanden más a lo ancho que en profundi-

Ribes spp.
GROSELLERO y CASSIS

Deliciosos frutos pequeños.
Arbusto (1,20 m, –15 °C).

Follaje: caduco, verde vivo, dentado, trilobulado y fuertemente aromático cuando frotamos las hojas.

Floración: los groselleros con flores forman ramilletes colgantes de minúsculas campanillas rosa. Si corta las

▼ *Rhododendron yakushimanum* híbrido.

▼ Azalea «Palestrina»: la blanca más bella.

▼ Azalea «Harvest Moon» (Knap Hill).

▼ Rododendro enano «Elisabeth».

ramas cuando aún tienen botones florales, florecerán perfectamente en casa, dentro de un jarrón.

Especies y variedades: *Ribes sanguineum,* el grosellero ornamental, da lugar a numerosas variedades perfumadas como «Atrorubens», de color rojo vivo «Pulborough Scarlet», de color rojo oscuro con corazón blanco. *Ribes odoratu,* tiene una discreta floración de color amarillo oro y es uno de los grosselleros más aromáticos: su perfume nos seduce a varios metros de distancia. *Ribes speciosum,* con hojas semiperennes, redondeadas y dentadas, presenta una curiosa floración muy precoz. Sus pequeñas flores simples, de color rojo, colgantes, presentan estambres y pistilos dos veces más largos que las corolas. Vistas desde lejos parecen las flores de las fucsias.

Muchos grosselleros *(Ribes rubrum)* se cultivan por sus frutos. Las variedades «Wilder» y «Fertodi de racimos largos» son las favoritas de los gourmets. Entre las variedades con frutos de color blanco o rosa, «Versaillaise Blanche» y «Rose de Champagne» tienen un sabor dulce, nada ácido.

Ribes nigrum es el grosellero negro o cassis. La variedad «Wellington» tiene sabor dulce y es una de las más vigorosas e interesantes.

Comportamiento en el recipiente: los grosselleros prefieren crecer en plena tierra, pero se adaptan al cultivo en maceta durante dos o tres años; no más.

Dimensiones del recipiente: una mata joven puede vivir en un recipiente de 20 cm de lado. Cuando alcance 1 m de altura, deberá colocarlo en un recipiente de 30 cm de ancho y profundidad, como mínimo.

Exposición: a pleno sol o sombra ligera.

Tierra: tierra de jardín o tierra universal pura.

Riego: el grosellero puede pasar una semana sin agua, pero mejor que esto no suceda (riegue unas dos veces por semana).

Enemigos y enfermedades: la antracnosis, un hongo parásito, provoca manchas de color marrón sobre las hojas y la caída prematura de las hojas. Cuidado con el oídio que provoca la caída de las hojas, estropea las ramas y agota a la planta.

Empleo: en setos bajos, para tapar una barandilla. Cerca de la puerta, para beneficiarnos del perfume que desprenden sus hojas cuando las frotamos.

Consejo: pode en el mes de febrero, retirando las ramas viejas.

Robinia spp.
FALSA ACACIA O ROBINIA

No le falta un toque punzante.
Árbol o arbusto (3 m, –20 °C).

Follaje: compuesto de folíolos ovalados de color verde puro y sujeto por ramas espinosas.

Floración: los racimos de flores papilionáceas, perfumadas, de color blanco o rosa, aparecen en el extremo de las ramas en los meses de mayo-junio.

Especies y variedades: *Acacia hispida* «Rosea», con racimos de color rosa, es un arbusto extenso. Si se injerta por el tallo, forma un pequeño árbol redondeado. «Twisty baby» es una forma enana con ramas tortuosas.

Comportamiento en el recipiente: las acacias jóvenes se pueden romper fácilmente cuando hay tormenta. Debe podarlas regularmente.

Dimensiones del recipiente: procure adaptar el recipiente al tamaño de la planta. Una mata joven puede pasar la temporada en un recipiente de 25 cm de diámetro y 30 cm de profundidad. El año siguiente deberá colocara en un recipiente 5 cm más ancho y más profundo.

Exposición: a pleno sol pero que no sea abrasador, protegida del viento.

Tierra: o tierra de jardín ordinaria o, a partes iguales, tierra vegetal con silicio o tierra universal.

Riego: riegue a fondo una vez por semana. Doble la frecuencia en verano. No deje encharcar el agua en el platillo.

Enemigos y enfermedades: a veces las cochinillas invaden las plantas.

Empleo: la robinia no es una elección acertada para balcones pequeños situados en lugares ventilados. Resérvela para terrazas grandes y que estén bien protegidas. La acacia rosa puede empalizarse contra una pared soleada y así evitamos el problema de la fragilidad en las ramas. «Twisty baby» forma una composición muy original.

Consejo: las falsas acacias que hayan sido injertadas producirán retoños que deberá eliminar en cuanto aparezcan.

Robinia pseudoacia «Twisty Baby»: ideal en maceta. ▶

▲ Cassis «Noir de Bourgogne»: el más perfumado.

▲ Un grosellero en tallo crea un decorado insólito.

«Margareth Meryl», dos preciosos rosales para el cultivo en macetas y jardineras.

Rosa x hybrida
ROSAL

Mil y un usos para el balcón.

Arbusto (1 m o 2 m, –8 °C).

Follaje: verde más o menos oscuro, compuesto de cinco o siete folíolos a menudo brillantes. Las hojas de algunas variedades pueden nacer de color púrpura o chocolate.

Floración: los pétalos de las rosas adquieren prácticamente todos los colores, excepto el negro y el azul. Las flores más simples constan de 5 pétalos, en el centro de los cuales encontramos un nido de estambres de color amarillo oro. Cuando las flores son muy dobles no se aprecia el centro. Existen miles de variedades de rosal, perfumados o no.

Especies y variedades: la mayoría de los rosales tienen dificultades para crecer en maceta. Esto se traduce en una extrema sensibilidad hacia las enfermedades y una floración pobre. Sin embargo, si elige variedades pequeñas y más resistentes a las enfermedades, lo puede conseguir. Las miniaturas, como la serie de las «Meillandrina», son recomendables para el cultivo en maceta, sobre todo en las repisas de ventanas y en balcones pequeños. Estos minirrosales pueden considerarse como plantas anuales, que pueden mezclarse con otras flores, en una jardinera pequeña. Los colores y las formas de las flores han sido muy trabajados en los años noventa.

Encontramos selecciones espléndidas, como «Stars'n Stripes», un adorable enano de 30 cm de altura que presenta estrías de color rojo y blanco. Uno de nuestros preferidos es «Gentle Touch», con delicados botones de color rosa pálido, que se abren en forma de flores semidobles, ligeramente perfumadas.

Si dispone del espacio suficiente, coloque rosales arbustivos compactos. «Emera», que alcanza 70 cm de altura, es muy resistente a las enfermedades. Produce gran cantidad de flores de color rojo fucsia, semidobles, desde mayo hasta las primeras heladas. «Opalia» ofrece preciosas flores perfumadas, semidobles, de un color blanco que se mantiene puro incluso después de la lluvia.

Los amantes de los rosales trepadores elegirán «Pierre de Ronsard», una flor al estilo de las rosas antiguas, muy doble, de color rosa carmín y crema. En maceta puede alcanzar los 2 m de altura. Las rosas inglesas, con un aire retro pero muy resistentes a las enfermedades, ofrece un porte ligeramente enroscado, muy gracioso. «Graham Thomas», de color amarillo oro, es uno de los mejores.

Entre los rosales antiguos, algunos aceptan el cultivo en maceta. Es el caso de «Alfred Colomb», con grandes flores dobles, de «Ballerina», que forma grandes ramos de florcitas de color rosa, con centro blanco y soporta una sombra parcial. «Clementina Carboniera» tiene flores aciduladas que mezclan el color naranja, el amarillo y el salmón. «Yvonne Rabier» forma un arbusto compacto de 1 m de altura, cubierto durante toda la temporada cálida, de ramilletes de flores pequeñas dobles, blancas. Tres o cuatro horas de sol por día bastan para mantenerlas contentas.

Comportamiento en el recipiente: los rosales miniatura como «Meillandina» pueden cultivarse como anua-

▼ **«Charles de Mills»:** encanto ancestral.

▼ **«Meillandina»:** ideal en maceta.

▼ **«Pierre de Ronsard»:** pequeño trepador.

▼ **«Opalia»:** un cobertor para macetas.

▲ Los «Koster» son perfectos en recipiente.　　▲ «Graham Thomas»: ligero y florífero.　　▲ «Emera»: un cobertor que nunca enferma.　　▲ «Fée des neiges»: llamada «Iceberg».

les, eliminados al final de la floración. Los otros rosales se acomodan a la vida en maceta durante varios años siempre y cuando estén bien cuidados. Prever un trasplante cada tres años.

Dimensiones del recipiente: las raíces pivotantes y profundas de los rosales no soportan estar apretadas en una maceta pequeña. El aspecto de la planta se resiente rápidamente, la floración se ralentiza, las hojas pierden vigor.

No dude en colocarlos en macetas más profundas que anchas, de 30, 40 y hasta 50 cm de alto, para los más vigorosos.

Si la maceta parece demasiado grande para una planta, combínela con anuales que rellenaran el espacio vacío. Heliotropos, verbenas o helichrysums le van muy bien. No es aplicable para rosales miniatura, que puede de colocar en una jardinera clásica de 40 cm de ancho y 20 cm de alto.

Exposición: ningún rosal florece en la sombra. La necesidad mínima es de tres a cuatro horas de sol al día. Si es menor el arbusto producirá pocas flores. Si su balcón sólo tiene sol por la mañana, elija variedades como «Souvenir d'Adolphe Turc», «Iceberg» o «Rose de Rescht», que son relativamente tolerantes a la escasez de luz.

Tierra: existen en el mercado diversas tierras para rosales, nutritivas y ricas en arcilla, al gusto de estas plantas. Añada abono especial para rosales dos o tres veces durante la temporada. Anualmente, cambie la tierra de la superficie, sustituyéndola por un regenerador de rosales; también puede emplear una mezcla a partes iguales de estiércol descompuesto y tierra para rosales.

Una bonita jardinera de minirrosales «Concertino». ▶

Riego: el secreto del cultivo de los rosales en maceta está en el riego. La raíz pivotante y vigorosa de esta planta está hecha para ir a buscar el agua en la profundidad del suelo. Si no la encuentra, el arbusto sufre. Vigile que el cepellón esté siempre húmedo, pero no en exceso.

No deje nunca agua en el platillo. Evite pulverizar sobre las hojas ya que favorecería la aparición de enfermedades.

Enemigos y enfermedades: el oídio y las manchas negras de las hojas (marsonia) son los dos enemigos más frecuentes de los rosales. Un rosal que reciba la nutrición y riego adecuados, es más resistente a las enfermedades que una planta abandonada. Combata también los pulgones en primavera.

Empleo: si la maceta no es suficientemente grande (inferior a 30 cm de diámetro), es preferible que el rosal esté solo en el recipiente, ya que a esta planta no le gusta mucho compartir. Por el contrario, puede colocarlos cerca de composiciones de geranios vivaces o de petunias azules muy aromáticas. Coloque un fondo formado por plantas de follaje verde, por ejemplo, coníferas o acebo.

Consejo: corte cuidadosamente las hojas marchitas a medida que vayan apareciendo. Este simple gesto permite alargar de modo considerable la duración de la floración. En primavera debe podar los rosales. Lo más simple consiste en cortar las ramas muertas y las que se entrecruzan. Pode las que son demasiado largas a 25 cm de la tierra, conservando las ramas en forma de abanico. De forma general, cuanto más débil sea una rama, más corta deberá podarla. En el caso de los trepadores pode a dos nudos de la base todos los brotes laterales.

▲ *Roscoea cautleoides*: una composición diferente.

▲ En una jarra: *Rosmarinus officinalis*.

◄ *Rubus* x *odoratus* «Tridel»: solidez a prueba de todo.

Roscoea spp.
ROSCOEA

Se diría que son orquídeas…
Planta vivaz (40 cm, 3 °C).

Follaje: más o menos linear según las especies, envainadas, como las hojas de los tulipanes, forma matas flexibles.

Floración: desde agosto hasta octubre, los tallos presentan grandes flores color crema, amarillo o rosa, que parecen orquídeas con el pétalo superior levantado.

Especies y variedades: *Roscoea humeana* presenta grandes flores espectaculares. *Roscoea beesiana* es de color blanco o amarillo pálido, a veces con tonos malva en el pétalo inferior. *Roscoea cautleoides*, la más rústica, forma grandes ramos de flores amarillas.

Comportamiento en el recipiente: la planta se despierta a finales de mayo y crece con fuerza para florecer en julio.

Dimensiones del recipiente: una planta puede vivir en una maceta de 12 cm de diámetro. Plante, preferiblemente, un grupo de cuatro o cinco, en una jardinera baja y redonda, de 30 cm de diámetro y 20 cm de altura.

Exposición: sol tenue o sombra moderada.

Tierra: una tierra rica y bien drenada.

Riego: el riego por goteo es ideal para esta planta ya que detesta la sequía.

Enemigos y enfermedades: en general ninguno.

Empleo: para una composición fresca, asocie las roscoeas con epimediums, helechos o liriopes.

Consejo: plante las raíces carnosas a 10 o 12 cm de profundidad. En invierno, coloque las macetas en una galería, cuando las temperaturas sean negativas. Si no dispone de un lugar resguardado de las heladas, entierre la maceta en un recipiente grande con turba.

Rosmarinus officinalis
ROMERO

El irresistible aroma de las vacaciones.
Arbusto (80 cm, -6 °C).

Follaje: perenne, fuertemente aromático, estrecho, lanceolado, gris verdoso, con el reverso blanco.

Floración: las ramas de dos años sujetan, de abril a agosto, florcillas de color azul malva, rosa o blanco, que pueden durar hasta principios de otoño.

Especies y variedades: *Rosmarinus officinalis* «Prostratus» tiene porte rastrero, florece durante mucho tiempo de color azul oscuro. «Saint Florent», con su follaje fino y su porte rastrero, cae por encima del recipiente. «Majorcan Pink», de porte flexible, semierguido, presenta pequeñas hojas de color gris verdoso que sirven de fondo para la abundante floración de color rosa tierno. «Pyramidalis» erige sus tallos verticalmente.

Comportamiento en el recipiente: la nueva mata de romero crece con mucha energía el primer año, pero después ralentiza el ritmo. En cinco años no llegará a superar los 80 cm de altura.

Dimensiones del recipiente: las raíces del romero cubren rápidamente el fondo de una maceta pequeña. No coloque la planta en un recipiente de diámetro inferior a 20 cm.

Exposición: obligatoriamente a pleno sol.

Tierra: ordinaria, arenosa y bien drenada.

Riego: moderado pero regular. En verano regar a fondo una vez por semana.

Enemigos y enfermedades: el romero prácticamente nunca se ve afectado por los parásitos.

Empleo: en forma de seto en balcones situados en regiones cálidas. Solo en una maceta ya que de otro modo perjudica a las plantas que tiene el lado. Su silueta destaca al lado de otras plantas de sol: tomillo, lavanda, laurel…

Consejo: aunque algunas variedades de romero son más rústicas que otras, en la mayoría de las regiones no está de más que lo proteja en invierno.

Rubus spp.
ZARZAMORA y
FRAMBUESO

¡Los golosos se pinchan!
Arbusto o trepador (4 m, -15 °C).

Follaje: verde mate, trilobulado, muy dentado, más o menos ancho según las especies.

Floración: las zarzas ornamentales presentan pequeñas flores de color rosa, púrpura o blanco, simples, a veces dobles, con pétalos de seda. El centro de la planta contiene un bonito botón de estambres dorados.

Especies y variedades: *Rubus spectabilis* «Flore Pleno» presenta flores púrpura y muy perfumadas, dobles, de abril a junio. *Rubus* x *odoratus* «Tridel» se recubre de flores blancas de 5 cm de ancho con estambres de color amarillo. Opte por un frambueso *(Rubus idaeus)* por el placer de la degustación, como «Héritage», variedad realmente sabrosa. La zarzamora *(Rubus fruticosus)* cubre rápidamente una valla con sus ramas largas y flexibles.

Comportamiento en el recipiente: son muy resistentes al frío.

Dimensiones del recipiente: esta planta pronto se siente oprimida en su recipiente. Todos los Rubus precisan de un recipiente de 30 cm de ancho y profundidad, como mínimo. Trasplante anual.

Exposición: estas plantas de bosque prefieren la sombra moderada antes que el pleno sol.

Tierra: cualquier tierra de jardín que filtre bien.

Riego: regular, una o dos veces por semana.

Enemigos y enfermedades: la zarzamora tiene la fuerza de las plantas salvajes. Casi nunca están enfermas. Trate eventualmente contra los pulgones.

Empleo: no ponga en la misma maceta un Rubus y otra planta. La combinación fracasará, pues la zarzamora, aunque sea de ornamento es muy invasora y domina a los otros vegetales.

Consejo: elimine las ramas viejas que ya no florecen. Airee el centro de la mata.

▲ Una zarzamora sin espinas en una barandilla.

Rudbeckia spp.
RUDBECKIA

De ojo negro pero corazón dorado.
Planta vivaz o anual (80 cm, –10 °C).

Follaje: lanceolado, recubierto de pelos rígidos, las hojas superiores son más anchas de la base.

Floración: las grandes margaritas amarillas, con los pétalos a veces curvados, se suceden desde el mes de junio hasta octubre. El centro marrón o negro es muy prominente.

Especies y variedades: elija especies que no superen los 80 cm de altura. Entre las posibles candidatas, entre las rudbeckias vivaces, *Rudbeckia fulgida* var. *deamii*, con porte ligero, muy florífero, o *Rudbeckia laciniata* «Goldquelle», que aguanta bien en maceta, con inflorescencias dobles de color amarillo oro.

Entre las rudbeckias anuales, elija sin duda alguna «Toto», una enana que florece en forma de una multitud de soles luminosos.

Comportamiento en el recipiente: si las abona regularmente, las rudbeckias se adaptan bien a la vida en maceta, durante varios años.

Dimensiones del recipiente: para desarrollarse correctamente, las rudbeckias deben plantarse en una maceta suficientemente ancha (25 cm como mínimo en todos los sentidos).

Exposición: precisa de sol.

Tierra: estas plantas se acomodan a una buena tierra universal, preferentemente un poco compacta.

Riego: aunque las rudbeckias resisten bastante bien la sequía, es preferible regar al menos una vez por semana.

Enemigos y enfermedades: en ocasiones el oídio se instala en las hojas, pero no suele causar daños importantes.

Empleo: cree grandes composiciones de rudbeckias que puede combinar con otras plantas como asters o echináceas.

Consejo: corte los tallos a ras de tierra inmediatamente después de finalizar la floración. Puede plantar pequeños bulbos de muscaris en las macetas de rudbeckias para dar un bonito toque de color a principios de primavera.

Rudbeckia hirta: una magnífica margarita estival. ▶

▲ Frambuesas «Zeva»: enormes frutos a finales de junio.

R

Rumex

▲ *Rumex acetosa:* acedera para preparar sopa en invierno.

▲ *Russelia equisitiformis:* la ligereza convertida en flor.

◀ *Ruta graveolens:* ¡un crecimiento despampanante!

Rumex acetosa
ACEDERA

Una planta aromatizante con sabor ácido.
Planta vivaz (30 cm, −20 ºC).

Follaje: casi perenne. Las amplias hojas son ovaladas, verde claro y lisas.

Floración: en verano. Las pequeñas flores de color rojo-verde se agrupan en estrechas panículas. Suprima los bohordos florales en cuanto aparezcan.

Especies y variedades: «Large de Belleville» es una especie mejorada muy productiva con grandes hojas verdes. *Rumex arifolius* «Ruber», la acedera roja, destaca por su follaje púrpura a finales de primavera. *Rumex patienta* produce grandes flores de sabor menos ácido, a menudo se consumen del mismo modo que las espinacas.

Comportamiento en el recipiente: el crecimiento es rápido y el cultivo fácil en un recipiente profundo. Renueve la mata cada dos o tres años.

Dimensiones del recipiente: como mínimo 20 cm de diámetro y profundidad para una sola planta.

Exposición: sombra moderada o sol.

Tierra: rica, fértil, fresca y bien drenada.

Riego: regular para mantener el suelo ligeramente húmedo. Cuando el sustrato esté demasiado seco, las hojas se vuelven más coriáceas y más ácidas.

Enemigos y enfermedades: los caracoles y las babosas devoran el follaje de la acedera.

Empleo: combinada con otras plantas aromáticas (perejil, menta, apio, etc.) para crear un balcón de plantas aromatizantes.

Consejo: se debe dejar una separación de 30 cm entre cada planta. Desde abril hasta junio siembre en la maceta definitiva.

Russelia equisitiformis
LLUVIA DE CORAL

Una lluvia de lágrimas de sangre.
Planta vivaz (60 cm, 7 ºC).

Follaje: las largas ramas endebles sostienen hojas pequeñas como escamas, poco visibles.

Floración: desde mayo hasta septiembre. Las flores, de color rojo anaranjado, tienen una forma tubular alargada.

Especies y variedades: de cuarenta especies, en Europa sólo se cultiva *Russelia equisitiformis.*

Comportamiento en el recipiente: esta planta es prácticamente rústica en zonas de la costa mediterránea. Desde octubre hasta mayo. Cultívela en una galería con poca calefacción.

Dimensiones del recipiente: 28 cm de diámetro y de profundidad, como mínimo, para una planta.

Exposición: cálida y muy luminosa.

Tierra: una buena tierra para trasplantes.

Riego: de dos a tres veces por semana en verano.

Enemigos y enfermedades: en general ninguno.

Empleo: coloque la lluvia de coral, sola, en suspensión.

Consejo: en la época más cálida realice aportes de abono líquido cada diez días.

Ruta graveolens
RUDA

Un adorable hedor.
Planta vivaz (60 cm, −20 ºC).

Follaje: perenne, en forma de mata densa ramificada, con bonitos reflejos azulados. Las hojas peneales y recortadas desprenden un olor desagradable.

Floración: de mayo a julio. Las pequeñas hojas, de color amarillo azufre, aparecen en el extremo de los tallos.

Especies y variedades: «Jackman Blue» es más compacta y más coloreada. «Variegata» presenta flores moteadas en color crema.

Comportamiento en el recipiente: el crecimiento es rápido, deberá controlarlo con pinzados repetidos.

Dimensiones del recipiente: como mínimo, 20 cm de profundidad y de diámetro para una planta.

Exposición: cálida y luminosa.

Tierra: una buena tierra universal bastante compacta.

Riego: de dos a tres veces por semana en verano.

Enemigos y enfermedades: prácticamente ninguno.

Empleo: es muy decorativa, y el seto ideal para una jardinera.

Consejo: en primavera corte la mata a algunos centímetros de la tierra. Este hecho permitirá la aparición de nuevos brotes y le dará un porte más armonioso. Retire las flores marchitas en otoño.

S

Salix spp.
SAUCE

El árbol de las mil caras.
Árbol (3 m, –18 °C).

Follaje: caduco. Las hojas simples y estrechas tienen formas muy variadas según las especies. En general el porte es leñoso.

Floración: a finales de invierno o en primavera. Para obtener bellos amentos plante *Salix daphinoides, Salix caprea* «Kilmarnock» o *Salix hastata* «Wehrhadnii». Los sauces son dioicos.

Especies y variedades: puede encontrar más de ochenta clases de sauces. *Salix integra* «Hakuro Nishiki» desarrolla un joven follaje moteado de color rosa y crema. Podado anualmente no supera 1,50 m de envergadura. *Salix rosmarinifolia* forma un arbusto leñoso caduco, de alrededor de 2 m de altura. Sus hojas son verdes del anverso y blancas del reverso. *Salix caprea* «Pendula» o «Kilmarnock» presenta una floración espectacular en marzo o abril. Sólo para terrazas grandes pues puede alcanzar 3 m en maceta.

Comportamiento en el recipiente: las especies de desarrollo pequeño son las más convenientes para el cultivo en maceta. Los sauces tienen, a menudo, un crecimiento rápido. Trasplante cada dos años.

Dimensiones del recipiente: como mínimo 35 cm de diámetro y profundidad para una planta.

Exposición: a pleno sol, sin que sea abrasador.

Tierra: a cantidades iguales una tierra de jardín compacta y una buena tierra universal.

Riego: la mayoría de sauces aprecian un sustrato húmedo. Por ello, procure regar abundantemente cuando el tiempo sea caluroso y seco, como mínimo cada dos días.

Enemigos y enfermedades: la antracnosis del sauce provoca manchas negras en las ramas y manchas marrones en las hojas. Las cochinillas, los pulgones y la fumagina pueden invadir los tallos.

Empleo: los sauces enanos pueden colocarse con plantas vivaces en una jardinera. Los más grandes deben cultivarse solos.

Consejo: retire las ramas muertas. Pode muy corto a los sauces de corteza decorativa y a los de hojas moteadas. Hágalo en invierno.

Salpiglossis sinuata
SALPIGLOSSIS

Una excepcional gama de colores.
Planta anual (70 cm, 0 °C).

Follaje: en mata leñosa. Las hojas estrechas son de color verde claro, con bordes ondulados.

Floración: de julio a septiembre. Las flores con forma de gran cucurucho abierto, presentan varios colores y aspecto aterciopelado.

Especies y variedades: las salpiglossis se encuentran en varios colores en los que se mezclan el blanco, el amarillo, el naranja, el rosa, el rojo y el azul violáceo, con estrías marrones.

Comportamiento en el recipiente: para obtener un efecto de masa coloque varias plantas en una maceta grande. Coloque discretos tutores para las plantas jóvenes.

Dimensiones del recipiente: 18 cm de diámetro y de profundidad para una planta.

Exposición: cálida y muy soleada.

Tierra: una buena tierra de trasplante.

Riego: mantenga el suelo húmedo, pero no empapado; riegue cada dos o tres días en verano.

Enemigos y enfermedades: atención al ataque de los pulgones. Las salpiglossis son sensibles a la podredumbre del cuello y las raíces.

Empleo: realice una bonita composición con petunias, helichrysums, heliotropos o tabacos.

Consejo: siembre en cubiletes en febrero o marzo, a unos 18 °C. Esparza las semillas y conserve solamente una planta vigorosa por maceta. Colóquelas en su lugar en mayo.

Salpiglossis sinuata «Casino»: colores espléndidos. ▶

▲ *Salix integra* «Hakuro Nishiki»: un follaje delicado.

▲ *Salix caprea* «Pendula»: bonitos amentos en invierno.

◀ *Salvia rutilans* en un bonito y exótico balcón.

Exposición: cálida y soleada.

Tierra: tierra ordinaria bastante ligera.

Riego: abundante y regular cuando haga calor. Reduzca los aportes de agua en invierno. Muchas salvias resisten la sequía.

Enemigos y enfermedades: las arañas rojas y los cicádidos causan desperfectos en las hojas.

Empleo: las salvias permiten crear rápidamente un decorado en flor durante muchos meses. Combinan bien con las anuales.

Consejo: corte las flores marchitas. Cada año pode las *Salvias officinalis* en marzo y después de la floración para que conserven el porte denso y compacto. Fertilice a menudo.

Salvia spp.
SALVIA

Cumple cualquier función en el balcón.
Planta vivaz o anual (1 m, –5 °C).

Follaje: mata breñosa, persistente o caduco, alargado y a menudo aromático.

Floración: en verano y en otoño. Las flores tubulares de dos labios se agrupan en racimos terminales muy decorativos. De colores variados.

Especies y variedades: *Salvia coccinea* es una salvia herbácea muy florífera que se cultiva como una anual. Forma una mata ramificada de 60 a 80 cm de alto. Entre sus variedades elija «Coral Nymph», con flores de color rosa, y «Lady in red», con una floración luminosa de color rojo vivo. *Salvia splendens* también se trata como una anual que florece en rojo vivo de mayo a noviembre. No supera los 30 o 50 cm de altura. *Salvia mycrophilla* «Grahamii» forma un matorral persistente de 1 m de envergadura en

lugares de clima suave. Es rústica hasta –5 °C. *Salvia microphylla* «Devantville» tiene flores de color naranja y salmón. *Salvia officinalis* es un semiarbusto rústico con follaje perenne de color gris verdoso y muy aromático. Su floración azul aparece en junio y julio. «Purpurascens» se distingue por un follaje púrpura. «Icterina» presenta flores moteadas de amarillo. «Tricolor» tiene brotes jóvenes moteados de rosa y crema. *Salvia patens* es una especie vivaz, a menudo cultivada como una anual. Forma un pequeño matorral de unos 60 cm de envergadura. La floración ligera, de color azul, tardía, aparece en agosto y septiembre.

Comportamiento en el recipiente: las plantas jóvenes son sensibles al frío húmedo, y las especies vivaces rústicas aguantan menos en maceta. Coloque tutores en las salvias grandes que se desarrollan rápido y forman tallos frágiles. Resisten mal la intemperie.

Dimensiones del recipiente: como mínimo 18 cm de diámetro y de profundidad para una planta.

Sambucus racemosa
SAÚCO ROJO
O SANQUERA

Robusto y fácil de cultivar.
Árbol (4 m, –20 °C).

Follaje: caduco. Las hojas son peneales.

Floración: en primavera o verano. Las pequeñas flores estrelladas de color blanco se reúnen en grandes inflorescencias aplanadas. Preceden la aparición de bayas brillantes de color azul, negras o rojas.

Especies y variedades: *Sambucus racemosa* «Plumosa Aurea» desarrolla un follaje ligero magnífico. «Tenuifolia» no supera 1 m de envergadura. Su follaje delicadamente recortado y sus frutos rojos lo convierten en el elemento perfecto para decorar una terraza pequeña. «Goldenlocks» es una versión con hojas doradas. *Sambucus nigra* es vigoroso y su crecimiento rápido. El follaje dentado es

▼ *Salvia spendens:* la salvia roja.

▼ *Salvia patens:* una composición azul.

▼ *Salvia officinalis* «Tricolor»: aromática.

▼ *Salvia mycrophylla* «Grahamii»: friolera.

de color verde oscuro. En julio se cubre de anchas inflorescencias que dan lugar a bayas de color púrpura negro. «Lacinata» es una forma con hojas muy recortadas que le dan un bonito efecto decorativo. «Pygmy», una tapizante de follaje verde claro, no florece.

Comportamiento en el recipiente: los saúcos enseguida adquieren un porte desordenado. Elija las especies pequeñas ya que se adaptan mejor al cultivo en maceta.

Dimensiones del recipiente: 35 cm de diámetro y de profundidad, como mínimo.

Exposición: soleada o sombra moderada.

Tierra: una buena tierra de jardín bien drenada.

Riego: moderado. Deje que la superficie de la tierra se seque antes de volver a regar.

Enemigos y enfermedades: los pulgones y el oídio invaden a menudo los tallos y las hojas.

Empleo: una planta en una maceta elegante.

Consejo: anualmente, a finales de invierno cuando ya no hay heladas, pode las ramas muy cortas para conservar un porte más compacto. Esta operación impide la floración y la aparición de frutos, pero permite obtener un follaje precioso.

Santolina chamaecyparissus
SANTOLINA, ABRÓTANO HEMBRA O CIPRESILLO

Aromática y resistente a la sequía.
Arbusto (40 cm, -12 °C).

Follaje: denso, perenne y gris plateado. Las hojas están pegadas al tallo, como un ciprés.

Floración: en mayo y junio. Las numerosas flores de color amarillo oro parecen pompones pequeños.

Especies y variedades: *Santolina chamaecyparissus* spp. *squarrosa*, con pequeñas hojas grises perennes, forma una bola de 30 cm de altura. *Santolina viridids* es perenne y de color verde vivo con un bonito porte en forma de bola. Sus flores de color amarillo crema aparecen en mayo y junio. «Primrose Gem» florece de color amarillo pálido.

Comportamiento en el recipiente: poco extendida, normalmente las que encontramos son rústicas. Resisten bien la calima. Trasplante anual.

Dimensiones del recipiente: 18 cm de diámetro y de profundidad, como mínimo.

Exposición: cálida y soleada.

Tierra: un buen sustrato ligero, arenoso.

Riego: la santolina resiste bien a un período de sequía. Deje que la tierra se seque entre dos aportes de agua. Evite la humedad permanente en invierno.

Enemigos y enfermedades: en general ninguno.

Empleo: sola en una maceta o en el borde de algunas macetas grandes.

Consejo: anualmente corte las plantas después de la floración para evitar que se estropeen. Déle una silueta en forma de bola.

Sanvitalia procumbens
SANVITALIA

Una nube de soles en miniatura.
Planta anual (20 cm, 0 °C).

Follaje: las hojas de color verde vivo son ovaladas y puntiagudas. El porte de la mata es rastrero.

Floración: de julio a octubre. Las flores simples tienen el aspecto de margaritas de color amarillo oro con el centro negro.

Especies y variedades: «Irish Eyes», de color amarillo anaranjado, tiene el centro verde. «Mandarin» semidoble es de color naranja intenso con el centro marrón. «Yellow Carpet» tiene un porte compacto y una maravillosa floración de color amarillo limón.

Comportamiento en el recipiente: en buenas condiciones de cultivo, la sanvitalia prospera fácilmente en maceta con cuidados mínimos. Su porte compacto es perfecto para espacios pequeños.

Dimensiones del recipiente: para una planta, 14 cm de diámetro y de profundidad, como mínimo.

Exposición: soleada y muy cálida.

Tierra: un sustrato de turba bien drenado.

Riego: de dos a tres veces por semana en verano. Resiste bien la sequía.

Enemigos y enfermedades: el oídio puede cubrir el follaje con una capa de color blanco grisáceo. Trate preventivamente durante los meses de calor.

Empleo: en una gran maceta o en suspensión, con petunias, zinnias, claveles de la India o verbenas.

Consejo: cuado compre las plantas elija las de porte compacto y que no tengan flor. Serán más vigorosas y más floríferas.

▲ *Sambucus racemosa* «Plumosa Aurea»: ligero y dorado.

▲ *Santolina chamaecyparissus*: pequeño arbusto plateado.

Sanvitalia procumbens: ideal para tapar agujeros. ▶

▲ *Saponaria ocymoides:* ideal en una pila.

▲ *Sasa masamuneana «Albostriata»:* espléndida en mayo.

◄ La ajedrea es aromática, pero también decorativa.

Saponaria ocymoides
SAPONARIA

Una preciosa tapizante compacta.
Planta vivaz (15 cm, -10 ºC).

Follaje: ovalado, espatulado, en mata tapizante.

Floración: abundante de mayo a julio. Las flores pequeñas de color rosa pálido o rosa carmín se agrupan en cimas densas, en el extremo de los tallos.

Especies y variedades: «Compacta» forma un cojín de color vede oscuro. «Splendens» tiene flores de color rosa oscuro y «Rubra Compacta», una bonita floración rosa carmín.

Comportamiento en el recipiente: el crecimiento es rápido y la planta vive varios años. En suspensión proteja a la saponaria de los vientos fuertes.

Dimensiones del recipiente: como mínimo 18 cm de diámetro y de profundidad para una planta.

Exposición: sol o sombra moderada.

Tierra: un buen sustrato a base de cortezas.

Riego: dos veces por semana sin encharcar.

Enemigos y enfermedades: en general ninguno.

Empleo: como tapiz en la base de arbustos con floración primaveral en un recipiente grande o en suspensión.

Consejo: después de la floración pode a ras de tierra todas las flores marchitas.

Sasa spp.
BAMBÚ ENANO

Una mata compacta y graciosa.
Planta vivaz (80 cm, -8 ºC).

Follaje: perenne, alargado y ligero.

Floración: la mayoría de los bambúes no florecen nunca cuando son cultivados. Pero cuando florecen es normal que la planta se debilite.

Especies y variedades: existen más de cuatrocientas especies. *Sasa plumila* desarrolla hojas perennes de color verde oscuro, «Aurea» es una bonita forma con el follaje moteado y estriado. Forman una mata bastante densa. Precisan de un recipiente muy sólido. *Sasa pygmaea*, la especie más pequeña del género, forma una especie de césped.

Comportamiento en el recipiente: las especies enanas deben colocarse en un balcón, en grandes recipientes, para que arraiguen. Los de mayor tamaño pueden verse perjudicados por los fuertes vientos pues el arraigamiento es bastante superficial.

Dimensiones del recipiente: más ancho que profundo para que el cepellón se instale y se desarrolle. Como mínimo 35 cm de diámetro y 30 cm de profundidad para una planta.

Exposición: sol suave o sombra moderada.

Tierra: sustrato de bosque poco ácido.

Riego: dos veces por semana, para mantener la tierra húmeda, pero no encharcada.

Enemigos y enfermedades: los bambúes son gramíneas muy resistentes, nunca están enfermas.

Empleo: en grandes jardineras para dar un toque exótico.

Consejo: en primavera pode los tallos para estimular su crecimiento.

Satureja montana
AJEDREA

Perfume de tomillo y resina.
Subarbusto (30 cm, -6 ºC).

Follaje: perenne, en mata. Las hojas lineares son de color verde oscuro y muy aromáticas.

Floración: blanca, de mayo a junio.

Especies y variedades: *Satureja hortensis*, anual, se cultiva por su follaje perfumado. *Satureja alternipilosa*, una tapizante vivaz de rápido crecimiento, ofrece una floración blanca a finales de verano. *Satureja montana* spp. *illyrica* no supera los 15 cm de altura. A principios de otoño, se cubre con una profusión de flores de color azul.

Comportamiento en el recipiente: la ajedrea vivaz aguanta muchos años si el invierno no es muy húmedo.

Dimensiones del recipiente: 16 cm en todas las magnitudes.

Exposición: cálida y muy soleada.

Tierra: sustrato arenoso que no sea muy rico.

Riego: la ajedrea resiste la sequía.

Enemigos y enfermedades: en general ninguno.

Empleo: combine la ajedrea con tomillo, salvia o mejorana.

Consejo: en marzo pode ligeramente para conservar su porte compacto.

Saxifraga spp.
SAXIFRAGA

Una multitud de formas.

Planta vivaz (de 5 a 40 cm, −20 °C).

Follaje: a menudo perenne, recortado.

Floración: en primavera o en verano.

Especies y variedades: los híbridos de *Saxifraga arendsii* forman alfombras de rosetas de 15 cm de altura. Florecen en mayo en tonos de color rosa. *Saxifraga hypnoides* crece rápido y se presenta como un pequeño cojín, con un follaje de color verde claro. En mayo y junio se cubre de una profusión de pequeñas flores blancas. *Saxifraga* x *urbium* presenta bonitas rosetas aplanadas de color verde oscuro de forma de tapiz. En mayo y junio, pequeñas flores blancas, con motas rojas, sobresalen por encima del follaje en delgados bohordos florales.

Comportamiento en el recipiente: rústicas, la mayoría de las saxifragas vive mucho tiempo en maceta.

Dimensiones del recipiente: como mínimo 14 cm de diámetro y profundidad para una planta.

Exposición: sol sin que sea abrasador, o sombra moderada. Algunas especies prosperan en una situación clara pero resguardada del sol.

Tierra: una tierra de jardín ordinaria, ligera.

Riego: deje que la superficie de la tierra se seque entre dos aportes de agua. Evite la humedad permanente.

Enemigos y enfermedades: la roya puede manchar el follaje con pústulas marrones. Vigile los ataques de pulgones.

Empleo: puede formar una minirrocalla o en el borde de una jardinera.

Consejo: divida la mata cuando empiece a estropearse la parte central.

Scaevola aemula
SCAEVOLA

Una generosa suspensión.

Planta vivaz no rústica (40 cm, 5 °C).

Follaje: perenne, verde brillante, bastante recortado. Porte extenso.

Floración: desde junio hasta las primeras heladas. Las flores de color azul vivo tienen una forma muy abierta, en abanico. Aparecen en grupo en el extremo de los tallos.

Especies y variedades: encontramos variedades de diferentes intensidades de azul.

Comportamiento en el recipiente: esta bonita especie australiana se cultiva en maceta como una planta anual. Su cultivo se recomienda en suspensión o en una maceta grande.

Dimensiones del recipiente: como mínimo 25 cm de diámetro y profundidad para tres plantas.

Exposición: cálida y soleada, pero sin ser abrasadora. En verano puede estar en sombra moderada.

Tierra: sustrato de plantación tirando a ácido.

Riego: mantenga la tierra húmeda pero no encharcada. Es muy exigente y al mínimo error el follaje amarillea y se cae de forma irreversible.

Enemigos y enfermedades: cuando el agua para regar y el sustrato son demasiado calcáreos, las hojas de la scaevola amarillean. Para solucionar este problema utilice un producto anticlorosis.

Empleo: como tapiz en un recipiente grande con arbustos y mantillo; también la puede poner en suspensión.

Consejo: para obtener un efecto de masa plante dos o tres plantas por maceta. Cuando las plante, ponga pinzas en los extremos de los brotes y nuevamente al cabo de dos semanas.

▲ *Saxifraga hypnoides* «Densa»: un tapiz en forma de césped.

▲ *Saxifraga* x *arendsii* o «saxífraga musgo».

Scaevola «Blue Fan» forma generosas suspensiones. ▷

S

Schizanthus

▲ Los bellos schizanthus híbridos crecen bien en recipiente.

▲ *Schizostylis coccinea* o gladiolo escarlata.

Schizanthus pinnatus
SCHIZANTHUS

Como flores de orquídeas.
Planta anual (de 0,30 a 1,20 m, 0 °C).
Follaje: en mata compacta. Las hojas de color verde pálido están profundamente divididas.
Floración: de junio a octubre según la fecha de la siembra. Las flores simples de 3 cm de diámetro se agrupan encima del follaje. Son de muchos colores, uniformes o moteados, en tonos de rosa, rojo, blanco o amarillo. Realmente espléndidas.
Especies y variedades: en los comercios sólo encontraremos los híbridos. *Schizanthus pinnatus* «Dr Badger» presenta grandes flores estriadas, con colores brillantes. *Schizanthus wisetonensis* «Hit Parade», de 30 cm de altura, es perfecta para maceta.
Comportamiento en el recipiente: cultive sobre todo las variedades compactas, de menos de 50 cm de altura. Evite las corrientes de aire y tutorice las plantas grandes.
Dimensiones del recipiente: 14 cm de diámetro y de profundidad, como mínimo, para una planta.
Exposición: soleada y resguardada de los vientos fríos.
Tierra: un buen sustrato de cortezas y turba.
Riego: abundante, cada dos días cuando haga calor. No encharque la tierra ya que las raíces y el cuello son sensibles a la podredumbre.
Enemigos y enfermedades: controle los ataques de pulgones que retardan el crecimiento de las plantas.

Empleo: sola en una maceta decorativa.
Consejo: de marzo a abril siembre las semillas a una temperatura de 16 °C. Trasplante una vez y en mayo colóquela en el emplazamiento definitivo.

Schizostylis coccinea
SCHIZOSTYLIS

Una floración tardía pero graciosa.
Planta bulbosa (de 40 a 90 cm, –2 °C).
Follaje: perenne, afilado, parecido al de los gladiolos.
Floración: en otoño. Las flores estrelladas se agrupan en 6 o 10 en bohordos erguidos.
Especies y variedades: sólo existe una especie originaria de África del Sur. Por lo que a variedades se refiere, «Profesor Barnard» presenta grandes flores de color rosa rojizo con el centro prácticamente blanco. «Tambara», más precoz, presenta flores de color rosa vivo. «The Bride» es la variedad más precoz. Tiene una floración de color rosa suave. «Major» es escarlata.
Comportamiento en el recipiente: esta planta con rizomas carnosos es vivaz. No toque la mata durante tres o cuatro años. En invierno protéjala de las heladas.
Dimensiones del recipiente: 25 cm de diámetro y de profundidad para tres rizomas.
Exposición: soleada y protegida de los vientos fríos.
Tierra: un sustrato arenoso, ligero y fresco.
Riego: en primavera cada dos días. Es una planta a la que le gusta el agua. En verano, ponga la maceta en un platillo lleno de agua.
Enemigos y enfermedades: la podredumbre gris puede afectar el follaje si el tiempo es muy húmedo.
Empleo: con *Sedum spectabile*.
Consejo: plante los rizomas en abril a 6-8 cm de profundidad y a 15 cm de distancia.

Schlumbergera truncata
CACTUS DE NAVIDAD

Una generosa floración invernal.
Cactus (de 30 a 40 cm, 10 °C).
Follaje: espeso, carnoso y persistente. Las hojas de color verde, aplanadas y sin espinas, son segmentadas. El porte ancho es muy ramificado.

◄ Riegue el cactus de Navidad si se arrugan las hojas.

Floración: en invierno. Las grandes flores en forma de plumero son de color rosa vivo.

Especies y variedades: existen gran número de variedades que se diferencian principalmente por el color de las flores: blanco, amarillo, naranja, rosa, rojo o violeta.

Comportamiento en el recipiente: de fácil cultivo en maceta, debe colocarse en una galería de octubre a mayo.

Dimensiones del recipiente: 14 cm en todas las magnitudes, para una planta.

Exposición: cálida y sombra moderada.

Tierra: una mezcla de tierra de hojarasca, de arena y de turba fibrosa.

Riego: una a dos veces por semana. Después de la floración deje secar la superficie de la tierra antes de regar.

Enemigos y enfermedades: las cochinillas harinosas pueden invadir el follaje.

Empleo: sola en suspensión o en una bonita maceta con otros cactus.

Consejo: la multiplicación por esquejes de trozos de hojas es fácil y rápida en verano.

Scilla sibirica
SCILLA

Una tímida mensajera de la primavera.
Planta bulbosa (de 10 a 20 cm, –10 °C).

Follaje: verde vivo. Cada bulbo emite de cuatro a seis hojas estrechas, un poco como la hierba.

Floración: en marzo y en abril. Las flores, en forma de campanillas, se agrupan en espigas erguidas que sobresalen por encima del follaje.

Especies y variedades: «Spring Beauty» presenta flores de color azul oscuro intenso. «Alba» se distingue por una bonita floración blanca. *Scilla peruana* produce una impresionante floración de color azul vivo en el mes de mayo. Plántela en un lugar cálido y protegido.

Comportamiento en el recipiente: de cultivo fácil. A esta especie no le gustan los climas o veranos demasiado cálidos. Puede estar en maceta varios años.

Dimensiones del recipiente: 20 cm de diámetro y de profundidad para cinco u ocho bulbos.

Exposición: sombra moderada o sombra.

Tierra: una mezcla ácida y bien drenada de tierra de jardín, de sustrato y de arena. Un tercio de cada una.

Riego: mantenga la tierra siempre húmeda, pero no encharcada, durante el período de crecimiento.

Enemigos y enfermedades: la anguílula de los tallos puede destruir los bulbos. La roya cubre, a veces, el follaje de manchas amarillas pero sin presentar gravedad.

Empleo: en el borde de una jardinera. Queda magnífica con una azalea.

Consejo: en otoño plante los bulbos a 8-10 cm de profundidad, cada 5 cm.

Sedum spp.
SEDUM

Un gran amigo de la sequía.
Planta vivaz (de 3 a 60 cm, –10 °C).

Follaje: a menudo carnoso y coriáceo, persistente o caduco. Las hojas son aplanadas o cilíndricas. Porte en mata erguido o en forma de tapiz.

Floración: según las especies, de mayo a octubre.

Especies y variedades: *Sedum aizoon* presenta un bonito follaje de color verde claro; en julio se cubre de flores con el perfume y el color de la miel. *Sedum spectabile* forma una mata erguida, de un color verde azulado, y redondeada. De julio a octubre desarrolla unas anchas inflorescencias aplanadas. *Sedum spathulifolium* desarrolla hojas persistentes aplanadas, dispuestas en roseta. No supera los 5 cm de altura y florece en mayo y en junio, en tonos amarillos. «Cape Blanco» presenta un follaje blanco plateado. «Purpureum» se distingue por una vegetación vigorosa y hojas púrpura.

Comportamiento en el recipiente: muy resistentes y fáciles de cultivar, los sedums pueden crecer con muy poca tierra. Las especies estoloníferas deben plantarse en recipientes anchos y poco profundos.

Dimensiones del recipiente: 12 cm en todas las magnitudes para una planta rastrera, 20 cm para *Sedum spectabile*.

Exposición: soleada, cálida y seca.

Tierra: una buena tierra de jardín, calcárea y drenada.

Riego: sólo cuando la tierra esté seca.

Enemigos y enfermedades: raramente sufren ataques de parásitos.

Empleo: en el borde de las jardineras de vivaces, en maceta o como tapiz.

Consejo: de abril a julio, los botones del extremo de los tallos arraigan fácilmente.

▲ La scilla de Siberia debe plantarse en grupo.

▲ *Sedum spectabile:* sedum de flores otoñales.

Sedum spathulifolium aprecia el sol. ▶

S

Sempervivum

▲ Las siemprevivas florecen todas en junio y julio.

▲ Las siemprevivas prefieren macetas anchas y bajas.

Sempervivum spp.
SIEMPREVIVA

La gran amiga de la sequía.

Planta vivaz (de 10 a 30 cm, –10 °C).

Follaje: perenne, craso y en roseta. Las pequeñas hojas elípticas son carnosas y ovaladas o elípticas.

Floración: a finales de primavera o en verano. Las flores de color rosa, blanco o rojo se agrupan en el extremo de tallos espesos, erguidos por encima del follaje. Las rosetas mueren después de la floración, después de emitir varios retoños.

Especies y variedades: *Sempervivum arachnoideum* desarrolla un follaje verde grisáceo, recubierto de pequeños pelos plateados. La floración de color rosa rojizo es muy decorativa. *Sempervivum tectorum* forma grandes rosetas verdes con tonos marrones violáceos; es muy prolifera y resistente y florece en tonos blancos y rosa pálido. Entre los múltiples híbridos disponibles, elija «Othello» por sus amplias rosetas de tonos rojos tirando a marrón, «Rubin» con colores rojos, más vivos en primavera. Y «Comander Hay», con grandes rosetas aplanadas y abiertas, de color rojo-marrón, con los extremos de las hojas verde bronce.

Comportamiento en el recipiente: el cultivo es muy fácil y prácticamente no precisan de cuidados. Las siemprevivas se conforman con poca tierra y son muy resistentes.

Dimensiones del recipiente: será suficiente con un recipiente de 4 cm de diámetro y de 10 a 12 cm de profundidad.

Exposición: a pleno sol incluso cálida y seca.

Tierra: pobre, ligera, arenosa, filtrante.

Riego: sólo cuando la tierra esté bien seca.

Enemigos y enfermedades: la roya puede recubrir las hojas con pústulas naranjas.

Empleo: en pequeñas macetas decorativas con sedums o gramíneas. También las puede colocar en un jardín seco y árido en su propia maceta.

Consejo: en primavera y en verano la multiplicación de la siempreviva es fácil mediante esquejes, ya que la roseta principal emite numerosos retoños. Plante cada roseta «hija» en una mezcla de arena y tierra de jardín, sin añadir abono.

◄ *Senecio* «Sunshine» es ideal para la orilla del mar.

Senecio spp.
CINERARIA
O GERANIO
DE CALIFORNIA

Plata en las hojas y oro en las flores.

Planta anual, planta vivaz o arbusto (de 0,10 a 1,80 m, –10 °C).

Follaje: perenne o caduco, a menudo coloreado.

Floración: en primavera o en verano. Las flores se agrupan en ramilletes y parecen margaritas amarillas bastante espectaculares.

Especies y variedades: *Senecia bicolor* spp. *cineraria,* la cineraria marítima, es una especie subarbustiva vivaz, con hojas perennes lobuladas, de color blanco plateado (60 cm de altura); «Candidisima» presenta un follaje profundamente recortado; «Diamant» se distingue por un blanco puro plateado. *Senecio greyi* (o *Brachyglottis* x «Sunshine») desarrolla un follaje perenne gris y ribetes plateados con el reverso blanco (altura 1 m); las grandes flores amarillas aparecen en junio y julio. *Senecio saxifraga* forma un bonito cojín verde, amplio, de 20 o 30 cm de altura, cubierto de pequeñas flores amarillas en verano; a menudo se cultiva como planta anual, sin embargo es vivaz y debe resguardarse de las heladas invernales. *Senecio petasites* es muy espectacular y desarrolla grandes hojas de color verde oscuro, aterciopeladas y redondeadas (altura 1,5 m); el cepellón es rústico hasta –10 °C.

Comportamiento en el recipiente: las especies arbustivas poco rústicas son recomendables para climas suaves y regiones situadas cerca del mar.

Dimensiones del recipiente: como mínimo 14 cm de altura y de ancho para las especies herbáceas. Para las arbustivas 25 cm en todas las magnitudes.

Exposición: cálida, soleada y bien aireada.

Tierra: un buen sustrato arenoso bien drenado.

Riego: como media dos veces por semana en la época cálida. Régimen seco en invierno.

Enemigos y enfermedades: thrips, pulgones y cochinillas harinosas pueden invadir el follaje.

Empleo: en todas las composiciones otoñales o en jardineras de vivaces.

Consejo: debe suprimir todas las flores marchitas a medida que aparezcan, cortando por debajo de la primera hoja.

Silene spp.
COLLEJAS

Una floración muy fresca.

Anual o vivaz (de 5 a 50 cm, -10 °C).

Follaje: las hojas de color verde denso o verde platea-do son ovaladas, lanceoladas u oblongas.

Floración: de finales de primavera a finales de verano. Las flores son aplanadas o estrelladas y se reconocen por su cáliz tubular.

Especies y variedades: entre las especies anuales eli-ja *Silene Pendula,* con el porte muy compacto y flora-ción estival de color rosa pálido, en forma de grandes ramos colgantes (altura máxima de 15 a 20 cm). Entre las collejas vivaces, *Silene maritima* forma una bella mata de porte suelto, con un follaje verde azulado y una abundante floración blanca (altura de 15 cm). «Plena» da grandes flores dobles que parecen peque-ños claveles. «Druett's Variegated» se distingue por su bello follaje en cojín, verde pálido y blanco crema, con una floración de color blanco. *Silene schafta* tiene el aspecto de un pequeño cojín de color verde oscuro; de julio a septiembre, las flores simples de color rosa oscuro aparecen en los extremos del tallo (altura de 10 a 15 cm).

Comportamiento en el recipiente: Rústica y fácil de cultivar. Las raíces son muy frágiles. No rompa el cepe-llón cuando la trasplante.

Dimensiones del recipiente: como mínimo 16 cm de diámetro y profundidad para una planta.

Exposición: soleada sin ser abrasadora.

Tierra: las collejas son poco exigentes y se conforman con una tierra de jardín ordinaria, ligera y bien dre-nada.

Riego: deje que la superficie de la tierra se seque li-geramente entre dos aportes de agua.

Enemigos y enfermedades: en general ninguno. Un sustrato demasiado húmedo en invierno puede provo-car que las raíces se pudran.

Empleo: en el borde de una jardinera con plantas vi-vaces, con pequeñas especies o en suspensión.

Consejo: las collejas mueren más por un exceso de agua que por sed. Sea metódico con los riegos y no deje que el agua se encharque debajo de la maceta. Después de la floración, corte las flores marchitas por encima del follaje.

Sisyrinchium spp.
SISYRINCHIUM

Una planta vivaz que hay que descubrir.

Planta vivaz (de 15 a 60 cm, -5 °C).

Follaje: de verde a verde plateado, perenne, en forma de mata amplia. Las hojas alargadas tienen forma de espada como las de los lirios.

Floración: de mayo a octubre, según las especies. Las pequeñas flores simples en forma de copa se agrupan sobre tallos erguidos por encima del follaje. Las flores nacen y mueren prácticamente en un día, pero se su-ceden durante meses. La planta debe ser admirada de cerca para que se pueda apreciar la sutilidad de su flo-ración.

Especies y variedades: *Sisyrinchium striatum* es poco rústico, pero se siembra con facilidad; presenta nume-rosas flores de color blanco crema o amarillo pálido, con rayas de color marrón a principios de verano (altu-ra de 50 a 60 cm), sujetas por bohordos erguidos. «Aunt May» se distingue por un follaje de rayas de co-lor amarillo crema; su cultivo es mucho más delicado. *Sisyrinchium californicum* no supera los 15 cm de altura; la floración de color amarillo oro aparece de mayo a ju-lio. *Sisyrinchium bermudianum* es de color azul.

Comportamiento en el recipiente: el cultivo es fácil. Esta planta exige un mantenimiento mínimo y dura muchos años en maceta.

Dimensiones del recipiente: como mínimo 16 cm de diámetro y de profundidad para una planta. Utilice un recipiente ancho, en el que colocará cuatro o cinco ma-tas para crear un efecto de masa.

Exposición: resguardada del frío y soleada.

Tierra: una mezcla a partes iguales de tierra de hoja-rasca, arena de río y turba.

Riego: de una a dos veces por semana.

Enemigos y enfermedades: en general ninguno.

Empleo: solo en una maceta decorativa o en el borde de una jardinera con vivaces.

Consejo: después de la floración corte los bohordos florales. Los sisyrinchiums aprecian un lecho de piedre-cillas de 1 o 2 cm, encima de la tierra de la maceta. Así aprovechan el calor que se acumula durante el día en las piedras.

Sisyrinchium bermudianum: una pequeña joya azul. ▶

▲ ¡Es difícil encontrar algo más luminoso que la cineraria!

▲ *Silene schafta* florece abundante y tardíamente.

▲ La esquimia puede vivir numerosos años en recipiente.

▲ *Solanum pseudocapsicum:* es el manzano del amor.

Skimmia japonica
ESQUIMIA

Un crecimiento lánguido.

Arbusto (de 0,60 a 1,50 m, –10 °C).

Follaje: en mata redondeada, perenne, bastante denso. Las hojas coriáceas de color verde pálido son ovaladas y lanceoladas, a veces moteadas.

Floración: en marzo y abril. Las flores macho y hembra aparecen en plantas separadas. Son estrelladas, agrupadas en panículas terminales. En las plantas hembra, aparecen bayas de color rojo vivo muy decorativas y que persisten durante una buena parte del invierno.

Especies y variedades: «Fragrans» ofrece una floración macho blanca y perfumada. «Rubella» es una bonita variedad macho, que presenta botones florales de color rojo. «Oblata» resiste bien la contaminación urbana. *Skimmia reevesianna* (o *Skimmia fortunei*) presenta un porte compacto y no supera los 90 cm de altura. Es una especie hermafrodita que siempre presenta frutos.

Comportamiento en el recipiente: el cultivo es fácil, pero la esquimia no es muy rústica. Las heladas invernales estropean el follaje. Proteja la maceta de las corrientes de aire colocándola, por ejemplo, en un ángulo entre dos paredes. Cuando la temperatura nocturna descienda a –5 °C envuélvala con un velo de hibernación. La planta resiste mucho mejor al frío cuando no está mojada.

Dimensiones del recipiente: como mínimo 25 cm de profundidad y ancho para una planta.

Exposición: protegida, con sombra moderada. El exceso de sol provoca que las hojas amarilleen.

Tierra: mantillo puro.

Riego: cada dos o tres días, para mantener la tierra húmeda pero no encharcada.

Enemigos y enfermedades: las esquimias son bastante sensibles a la clorosis cuando hay un exceso de cal en el agua.

Empleo: sola, en una bonita maceta decorativa, o en una jardinera combinada con rododendros, azaleas o arces.

Consejo: una poda ligera en verano permite conservar un porte compacto y regular.

◀ La berenjena es *Solanum melongena*.

Solanum spp.
SOLANUM
O HIERBA MORE

Un «veneno» adorable.

Planta anual, vivaz, trepadora o arbusto (de 0,30 a 3 m, de 0 a –5 °C).

Follaje: perenne o caduco, muy variable.

Floración: estrellada, en primavera o en verano.

Especies y variedades: *Solanum jasminoides* presenta un follaje semiperenne sostenido por largas ramas volubles, de rápido crecimiento; de julio a noviembre, produce ramilletes de flores estrelladas de color blanco azulado (altura 3 m). Es rústica hasta –5 °C. «Alba» es una variedad de flores de color blanco puro. *Solanum crispum* «Glasnevin» alcanza 3 m de altura; esta planta trepadora, con hojas perennes, se cubre de flores de color azul violáceo y estambres amarillos, de abril a junio, y a veces en otoño. *Solanum rantonnetti* forma una preciosa zarza de 1 a 1,5 m. Las hojas son caducas; la floración, de color azul violáceo claro, aparece de junio a octubre. A –5 °C el follaje se estropea, pero el cepellón resiste hasta –10 °C. «Variegata aurea» se distingue por un follaje moteado en amarillo. *Solanum melongena*, la berenjena, es una planta anual, cultivada por sus frutos carnosos deliciosos y decorativos. *Solanum pseudocapsicum*, el «manzano del amor», tiene un porte muy ramificado y follaje perenne; las pequeñas flores blancas dan lugar a frutos globulosos, de color rojo y que resisten parte del invierno en la planta. Altura de 0,50 a 1 m. En invierno debe protegerla de las heladas y colocarla en una galería con poca calefacción (de 5 a 10 °C).

Comportamiento en el recipiente: normalmente es de rápido crecimiento; deberá realizar trasplantes frecuentes y abonar cada diez días en verano. Evite el cultivo de los solanums espinosos, demasiado peligrosos para un balcón.

Dimensiones del recipiente: como mínimo 15 cm de diámetro y de profundidad para las especies pequeñas. Para las trepadoras 25 cm como mínimo.

Exposición: cálida, protegida y muy soleada.

Tierra: un sustrato ligero y bien drenado.

Riego: cada dos días, como mínimo, y a diario cuando haga calor. En invierno sólo debe regarse una vez por semana.

Enemigos y enfermedades: las arañas rojas y los pulgones provocan a menudo daños importantes en las hojas. Inicie el tratamiento cuando observe los primeros síntomas.

Empleo: solo, en maceta. Coloque las plantas trepadoras en una celosía.

Consejo: en abril pode los brotes que se hayan helado y los tallos más débiles de las especies trepadoras. Corte los brotes del manzano del amor 1/3 de su longitud.

Soleirolia soleirolii
LÁGRIMAS DE ÁNGEL

Ideal para sustituir el musgo.
Planta vivaz (3 cm, –5 °C).

Follaje: perenne, brillante, tapizante. Las minúsculas hojas verdes y redondas se apoyan en tallos delgados. Desde lejos el follaje de las lágrimas de ángel parece una alfombra de musgo fresco y compacto.

Floración: verdosa e insignificante, durante el mes de julio.

Especies y variedades: existe una variedad muy decorativa con follaje dorado y otra con hojas verde grisáceo, con algunos toques de color crema, pero estas dos variedades son más delicadas.

Comportamiento en el recipiente: el cultivo es muy fácil, pero esta planta sensible al frío ennegrece con las primeras heladas. Si en invierno la temperatura no baja demasiado, la planta podrá renacer del cepellón en primavera, sobre todo si la protege con un lecho de turba. Pero para conservarla intacta, es preferible colocarla en una galería o en un invernadero frío durante todo el invierno.

Dimensiones del recipiente: plante las lágrimas de ángel en un recipiente plano, bastante ancho y poco profundo, para que forme una bonita alfombra densa y regular.

Exposición: protegida, en sombra moderada o sombra.

Tierra: tierra de hojarasca, rica y bien drenada.

Riego: dos veces por semana, cuando haga calor, para mantener la tierra húmeda pero no encharcada. Pulverice en verano.

Enemigos y enfermedades: en general ninguno. Un exceso de riego o un drenaje incorrecto puede provocar que los tallos y raíces se pudran.

Empleo: como tapiz, en la base de arbustos o de plantas herbáceas grandes. En suspensión.

Consejo: lágrimas de ángel se divide fácilmente fraccionando los tallos con raíces, durante toda la temporada cálida.

Sparmannia africana
TILO DE TIESTO

Un toque exótico.
Arbusto (de 1,50 a 2,50 m, 0 °C).

Follaje: verde vivo, perenne. Las largas hojas en forma de corazón son flexibles y aterciopeladas.

Floración: en mayo y junio. Las flores, de color blanco con el centro lleno de estambres amarillos y púrpura, se agrupan en sombrillas terminales.

Especies y variedades: *Sparmania africana* es la única especie que se cultiva de las siete conocidas.

Comportamiento en el recipiente: el crecimiento es vigoroso e importante. Proteja la maceta de los vientos violentos. En invierno coloque el tilo de tiesto en una galería que esté a una temperatura entre 5 o 7 °C. De mayo a septiembre haga un aporte de abono líquido cada diez días.

Dimensiones del recipiente: como mínimo 25 cm de diámetro y de profundidad para una planta joven de 1 m de altura. Para el tilo de tiesto lo más idóneo es un recipiente cuadrado.

Exposición: cálida y soleada; donde quede protegida de las corrientes de viento.

Tierra: una tierra para geranios clásica es la más adecuada.

Riego: cada dos o tres días cuando haga calor. Reducido en invierno, dejando que la superficie de la tierra se seque entre dos aportes de agua.

Enemigos y enfermedades: las arañas rojas y los pulgones invaden a menudo el follaje, sobre todo en el período invernal.

Empleo: solo, en una maceta decorativa. Puede darle forma sobre el tallo.

Consejo: trasplante anualmente a principios de primavera y corte los tallos por la mitad, o dos tercios de su longitud, para provocar ramificaciones que darán lugar a las flores.

Sparmannia africana: sensible al frío pero espectacular. ▶

▲ *Solanum jasminoides:* necesita sol para florecer.

▲ Lágrimas de ángel: recubren totalmente su recipiente.

431

S

Sphaeralcea

▲ La anisodontea aprecia la luz y el sol.

▲ *Spiraea japonica* «Anthony Waterer»: una apuesta segura.

Sphaeralcea capensis
ANISODONTEA

Una nueva estrella para los balcones.
Arbusto (de 1 a 1,50 m, –5 °C).

Follaje: verde claro, recortado y perenne.

Floración: abundante de mayo a noviembre. Las pequeñas flores simples en forma de copa son de color rosa pálido y de color púrpura en el centro.

Especies y variedades: *Sphaeralcea capensis* es la única especie que se comercializa actualmente.

Comportamiento en el recipiente: de fácil cultivo, esta planta no necesita reposo vegetativo cuando se cultiva en regiones de clima suave (a orillas del mar).

Dimensiones del recipiente: de 18 a 25 cm de diámetro y de profundidad para una planta.

Exposición: protegida, cálida y soleada.

Tierra: una mezcla bien drenada de tierra de jardín y de tierra de hojarasca, a partes iguales.

Riego: dos veces por semana cuando el tiempo sea cálido y seco. Reducido durante el reposo invernal.

Enemigos y enfermedades: atención a la mosca blanca en invierno y a la araña roja en verano.

Empleo: sola, en una bonita maceta decorativa. Puede darle forma sobre tallo.

Consejo: a finales de invierno, corte severamente los tallos. A medida que vaya creciendo, ponga pinzas en los nuevos brotes para conservar un porte estético y compacto.

Spiraea spp.
ESPÍREA

Un pequeño arbusto sin problemas.
Arbusto (de 0,60 a 1,50 m, –15 °C).

Follaje: caduco. Las hojas son ovaladas u oblongas, verdes o coloreadas según las variedades.

Floración: las espíreas de primavera desarrollan una bonita floración blanca y las de verano flores rosas o rojas, muy decorativas.

Especies y variedades: *Spiraea japonica* «Candelight» presenta un follaje joven de color rojo anaranjado que se vuelve poco a poco naranja vivo y luego amarillo verdoso en pleno crecimiento (altura de 60 a 70 cm)

 ◀ La espírea «Gold Flame» prefiere la sombra moderada.

«Golden Princesa» es de un bello amarillo luminoso. «Goldmound» y «Golden Dome» se le parecen, pero con una vegetación más enana. «Shirobana» presenta flores rojas y blancas en la misma planta. *Spiraea* x *vanhouttei* tiene largas ramas arqueadas que se cubren de pequeñas flores blancas agrupadas en ramilletes, en mayo. La mutación «Pink Ice» se distingue por un follaje verde claro, ribeteado en cema; los brotes jóvenes tienen toques de color rosa. *Spiraea* x *bumalda* «Anthony Waterer» produce una magnífica floración roja de julio a septiembre (altura 80 cm).

Comportamiento en el recipiente: de fácil cultivo las espíreas son rústicas y duran muchos años sin precisar trasplantes.

Dimensiones del recipiente: como mínimo 25 cm de diámetro y de profundidad para una planta.

Exposición: soleada o sombra moderada para las espíreas con follaje amarillo o moteado.

Tierra: tierra para geranios un poco arenosa.

Riego: cada dos o tres días cuando haga calor y el tiempo sea seco. En invierno una vez por semana.

Enemigos y enfermedades: el oídio recubre a menudo las hojas de las espíreas con un follaje amarillo.

Empleo: sola, en una gran maceta decorativa o en seto bajo, en una jardinera.

Consejo: a finales de invierno corte las espíreas de follaje dorado o moteado para favorecer el crecimiento de nuevos brotes bien coloreados. Todas las especies que florecen sobre las ramas nuevas del año pueden podarse bien corto en marzo.

Sprekelia formosissima
FLOR DE LIS

Una suntuosa floración estival.
Planta bulbosa (40 cm, 5 °C).

Follaje: caduco. Las hojas en forma de cinta y muy alargadas son de color verde vivo.

Floración: a principios de verano. Las grandes flores parecen orquídeas y tienen un bonito color rojo vivo. Aparecen antes que el follaje.

Especies y variedades: *Sprekelia formosissima* es la única especie que podemos encontrar en las tiendas.

Comportamiento en el recipiente: sólo los bulbos que tienen una circunferencia de 18 a 20 cm, florecen. Evite recipientes con reserva de agua.

Dimensiones del recipiente: utilice un recipiente de barro más ancho que alto. Para un bulbo prevea un recipiente de 14 cm de diámetro por 12 cm de profundidad.

Exposición: cálida, resguardada y soleada.

Tierra: una mezcla de 1/3 de tierra de jardín, de tierra de hojarasca y de arena de río.

Riego: cada tres días en período vegetativo, diario cuando el tiempo sea seco y cálido. Reduzca los riegos a finales de julio para que la planta entre en reposo en un ambiente seco.

Enemigos y enfermedades: las cochinillas harinosas a veces colonizan su follaje.

Empleo: sola, en una maceta decorativa.

Consejo: los bulbos se trasplantan en febrero o marzo y se conservan en seco, protegidos de las heladas hasta mayo. Deje que la parte superior del bulbo sobresalga del sustrato.

Stachys spp.
BETONICA

Un follaje suave como el terciopelo.

Planta vivaz (de 15 a 70 cm, −15 °C).

Follaje: perenne, a menudo velloso, plateado

Floración: en verano en las especies que son mas erguidas.

Especies y variedades: *Stachys byzantina* (o *Stachys lanata*), o comúnmente llamada «oreja de oso», es una especie viva tapizante, que se cultiva sobre todo por su follaje aterciopelado, recubierto de pelos blancos plateados; las flores de color rosa se encuentran en los bohordos florales plateados, que se levantan por encima del follaje (altura de 30 a 50 cm). «Big Ears» presenta grandes hojas grises. «Siver Carpet» prácticamente no florece; forma una alfombra muy densa de 15 cm de alto. *Stachys grandiflora* presenta una vegetación densa, en cojín; es muy florífera, se cubre de flores de color rosa púrpura agrupadas en anchas espigas cortas. «Superba» es una forma con flores más grandes, muy espectacular (altura 50 cm).

Comportamiento en el recipiente: muy rústicas, son plantas fáciles de cultivar y son bonitas todo el año. Trasplante cada dos o tres años.

Dimensiones del recipiente: como mínimo 18 cm de diámetro y de profundidad para una planta.

Exposición: soleada pero sin ser abrasadora.

Tierra: más bien calcárea y bien drenada.

Riego: cada tres días cuando haga calor. La superficie de la tierra puede secarse.

Enemigos y enfermedades: en general ninguno.

Empleo: en el borde de las jardineras grandes.

Consejo: después de la floración corte todos los bohordos florales a nivel de las hojas. En marzo suprima las hojas viejas estropeadas.

Strelitzia reginae
AVE DEL PARAÍSO
DE NICOLAI

Unas flores extraordinarias.

Planta vivaz (1,50 m, 5 °C).

Follaje: perenne, en mata. Las grandes hojas de color verde azulado son erguidas y coriáceas.

Floración: de diciembre a mayo. Las espléndidas flores en forma de pájaro mezclan los colores azul, naranja, rojo, violeta y amarillo.

Especies y variedades: el género sólo comprende cinco especies, todas ellas tropicales. *Strelitzia augusta* (o *Strelitzia Alba*) forma una mata gigante que puede alcanzar varios metros de altura; las flores son blancas y violetas.

Comportamiento en el recipiente: si está bien alimentada en poco tiempo se vuelve voluminosa. En invierno coloque la maceta en un invernadero frío o en una galería, desde finales de septiembre hasta mayo.

Dimensiones del recipiente: como mínimo 40 cm de diámetro y de profundidad para una planta.

Exposición: cálida, resguardada y soleada.

Tierra: una mezcla a partes iguales de sustrato de estiércol, tierra de jardín y arena de río.

Riego: como mínimo 5 l al día cuando haga calor. Reducido en invierno.

Enemigos y enfermedades: atención a los ataques de cochinillas en las hojas.

Empleo: sola, en una maceta grande.

Consejo: de mayo a septiembre aporte abono líquido cada diez días. Cada dos años, tras plante a una tierra nueva, después de la floración o en marzo.

▲ *La flor de lis, aunque parece una orquídea.*

▲ *Stachys lanata* «Silver Carpet»: de follaje plateado.

La strelitzia precisa un recipiente muy ancho. ▶

▲ Muy exótica, streptosolen adora el sol y el calor.

▲ Cuidado, la bacopa es sensible a la escasez de agua.

Streptosolen jamesonii
STREPTOSOLEN

Una profusión de trompetas espectaculares.
Arbusto (de 0,60 a 1,50 m, 5 °C).

Follaje: perenne. Las pequeñas hojas ovaladas y aterciopeladas son verdes y brillantes. Porte arbustivo.

Floración: de abril a junio. Las flores simples y tubulares, de color naranja vivo, aparecen agrupadas en ramilletes que cuelgan del extremo de los tallos.

Especies y variedades: sólo se cultiva una especie, «Yellow», una bonita forma con flores amarillas.

Comportamiento en e! recipiente: se cultiva como una datura o un laurel. Desde finales de septiembre a principios de mayo coloque la planta en una galería, a 7 o 8 °C.

Dimensiones del recipiente: como mínimo 20 cm en todas las magnitudes para una planta de menos de 1 m de alto.

Exposición: cálida, soleada y resguardada.

Tierra: una buena tierra de trasplante.

Riego: cada tres días cuando el tiempo sea seco y cálido.

Enemigos y enfermedades: la mosca blanca y los pulgones pueden perjudicar a la planta, sobre todo en invierno.

Empleo: sola, en una bonita maceta decorativa. Su porte flexible permite cultivarla en suspensión.

Consejo: los tallos jóvenes flexibles pueden recubrir una pared resguardada.

Sutera diffusa
BACOPA

Un bonito cojín redondo y en flor.
Planta vivaz (20 cm, de 4 a 5 °C).

Follaje: muy extenso y en cascada. Los largos y finos tallos enseguida recubren la maceta.

Floración: de mayo a octubre. Las minúsculas flores de color blanco y en forma de trompeta aparecen en el extremo de los tallos en gran cantidad.

Especies y variedades: existe una variedad más pequeña con flores de color azul lavanda.

Comportamiento en el recipiente: de fácil cultivo, como una anual para la decoración estival

Dimensiones del recipiente: como mínimo 14 cm de diámetro y de profundidad para una planta.

◀ Los lilos «Catherine Havemeyer» producen flores dobles.

Exposición: sombra moderada, resguardada de los vientos.

Tierra: una buena tierra para geranios.

Riego: cada dos días sin encharcarla.

Enemigos y enfermedades: prácticamente ninguno.

Empleo: como tapiz o en el borde de una jardinera. También es magnífica en suspensión.

Consejo: de mayo a septiembre haga aportes de abono líquido cada ocho días.

Syringa vulgaris
LILO O LILA

Un perfume único.
Arbusto (de 2 a 3 m, –15 °C).

Follaje: caduco. Las hojas en forma de corazón u ovaladas son de un bonito verde puro.

Floración: en abril y en mayo. Las pequeñas flores se agrupan en grandes panículas terminales.

Especies y variedades: entre los lilos de flores simple elija «Etna», de color rojo burdeos; «Jan van Tool», de color blanco puro; «Massena», púrpura oscuro y muy perfumado, o «Vestale», blanco puro, muy florífero y de porte compacto. Entre las dobles o semidobles, quédese con «Belle Nancy», casi rosa; «Jeanne d'Arc», blanco puro; «Catherine Havemeyer», lavanda púrpura y muy perfumado, o «President Vigier», lila claro y con los botones florales de color rojo violáceo. *Syringa microphylla* «Superba» no supera los 2 m, de altura. Se cubre de flores ligeras, con un agradable perfume, en mayo. A veces, de finales de agosto a finales de septiembre, reflorece.

Comportamiento en el recipiente: el lilo precisa de dos o tres años para establecerse bien en la maceta.

Dimensiones del recipiente: como mínimo 40 cm de diámetro y de profundidad para una planta.

Exposición: soleada, resguardada de los vientos.

Tierra: tierra de jardín un poco calcárea. El lilo aprecia un aporte de abono en primavera.

Riego: no encharque la tierra.

Enemigos y enfermedades: a veces el follaje se ve afectado por los otiorrincos.

Empleo: en grandes macetas en un segundo plano.

Consejo: pode las ramas que han florecido por la mitad para conservar un aspecto compacto y estimular la próxima floración.

T

Tagetes spp.
CLAVEL
DE LA INDIA

Meses de oro y de sol.

Planta anual (de 20 a 70 cm, 5 °C).

Follaje: en mata compacta, de color verde oscuro y brillante, muy recortado. Esta característica le confiere mucha elegancia. Si frota las hojas desprenderán un característico olor muy fuerte, que a veces resulta desagradable.

Floración: de junio a las primeras heladas, sin interrupción. Las flores simples parecen pequeñas margaritas muy finas. Las flores dobles parecen pompones más o menos compactos. Los colores aparecen en todas las gamas de amarillo y naranja. También existen formas bicolores.

Especies y variedades: *Tagetes patula,* el clavel de la India, es originario... ¡de México! Es una planta robusta y muy florífera con vegetación bastante baja. Entre las diferentes variedades, elija «Bonanza» por sus flores precoces, dobles y su porte compacto (20 cm de alto). «Disco Flame», con flores simples bicolores caoba con bordes amarillos, es muy luminosa. «Honeycomb» alcanza los 25 cm, sus flores dobles se parecen a las de las escabiosas, pero en marrón y borde anaranjado. «Red Marietta» presenta grandes flores de color rojo caoba con borde en oro. «Monsieur Majestic» se parece a la precedente, pero es un poco más grande (30 cm). Es una variedad dominada por Fleuroselect. *Tarjetes erecta,* la rosa de la India, presenta una vegetación más vigorosa que el clavel de la India. Puede formar una enorme mata de 70 cm de altura con flores que a menudo son más grandes y se agrupan en cabezas redondeadas y compactas. «Scheneewalzer» tiene

flores de color blanco vainilla. «F1 Golden Jubilée» presenta grandes flores de color amarillo oro brillante; las de «F1 Orange Jubilée» son idénticas, pero de color naranja vivo. Entre las variedades pequeñas de rosa de la India, quédese con «Eskimo» (30 cm de altura) por sus flores de color blanco marfil, «F1 Lady» (35 cm de altura) con flores dobles de unos 8 cm de diámetro que tienen colores brillantes. «Cupidon» (25 cm de altura), con amplias flores dobles y globulosas de color amarillo o naranja. «F1 Inca» es de color amarillo oro, con flores de 8 cm de diámetro sujetas por tallos de 30 cm de altura.

Targetes tenuifolia forma un denso cojín de unos 25 cm de altura, siempre recubierto de pequeñas flores simples. Esta especie también se llama *Tarjetees signata.* «Gnom» presenta flores de color amarillo. «Tangerine Gem» es de un precioso naranja luminoso. «Ornament» se distingue por una floración marrón rojizo con centro amarillo.

Comportamiento en el recipiente: el crecimiento del clavel de la India es rápido y su cultivo muy fácil. Estas plantas prácticamente no precisan de cuidados. Presentan una buena resistencia a la intemperie y se desarrollan perfectamente tanto en maceta como a raíz desnuda.

Dimensiones del recipiente: es conveniente que, como mínimo, el recipiente tenga 14 cm de diámetro y de profundidad para una planta de clavel de la India. Para una rosa de la India intente disponer de uno de como mínimo 18 cm.

Exposición: muy soleada y resguardada de las corrientes de viento.

Tierra: una buena tierra para geranios les va muy bien.

Riego: cada tres o cuatro días, sin excesos, dejando que la tierra se seque ligeramente en la superficie, entre dos riegos.

Enemigos y enfermedades: son muy robustas pero sensibles a la podredumbre gris.

Empleo: en el borde de las jardineras o en grupos, asociadas a pelargoniums, verbenas o petunias.

Consejo: coloque las plantas jóvenes en mayo, cuando las heladas ya han desaparecido. Suprima regularmente las flores marchitas.

Tagetes erecta «First Lady»: una opulenta rosa de la India. ▶

▲ Un híbrido triploide de clavel de la India con flores.

▲ *Tagetes tenuifolia* «Gnom»: espléndida simplicidad.

▲ *Tanacetum haradjanii*: está bien en una maceta de piedra.

▲ *Taxus baccata* «Summer Gold»: crece lentamente.

◄ *Teucrium fruticans* precisa de protección solar.

Tanacetum spp.
TANACETO

Una planta todo terreno.

Planta vivaz (de 20 a 80 cm, –10 °C).

Follaje: siempre muy recortado, verde o gris, plateado, a veces velloso, soportado por tallos erguidos.

Floración: los híbridos presentan grandes margaritas simples, dobles o erizadas, de color rosa, blanco o púrpura. Las especies florecen, mayoritariamente, en amarillo o blanco, en pompones compactos.

Especies y variedades: *Tanacetum haradjanii*, una planta baja (20 cm), con ramas ligeras, presenta un follaje plateado aterciopelado y recortado. Se parece un poco a las artemisas de rocalla. *Tanacetum coccineum* ha dado muchos cultivos con floración tornasolada. «Duro» presenta elegantes margaritas de color púrpura, en junio y julio.

Comportamiento en el recipiente: *Tanacetum haradjanii* estará mejor en un recipiente amplio de piedra poco profundo, que en un recipiente clásico. Los otros tanacetos crecen sin problemas en maceta.

Dimensiones del recipiente: un cubilete de 9 cm de ancho debe ser trasplantado a un recipiente de 4 l.

Exposición: sol y más sol.

Tierra: tierra de trasplante con arena.

Riego: la planta resiste a la sequía. Pero en pleno verano, en recipiente, no puede pasar más de una semana sin agua.

Enemigos y enfermedades: los tanacetos parecen indemnes a cualquier problema.

Empleo: mezcle los tanacetos con campanulas, nepetas y lavateras.

Consejo: espere que el cepellón rellene todo el espacio del recipiente antes de dividirlo.

Taxus baccata
TEJO

Toma todas las formas posibles.

Conífera (de 0,60 a 3 m, –20 °C).

Follaje: fino, linear, verde oscuro, denso, a veces dorado.

Floración: las flores macho y hembra están en plantas diferentes. No tienen ningún valor decorativo. Las flo-

res hembra dan lugar a unas semillas únicas rodeadas de una pulpa roja (arilo).

Especies y variedades: *Taxus baccata* «Elegantísima» presenta ramas ascendentes, con hojas verdes y bordes amarillo oro, con frutos rojos. «Fastigiata Aurea» tiene hojas de color verde oscuro con un reborde dorado, el color de las cuales se acentúa en invierno. «Repandens» no supera los 60 cm de altura, pero puede llegar a los 2 m de ancho; existe en versión dorada. «Standishii» forma una columna dorada de 30 cm de ancho, que puede alcanzar los 3 m de altura.

Comportamiento en el recipiente: el tejo crece más lentamente en maceta que a raíz desnuda. No compre plantas muy pequeñas. Vive mucho tiempo.

Dimensiones del recipiente: una mata de unos 40 cm de alto precisa de un recipiente de 10 l. Al cabo de diez años el tejo vivirá en un recipiente de 40 cm de lado.

Exposición: sol o sombra moderada. La falta de luz provoca el desarrollo de ramas más débiles.

Tierra: el tejo está bien en cualquier lugar, incluso en tierra calcárea.

Riego: se dice que los tejos aguantan muy bien la sequía. Pero en plena tierra sus raíces se expanden para buscar agua y en el recipiente no pueden hacerlo. Riegue una vez por semana.

Enemigos y enfermedades: las cochinillas invaden a menudo los tejos en maceta. Trate en invierno.

Empleo: en seto para terrazas bastante amplias; como fondo para realzar las otras plantas. Las formas erguidas estructuran el espacio.

Consejo: el tejo se poda bien. No dude en darle la forma más conveniente para su terraza.

Teucrium spp.
TEUCRIO

Plata viva.

Arbusto (1 m, –4 °C).

Follaje: perenne, pequeño, ovalado, verde con el reverso plateado, aguantado por tallos de color blanco que en cuatro o cinco años formarán un arbusto de 1 m de altura.

Floración: pequeñas flores de color azul lavanda con un pétalo inferior muy largo que se diseminan sobre el follaje, de febrero a mayo.

Especies y variedades: *Teucrium* x *lucidrys*, una bola de flores de color verde oscuro, perennes, produce flores de color rosa durante todo el año.

Comportamiento en el recipiente: le aconsejamos que proteja la planta en invierno. Para conseguir que el desarrollo de la planta sea correcto, un trasplante cada tres años es suficiente.

Dimensiones del recipiente: elija un recipiente ancho (30 cm) y poco profundo (15 cm).

Exposición: soleada, resguardada de los vientos fríos.

Tierra: una buena tierra de jardín, ligera.

Riego: todos los teucrios resisten la sequía. Un riego semanal en verano será bienvenido.

Enemigos y enfermedades: el frío y la lluvia son los dos enemigos principales del teucrio.

Empleo: ponga *Teucrium fruticans* en una pared orientada al sur y combínelo con plantas plateadas (lavandas, *Convulvus cneorum*) y flores ligeras, como los cosmos.

Consejo: en abril pode las ramas de la temporada anterior una cuarta parte de su longitud.

Thuja spp.
TUYA

Unas formas bien estructuradas.
Conífera (de 0,50 a 2 m, –15 °C).

Follaje: las ramas están recubiertas por escamas imbricadas de color verde o amarillo.

Floración: ningún valor decorativo.

Especies y variedades: *Thuja occidentalis* «Brabant», de forma cónica y estrecha, alcanza 2 m en diez años. «Globosa» forma lentamente una bola de 1 m de ancho. *Thuja orientalis* «Aurea Nana», con follaje denso durante todo el año, de color amarillo dorado, se cierra formando una bola de 1,50 m de ancho. «Minima» forma un cono compacto de 2 m de altura y 1 m de ancho.

Comportamiento en el recipiente: muchas tuyas forman árboles de 20 m de altura o más. ¡Imagine lo que puede ocurrir si elige mal! Seleccione cuidadosamente su planta verificando el tamaño, la rapidez de crecimiento y su porte.

Dimensiones del recipiente: 25 cm de diámetro para una planta joven y 40 cm de diámetro cinco años más tarde.

Exposición: sol o semisombra ligera.

Tierra: un buen sustrato rico y fresco.

Riego: una vez por semana. No deje que la tuya se seque, repercutiría en su crecimiento.

Enemigos y enfermedades: algunos hongos y el bupresto provocan que la planta se seque.

Empleo: como fondo de decorado, para resaltar las otras plantas o en jardinera con vivaces para las formas enanas.

Consejo: si quiere que la silueta permanezca compacta no le ponga mucho abono nitrogenado.

Thunbergia alata
OJO MORADO

Una pequeña liana muy bonita.
Planta trepadora (2 m, 0 °C).

Follaje: ovalado, de color verde vivo, sujeto por ramas volubles que se enroscan en cualquier parte.

Floración: las corolas tubulares dan lugar a cinco lóbulos. El centro de la flor, más oscuro, contrasta con pétalos de color naranja, amarillo o blanco.

Especies y variedades: *Thunbergia alata* es la única especie que se puede cultivar con toda tranquilidad en un balcón.

Comportamiento en el recipiente: el crecimiento de la tunbergia es fácilmente controlable, aunque debe pasar el invierno resguardada para que se comporte como una vivaz.

Dimensiones del recipiente: un recipiente de 25 cm de ancho y 30 cm de profundidad sería la opción más idónea.

Exposición: para obtener una buena floración de junio a septiembre colóquela en un lugar lo más cálido y soleado posible.

Tierra: añada un 20% de abono orgánico en una tierra para geranios.

Riego: en época de crecimiento riegue cada tres días. Procure que no se encharque.

Enemigos y enfermedades: en general ninguno.

Empleo: puede colocarla trepando por una columna, alrededor de una ventana o en una valla.

Consejo: mantenga la floración con aportes semanales de abono para geranios.

Thuya orinentalis «Nana aurea» forma una bola compacta. ▶

▲ *Thunbergia alata*: forma cascadas impresionantes.

▲ *Thuya orientalis* «Pyramidalis aurea»: muy luminosa.

T

Thymophylla

▲ *Thymophylla tenuiloba* «Tapis d'or»: muy graciosa.

▲ *Thymus richardii* «Peter Davis»: una alfombra perfumada.

Thymophylla tenuiloba
THYMOPHYLLA

Una profusión de pequeños soles.
Planta anual (15 cm, 0 °C).
Follaje: muy fino de color verde puro.
Floración: durante todo el verano una gran cantidad de margaritas, de color amarillo, recubren casi todo el follaje. Miden unos 2 cm de diámetro.
Especies y variedades: sólo encontrará la especie tipo.
Comportamiento en el recipiente: para obtener bellas composiciones, abone regularmente la planta y ponga pinzas en los brotes jóvenes antes de que empiece la floración.
Dimensiones del recipiente: 25 cm de alto y ancho.
Exposición: a pleno sol, pero no entre las 12 y las 15 horas para evitar que se queme.
Tierra: sustrato universal o de plantación.
Riego: en pequeña cantidad, cada dos días.
Enemigos y enfermedades: el oídio y los pulgones. Trate preventivamente.
Empleo: suspensiones en macetas, mezcladas con los heliotropos, felicias o calceolarias.
Consejo: elimine las flores marchitas y realice aportes de abono muy diluido cada vez que riegue.

Thymus spp.
TOMILLO

Un arbusto delicioso que debe saborear.
Subarbusto (25 cm, -5 °C).
Follaje: las hojas minúsculas, de color gris y ovaladas, son aromáticas y perennes. Se apoyan en ramas rastreras o erguidas.
Floración: a principios de verano esta robusta planta cubresuelos desaparece bajo una profusión de florcillas de color rosa o lila, reunidas en densas espigas.
Especies y variedades: *Thymus praecox* «Minor» forma una verdadera alfombra de color verde oscuro. *Thymus citriodorus,* el tomillo amarillo, forma un bonito cojín que desprende un maravilloso olor a limón

◀ El tomillo forma maravillosas composiciones perennes.

cuando lo frotamos. «Golden Dwarf» es apreciado por sus hojas que conservan su color dorado todo el año. *Thymus lanuginosus* forma una alfombra de terciopelo plateada, llena de flores de color rosa.
Comportamiento en el recipiente: el tomillo en maceta tiene tendencia a crecer de forma menos densa que cuando está a raíz desnuda. No dude en pinzar las matas regularmente.
Dimensiones del recipiente: coloque un cubilete de tomillo en un recipiente de 15 cm de ancho y alto. Los tomillos rastreros necesitarán un recipiente ancho y bajo (30 cm de diámetro y 10 cm de alto).
Exposición: soleada y muy cálida.
Tierra: pobre, arenosa y pedregosa.
Riego: cada ocho o diez días es suficiente.
Enemigos y enfermedades: generalmente ninguno sobre todo si no está en un lugar húmedo.
Empleo: para un balcón de poco riego, combine el tomillo con lavanda, sedums, almendro enano y siempreviva.
Consejo: no pode nunca el tomillo a ras. Deje siempre algunas hojas.

Tiarella spp.
TIARELLA

Flores infinitamente ligeras.
Planta vivaz (20 cm, -10 °C).
Follaje: semiperenne, verde esmeralda con nervaduras de color marrón púrpura, trilobulado. Las hojas forman un manto que cambia a color cobre en otoño.
Floración: en mayo y junio, unos plumerillos aterciopelados, de color blanco o rosado, forman una especie de neblina flotante por encima del follaje.
Especies y variedades: *Tiarella wherryi* crece en forma de pequeñas matas ligeras, con espigas florales de color blanco, con la punta de color rosa. *Tiarella cordifolia,* más vigorosa, da lugar a una sólida planta que invade rápidamente todo el espacio del recipiente. «Palace Purple» presenta hojas púrpura oscuro.
Comportamiento en el recipiente: *Tiarella wherryi* es una planta que puede compartir bien el recipiente no como *Tiarella cordifolia,* que tiende a ocupar todo el espacio disponible.
Dimensiones del recipiente: ponga una planta joven en un recipiente de 18 cm de profundidad. El año si-

guiente deberá prever uno de 25 cm en todas las magnitudes.

Exposición: la tiarella se conforma con una o dos horas de sol, por la mañana o por la tarde.

Tierra: una buena tierra para trasplantes.

Riego: no deje nunca que el cepellón se seque porque la planta moriría.

Enemigos y enfermedades: los hongos parásitos y los insectos parecen ignorar a la tiarella.

Empleo: para crear un ambiente de sotobosque combine las tiarillas con hostas, helechos y pachysandras.

Consejo: corte las hojas viejas. Divida la mata cada dos años.

Tibouchina semidecandra
TIBUCHINA

Puro terciopelo.
Arbusto (2 m, 0 ºC).

Follaje: ovalado, verde tierno, muy aterciopelado, con los nervios muy marcados, semiperenne.

Floración: el extremo de las ramas soportan durante todo el verano amplias copas aplanadas, en satín azul violeta muy luminoso. Algunas miden 10 cm de diámetro.

Especies y variedades: sólo encontrará la especie tipo.

Comportamiento en el recipiente: la tibuchina es muy sensible a los abonos nitrogenados. En maceta, tiene tendencia, rápidamente, a producir largas ramas que soportan más hojas que flores. Pode según las necesidades.

Dimensiones del recipiente: elija un recipiente profundo de 30 cm, como mínimo (y 25 cm de diámetro), si la planta mide más de 1 m de alto.

Exposición: la tibuchina sólo florece si dispone de una gran luminosidad (no hace falta que sea sol directo) y una temperatura de 18 a 20 ºC, como mínimo. Inverna en una habitación luminosa, a 7 o 8 ºC.

Tierra: rica, pero sin excesos de nitrógeno. Prepare una mezcla con 3/4 de tierra para geranios y 1/4 de abono orgánico a base de estiércol descompuesto. Añada dos pellizcos de abono de descomposición lenta para plantas en flor.

Riego: de marzo a septiembre, riegue abundantemente la planta, sin dejar que la tierra se seque. No moje nunca las hojas y humidifique el suelo de la terraza a diario durante el período de calor. En otoño, reduzca

progresivamente los aportes de agua hasta el punto de mantenerla prácticamente en seco durante el verano.

Enemigos y enfermedades: la mosca blanca se instala en las hojas, sobre todo en invierno.

Empleo: la tibuchina puede colocarse en una pared, ocupar el centro de una maceta, en combinación con anuales que tienen tonos pastel o naranja. Es ideal para decorados exóticos.

Consejo: corte el tallo principal por la mitad y pode 3/4 partes de los brotes laterales en marzo.

 Tolmiea menziesii
TOLMIEA

Una adorable suspensión.
Planta vivaz (25 cm, –5 ºC).

Follaje: perenne, aterciopelado, lobulado. En la base de las hojas adultas aparecen plántulas.

Floración: en mayo y junio, los bohordos ramificados, presentan inflorescencias color crema, de aspecto plumoso.

Especies y variedades: «Taff's Gold», también llamada «Variegata», presenta un follaje de color verde claro, jaspeado con amarillo crema, muy luminoso en la sombra.

Comportamiento en el recipiente: la tolmiea presenta matas que deben ser trasplantadas y divididas cada dos años. También puede ser utilizada como planta de interior.

Dimensiones del recipiente: 10 cm de profundidad y 20 cm de diámetro como media.

Exposición: la tolmiea aprecia algunas horas de sol al día. Pronto por la mañana o a última hora por la tarde.

Tierra: una buena tierra para trasplantes, ligera.

Riego: en promedio, cada tres días en verano; por el contrario, en invierno reduzca los aportes de agua.

Enemigos y enfermedades: en principio ninguno.

Empleo: en suspensión, en jardineras combinada con lobelias azules, o con la variedad moteada en amarillo.

Consejo: corte el follaje en marzo; aparecerán hojas nuevas más decorativas. Para multiplicar la tolmiea coloque las hojas que presentan plántulas en un sustrato húmedo. Las plantas jóvenes arraigan al cabo de cuatro o cinco semanas.

Gracia y ligereza para esta tolmiea en suspensión. ▷

▲ *Tiarella cordifolia: forma bonitas matas vaporosas.*

▲ *Tutorice la tibuchina en tallo, pues se rompe fácilmente.*

Trachelospermum

▲ *Trachelospermum jasminoides:* un perfume delicioso.

▲ Prevea un gran recipiente para el palmito elevado adulto.

◄ *Tradescantia albiflora* «Rosa»: una graciosa suspensión.

Trachelospermum spp.
JAZMÍN DE LECHE O FALSO JAZMÍN

Una lluvia de estrellas perfumadas.
Trepadora (3 m, 5 °C).

Follaje: perenne, oblongo, verde oscuro, brillante.

Floración: de abril a junio la planta se cubre de miles de estrellas de color blanco crema.

Especies y variedades: los abundantes ramilletes de flores de *Trachelospermum asiaticum*, de color blanco crema, perfuman todo su entorno. El olor de *Trachelospermum jasminoides* es aún más profundo. «Variegatus», moteado de blanco, toma sutiles tonos rosados en invierno.

Comportamiento en el recipiente: el jazmín de leche florece anualmente si se trasplanta cada año y se fertiliza abundantemente sin exceso de nitrógeno. Se recomienda la hibernación en galería (10 °C).

Dimensiones del recipiente: un diámetro de 30 cm es adecuado para las raíces vigorosas del jazmín de leche.

Exposición: en zonas muy calurosas en semisombra y en zonas frías puede estar a pleno sol. Resguardado de los vientos fríos.

Tierra: mezcle a partes iguales mantillo y tierra de jardín ligera pero rica.

Riego: en verano puede aguantar una semana sin agua pero lo más recomendable son dos riegos semanales.

Enemigos y enfermedades: cuidado con los pulgones.

Empleo: el jazmín de leche decorará cualquier soporte: valla, celosía, barandilla, tutores...

Consejo: para que presente un porte ordenado es importante colocar bien la planta desde un principio.

Trachycarpus fortunei
PALMITO ELEVADO O PALMITO GIGANTE

La palmera más sólida.
Palmera (2,5 m, de -8 a -10 °C).

Follaje: perenne, coriáceo, en forma de anchos abanicos, verde puro. Los pecíolos son espinosos.

Floración: en verano. Las flores de color crema se agrupan en panículas densas y decorativas en el centro de la mata.

Especies y variedades: las hojas de la especie pueden medir 1 m de ancho. Las de la variedad «Wagnerianus» no superan los 40 cm de largo.

Comportamiento en el recipiente: el palmito elevado crece más rápido si se riega a menudo. Para conseguir un buen desarrollo necesita un trasplante cada dos o tres años.

Dimensiones del recipiente: esta palmera necesita un recipiente pesado y estable, tan ancho como alto, para resistir la fuerza del viento. Un recipiente de 40 cm de lado puede contener un volumen de tierra suficiente para una planta de 2 m de altura.

Exposición: soleada y resguardada del viento. En lugares calurosos, las plantas jóvenes prefieren la sombra moderada.

Tierra: bien drenada. Mezcle 1 l de arena de río por 10 l de tierra universal.

Riego: deje que se seque la superficie entre dos aportes de agua.

Enemigos y enfermedades: la mosca blanca y las arañas rojas se colocan bajo las hojas cuando la planta hiberna en un lugar demasiado caluroso.

Empleo: sola o con otras palmeras, laureles o buganvillas.

Consejo: corte las hojas inferiores que estén estropeadas o secas. Revista el tronco para protegerlo del frío en invierno.

Tradescantia spp.
TRADESCANTIA

Un valor seguro.
Planta vivaz (60 cm, de 5 a -15 °C).

Follaje: linear y en forma de cinta para las especies rústicas. Ovalado para las tradescantias de interior y moteado en color crema, plateado, rosa o verde bronce.

Floración: la especie rústica en verano forma flores que nacen y mueren el mismo día. Los tres pétalos se abren cuando el calor (18-20 °C) y la humedad aparecen. Las especies no rústicas ofrecen flores más discretas.

Especies y variedades: *Tradescantia virginiana* es rústica y da lugar a numerosas variedades; «Inocence» presenta flores de color blanco puro con estambres oro;

«Osprey» presenta una preciosa floración de color azul pálido. *Tradescantia albiflora,* no rústica, presenta varias formas con hojas estriadas en blanco y rosa. *Tradescantia fluminensis,* sensible al frío, tiene hojas moteadas en color crema. Tienen el porte caído.

Comportamiento en el recipiente: las especies no rústicas recubren rápidamente toda la maceta pero sus tallos se rompen como el cristal. Las especies vivaces, cuando tienen exceso de nitrógeno, forman tallos muy largos que se rompen con el viento. Trasplante anual.

Dimensiones del recipiente: 15 cm en todas las magnitudes para las tradescantias sensibles al frío. 25 cm para las especies vivaces.

Exposición: sombra moderada. Las flores de *Tradescantia virginiana* no se abren si están bajo un sol demasiado intenso.

Tierra: sustrato para plantas verdes. Para *Tradescantia virginiana* utilice tierra para geranios.

Riego: las tradescantias no rústicas aprecian los riegos espaciados entre cuatro y ocho días según la temperatura ambiente. *Tradescantia virginiana,* por el contrario, no aguanta la sequía.

Enemigos y enfermedades: en general ninguno.

Empleo: las no rústicas son ideales para formar suspensiones. Su follaje moteado combina bien con impatiens y fucsias. Combine *Tradescantia Virginiana* con hostas, epimediums o helechos.

Consejo: renuévelas cada tres años, poniendo esquejes en el agua. Es muy fácil.

🍀 *Tropaeolum* spp.
CAPUCHINA

Exuberancia y generosidad.
Anual o vivaz (de 20 cm a 3 m, 0 °C).
Follaje: verde azulado, redondeado o lobulado, incluso palmeado, recortado en algunas especies.

Floración: las anchas corolas presentan tonos vivos y cálidos y llevan un espolón detrás.

Especies y variedades: la capuchina (*Tropaeolum majus*), anual, a dado diversas variedades. Las formas enanas no superan los 25 cm de altura y tienen tonos granates, salmón, amarillo, y rosa albaricoque. Las variedades de gran desarrollo forman guirnaldas fantásticas. «Golden Gleam», con grandes flores dobles de color amarillo, con centro granate, es espectacular. La capuchina de Canarias (*Tropaeolum peregrinum*), con sus dos grandes pétalos superiores de color amarillo, delicadamente recortados, parece que esté recubierta de pavesas de julio a octubre. *Tropaeolum tuberosum,* una planta vivaz sensible al frío con tubérculo, trepa vigorosamente a 3 m de altura. Es preferible elegir variedades tempranas, como «Ken Arlet», para disfrutar durante más tiempo de sus flores.

Comportamiento en el recipiente: las hojas inferiores se secan. Retírelas para que la planta esté limpia.

Dimensiones del recipiente: 15 cm en todas las magnitudes para las enanas. 25 cm como mínimo para las trepadoras.

Exposición: soleada, resguardada de los vientos fríos.

Tierra: *Tropaeolum peregrinum* y *Tropaeolum tuberosum* prefieren un sustrato enriquecido con estiércol descompuesto. Las otras capuchinas florecen mejor en una tierra pobre y más bien arenosa.

Riego: las capuchinas grandes aceptan un poco de sequía entre dos riegos. La capuchina tuberosa y la de Canarias precisan de un aporte de agua regular cada tres o cuatro días en verano.

Enemigos y enfermedades: es prácticamente imposible escapar de los pulgones negros.

Empleo: las capuchinas enanas pueden colocarse en macetas, en suspensiones, solas o mezcladas. Las trepadoras revisten pérgolas o celosías.

Consejo: siembre en abril directamente en la maceta, la capuchina grande y la de Canarias.

▲ La capuchina grande cubre una pared en una temporada.

▲ Prevea un tutor sólido para la capuchina de Canarias.

La capuchina moteada aporta un toque muy original. ▶

▲ «Estella Rynveld» es un tulipán «periquito».

▲ *Tulipa bakeri* «Lilac Wonder» reaparece siempre en abril.

◄ Los tulipanes están bien en recipientes anchos y bajos.

Tulipa spp.
TULIPÁN

El rey de la primavera.

Planta bulbosa (50 cm, –10 °C).

Follaje: espeso, linear, lanceolado, verde azulado.

Floración: los tallos semirrígidos sujetan corolas en forma de cubilete, con pétalos redondeados o puntiagudos. Existen en todos los colores excepto el azul.

Especies y variedades: los tulipanes botánicos son ideales en maceta. *Tulipa violacea* var. *pallida*, es una pequeña joya de color blanco con centro violáceo, muy precoz (desde marzo), no supera los 15 cm. *Tulipa humilis*, miniatura con flores estrelladas de color rosa malva con centro amarillo. *Tulipa bakerii* «Lilac Wonder», redondo, con los pétalos de color rosa violáceo y centro amarillo. Entre las numerosas formas hortícolas, «Angelique» es una de las más populares, con corolas dobles de color rosa pálido. Forma elegantes composiciones con «Queen of de Night», el tulipán más negro que existe, en realidad caoba oscuro.

Comportamiento en el recipiente: las variedades hortícolas duran menos que a raíz desnuda. Plántelos de manera escalonada. Retire los bulbos de los recipientes después de la floración.

Dimensiones del recipiente: una maceta de 25 cm de diámetro y 10 de altura para 10 bulbos.

Exposición: preferentemente a pleno sol.

Tierra: prepare una mezcla a partes iguales de tierra de cactus y tierra para geranios.

Riego: si la estación es lluviosa no hace falta, de lo contrario, riegue cada diez días.

Enemigos y enfermedades: hay varios virus que manchan las hojas y deforman las flores. Cuando el tiempo es húmedo hay varios hongos que atacan los bulbos, las hojas y los tallos, que acaban por pudrirse.

Empleo: solos o en combinación con myosotis, oreja de oso (*Stachys lanata*) u otros bulbos.

Consejo: las especies botánicas pueden quedarse en las macetas. Para conservar los tulipanes grandes después de la floración, plántelos en un rincón del jardín y deje que las hojas amarilleen (principios de julio). Es el momento de cortar las hojas y guardar los bulbos en seco.

Ulmus spp.
OLMO

Un bonsái natural.

Arbusto (1,50 m, –20 °C).

Follaje: caduco, ovalado, dentado, puntiagudo, de densa vegetación y porte compacto.

Floración: discreta y sin efectos decorativos precede la aparición de fructificaciones aladas (sámaras).

Especies y variedades: *Ulmus hollandica* «Jacqueline Hillier» forma un arbusto muy tupido, ramificado, que alcanza, en maceta, los 2 m de altura en veinte años. *Ulmus parvifolia* «Geisha» no supera 1 m de altura y 80 cm de ancho. Sus hojas de color verde claro, moteadas de blanco en primavera, se vuelven verdes enseguida.

Comportamiento en el recipiente: las especies enanas, las únicas adaptadas a la vida en maceta, crecen lentamente, o sea, unos centímetros anualmente.

Dimensiones del recipiente: una planta de 50 cm precisa un recipiente de 25 cm de ancho y de alto. Debe trasplantar cada dos años. Cuando sea adulto debe estar en un recipiente de 40 cm de lado.

Exposición: soleada o sombra moderada.

Tierra: cualquier tierra buena de jardín.

Riego: el olmo soporta algunos olvidos siempre y cuando el cepellón no se seque mucho. Pero es preferible regar tres veces por semana.

Enemigos y enfermedades: las variedades enanas parecen no verse afectadas por la enfermedad del olmo, provocada por un hongo. Sin embargo, los pulgones a veces atacan las ramas jóvenes.

Empleo: combine el olmo arbustivo con las coníferas enanas. Revista la base con plantas vivaces tapizantes y bulbos primaverales.

Consejo: anualmente, en primavera, haga un aporte de abono para árboles ornamentales. No dude en cortar aquella rama que crezca desmesuradamente.

Vaccinium corymbosum
ARÁNDANO AMERICANO

Una delicia para los más golosos.
Arbusto (1,50 m, –15 °C).

Follaje: caduco, ovalado, lanceolado, con tonos cobrizos en otoño.

Floración: racimos de pequeñas flores blancas, con tonos rosa, opalescentes, en forma de urna, preceden a los frutos de color violeta, redondos y recubiertos de un polvillo gris azulado. Comestibles, dulces y perfumados, están maduros en verano.

Especies y variedades: «Grover» forma un arbusto mediano y da frutos en agosto. «Rancocas», más vigoroso, presenta frutos más pequeños pero deliciosos, que maduran de finales de junio a finales de septiembre. «Atlantic» y «Jersey» dan una buena recolecta de grandes frutos.

Comportamiento en el recipiente: este arbusto vive bien en maceta, donde forma arbustos redondos y densos. Trasplante cada tres años.

Dimensiones del recipiente: la planta adulta precisa de un recipiente de 30 cm de alto y ancho.

Exposición: sol directo hasta las 11 horas y por la tarde, aunque no le conviene estar expuesto a un calor muy fuerte.

Tierra: prepare una mezcla a partes iguales de turba rubia y tierra para geranios o mantillo, tierra de jardín arenosa y tierra de hojarasca bien descompuesta.

Riego: es preferible que el cepellón se mantenga un poco húmedo, sobre todo cuando se acerca la floración.

Enemigos y enfermedades: el arándano es resistente a la mayoría de atacantes.

Empleo: en maceta, aislados, con miniárboles frute-

ros. También con rododendros y azaleas ya que comparten las mismas necesidades.

Consejo: para que se produzca una correcta fecundación de las flores, se recomienda plantar dos variedades distintas, una al lado de la otra. Haga una excepción con el arándano americano, puesto que es una planta autofértil.

Vallota speciosa
CYRTHANTUS

Una floración magnífica.
Planta bulbosa (40 cm, –2 °C).

Follaje: verde, en cinta, linear, grueso.

Floración: los tallos florales, aplanados y rígidos, pueden aguantar, en verano, por lo menos una decena de flores de seis pétalos, regulares y abiertas en forma de embudo.

Especies y variedades: la especie tipo da flores de color cereza, muy luminosas. «Delicata» es una vieja variedad, de color rosa salmón, espléndida pero rara. «Show White» presenta grandes corolas de color blanco, con estambres dorados; mientras que «Pink Diamond» es de color rosa puro.

Comportamiento en el recipiente: las amarilis púrpura parece que prefieren la maceta a cualquier otro tipo de cultivo, al menos cuando vive en nuestras latitudes. Si las sacamos cuando hace buen tiempo, vuelven a florecer.

Dimensiones del recipiente: una maceta ancha de unos 40 cm de ancho y 20 cm de profundidad acogerá cinco bulbos.

Exposición: a pleno sol y calor en verano.

Tierra: mezcle a partes iguales tierra para cactus y tierra ligera para geranios.

Riego: en verano dos veces por semana.

Enemigos y enfermedades: las cochinillas harinosas se colocan entre dos hojas, en la base.

Empleo: utilice preferiblemente una sola variedad por maceta, para crear un buen efecto de masa sobre un fondo verde o azulado.

Consejo: en mayo, cuando coloque la maceta en el exterior, realice aportes de abono para flores con bulbo. En octubre traslade la planta al interior.

El cyrtanthus, un bulbo fácil, pero poco conocido aún. ▶

▲ *Ulmus hollandica* «Jacqueline Hillier»: muy compacto.

▲ Los arándanos se desarrollan bien en maceta.

V

Verbena

▲ *Veronica austriaca* spp. *teucrium*: intensa. ▲ *Veronica chamaedrys*: belleza salvaje. ▲ *Verbena tapiens* «Pink»: muy florífera. ▲ *Verbena* híbrida «Peaches and Cream».

 Verbena spp.
VERBENA

Una larga y generosa floración.
Anual o vivaz (de 15 a 80 cm, –3 °C).
Follaje: perenne si el clima es suave.
Floración: de mayo a octubre.
Especies y variedades: *Verbena bonariense* es una especie grande vivaz de crecimiento rápido. No vive mucho tiempo, pero se resiembra ella misma y a veces es bastante invasora. Se cultiva como una anual. Su porte es difuso. Sus grandes tallos erguidos y ramificados presentan unas hojas estrechas y rugosas. La floración aparece de julio a octubre. Las flores de color lavanda se agrupan en pequeños corimbos (altura en maceta 80 cm). *Verbena hortensis* reagrupa gran cantidad de híbridos anuales, cultivados por su generosa floración estival. «Peaches and cream» presenta una maravillosa floración de color albaricoque y crema (altura 30 cm).

Verbena tapiens ofrece una vegetación cobertora. La floración azul violáceo o rosa es abundante. Altura 20 cm.
Comportamiento en el recipiente: de fácil cultivo, las verbenas tienen tendencia a expandirse en todas las magnitudes. En un verano pueden crecer más de 50 cm de largo. No despliegan toda su belleza hasta finales de verano. Compre plantas que ya estén crecidas para aprovechar el efecto decorativo.
Dimensiones del recipiente: como mínimo 15 cm de diámetro y de profundidad para una planta.
Exposición: cálida y bien soleada.
Tierra: un buen sustrato de cortezas al que añadirá el 20% de estiércol bien descompuesto y una pizca de abono orgánico en cada maceta.
Riego: cuando haga calor, cada dos días. Tolera una sequía pasajera.
Enemigos y enfermedades: los pulgones pueden atacar las plantas jóvenes. Trate rápidamente.

Empleo: en maceta, en una barandilla o en suspensión, asociada a pelargoniums, helichrysums, claveles de la India o petunias.
Consejo: de mayo a septiembre realice un aporte semanal de abono orgánico.

 *Veronica* spp.
VERÓNICA

Unas bellas espigas azuladas.
Anual o vivaz (de 10 a 80 cm, –7 °C).
Follaje: caduco o perenne según las especies.
Floración: en primavera o en verano en forma de espigas.
Especies y variedades: *Veronica austriaca* spp. *teucrium* forma una débil mata que no supera los 30 cm de altura. De mayo a julio, las flores de color azul oscuro se agrupan en racimos erguidos por encima del follaje verde. *Veronica longifolia* desarrolla una gran mata erguida que puede alcanzar los 80 cm en maceta, con largas hojas lanceoladas, verdes y brillantes. Las flores azules se agrupan en largas espigas erguidas que se abren de junio a agosto. *Veronica spicata* forma un cojín denso, con hojas estrechas y lanceoladas de color verde. Las flores azules reunidas en una espiga aparecen en verano (altura de 20 a 30 cm).
Comportamiento en el recipiente: resguarde las variedades altas de los fuertes vientos. Cuando sea menos florífera, divida la mata y trasplante.
Dimensiones del recipiente: como mínimo 14 cm de diámetro y de profundidad para una planta.
Exposición: a pleno sol, resguardada de los fuertes vientos.

◀ Dos plantas de verbena bastan para adornar esta maceta.

Tierra: una buena tierra de jardín enriquecida con un 20% de estiércol bien descompuesto.

Riego: cada dos días cuando haga calor y el tiempo sea seco. No deje que el sustrato se seque.

Enemigos y enfermedades: el oídio, que se manifiesta con una capa blanquinosa sobre las hojas.

Empleo: en rocalla o en el borde de una jardinera.

Consejo: coloque tutores para las especies más grandes. Corte las inflorescencias marchitas inmediatamente después de la floración. En noviembre corte los tallos a ras de tierra.

Viburnum spp.
VIBURNO O DURILLO

Esta planta sólo tiene cualidades.
Arbusto (de 1 a 2 m, –10 °C).

Follaje: verde, ovalado, perenne o caduco.

Floración: sobre todo blanca, durante todo el año, según las especies y variedades.

Especies y variedades: *Viburnum tinus* tiene follaje perenne. Florece de noviembre a abril. Después produce una abundante fructificación azul y negra cuando está madura. «Bewley's variegated» presenta un magnífico follaje moteado de color crema. Robusto y fácil, *Viburnum sargentii* «Onondaga» es ideal para los pequeños espacios con su porte estrecho. Su follaje verde es parecido al de *Viburnum opulus*. Cada tallo desarrolla una larga sombrilla terminal, compuesta de pequeñas flores de color rosa en el centro y de color rosa y crema en la periferia. *Viburnum* x «Eskimo» forman un arbusto regular de 1,20 a 1,50 m. Su floración en forma de grandes bolas blancas es muy perfumada. *Viburnum plicatum,* de porte abierto, aprecia la compañía de los rododendros.

Comportamiento en el recipiente: los viburnos son a menudo lentos en adaptarse a la maceta. No debe trasplantarlos a menudo.

Dimensiones del recipiente: como mínimo 30 cm de diámetro y de profundidad para una planta.

Exposición: a pleno sol para las especies de floración ornamental. Los viburnos con follaje perenne prosperan mejor en semisombra. *Viburnum opulus, Viburnum lantana* y *Viburnum sargentii* prefieren un emplazamiento en la sombra.

Tierra: una mezcla de tierra de jardín y de tierra de hojarasca, bien drenada. Las tres especies citadas con anterioridad prefieren un sustrato calcáreo.

Riego: cuando el tiempo sea cálido y seco, cada tres o cuatro días, sin encharcar el suelo.

Enemigos y enfermedades: los pulgones atacan a menudo los brotes y las hojas jóvenes.

Empleo: solo, en maceta con vivaces, tapizantes y pequeños bulbos en la base.

Consejo: proteja de los vientos a las especies de floración precoz.

Vinca minor
VINCA PERVINCA

La gran amiga de la sombra.
Planta vivaz (de 15 a 40 cm, –15 °C).

Follaje: perenne. Las hojas brillantes y de color verde oscuro son ovaladas y lanceoladas.

Floración: de primavera hasta principios de verano.

Especies y variedades: «Alba» es una variedad vigorosa de flores blancas. «Azurea flore pleno» se distingue por sus flores dobles, de color azul claro. «Aureo variegata» muestra un bonito follaje de color verde con los bordes de color amarillo oro y flores azules. *Vinca major* desarrolla largas ramas flexibles, primero erguidas y después con caída (altura 40 cm). Las hojas son ovaladas, brillantes. Las flores azules aparecen en la axila de las hojas en abril y mayo.

Comportamiento en el recipiente: las ramas flexibles tienen tendencia a extenderse en todas las magnitudes. Pode sin temor. Trasplante cada dos años.

Dimensiones del recipiente: 16 cm de diámetro y 14 cm de profundidad, como mínimo, para una planta.

Exposición: sombra.

Tierra: una buena tierra de trasplante ligera.

Riego: mantenga la tierra fresca cuando el tiempo sea seco. No riegue en invierno.

Enemigos y enfermedades: la roya cubre el follaje de pústulas marrones. No es muy grave.

Empleo: como tapiz o en suspensión.

Consejo: en primavera o en otoño multiplique la vinca pervinca realizando esquejes con fragmentos de los tallos (15 cm). Arraiga fácilmente.

Vinca major «Variegata»: está bien en la sombra. ▶

▲ *Viburnum plicatum* «Lanarth»: prefiere la tierra ácida.

▲ *Viburnum tinus:* florece en invierno.

▲ *Viola odorata:* florece en azul o en blanco.

▲ *Viola tricolor:* decorativa aun en invierno.

▲ Los pensamientos temen las tormentas.

▲ Pensamientos en suspensión multicolor.

Viola spp.
VIOLETA, PENSAMIENTO

Una floración encantadora y divertida.

Bianual, vivaz (de 5 a 30 cm, –10 °C).

Follaje: perenne o caduco, redondeado, ondulado.

Floración: desde finales de invierno hasta principios de verano. Las flores tienen cinco pétalos redondeados.

Especies y variedades: *Viola odorata,* vivaz y tapizante de 10 cm de alto, florece en marzo y en abril. «Freckles», con flores blancas y toques violeta. *Viola x wittrockiana* se cultiva como bianual. Flores gigantes y coloreadas de octubre a junio, altura de 15 a 25 cm. La *Viola corneta,* vivaz, se parece al pensamiento, pero sus flores son más pequeñas.

Comportamiento en el recipiente: los pensamientos florecen cuando sube la temperatura y se marchitan con el frío.

Dimensiones del recipiente: 14 cm de diámetro y de profundidad para una planta.

Exposición: sol o sombra moderada.

Tierra: una buena tierra para geranios.

Riego: inútil si la estación es lluviosa.

Enemigos y enfermedades: las larvas de cecidomia enroscan el limbo. El oídio recubre las hojas de una capa blanquinosa.

Empleo: en el borde de jardineras, tapizante, combinada con plantas bulbosas con floración primaveral, con myosotis y margaritas.

Consejo: coloque los pensamientos en septiembre o en octubre. Suprima las flores marchitas.

Vitis vinifera
VID

Un vigor excepcional.

Planta trepadora (de 3 a 4 m, –10 °C).

Follaje: caduco o perenne, entero.

Floración: insignificante, pero precede a la aparición de bayas blancas, rosadas o negras cuando están maduras.

Especies y variedades: entre las numerosas variedades de vid de mesa, «Chasselas Doré de Fontainebleau» da una recolecta precoz y gustosa, en septiembre, con uva blanca muy dulce. *Vitis vinifera* «Purpurea», la vid de los tintoreros, presenta un precioso follaje rojo claro en verano, que se vuelve púrpura vivo en otoño. *Vitis coignetiae* es una especie rústica de gran vigor, con grandes hojas caducas de color verde, redondas y aterciopeladas del reverso. En otoño el follaje adquiere una espléndida coloración amarilla, después naranja y púrpura.

Comportamiento en el recipiente: la vid se recomienda sólo para recipientes grandes, pues su crecimiento es rápido e importante. En algunos meses, la planta puede formar brotes de 2 o 3 m, que se enroscan fácilmente a cualquier soporte mediante zarcillos. Procure proteger la planta de los vientos fríos y las heladas primaverales.

Dimensiones del recipiente: como mínimo 45 cm de diámetro y profundidad.

Exposición: cálida y soleada para las variedades de frutos comestibles.

Tierra: una buena tierra de jardín, poco ácida, enriquecida con estiércol en grano y arena.

Riego: semanal cuando haga calor.

Enemigos y enfermedades: el oídio puede recubrir el follaje de una capa grisácea. El mildíu provoca que las hojas se sequen y que los racimos se caigan.

Empleo: para adornar una pérgola, una valla o una celosía.

Consejo: reconduzca los brotes jóvenes manteniéndolos horizontalmente.

◀ Los pensamientos amarillos son muy luminosos.

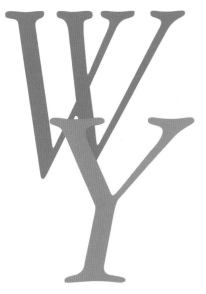

grandes macetas, en la base de arbustos o de grandes plantas vivaces.

Consejo: la waldsteinia aguanta una exposición parcialmente soleada si mantiene el suelo húmedo permanentemente.

Washingtonia filifera
PALMERA DE CALIFORNIA O WASHINGTONIA DESHILACHADA

La opulencia exótica.
Palmera (de 2 a 3 m, –5 °C).

Follaje: el estípite (tronco) es muy gruesa y abultada de la base y está coronada por grandes hojas en abanico de color verde claro, con largos filamentos enroscados de color blanco. Las hojas viejas secas se quedan en la planta y forman una masa compacta que rodea el estípite.

Floración: las inflorescencias ramificadas aparecen en el extremo de la planta y sobresalen por encima del follaje. Presentan frutos ovoides de color negro.

Especies y variedades: sólo existen dos especies. *Washingtonia robusta* desarrolla un estípite más grácil y las hojas, poco numerosas, forman una débil corona. Esta especie es un poco menos rústica pero se desarrolla bien en maceta.

Comportamiento en el recipiente: esta palmera de crecimiento rápido precisa trasplantes anuales. Debe prever una protección invernal para el estípite durante los primeros años de crecimiento.

Dimensiones del recipiente: como mínimo 30 cm en todas las magnitudes para una planta de 1 m.

Exposición: cálida, protegida y soleada.

Tierra: una mezcla ligera de tierra vegetal, arena de río y tierra de hojarasca a partes iguales.

Riego: cuando el tiempo sea seco y caluroso mantenga la tierra húmeda pero no encharcada.

Enemigos y enfermedades: cuidado con las cochinillas y las arañas rojas, difíciles de eliminar.

Empleo: sola en un recipiente grande, en una terraza grande.

Consejo: se recomienda no retirar las hojas secas que protegen a la planta del hielo y las corrientes de aire frío.

Washingtonia filifera: crece rápido si se fertiliza. ▶

Waldsteinia ternata
WALDSTEINIA

Una tapiz para la sombra.
Planta vivaz (de 10 a 25 cm, –8 °C).

Follaje: la cepa tiene estolones que sujetan las hojas recortadas en tres folíolos dentados.

Floración: de abril a junio. Las flores de color amarillo vivo se parecen a las de los fresales.

Especies y variedades: «Variegata» presenta un bonito follaje moteado en color crema. *Waldsteinia geoides,* más rara, forma una mata no estolonífera.

Comportamiento en el recipiente: después del trasplante, la waldsteinia frena su crecimiento, pero al cabo de dos años, puede resultar invasora. Trasplante y divida las matas para rejuvenecerlas, cada tres o cuatro años.

Dimensiones del recipiente: como mínimo 20 cm de diámetro y 18 cm de profundidad para una planta. En jardineras plante una waldsteinia cada 15 cm.

Exposición: semisombra o sombra ligera.

Tierra: una tierra de plantación bien drenada, enriquecida con un 20% de estiércol descompuesto.

Riego: cuando el tiempo sea cálido y seco, riegue a diario para mantener la tierra fresca. En invierno, si llueve a menudo, no hace falta que riegue.

Enemigos y enfermedades: en general ninguno.

Empleo: en el borde de las jardineras o como tapiz en

▲ *Vitis coignetiae* es capaz de recubrir el cobertizo del jardín.

▲ *Waldsteinia ternata:* un excelente tapiz.

▲ *Weigela* «Bristol Ruby»: una variedad muy coloreada.

▲ Atención a las puntas de las hojas de la yuca.

Weigela spp.
WEIGELA

Una apuesta segura.
Arbusto (de 0,80 a 2 m, –12 °C).

Follaje: caduco, ovalado ligeramente dentado. Las hojas de 10 cm de longitud son opuestas.

Floración: en mayo y en junio. Las flores se agrupan en ramilletes y presentan una corola en forma de trompeta que deja ver los estambres.

Especies y variedades: existe gran cantidad de variedades. «Evita» forma un pequeño arbusto de 40 cm de altura y 1 m de ancho. Su floración es de color rojo vivo. «Victoria» se diferencia por un follaje bronce rojizo y una abundante floración de color rosa. «Minuet», «Samba» y «Rumba» son híbridos canadienses muy resistentes al frío. Su porte es compacto. Su follaje de color verde se recubre de densos ramilletes de flores de color rosa. «Carnaval Courtalor» alcanza 1 m de altura en maceta. Presenta flores de color rosa salmón o blanco con los bordes rosa, en el mismo ramillete. «Kosteriana variegata» a penas supera 1 m de altura en maceta. Sus hojas son moteadas de amarillo y sus flores de color rosa. *Weigela florida* «Nana variegata» presenta un porte compacto y hojas con márgenes blancos y sus flores son de color rosa tierno. «Nain rouge Courtanin» no supera los 80 cm de altura y sus flores son blancas.

Comportamiento en el recipiente: robusta y rústica, la weigela prospera bien en maceta y soporta sin problemas trasplantes, a condición que el cepellón no se rompa. Trasplante cada tres años pues tiene un crecimiento lento.

Dimensiones del recipiente: como mínimo, 45 cm de profundidad y de diámetro para una planta adulta.

Exposición: muy soleada pero no muy cálida en verano, sobre todo para las variedades con follaje moteado y coloreado.

Tierra: una mezcla de tierra de jardín y de sustrato a partes iguales a la que debe añadir un 20 % de estiércol descompuesto. Asegure un buen drenaje.

Riego: regular y cada tres días cuando el tiempo sea seco y cálido.

◄ La flor del lirio de agua teme al viento y la lluvia.

Enemigos y enfermedades: son plantas robustas y pocas veces tienen parásitos.

Empleo: en una jardinera grande, en combinación con kolkwitzias o deutzias.

Consejo: anualmente pode después de la floración. Elimine las ramas más viejas para estimular la aparición de brotes nuevos.

Yucca spp.
YUCA

Un follaje temible.
Arbusto (de 0,50 a 2,50 m, –8 °C).

Follaje: verde, perenne. Las grandes hojas rígidas y punzantes se agrupan en rosetas. Finalizan en una punta que es muy peligrosa en terrazas frecuentadas por niños. Piense en cortarlas.

Floración: en primavera y en verano. Las flores de color blanco crema, en forma de campanilla, se agrupan en una panícula erguida.

Especies y variedades: *Yucca aloifolia* forma una roseta de hojas largas y puntiagudas con flores de color blanco crema en verano. *Yucca filamentosa* presenta hojas perennes en punta, con filamentos colgantes azulados. En maceta no supera los 50 o 60 cm de altura. La floración tiene lugar en otoño y en verano. *Yucca gloriosa* es muy parecida a las precedentes, pero florece más tarde, de septiembre a noviembre, y de color blanco con matices rojos.

Comportamiento en el recipiente: su crecimiento es bastante lento. Una planta joven florece al cabo de cinco u ocho años.

Dimensiones del recipiente: como mínimo 30 cm de diámetro y profundidad.

Exposición: resguardada, cálida y soleada.

Tierra: una buena tierra de jardín bien drenada.

Riego: deje que la superficie de la tierra se seque entre dos aportes de agua. La yuca teme los excesos de humedad, sobre todo en invierno.

Enemigos y enfermedades: vigile los ataques de pulgones que suelen ser muy frecuentes en los bohordos florales.

Empleo: sola, lejos del lugar de paso para evitar el contacto con la punta de las hojas. Estilo exótico.

Consejo: se recomienda entrar las macetas cuando empiece a hacer frío.

Z

Zantedeschia aethiopica
LIRIO DE AGUA

Una amplitud exótica.

Planta tuberculosa (de 0,40 a 1 m, –5 °C).

Follaje: una gran mata amplia, de color verde oscuro brillante, de forma avanzada.

Floración: en primavera o en verano. Las flores forman una espádice envuelta por una gran espata.

Especies y variedades: «Childsiana» (40 cm) es una forma enana muy florífera. «Green Goddess» se abre en grandes flores de color verde claro con tonos blancos.

Comportamiento en el recipiente: el desarrollo es rápido y la mata rápidamente adquiere envergadura.

Dimensiones del recipiente: como mínimo 30 cm de diámetro y de profundidad para un rizoma.

Exposición: cálida y soleada, pero aireada.

Tierra: una buena tierra enriquecida con estiércol descompuesto.

Riego: durante el crecimiento cada cuatro o cinco días. En invierno mantenga el rizoma seco.

Enemigos y enfermedades: en suelos húmedos la podredumbre bacteriana puede destruir la planta.

Empleo: sola, en una maceta decorativa.

Consejo: divida las matas en abril.

Zea mays
MAÍZ

Un cereal sorprendente.

Planta anual (de 1,5 a 2 m, 0 °C).

Follaje: erguido, verde, largo y en forma de cinta.

Floración: en junio-julio, en forma de espigas plumosas sin demasiado interés ornamental.

Especies y variedades: «Sucré Hâtif Jaune d'Or» y «F1

Blizzard Super Sweet» se consumen cuando los granos son lechosos y muy dulces. Existen formas decorativas con el follaje moteado.

Comportamiento en el recipiente: el crecimiento es muy rápido y el arraigamiento superficial.

Dimensiones del recipiente: como mínimo 25 cm de diámetro y de profundidad para una planta.

Exposición: cálida, resguardada y soleada.

Tierra: una buena tierra de trasplante.

Riego: cuando haga calor, cada dos días.

Enemigos y enfermedades: las orugas del maíz pueden destruir las hojas y las espigas.

Empleo: en huerto de balcón para constituir una cortina de temporada.

Consejo: siembre en mayo en hoyos con tres semillas. Elimine las plantas más débiles.

Zinnia elegans
ZINNIA

Una flor casi perfecta.

Anual (de 22 cm a 60 cm, 4 °C).

Follaje: arbustivo, de color verde claro. Las hojas son ovaladas y puntiagudas, ligeramente aterciopeladas.

Floración: durante todo el verano hasta las primeras heladas. Las grandes flores parecen margaritas dobles.

Especies y variedades: son muy numerosas, con colores vivos, en tonos de blanco, amarillo, naranja, rojo, violeta y verde.

Comportamiento en el recipiente: las variedades enanas resisten mejor a la intemperie y son muy recomendables para el cultivo en maceta.

Dimensiones del recipiente: plante como mínimo tres plantas en una maceta de 25 cm de diámetro.

Exposición: cálida y soleada.

Tierra: una buena tierra para geranios, enriquecida con estiércol bien descompuesto: Asegure un buen drenaje poniendo gravilla en el fondo de la maceta.

Riego: regular cuando el tiempo sea cálido y seco.

Enemigos y enfermedades: el oídio y la podredumbre gris pueden cubrir el follaje cuando el tiempo es húmedo.

Empleo: en el borde de una jardinera, o combinadas con cosmos, rosas de la India o verbenas.

Consejo: retire las hojas marchitas.

Una buena idea: zinnias acompañadas de una celosía.▶

▲ El maíz crece en maceta con riegos cotidianos.

▲ Las zinnias florecen durante tres meses.

CALENDARIO
DE TRABAJO

🌿 Enero 452

🌿 Febrero 453

🌿 Marzo 454

🌿 Abril 456

🌿 Mayo 458

🌿 Junio 460

🌿 Julio 462

🌿 Agosto 463

🌿 Septiembre 464

🌿 Octubre 466

🌿 Noviembre 468

🌿 Diciembre 469

Enero

Enero es época de cultivo: es cuando nos debemos introducir en las informaciones de los catálogos, es el momento de disfrutar al calor del hogar, trás la ventana, del espectáculo de la terraza bajo la nieve. Pero dese prisa: las primeras flores de nieve empiezan a brotar para decirnos que la primavera está cerca.

▲ En invierno, los recipientes adquieren mayor relevancia al resultar decorativos.

▲ Las hojas de periódico protegen de las heladas nocturnas.

NO LO OLVIDE

✽ Trate los melocotoneros enanos y los nectarinos contra las plagas.

✽ Cepille con agua y unas gotas de lejía los recipientes usados el año anterior y que serán reutilizados.

✽ Compre brezos y hebés, en plena floración, además de pernettyas con bayas como peladillas.

✽ Instale un comedero con grano y alpiste para los pájaros.

Proteger

• Aumente las protecciones alrededor de los recipientes: el plástico de burbujas no es muy estético, aunque tiene la ventaja de ser manejable, limpio, reutilizable y... eficaz.

• Intente que los recipientes no se llenen de agua. La mayoría de las plantas puede resistir el frío seco siempre que la tierra no esté húmeda. Los recipientes con reserva de agua se deben vaciar continuamente. Proteja de la humedad las plantas que lo requieran, por ejemplo, los delospermas, el tomillo, el romero y las plantas de los minijardines de rocalla.

• Junto al exceso de agua, el viento es otro enemigo de las plantas en recipiente: coloque protectores que reduzcan su efecto. A veces los más resistentes al viento no son siempre los mejores, porque crean turbulen-cias nefastas para las plantas. Un buen cortavientos debe dejar pasar el aire a través de unas mallas muy finas. Si los primeros bulbos brotan y persiste la bajada de temperaturas, cúbralos con turba seca.

Plantar

• Si la tierra es densa, plante pensamientos y primaveras que ya se encuentran en flor, en los centros de jardinería especializados.

• Plante las matas de myosotis, alhelíes y margaritas. Si no hiela, divida las plantas vivaces, como las alquemilas, las margaritas, los ásters.

Podar

• Pode ligeramente los minimanzanos y los perales. Compruebe que los nudos y los tutores no hieran a los tallos.

Febrero

Las primeras flores empiezan a asomar por la tierra endurecida de las jardineras y nos sentimos con renovadas ganas de plantar, limpiar y dejar florecer. Como si también en nosotros la savia volviera a circular.

Proteger

• Compre una tela de refuerzo para proteger las flores durante las noches frías.
• Cubra las jardineras con una capa de plástico si la estación es muy lluviosa. Airee cuando llegue el buen tiempo.
• Proteja las azaleas y los ciclámenes cuando las noches sean muy frías. Resguárdelos en un sitio fresco.

Limpiar

• Limpie los recipientes y quite las plantas y hojas muertas y las malas hierbas.
• Trasplante las matas de las bergenias y de los eléboros y sáqueles las hojas secas.

Comprar

• Diríjase al centro de jardinería para comprar camelias en flor. Eche un vistazo a las coníferas enanas, como la adorable *Pinus strobus* «nana», el pino de Weimuoth, muy suave al tacto. Compre skimmias, acebos, cloes decorativas, eléboros y flores de esta época.

Multiplicar

• Divida las matas de hemerocallas, hostas y geranios vivaces. Pode los tallos de las gramíneas y divida las matas más grandes.
• Siembre los guisantes de olor y las capu-

NO LO OLVIDE

✴ Plante fuera los tulipanes y los narcisos que le hayan regalado y que no estén en flor para que vuelvan a florecer al año siguiente.
✴ Compre un saco de regenerador de superficie para cambiar la tierra de la superficie de los recipientes más antiguos.
✴ Vigile que los recipientes estén bien protegidos con plástico y airéelos tan pronto como las condiciones climáticas lo permitan.
✴ Eleve los recipientes con pequeñas cuñas para que el fondo no se estanque con agua fría o hielo.

chinas directamente en las terrinas, en una habitación con un poco de calor.

Podar

• Pode, si no hiela, los hibiscos, las buddleias y las espireas. Vuelva a dar forma a las alheñas, a las hiedras, a los hinojos y al boj.
• Pode los arbustos de frutos pequeños como las frambuesas, las grosellas negras y las grosellas.

Las bayas de las skimmias resisten el invierno. ▶

PUESTA A PUNTO

Las celosías que estén al aire libre y bajo los efectos del viento o el peso de las plantas requieren un mantenimiento regular. De este modo duran más tiempo. La elegancia del balcón depende del aspecto que tengan estos elementos. Todo el cuidado y el tiempo que usted les dedique no serán en vano.

▼ *El cepillado, esencial.*

▼ *La pintura protege la madera.*

Cepille la madera en seco para sacar los restos vegetales y retire la pintura que se haya levantado. Lije con cuidado las partes más estropeadas. Después, proceda a pasar una esponja mojada en agua caliente con jabón, para retirar la capa oscura que se produce por efecto de la contaminación además de los restos de polvo. Aclare con agua y deje que se seque. Sustituya las sujeciones de las celosías y las grapas de las láminas que se hayan oxidado además de cambiar la madera estropeada. Después, pase una capa de pintura.

Marzo

*Señales discretas anuncian
ya la llegada de la primavera.
Las primeras mariposas,
cansadas de su largo letargo,
pasan revoloteando antes
de que marzo eclosione.
Las yemas están hinchadas. Las
forsythias se adelantan. Rápido,
es el momento de salir.*

NO LO OLVIDE

❋ Plante una clematita con flores grandes.
❋ Pode las plantas trepadoras, empalícelas.
❋ Elimine el musgo de la terraza con un producto apropiado.
❋ Trate los melocotoneros enanos contra los parásitos, aun si lo hizo el mes anterior.
❋ Vigile las cochinillas de las hydrangeas.

▲ Las jardinerías venden en este momento macetas con flores que decoran de inmediato.

◀ Aún debemos temer a las heladas de marzo. Proteja las primeras flores con un velo.

Proteger

• Retire, poco a poco, las protecciones en función de la región y del tiempo, a menudo imprevisible durante el mes de marzo. Tenga siempre al alcance de la mano un velo de protección para envolver las plantas más frágiles en caso de descenso pronunciado de las temperaturas nocturnas.

Plantar

• Plante fresas en una jarra especial, con varios niveles. Elija las variedades que crecen bien, como la «Reina de los valles» o los fresales trepadores como «Mount Everest». La nueva variedad «Fanny» es ideal para las suspensiones.
• Componga un minijardín con varias plantas aromáticas: tomillo, cebollino, perejil (la variedad de hojas planas es más sabrosa que la rizada), estragón, salvia, mejorana y limoncillo.
• Disponga de una jardinera para sembrar algunas hortalizas. Además de los rabanillos, los nabos redondos y las remolachas que crecen bien en recipiente, están las hortalizas de raíces refractarias para el cultivo en el balcón. También es fácil tener éxito con lechugas, tomates, pepinos y coles.

Multiplicar

• Realice esquejes de laurel: corte ramas de unos 10 cm y póngalas en remojo en un vaso con agua encima de un radiador. Echan raíces en sólo un mes.

Cambiar de recipiente

• Empiece a cambiar de recipiente cuando las plantas lo requieran: cuando tengan mu-

▲ Los pensamientos florecen continuamente hasta julio.

▲ Elimine los nudos de los rosales.

▲ Las vivaces se dividen bien en marzo.

chas raíces que recubran casi todo el recipiente, una vegetación de menos calidad que la del año anterior, cuando no se hayan cambiado en tres años, o cuando tengan una silueta desproporcionada en comparación al tamaño del recipiente.

Se deberá realizar un mantenimiento de la superficie en aquellas plantas que se hayan trasplantado durante el año anterior, además de las que están en recipientes grandes (de más de 60 cm de diámetro). Sólo basta con raspar suavemente los cuatro o cinco primeros centímetros para no estropear las raíces, y sustituirlos con tierra especial denominada «regenerador de superficie» o con una mezcla compuesta por 1/3 de abono orgánico a base de estiércol descompuesto y 2/3 de tierra nueva.

• Ponga un poco de tierra de brezal en la base de las camelias, de los rododendros, de las azaleas, de las skimmias y de los pieris.

• Cubra la tierra de las jardineras con corteza de pino de calibre pequeño. Esta protección no sólo tiene una finalidad decorativa, también evita la evaporación excesiva del agua, entorpece el desarrollo de las malas hierbas y limita el apelmazamiento de la tierra producido por los riegos repetitivos. Además puede plantar especies rastreras como la helxina, que es un musgo muy suave que se desarrolla bajo la sombra, o acaenas y saxífragas en caso de que estén bajo la luz del sol.

Tratar

• En los rosales pulverice con fungicida contra el oídium y las manchas negras, después proporcióneles una dosis de abono.

Controlar

• Elija en los catálogos especializados los bulbos de verano: dalias, tuberosas, lis y gladiolos.

Podar

• Pode las artemisas, las senecias y los phlomis, además de todos los arbustos de floración estival: hibiscos, buddleias, ceanotos y perovskias, para obtener siluetas airosas. Pode prioritariamente el centro de la planta.

Plante densamente para lograr un buen efecto decorativo. ▶

PLANTELES EN TERRINAS

A finales de mes, siembre las flores que se deban reproducir por esquejes como la salvia, los claveles de la India, las petunias, las zinias, la verbena, etc. Elija una terrina poco profunda y compre tierra especial para siembra. Su composición ofrece una granulometría fina y un poder de drenaje óptimo. Rellene la terrina hasta el borde. Apelmace la tierra dando golpes suaves en la base del recipiente sobre una mesa. Alise la superficie con una tabla de madera. La tierra estará lista para recibir las semillas. Siga las instrucciones del paquete para controlar la densidad de la plantación. Cubra con una película de plástico para conservar una higrometría elevada. Según las especies, deberá sembrar en cubiletes individuales o en terrinas y deberá esparcirlas para que las plántulas se hagan fuertes, antes de cambiarlas de recipiente a finales de mayo.

▼ Los planteles deben estar al calor hasta abril o mayo.

Abril

▲ Un himno a la primavera. Bulbos combinados con ciruelos y cerezos en flor.

Mes genial en el que cada mañana brota una nueva flor. ¡Hay tanto por hacer en la terraza! En primer lugar olvídese del invierno y renuévelo todo. No olvide lo más importante: de vez en cuando, relájese, siéntese al sol y disfrute del despertar de su decoración primaveral...

NO LO OLVIDE

❋ Aumente el ritmo de riego.

❋ Elimine las malas hierbas que aparezcan en las jardineras.

❋ Pode los tallos florales de los narcisos marchitos, pero deje que el follaje amarillee.

❋ Retire los frutos que sobren de los melocotoneros enanos.

◄ Los bulbos abiertos duran un mes.

Comprar

• Plante bianuales y bulbos floridos si no se ha acordado de las plantaciones de otoño. Las violetas pequeñas aparecerán a la vez que las margaritas y los narcisos lo harán con los jacintos. No tenga miedo de apretar un poco las plantas para obtener un decorado inmediato. Piense en las especies con follaje como las cinerarias, las hiedras con hojas pequeñas, los tomillos, las senecias y los hinojos para vestir rápidamente las jardineras. Pase por un centro de jardinería para comprar un saco de abono orgánico a base de algas y compost. Además adquiera un paquete de abono de liberación lenta para plantas de flor. Realice una distribución general respetando las dosis que se indican en los envases.

Limpiar

• Vuelva a recuperar las jardineras eliminando las plantas marchitas, las hojas secas y podando las ramas muertas. Airee los vegetales que hayan crecido correctamente el año anterior.

• Recupere las plántulas jóvenes que hayan crecido espontáneamente en los planteles de valerianas y alquimilas y trasplántelas a otro lugar.

Esperar

• Las plantas floridas que aparecen por todas partes en las jardineras son muy atractivas. Sin embargo, intente resistir la tentación de comprarlas antes de finales de este mes, sobre todo si usted vive en una región fresca. Siguen habiendo riesgo de heladas y además las posibilidades de elección serán más amplias pasadas unas semanas.

Sembrar

• Piense en revestir las paredes y las barandillas sembrando algunas semillas de judías, de guisantes de olor, de capuchinas trepadoras, de lúpulo, de cobeas o de coloquintos. Siembre también semillas anuales en lugares donde aún haya espacio: cineraria marítima, capuchina enana, cosmos, centáureas y amapolas además de cebollino, perejil y rábanos.

Plantar

• Elija arbustos de floración primaveral para plantarlos a partir de este mes. No olvide que los arbustos de hojas perennes echan hojas con rapidez una vez que llegan los primeros calores. Prepare el verano con algunos recipientes de lavanda («Hidcote Blue», compacta y baja, es ideal). Instale un minihuerto con matas de fresales y estragón. A finales de mes, plante algunas matas de albahaca. En las grandes terrazas, plante una actinidia que dará kiwis a final del verano. La variedad «Solo» es autofértil y, por ello, sólo se requiere una mata para obtener frutos.
• Introduzca los bulbos de verano en recipientes: dalias y cannas. Prepare los recipientes perfumados con flores de lis, tuberosas, acidantheras y eucharis, que se parecen a los narcisos pero más alargados. Plante vivaces

▼ Plante bulbos floridos y obtendrá un decorado inmediato.

Muscaris y tulipanes: de fiesta en primavera. ▶

de larga floración como las scabiosas, las aquileas, los penstemons y las hemerocallas.
• Saque los geranios y las fucsias que han invernado en la galería. Límpielos, pode los tallos más largos y cámbielos de recipiente en un sustrato nuevo mejorado con abono de liberación lenta (una cucharilla de café por cada 5 l).

Podar

• Iguale todos los arbustos de floración primaveral que ya hayan florecido como las forsythias, el jazmín nudifloro, los *Viburnum botnantense*, los brezos y los quiomantos.

Controlar

• Realice una inspección general de las sujeciones de las jardineras. Cambie cualquier sujeción que esté en mal estado u oxidada. No olvide que siempre es conveniente sujetar los recipientes hacia dentro de los balcones, por evidentes razones de seguridad. En caso de accidente por una caída del recipiente el único responsable es el propietario del balcón.
• Para mantener una buena relación con el vecindario, asegúrese también de que el agua del riego de las jardineras no cae por la fachada o se filtra al piso de abajo. Coloque platillos en todas las plantas.
• Si quiere instalar recipientes de dimensiones considerables (más de 40 o 50 cm de lado), infórmese del peso máximo autorizado para la terraza.

No divida el cepellón de las plantas jóvenes. ▶

▲ Un tapón de abono por cada 10 l de agua.

▲ Riegue las nuevas plantaciones abundantemente.

Mayo

Generoso, lleno de vida y de colores. Su acogedora terraza es un oasis de tranquilidad en el mes de mayo, un remanso alejado de la agitación de la ciudad. En este sentido, ella merece lo mejor: toda su atención.

▲ Campánulas, dicentras y helechos para una escena natural que puede resultar decorativa durante un mes.

▲ Las suspensiones requieren un riego diario.

◄ Pulverice con insecticida en caso de plagas.

Comprar

• Compre algunas barquillas de plantas anuales: petunias, ageratums, tabacos o salvias para los lugares soleados. Impatiens, mimulus, lobelias, fucsias o begonias tuberosas para la sombra parcial. Ponga pinzas en las primeras flores inmediatamente después de la plantación en jardineras, para dejar que la planta tenga tiempo de desarrollar sus raíces. La floración será de mayor calidad. Compre también algunos recipientes de muguete.

• No se olvide de plantar en la jardinera una

▼ No dude en arrancar las plantas que no hayan arraigado.

o dos matas de albahaca. La variedad de hojas anchas es muy perfumada. La de hojas pequeñas también tiene mucho aroma y una floración más lenta.

Regar

• Aumente el ritmo y la cantidad del riego. No deje que haya agua sobrante en el platillo, excepto en el caso de los papiros (*Cyperus diffusus*).

Plantar, sembrar

• Coloque matas de tomate hacia mediados de mayo. Entre las variedades de fruto pequeño está la «Sweet 100», que es una de las mejores y sólo está a gusto en las grandes terrazas. ¡La planta puede alcanzar 2 m de altura! Los pequeños balcones pueden acoger la variedad «Red Robin», «Phyra» (30 cm de alto), «Gartenperl» (40 cm) o «Tigerette Cherry».
• Seguidamente plante las dalias y las cannas en tierra para geranios.
• Cambie de recipiente las camelias con una tierra ácida.
• Siembre también rábanos y lechugas.

Mantener

• Aporte abono soluble a los bulbos de los tulipanes, narcisos, jacintos y fritilarias para que acumulen suficientes reservas y vuelvan a florecer al año siguiente. Si el agua es calcárea, ponga un producto anticlorosis en la base de las hortensias y las otras plantas de brezal: rododendros, pieris, azaleas y camelias.
• Empalice los brotes de clematitas, del jazmín y del jazmín estrellado, del trachelospermum, de la akebia, de las buganvilias y de las madreselvas, que pueden crecer 50 cm en un mes.
• Retire las flores marchitas de los rododendros pinzándolas con una uña justo por el reverso de las flores.
• Considere la posibilidad de implantar un sistema de riego por goteo en el balcón si se va de vacaciones. Es la mejor solución.

Podar

• Iguale los arbustos que hayan florecido como las espíreas, las forsythias, los groselleros floridos y las hiniestas.
• Saque las plantas más sensibles al frío, que han estado en el interior durante el invierno, y pode con cuidado. Los geranios, las verbenas, las lantanas, los heliotropos, los anthemis, los helicrisums y las fucsias deberán cambiarse de recipiente para disponer de una tierra rica.
• Pode las coníferas como las thuyas y el ciprés para que adquieran equilibrio de forma.

El abono de liberación lenta sólo se aplica una vez. ▶

▲ Arranque los bulbos que tengan hojas amarillas.

PLANTE UNA JARDINERA

La preparación cuidadosa de una jardinera es una garantía para conseguir buenos resultados. Es necesario respetar cuatro reglas básicas.

• La tierra se apelmaza fácilmente y no deja que el agua se filtre con facilidad a medida que la temporada va avanzando. Por ello, es necesario disponer de una capa de drenaje que sea lo suficientemente densa, como mínimo de 3 cm, a base de piedras, gravillas o guijarros. Aísle esta capa del sustrato mediante un filtro o un velo.

• La tierra utilizada debe ser de buena calidad. Es recomendable desconfiar de las promociones de los supermercados que ofrecen productos a muy bajo precio y de marca desconocida. Siempre es útil mejorar el sustrato con unos puñados de abono orgánico o bien de abono de liberación lenta.

• El cuello de las plantas debe aflorar en la superficie de la tierra sin que se forme un pequeño montículo alrededor. Apelmace la tierra golpeando la jardinera contra una mesa y ejerciendo presión con los dedos.

• Es necesario dejar como mínimo de 2 a 3 cm entre el borde del recipiente y el nivel de la tierra para poder regar con facilidad.

▼ No llene hasta el tope.

▼ Calcule 25 cm por cubilete.

Junio

▲ Las plantas adoran estar juntas. Así se crea un microclima húmedo que favorece la floración y el mantenimiento.

El verano se asoma a la terraza. Aún no ha alcanzado su apogeo, pero ya se intuye la opulencia futura de los recipientes. No baje la guardia: todo este pequeño mundo requiere, ahora más que nunca, de su ayuda.

▲ Empalice las plantas trepadoras según crezcan.

ser tóxica para las plantas. Además, no es estética y desaparece al rascarla con un cuchillo.
• Barra el suelo de la terraza como mínimo una vez a la semana para eliminar las hojas y la suciedad que pueden producir parásitos.
• Retire con regularidad las flores marchitas, las hojas muertas y las malas hierbas.
• Cada semana coja las flores de los guisantes de olor y haga ramos para que continúen floreciendo.
• No dude en sustituir las plantas enfermas. A menudo es más económico deshacerse de las plantas que no han cogido bien o muestran señales evidentes de debilidad que intentar recuperarlas. Arranque los bulbos y las cebollas

NO LO OLVIDE

✳ Empalice las plantas trepadoras.
✳ Coloque cortavientos que sirven también para dar sombra a las plantas de sombra parcial como las fucsias, las lobelias, las begonias tuberosas y los helechos.

Limpiar

• Rasque la superficie de las jardineras cuando haga calor y esté seca. Limpie los bordes del recipiente en los que empiecen a aparecer manchas marrones provocadas por los minerales de los abonos. Esta concentración de sales puede

LOS SECRETOS DEL RIEGO

Es importante no dejar que se seque el cepellón porque los sustratos, generalmente a base de turba, se rehidratan muy mal. No vacíe todo el contenido de la regadera. Es mejor que la vacíe en dos veces dejando dos minutos de intervalo entre riego y riego. Vigile que el agua no salga de la tierra, sino que penetre bien en el sustrato. Es preferible que riegue con agua a temperatura ambiente.

▼ No riegue a pleno sol.

▼ Remoje las plantas secas durante 20 min.

Cuando haya terminado de regar, llene otra vez la regadera para que esté lista para el día siguiente.

Diluya, con regularidad, abono líquido para plantas de flor (el abono para fresas o tomates también sirve) en el agua de riego cada diez días. Obtendrá mejores resultados si diluye esta dosis por tres y riega una vez cada dos con esta disolución.

El riego no es una ciencia exacta, depende de muchos factores. Por lo general, se deben regar a menudo las

▼ Solución: riego por goteo.

plantas que se encuentren en recipientes pequeños, durante los períodos más cálidos, a pleno sol y los días que hace mucho más viento. Se debe reducir la cantidad de riego cuando la planta esté bajo la sombra, cuando llueva, cuando la temperatura descienda, y cuando las plantas se encuentren en recipientes de plástico o con reserva de agua. Las plantas suculentas requieren poca agua, las de follaje fino requieren que se riegue frecuentemente.

Sepa que la mayoría de las plantas se estropean más a menudo por exceso de humedad que por falta de agua. Vigile que los primeros centímetros de tierra estén secos antes de volver a regar y no deje demasiada agua en el platillo.

de los tulipanes cuyo follaje haya amarilleado. Sáqueles toda la tierra y almacénelas en cajas de nailon en un lugar fresco y seco.

Vigilar

• Controle siempre la aparición de parásitos. Riegue regularmente el follaje de las coníferas para evitar que las arañas rojas se apoderen de ellas. Inspeccione la axila folicular de las hojas de los cítricos y del resto de arbustos con flores para detectar el principio de una plaga de cochinillas. Revise los extremos de los brotes de capuchinos y de los rosales, a veces colonizados por pulgones. Sacuda a menudo las ramas de las fucsias, de los tabacos, de las petunias y de las daturas para comprobar que las moscas blancas no hayan invadido todas estas plantas.

Multiplicar, plantar

• A principios de mes, aún estamos a tiempo para sembrar directamente en el suelo, sin ninguna preocupación, plantas como las rese-

▲ Erradique las malas hierbas.

▲ Cuando el nivel baje, añada tierra.

das, los pourpiers, ricinos e incluso girasoles.
• Realice esquejes de begonias tuberosas, fucsias, arabis, aubrietas, ceanotos, hydrangeas y viburnums.
• Plante agapantos, margaritas otoñales, ásteres y anémonas de Japón. Prepare recipientes de crocos de otoño, sternbergias, ciclámenes, colchicos y *Amaryllis belladona*.

Una tierna rosa para combinar con follaje gris. ▶

Julio

Éste es el momento justo para disfrutar de la terraza. Asegúrese de lo mínimo (los riegos) y deléitese, se lo merece. Tome el sol, lea, duerma, sueñe... quizá, con las próximas plantaciones.

NO LO OLVIDE

✽ Renueve el sustrato de las jardineras a medida que el nivel vaya bajando.

✽ Cubra la tierra desnuda con corteza de pino para limitar la evaporación.

✽ Aleje las jardineras de las paredes que se calienten con el sol para evitar que se quemen las hojas por la reverberación.

✽ Vigile los ataques de oídium en los rosales, phlox y ásteres.

▲ Un recipiente de geranios tan generoso sólo se consigue con abono líquido.

Regar

• Riegue las plantas todas las noches. Apórteles una dosis de abono líquido a la semana, especialmente a las dalias y las cannas.

• Duche las ramas de todas las plantas excepto las de aquellas que estén en flor o que tengan un follaje peludo.

• Ponga a prueba la instalación de riego automático para asegurarse de que todo esté correcto y no tener ninguna sorpresa al volver de vacaciones. Este tipo de riego puede ser complementado con un difusor de abono. Deje que se vacíe las reserva de los recipientes y que la tierra se seque durante algunos días antes de volver a regar.

◄ Retire las flores marchitas, estimulará la floración.

Podar

• Suprima las ramas secundarias que surgen de las axilas foliculares de las matas de tomate.

• Retire las hojas que impidan que llegue el sol a las fresas y a los tomates que han de madurar.

• Corte las hojas de las plantas vivaces ya sin flores, por ejemplo, las valerianas, verónicas, campánulas, alquimilas y nepetas.

• Siga con los ritmos de riego y de abono para favorecer una segunda floración en otoño.

• Reduzca la densidad de las plantas que hayan crecido demasiado como el romero y la salvia. Pode las lavandas en forma de bola después de la floración.

• Pode los osteosporum cuando empiecen a «dispararse» en todas direcciones. Corte justo por encima del principio del brote.

Agosto

◀ Un macetero de 30 cm de alto acoge nenúfares enanos.

En estos días cálidos, las floraciones marcan un poco el paso.

Aun así los recipientes requieren un empujoncito de su parte para volver a empezar con buen pie.

▌ Limpiar

• Suprima regularmente las flores marchitas.
• Desapelmace la tierra de los recipientes.
• Sustituya las anuales que hayan terminado la floración (clarkias, godetias) por dalias enanas, ásteres o celosías.

▼ Tutorice los anthemis en tallo, pues su tronco es frágil.

▌ Preparar

• Si se va de casa durante más de tres días, intente que la base de las plantas no se seque. Coloque en la sombra todos los recipientes fáciles de transportar. Riegue abundantemente. Por una vez, deje agua en los platillos. Los pequeños recipientes que se secan rápidamente deberán recibir un tratamiento especial. Sumérjalos en un cubo lleno de agua hasta que dejen de aparecer burbujas en la superficie. Colóquelas después en un recipiente de plástico lleno de turba y agua. Ponga un película de plástico encima del recipiente y deje que el follaje salga por encima del agua. Coloque todo el conjunto en la esquina menos soleada de la terraza. De este modo, las plantas pueden aguantar una semana sin nuestra presencia. Aun así, siempre es mejor pedir a un amigo que venga a regar las plantas.

• Si estará fuera de casa durante más de dos semanas, pince todas las flores y las yemas florales de las petunias, geranios, osteospermums, fucsias, heliotropos, impatiens, guisantes de olor y salvias. Pode las ramas que sean demasiado largas. Cuando vuelva, tres semanas después, encontrará los recipientes completamente floridos.

▼ Abone solamente cuando la tierra esté mojada.

▌ SIEMBRE FLORES EN VERANO

Para los más aficionados sólo a través de los planteles se pueden obtener variedades poco corrientes y coloridos originales. Se encuentran muchas plantas bajo la denominación F1. Se trata de híbridos, es decir, de semillas que provienen del cruce de dos padres cuidadosamente seleccionados.

Estas semillas germinan uniformemente; las plantas son homogéneas, vigorosas, y florecen abundantemente. En verano siembre pensamientos, myosotis, rosas, margaritas, digitalias, ancolias, campánulas y amapolas.

▲ Aplane la tierra de los planteles con una lámina.

▲ Siembre y cubra con sustrato tamizado.

▲ Al pulverizar regamos sin mover las semillas.

Septiembre

Es casi una segunda primavera la que anuncia el mes de septiembre. El regreso de la humedad y del aire fresco animan a las plantas, que florecen aún más bellas. ¡Seguid el ritmo sin perder el ánimo!

NO LO OLVIDE

✻ Durante la segunda quincena, no abone los arbustos y las plantas que pasan el invierno en el exterior.

✻ Transplante las flores que sembró durante el último mes para que adquieran vigor.

✻ Antes de volver a plantar, compruebe el estado de los bulbos de los tulipanes del año anterior. Descarte todos los que tengan partes reblandecidas o manchas.

▲ Los girasoles son siempre muy espectaculares por sus dimensiones y fáciles de cultivar.

Renovar

• Saque las plantas a finales de la vegetación y sustitúyalas por ásteres enanos, margaritas otoñales, recipientes de sedums, anémonas japonesas, dalias enanas o incluso coles decorativas. Instale algunos recipientes de ciclámenes de Nápoles.

• Cambie el decorado y prepare las jardineras de invierno con coníferas enanos y brezos.

◀ El rojo despierta la armonía del azul y el amarillo.

Mantener

• No se olvide de las petunias, de los geranios, de los impatiens ni de los ageratums. Aún les quedan dos meses de floración. Pode un tercio de los tallos. Limpie las hojas secas, las cápsulas de granos en formación, las flores marchitas y ponga abono líquido; volverán a brotar aún con más belleza. Antes deberá haber regado con cuidado la mata para que no se quemen las raíces.

• Vuelva a abonar las dalias y las cannas. Tutorice las más grandes y suprima las flores una vez que empiecen a marchitarse.

• Retire los tallos de las plantas de porte colgante que lleguen al suelo y limpie la parte superior con cuidado.

Multiplicar

• Siembre las amapolas anuales (amapolas comunes, de Islandia). Pueden pasar bien el invierno.
• No olvide colocar una etiqueta para recordar de qué plantel se trata.
• Cree un plantel de guisantes de olor. Así obtendrá una floración precoz, antes de los grandes calores que son fatales para ellos.
• Haga esquejes de fucsias y pelargonios para poder hibernar plantas jóvenes que ocupen menos espacio que los ejemplares más viejos.
• Realice esquejes de calceolarias leñosas, heliotropos, lantanas, artemisas y de plumbagos del Cabo en una mezcla de arena y turba. Coloque los esquejes cerca de los bordes del recipiente porque es en este emplazamiento donde arraigan mejor.
• Recoja las semillas de los enoteros, de las petunias, del tabaco y de las flores de dragón. Siémbrelas directamente en la tierra. El éxito no está garantizado al 100 % pero, de todos modos, estas semillas son gratuitas y a veces se consiguen resultados sorprendentes.

Trate contra pulgones. ▶

Podar

• Iguale los arbustos que florecerán.
• Vuelva a dar forma a las bolas de boj, de lavanda y de alheña.

Plantar

• Coloque los arbustos de tierra de brezo: rododendros, pieris, camelias, brezos. Piense en los arbustos cuyas bayas sean decorativas durante gran parte del invierno como las skimmias, las pernettyas y las callicarpas.
• Empiece las plantaciones de los bulbos de primavera (tulipanes, narcisos, crocos).
• Es el momento de comprar pensamientos. Florecen durante todo el invierno. La nieve frena su floración, pero rebrotan en cuanto la nieve se funde. Los colores amarillo suave, blanco o anaranjado son muy luminosos, al igual que el color rosa suave.

Cepille y remoje las macetas con un poco de lejía y agua. ▶

PLANTAR BULBOS EN JARDINERAS

El drenaje es un aspecto muy importante cuando se trata de plantar bulbos. Coloque una capa de gravilla, de arena, de pedazos de recipiente o de trozos de poliestireno, y cubra con un filtro antes de llenar la jardinera de tierra. Es importante respetar la profundidad de la plantación porque los bulbos que se plantan mal dan hojas deformes y, consecuentemente, los tallos y las flores también se deforman. Normalmente se entierra el bulbo a una profundidad del doble de su tamaño. Algunos jardineros ponen un puñado de arena complementaria en la base del bulbo para que el drenaje sea perfecto. Incluso si es usted principiante, puede tener grandes éxitos con los crocos, los narcisos, los jacintos y los muscaris. Pruebe en una tierra bien drenada con *Cyclamen coum* ya que forma ramos densos de color rosa a partir de febrero. En cualquier caso, cuando plante bulbos, nunca lo haga en recipientes con reserva de agua porque son demasiado húmedos.

Si desea obtener floraciones densas y graduales, puede plantar dos o tres capas de bulbos. Los bulbos grandes como los de los narcisos o los tulipanes deben colocarse en el fondo a 10 o 12 cm de profundidad, apoyados sobre su base y con la punta hacia arriba. Por encima, en capas sucesivas, coloque jacintos a 8 cm de profundidad. Después de haber puesto otra capa de tierra, plante bulbos de crocos o de muscaris, a unos 5 cm de profundidad. Cubra con tierra y compáctela suavemente golpeando el fondo de la jardinera encima de una mesa. Finalmente riegue con una fina lluvia de agua.

▼ Una capa de arena para el drenaje.

▼ Deje 5 cm entre cada bulbo.

▼ Riegue para apelmazar la tierra.

Octubre

La carrera empieza con las primeras heladas nocturnas: las plantaciones y las divisiones no pueden esperar. Una terraza bien preparada en octubre tiene más posibilidades de mantener su atractivo en invierno.

▲ Bayas, frutas y follaje refuerzan los ásteres y crisantemos para un decorado colorido en otoño.

▲ Instale bulbos de primavera en la base de los arbustos.

NO LO OLVIDE

✳ Compruebe los tutores. Revise los troncos de los arbustos para que no los estrangulen.
✳ Repare las celosías.
✳ Coloque manzanas colgadas con un alambre para los pájaros.
✳ Vaya disminuyendo poco a poco la frecuencia de riego, sobre todo en el caso de los arbustos de hoja caduca.
✳ Dé un cuarto de vuelta a las macetas para obtener un crecimiento regular.

Limpiar

• Desde la primera helada nocturna realice la gran limpieza de otoño retirando las anuales. Arranque el cepellón y la planta. Sustituya por tierra nueva. Vacíe las pequeñas jardineras. Tire el sustrato gastado y lave los recipientes.

Proteger

• Resguarde los últimos geranios después de haberlos podado con rigor.
• Empiece a instalar protecciones alrededor de las plantas más frágiles y demasiado grandes para entrarlas en casa, como plumbagos, laureles rosa, lantanas en tallo, mirtos, jazmines, pittosporum, *Solarum ranonnetii*, palmeras, leptospermum, lilas de las Indias, bananeros, agapantos y flores de la pasión. Empuje los recipientes hasta llevarlos al lado de la pared de la casa o en un rincón protegido de los vientos.
• Reagrupe los pequeños recipientes (15 cm de diámetro y menos) en una gran jardinera. Rellene los espacios vacíos entre ellos con turba seca, que actuará a modo de colchón aislante.
• Coloque los bonsáis en un lugar luminoso y protegido. Algunos requieren un miniinvernadero de plástico para resguardarlos durante la noche.

Comprar

• Para obtener un decorado inmediato, compre cotoneásters, recipientes de crisantemos,

LA PODA DE FIN DE VERANO

La lavanda, el tomillo y, en general, todas las plantas de tallos leñosos no se deben cortar a ras de suelo, de lo contrario no volverán a crecer. Pode siempre por encima de un tallo que tenga hojas. Procure que tenga siempre una forma redondeada. Empiece eliminando las ramas muertas, después las que se crucen en el medio de la mata.

Corte las ramas que estén más estropeadas y que, por lo general, no darán muchas flores. Después proceda a podar en redondo. Las ramas más grandes deben podarse desde un tercio hasta la mitad de su longitud, justo por encima de un brote que crezca hacia el exterior. Elimine de paso las hojas enfermas que tengan agentes patógenos. En el caso de los arbustos de tallo pode las ramas secundarias que se desarrollen en el tronco principal y los brotes eventuales. Dé a la mata un conjunto en forma de bola podando los brotes más jóvenes y dejando sólo dos de éstos. Si creemos que se producirán fuertes fríos o si no disponemos de un lugar completamente aislado de las heladas, es mejor esperar a la primavera para realizar esta operación. De hecho, los brotes de las extremidades se hielan antes. Los de la base pueden retomar su energía a principios de primavera.

En el caso de los arbustos llorones, se poda la extremidad de los tallos que llegan al suelo, los tallos secundarios que se alzan por encima del conjunto de las ramas y los que se forman a lo largo del tronco.

▼ Pode las fucsias en otoño.

▼ Equilibre las raíces de los geranios.

▼ Las lavandas se compactan al podarlas.

---

reinas margaritas, skimmias, gramíneas, verónicas arbustivas, mirtos, brezos y coníferas enanas. En el caso de estas últimas juegue con las formas: en forma de flecha *(Juniperus communis «Compressa»)*, en forma de pirámide *(Picea glauca «Conica»)*, en forma de bola *(Pinus mugo «Mops»)* y expansivas (enebro trepador «Gold Sovereign»).

• Combine los colores que puedan ir desde el amarillo dorado *(Chamaecyparis lawsoniana «Ellwood's Gold»)* al verde profundo *(Cryptomeria japonica «Broom»)*, pasando por el azul *(Cedros deodora «Feeling Blue»)*, y las texturas más o menos plumosas en función de la dimensión y forma de las agujas.

• Haga previsiones sobre el decorado de primavera mediante plantaciones de bulbos y arbustos de hoja caduca. En invierno piense en los avellanos tortuosos, que son muy decorativos gracias a su silueta gráficamente atormentada.

• Para que los recipientes de bulbos sean decorativos en invierno instale plantas vivaces de follaje pequeño y perenne: acaenas, pinillo trepador, *arabidopsis*, violeta y tomillo trepador.

• Compre ciclámenes y pensamientos de diversos colores para componer recipientes llenos de color.

◀ La ampelopsis adquiere colores radiantes a partir del mes de octubre.

Recolectar

• Recoja los coloquintos y lávelos con agua y jabón sin sacudirlos. Séquelos y páseles cera incolora. Para decorar, piense también en las calabazas, calabacines, calabazas serpiente, etc., de venta a veces en los supermercados e incluso en los centros de jardinería.

• Recoja los kiwis que hayan madurado además de las últimas fresas y tomates.

• Corte algunos tallos de gramíneas para hacer ramos secos.

▲ Elimine los restos de flores marchitas.

Plante arbustos perennes para lograr un decorado invernal. ▶

Noviembre

Los días cada vez son más cortos, el aire empieza a refrescar y el tiempo no siempre es agradable. Pero los buenos jardineros saben que es en otoño cuando se preparan las mejores primaveras. Entonces, ¡rápido, manos a la obra! Tijeras de podar y plantador en mano. ¡Hay que hacer diez mil cosas!

▲ Los crisantemos, brezos y arbustos de hoja perenne son las grandes estrellas del momento.

NO LO OLVIDE

✳ No deje de regar los arbustos perennes mientras haga buen tiempo.

✳ Cuando el frío sea menos riguroso ventile los recipientes envueltos en protecciones. Cuando haga buen día retire las campanas.

✳ Llene con grano el comedero de pájaros para que no pasen hambre en invierno.

✳ Vacíe la manguera y póngala a cubierto.

◀ Este conjunto rosa dura un mes.

▌ Proteger

• Cubra las matas de perejil y de cebollino con una campana de plástico; de este modo, adelantará algunas semanas la cosecha.

• Intensifique las protecciones de los arbustos contra el frío con velos de hibernación.

• Si ha encargado plantas y no puede plantarlas no las deje en el interior de la casa. Póngalas mejor fuera con su caja abierta y resguardadas por la pared y un plástico con burbujas.

▌ Multiplicar

• Siembre guisantes de olor, tres semillas por cubilete, en el flanco de una ventana. De este modo, germinarán a mediados de diciembre y parecerá que están vegetando. Así, en marzo, cuando crezcan lo harán con más vigor que si las hubiéramos plantado en primavera.

• Divida las plantas vivaces cuyas matas sean demasiado grandes.

▌ Comprar

• Plante rosales de desarrollo contenido en recipientes bastante profundos (30 cm de altura).

• Compre mahonias. La variedad «Charity» está en flor desde mediados de noviembre. La extremidad de los tallos eclosiona con pequeñas corolas perfumadas, de color amarillo suave, que nos hacen pensar en el… ¡muguete! La variedad «Apollo», más pequeña y compacta, es muy apropiada para los balcones.

• Plante los últimos bulbos de la primavera si no ha podido hacerlo antes.

Diciembre

Aun cuando todo parece helado, cubierto de hielo o bajo la nieve, la vida continúa sigilosa. Las plantas de la terraza nos necesitan para superar este período difícil.

◄ Originales guirnaldas para este abeto.

▲ Arranque de raíz las anuales heladas.

Proteger

•Sacuda las ramas de las coníferas si la nieve las dobla. Si soportan mucho peso, pueden llegar a romperse o provocar una curvatura que difícilmente se recuperará en primavera. Si nieva mucho, ate las coníferas que tengan una forma de corona y todas las plantas que tengan ramas anchas y que capten mucha nieve.

•Si ha creado en el balcón un pequeño estanque con peces, protéjalos del hielo. Realice un agujero en la superficie de éste colocando encima una cazuela caliente para que el oxígeno pueda circular. Los nenúfares enanos pueden quedarse en el exterior siempre que la raíz, que se encuentra en el fondo del recipiente, no llegue a helarse. Una capa de plástico con burbujas bastará para aislar el recipiente.

Preparar

•Revise todas sus herramientas. Desmonte las tijeras de podar, afílelas, rasque los binadores y los trasplantadores para eliminarles el óxido. Aplíqueles un producto protector. Lave los guantes de jardín. Compre rafia, lazos, etiquetas y un lápiz de mina gruesa.

Limpiar

•Barra la terraza para sacar las hojas muertas y arranque las plantas que se hayan helado.

•Eleve con cuñas los recipientes que puedan recibir lluvia en exceso. Así, evitará que se estanque el agua en la base de los mismos.

•Aproveche los días de buen tiempo para limpiar los grandes recipientes, sustituir parte de las plantas y moverlas para limpiar el lugar donde se encuentran. Pode las raíces y el perfil de los arbustos con hojas caducas que hayan crecido mucho.

Coloque cortavientos donde éstos sean fuertes. ►

▲ Las hojas, aun heladas, protegen la raíz del frío.

Índice general

Los números en letra redonda remiten a los nombres de las plantas principales y a los temas y técnicas fundamentales expuestos en esta obra; los números en negrita indican las páginas de temas que son objeto de un desarrollo importante. Los paréntesis guardan relación con las secciones siguientes: (B) «BUENAS COSTUMBRES» (C) «CONSEJO» (T) «TEXTOS EN RECUADRO».

A

Abedul 234, 279
  abedul de ramas colgantes 279
  abedul llorón 208
Abelia *(Abelia)* 256
Abeto enano *(Abies)* 256
véase también coníferas
Abono 52, 52 (C), **84-87**, 201 (B)
  aportes y dosis 85 (C), 86 (C)
  barras 87, 123 (B)
  dados aglomerados 87
  de larga duración 71 (T), 87 (T)
  de síntesis 85
  granulado 87
  jardineras 141 (C)
  líquidos 84 (C), 86, 157 (B), 173 (B)
  minerales 87
  orgánicos 85
  solubles 86
Abril 456-457
Absorción (riego por) 80
Abutilón *(Abutilon)* 196, 252, **257**
  véase también pulgones
  abutilón moteado 128
Acaena *(Acaena)* 258
Acalypha 166
Acanthus 236
Accesorios
  decorativos **28-29**

útiles **44-45**, 64 (C), 89 (T)
Acebo 164, **351**
  acebo moteado 208
Acedera 420
Acer 160, 208, **258**
  véase también arce
Ácido fosfórico, el 85
Acónito de invierno *(Eranthis)* **321**
  véase también bulbos
Actinidia ornamental *(Actinidia)* 200, **259**
Aegopodium 236
Agapanto *(Agapanthus)* 202, 244, **260**
Agerato *(Ageratum)* **261**
Agosto 463
Agracejo o Barberis **278**
Agrosil 55
Agua
  riego **78-83**, 459, 462, 456 (T)
  macetas con reserva de agua 38 (T)
  exceso 78 (C), 109, 137 (C)
  jardineras con reserva de agua 41 (T), 58 (C)
  jardineras para los arbustos 213 (B)
  falta de agua 109
  plantas que prefieren humedad 220
  protección contra la lluvia 187 (C)
  suspensiones con reserva de agua 58 (C)
  tonel 201 (C)
Aguavientos *(Phlomis)* **397**

Aguileña *(Aquilegia)* **269**
Ajedrea **424**
Ajo ornamental *(Allium)* **263**
  véase también bulbos
Akebia *(Akebia)* **262**
Albahaca 142, 192, **382**
Alcaparrera **288**
Alelí **373**
Alhelí **294**, **323**
  alhelí **373**
Alheña **364**
Almacenamiento
  plantas sensibles al frío 115
  productos tratantes 111 (T)
Aloe 220
Alyogyne 186
Amapola de California **350**
Amarantia *(Gomphrena)* **341**
Amaranto *(Amaranthus)* **265**
Amarilis *(Amaryllis)* **265**
Anémona bulbosa *(Anémona blanda)* **267**
  véase también bulbos
Anisodontea *(Anisodontea)* 174, **268,**
Anthemis o margarita leñosa 156, 169 (B), 174, 216, 217 (C) 230, 244, **270**
véase también
  Argyranthemum
  anthemis amarilla 168, 230
  anthemis tallo 174, 175 (C)
Antiácaros, los 111
Anuales (plantas) 171 (B)
Apio *(Apium)* **269**
Apio **269**
Apliques, los 43
Arabis (Arabis) **270**
Aralia **328**

véase también Fatsia
Arañas rojas, las 104
Arándano **443**
Árboles frutales 65 (T)
  véase también
  avellano **304**
  cerezo **409**
  chumbera 220
  ciruelo **409**
  manzano **371**
  melocotonero **409**
  membrillero de Japón **292**
  peral **410**
Arbusto de las mariposas o budleia **283**
Arbustos
  jardineras 213 (B)
  plantación (la distancia de) 65 (T)
Arce japonés 161 (C), 231 (C), **258**
  véase también acer, coníferas
Arcilla (macetas de) 58
  véase también recipientes
Arco 11 (T)
Arena 54
Aristolochia 166
Armeria *(Armeria)* **271**
Aromáticas (plantas) 142
Aromáticas (plantas) **142-143**, 193 (B)
Aronia *(Aronia)* **271**
Artemisa *(Artemisia)* **272**
Artesas, las 43
Arudinaria **272**
  véase también bambú
Aster *(Aster)* **273**
  aster azul del Cabo **328**
  véase también Felicia
Asterisco *(Asteriscus)* **274**

Astilbe *(Astilbe)* 274
Astrophytum 136
Aubrieta *(Aubrieta)* 275
Aucuba *(Aucuba)* 222, 275
Ave del paraíso de Nicolai
    433
Avellano 304
    véase también árboles
    frutales
Azalea 414
Azucena rosa *(Amaryllis)* 265

B

Babosas 105, 262 (B)
Bacopa 434
Balcón (un jardín en el)
    150-203
    amplitud (dar) 11 (T)
    cobertor 74 (C)
    decoración 10 (C)
    destello de oro y sol
        168-169
    dúo de colores 174-177
    estanqueidad, la 116
    exuberancia de las lianas
        196-199
    fantasía azul 172-173
    frutas (golosinas) 190-191
    hojas (suavidad de)
        182-183
    hortalizas (jardineras de)
        192-195
    invierno 164-165
    muros (revestir los) 13 (T)
        24 (C)
    ocultar y decorar 74 (T)
    orientación 76-77,
        186-187
    otoño 160-163
    primavera, la 152-155
    profusión de color
        178-179
    revestimiento del suelo 30
        (C)
    rojo dominante 170-171
    salón al aire libre, un
        202-203
    seguridad (con toda)
        116-117
    sueño exótico 184-185

ternura rosa 166-167
tierra 57
toque de originalidad
    180-181
tratamientos 110 (C)
verano (cálidos colores de)
    156-159
Bambú 138, 272
    bambú enano 184
    sombreado (ambiente) 77
    (T)
Bananero 321, 376
Banano 376
Barreras visuales 12
Begonia *(Begonia)* 137, 180,
    274, 276
    véase también bulbos
Bejuco 411
Bellis 277
    véase también margarita
Berberís *(Berberis)* o
    Agracejo 278
Bergenia *(Bergenia)* 278
Beta 279
Betonica *(Stachys)* 126, 433
Betula 208, 279
    véase también abedul
Bidens *(Bidens)* 128, 156,
    280
Bigaradio 230
Bignonia 264
Boj 232, 283
Borago 280
Borraja 280
Brachycome *(Brachycome)*
    144, 281
Brassica 281
    véase también col
    decorativa
Brezo 160, 286, 322
    brezo del Cabo 138
    brezo de Vizcaya 313
Briza 282
Brócoli violeta 140
Browalle *(Browallia)* 282
Brugmansia 282
Buddleia *(Buddkeja)* o
    arbusto de las mariposas
    283
    poda 217 (B)
Buganvilla *(Bouganvillea)*
    186, 187 (B), 220, 280
Buglosa *(Anchusa)* 266
Búgula *(Ajuga)* 262
Bulbos
    véase también

acónito de invierno 321
ajo ornamental 263
anémona bulbosa 267
cañacoro 287
begonia 276-277
ciclamen 311
colchico 301
crocos 333
cyrthanthus 469
chionoxoda 295
dalia 313
escila 453
freesia 331
fritilaria 332
ipheion 354-355
iris 355
jacinto 348
liniums o azucena rosa 265
    (B), 325, 365, 380
monbretia 306-307
narciso 378
campanilla de invierno 336
nevadilla 363
planta de la piña 325
plantación 65, 65 (T) 67
plantador, el 88
pleiona 404
renúnculo 411
schizostylis 426
tulipán 442
Buxus 234, 283
    véase también boj

C

Cactus 136, 220, 221 (C)
    cactus de Navidad 426
    riego 137 (C)
Cactus candelabro 326-327
Calabazas 192, 309
Calceolaria 178, 284
Calendario de trabajos
    451-469
Caléndula 284
Callistemon 284-285
Callistephus 285
Calluna *(Calluna)* 286
Calor, el 75
Camelia *(Camellia)* 286
Campanas de coral
    (Heuchera) 346

Campanas de Irlanda 376
Campanilla *(Campanula)*
    178, 287
Campanilla de invierno
    336
    véase también bulbos
Cañacoro 287
    véase también bulbos
Canastas 41
Capparis 288
Capsicum 288
    véase también pimiento
Capuchina 70 (C), 140,
    168, 441
    pulgones (ataques de) 141
    (C)
    véase también Tropaeolum
Carpobrotus 136
Carraspique 451
Carrizo *(Carex)* 161 (B), 288
Carrizo 288
    véase también carex
Caryopteris *(Caryopteris)*
    289
    poda 217 (B)
Cassia *(Cassia)* 288
Ceanoto *(Ceanothus)* 290
Cebollino 142, 143 (C)
    263
Cedro del Himalaya 290
    véase también coníferas
Ceibo *(Eruthrina crista-galli)*
    323
Celosía 11 (T), 24-25, 75
    (T)
    mantenimiento 213 (B),
        453 (T)
    sombra 77 (T)
Celosía *(Celosia)* 290
Centinodia 405
Centradenia *(Centradenia)*
    291
Cepellón 157 (B)
    véase también raíces
Cerastio *(Cerastium)* 291
Ceratostigma *(Ceratostigma)*
    292
Cerezo 409
    véase también árboles
    frutales
Cestillo de oro *(Alyssum)* 264
Cestos colgantes 43, 127,
    129 (C), 141, 144-147,
    145 (B) (T)
Cestrum *(Cestrum)* 270, 292
Chaenomeles 292-293

véase también membrillero
de Japón
Chamaecerus 136
Chamaecyparis 293
Chamaerops 294
Cheiranthus 294
Chelone 294
Chelone obliqua 294
Chimomanthus 295
Chlorophytum 296
Choisya 212, 222, 296
Chrysogonum (Crysogonum)
297
Chumbera 220
véase también árboles
frutales
Cilantro *(Coriandrum)* 303
Cineraria *(Senecio)* 136, 428
Cineraria marítima 160, 174
Ciperus *(Cyperus)* 184, 312
véase también papyrus
Ciprés *(Cupressus)* 310
véase también coníferas
ciprés de Lawson 293
Ciruelo 409
véase también árboles
frutales
Cítricos *(Citrus)* 190, 191
(B) (C), 298
véase también
citrus 298
echeveria 320
grosellero 415
kumquat 330
limonero 190
mandarino 190
Citrus 190, 298
véase también cítricos
Cizalla 91
Clavel *(Dianthus)* 316
Clavel 316
Clavel de la India 212, 435
Clematita *(Clematis)* 152,
231 (B), 299
Cleoma *(Cleome)* 300
Clima 74-77
Clivia *(Clivia)* 300
Clorofitum 296
Clorosis 107
Cobea *(Cobaea)* 196, 300
Cochinillas 105
cítricos 191 (B)
Cojín de la suegra 320
Col decorativa 135, 281
Cola de león 362
Colchico *(Colchicum)* 301

Coleus *(Coleus)* 301
Collejas *(Silene)* 429
Colocar en la valla o pared
68, 103, 173 (B)
Coloquíntida 309
Colores 16-19
amarillo 18, 128-129,
168-169
azul 19, 172-173
balcón en 166-179
blanco 17, 126-127
combinación de 19 (T)
evitar demasiadas mezclas
16 (T)
gris 127
hojas 134-135
malva 157
naranja18
profusión de 178-179
rojo 18, 170-171
rosa 18, 130-131,
166-167
ventanas 122-135
verde 16, 132-133,
violeta 19
Columna 42
formas y volúmenes 14
véase también recipientes
Combinaciones acertadas 63
dúo de colores 174-177
flores y hojas (mezcla de)
123
Profusión de color
178-179
Sueño exótico 184, 185
Surfinias 157 (C)
Toque de originalidad 180,
181
Ventanas con flores 124
Compra 48-51, 63
abril 456
enero 452 (T)
febrero 453
marzo 454
mayo 458
noviembre 468
octubre 466
Coníferas 155 (T)
véase también
abeto 256-257
arce japonés 258
cedro del Himalaya 290
ciprés de Lawson 293
cryptomeria 307
enebro 356
epicea 401

microbiata 374
pino de montaña 402
thuya 437
Contaminación 75
Convallaria 302
Convolvulus 302
Corazón de virgen *(Dicentra spectabilis)* 317
Cordiline *(Cordyline)* 184, 303
Cornejo *(Cornus)* 222, 223
(C), 304
Coronilla *(Coronila)* 304
Cortaviento 12 (C), 75, 153
(C)
Cortezas 55
color de 223 (C)
con compost 57, 201 (B)
Corylus 304-305
Cotoneaster *(Cotoneaster)*
160, 305
Crassula *(Crassula)* 306
Creación de balcón 8-19
Crisantemo
(Chrysanthemum) 128, 139
(B) (C), 296, 315
Crocos *(Crocus)* 307
véase también bulbos
Cryptomeria *(Cryptomeria)*
307
véase también coníferas
Cucumis melo 308
Cucúrbita 309
Cultivador de mano 89
Cuphea *(Cuphea)* 310
Cyclamen *(Cyclamen)* 311
véase también bulbos
Cystius 312
véase también retama

Daboecia 313
Dados aglomerados (abono
en) 87
Dafne *(Dafne)* 314
Dalia *(Dahlia)* 174, 202, 313
véase también bulbos
dalia cactus 170
pulgones negros 175 (B)
tutoría 171 (B)
Dasylirion *(Dasylirion)* 314

Datura *(Datura)* 184
árbol datura 282
Decoración del balcón
8-19
Delosperma 314
Delphinium 315
Dendranthema 315
Desherbado101
Desmoche 187
Desplantador 88
Deutzia *(Deutizia)* 316
Diascia 156, 316
Dicentra 317
Diciembre 469
Dictamnus 318
Díctamo blanco 318
Dimorfoteca 385
Dipladenia *(Dipladenia)*
174, 175 (B), 196, 318
División de las matas 99 (T),
129 (C)
Dorotheanthus 136, 318
Dragoncillo *(Antirrhinum)*
268
Dragoncillo 268
Dregea 319
Drenaje 53
Dryopteris 138, 319

E

Echeveria *(Echeveria)* 136,
184, 190, 320
véase también cítricos
Echinocactus 320
Eleagno *(Eleagnus)* 222,
320
Eléboro *(Helleborus)* 345
Empalmes de tuberías 79 (T)
Enchufe 88 (C)
Enebro 356
véase también coníferas
juniperus
Eneldo *(Anethum)* 267
Enemigos 104-105
véase también tratamientos
Enero 452
Enfermedades 106-107, 108
(C)
véase también problemas de
cultivo

Enkianto *(Enkianthus)* **321**
Enlosado 31 (T), 249
Ennegrecimiento del follaje 108 (T)
Enotera *(Oenothera)* 122, **382**
Enredadera de Mauritania 172, 173 (B)
Enredadera decorativa 302
Ensete **321**
    véase también bananero
Entrega (plazo de) 49 (T)
Eranthis **321**
Erica 138, **322**
Erigeron **322**
Erysium **323**
Escalonia *(Escalonia)* **324**
Eschscolzia **324**
Escolopendra **399**
Espárrago *(Asparagus)* 273
Espírea *(Spiraea)* **432**
Espuela de caballero **315**
Esqueje (propagación por) 96 (C), 257 (B)
    enredadera de Mauritania 123 (C)
    fertilización 123 (B)
    fucsias 279 (B)
    geranios 267 (B)
    laurel japonés 222
    lavanda 223 (B)
    primavera 96 (T)
    técnicas de 97
    verano 97 (T)
Esquimia *(Skimmia)* 164, **430**
Estanque 29 (T)
Estanqueidad del balcón 116
Estanterías 15 (T), 35 (T)
Estiércoles 55
Estragón **272**
Estructura y ordenación **20-31**
Etionema de rocas *(Ethionema)* **260**
Etiquetas 89 (T)
Eucalipto *(Eucalyptus)* **324**
Eucharis **325**
Eucomis 325
Euforbia *(Euphorbia)* 220, 232, **326**
Eulalia *(Miscanthus)* **375**
Euonymus **326**
Euryops *(Euryops)* **327**
Exacum **327**
Exochorda *(Exochorda)* **327**
Exóticas (Protección invernal de las plantas) 185 (B)

Exótico (decorado) **136-137**, 248
Exposición **76-77**, 171 (C)

Fachada (modificación de la) 116 (C)
Fachada *véase también* fachadas con jardín
Fachadas con jardín **241-253**
    Bienvenido al jardín **244-245**
    Ideas que vienen de lejos **252-253**
    La fiesta de las flores **248-249**
    Paredes vestidas de verde **246-247**
    Profusión de follaje **250-251**
Falsa acacia *(Robinia)* **415**
Fatsia 166, **328**
Febrero **453**
Felicia 172, **328**
Fertilización **84-85**
    geranios 123 (B)
    jardineras 123 (C)
    véase también abono
Fertilizante, *véase también* abono
Festuca **328**
Festuca azul *(Festuca glauca)* **328**
Fibra de coco 55
Ficoide **318**
Ficus trepador *(Ficus)* **329**
Filostaquis *(Phyllostachys)* **400**
Fisalis *(Physalis)* **400**
Fisocarpo *(Physocarpus)* **400**
Fitema *(Phyteuma)* **401**
Floración
    ausencia de floración 109 (T)
    en espiga 171 (C)
    estimulación 95
Flox *(Phlox)* **397**
Foeniculum **329**
    véase también hinojo
Follaje 17 (T), 60 (C), **232-233**

amarillamiento del 108 (T)
persistente 153 (C)
véase también
    balcón 181, **182-183**, 185
    cestos colgantes 144
    fachada 241 -253
    ventanas 123, **134-135**
Follaje amarillento 108 (T)
Formas
    organización de las formas y los colores **8-19**
Forsythia *(Forsythia)* 152, **330**
Fortunella japonica **330**
    véase también kumquat
Fothergilla *(Fothergilla)* **330**
Fragaria **331**
Frambuesero **418**
Freesia *(Freesia)* **331**
    véase también bulbos
Fremontia **332**
Fresal 191, **331**
    véase también falso fresal
Fritilaria *(Fritillaria)* **332**
    véase también bulbos
Frutas **190-191**
Fucsia *(Fuchsia)* 166, **333 -335**
    invierno en 167 (B)
    poda 167 (B)
    véase también
    fucsia híbrida 122, 134
    fucsia colgante 144
Fumagina, la 107
Fundición
    mobiliario de jardín 27
    recipientes 39
Fungicidas 110 (C), 111

Galanthus **336**
Galería 74 (C)
Gaulteria *(Gaultheria)* **336**
Gazania *(Gazania)* 186, **337**
Genciana *(Gentiana)* **337**
Genista **337**
Geranio *(Pelargonium)*
    fertilización 123 (B)
    geranio zonal **391**

geranio hiedra 130, 156, **390**
tierra (para) 57
    véase también pelargonium
Geranio vivaz *(Geranium)* **338-339**
Gerbera *(Gerbera)* **340**
Ginkgo 208
Girasol 168, 169 (C)
Girasol silvestre *(Helianthus)* **344**
Gisófila *(Gypsophila)* **342**
Glechoma 180, **340**
Glicinia 250 (T)
Gloria de las nieves *(Chionnodoxa)* **295**
    véase también bulbos
Gloriosa 238
Godelia *(Godetia)* **340**
Goteo 82
    instalación y programación 83 (T)
    vacaciones 113
Granado **410**
Griselina *(Griselinaa)* **341**
Grosellero **414**
    grosella espinosa 190
    véase también cítricos
Grosellero negro 190, **414**
    véase también cítricos
Guisante de olor **360**
Gunnera *(Gunnera)* **342**
Gymnocalcycum *(Gymnocalcycum)* **342**
Gynerium 246

Hebe *(Hebe)* 164, **343**
Hedera 132, 182, **343**
    véase también hiedra
Helecho **319**
    véase también helecho alemán o matteucia **372**
    helecho de Navidad 406
    helecho hembra 274
    véase también Dryopteris
Helecho hembra *(Athyrium)* 274
Heliantemo *(Helianthemum)* **344**

Helianthus 168, 169 (B), 200, 202, **344**
Helicriso *(Helicrysum)* 126, 134, 174, **344**
Heliotropo *(Heliotropum)* 168, **345**
Herbicidas 111
Herramientas **88-91**
    ordenar 90 (T)
Hibisco *(Hibiscus)* **346**
    poda 217 (B)
Hiedra 132, 138, 153 (T), **343**
    véase también hedera
    jardineras 133 (C)
    véase también
    hiedra arbustiva 258
    hiedra de los bosques 132
    hiedra moteada 129, 128, 180
    véase también glechoma
Hielo 114
    véase también protección invernal
    cítricos 191 (C)
    macetas 36 (C)
Hierba Luisa *(Aloysia)* 264
    véase también verbena citronela
Hierbas (aromáticas) **142-143**
Hierro forjado
    mobiliario de jardín en 27
Hierba gatuna o Nepeta **379**
Hinojo 140, 143 (C), **329**
    véase también hinojo bronceado **142**
Hipérico **350**
    véase también Hypericum
Hojarasca161 (B) 209 (B)
Hormigón
    pavimento 30 (C), 31
    recipientes, los 59
Hortalizas **140-141, 192-195**
Hortensia 126, 250, **349**
    hortensia trepadora 13 (T)
    hortensia blanca 234
Hosta *(Hosta)* 236, **347**
Hotonia *(Houttuynia)* **347**
Hyacinthus **348**
Hydrangea 13 (T), **349**
    véase también hortensia
Hypericum **350**
    véase también millepertuis
Hypoestes *(Hypoestes)* 134, **350**

Iberis **351**
Ilex **351**
    véase también acebo
Iluminación 25 (T), 88 (T)
Impatiens *(Impatiens)* 130, 144, **352-353**
Injerto 98
Insecticidas 110, 110 (C)
Invernadero (mini) 29
Invierno, *véase también* protección invernal
Iochroma *(Iochroma)* **354**
Ipheion *(Ipheion)* **354**
    véase también bulbos
Ipomea *(Ipomaea)* 70 (C), 196, **355**
Iris *(Iris)* 238, **355**
    véase también bulbos
Isotoma 172

Jacinto **348**
    véase también bulbos
Jara *(Cistus)* **297**
Jaramago **323**
Jardín en el techo **208-211**
    véase también terrazas
Jardín secreto **245**
Jardineras 41
    colores 16 (C)
    composición **60-61**
    con reserva de agua 41 (T) 58 (C)
    de arbustos 213 (B)
    fertilización 123 (C)
    formas y volúmenes 14
    invierno en 115 (T)
    mantenimiento 100 (C)
    niños (para los) 201 (B)
    plantación 127 (C),
    puesta a punto 68
    renovación 68 (T)
    riego 123 (T), 157 (B)

soportes 45 (T)
    suelo 52 (C)
    tutores 141 (B)
    vacaciones (durante las) 112 (C)
Jardinería 48
Jazmín *(Jasminum)* **356**
Jazmín blanco 230
Jazmín de leche *(Trachelospermum)* 186, **440**
Jeringuilla **396**
Judía **396**
    sombra 77 (T)
Julio **462**
Junio **460-461**
Juniperus **356**

Kalanchoe *(Kalanchoe)* **356**
Kalmia **357**
Kiwi 231 (B)
    kiwi ornamental **259**
Kolkwitzia *(Kolkwitzia)* **357**
Kumquat 190, **330**
    véase también cítricos
    invierno 191
    véase también kumquat moteado 190

Lactuca
    véase también lechuga **358**
Ladierna *(Rhamnus)* **413**
Ladrillo 31
Lagenaria 196
Lagerstroemia indica **358**
Lágrimas de ángel 161 (C), **431**
Lágrimas de la virgen *(Briza maxima)* **282**
Lantana *(Lantana)* 170, 186, **360**

poda 217 (B)
Lasure 22 (C)
Lathyrus **360**
Laurel cereza 212
Laurel rosa **380**
    poda 217 (B)
Laurel-arce **360**
Lavanda *(Lavandula)* 212, 220, 222, 223 (B), **361**
Lechuga 140, **358**
    lechuga para cortar 193
Legislación 75, **116-117**
Lengua de ciervo **399**
Leocothoe *(Leucothoe)* **363**
Leonotis *(Leonotis)* **362**
Leptospermum *(Leptospermum)* **362**
Lespedeza *(Lespedeza)* **362**
Leucojum **363**
Lewisia *(Lewisia)* **364**
Lianas 179 (C)
    véase también plantas trepadoras
Liatris *(Liatris)* **364**
Ligularia 236
Ligustrum **364**
Liliums **365**
Lilo **434**
    lilas de las Indias **384**
Limonero 186, 190,
    véase también cítricos
Limpieza de superficie 56 (C), 69
Linaria *(Linaria)* **366**
Líquenes
    mantenimiento del suelo 31 (T)
Liquidambar 208
Lirio de agua **449**
Lirio de los Incas *(Alstroemeria)* 264
Liriope *(Liriope)* **366**
Lis de Guernesey **380**
Lisimaquia (Lysimachia) 178, **369**
Lithospermum **366**
Lluvia de coral **420**
Lobelia *(Lobelia)* 130, 144, 156, 170, 178, **367**
Lobularia 130, **367**
Lobularia marítima 367
    véase también Lobularia
Lombriz de tierra 105
Lonicer **368**

véase también madreselva
Loto *(Lotus)* 368
Lunaria **368**
Lúpulo 182, 200
Luz 74
Lycospersicon **369**
  véase también tomate

Macetas (contenido) 157 (B)
  colores 16 (C)
  disposición **14-15**
  exceso de agua 44 (C)
  hojas muertas 161 (B)
  riego 78 (C), 157 (B)
  suelo 52 (C)
  vacaciones (durante las)
    112 (C)
Macetas (recipientes) 35 (T),
  37, **58-59**
  desplazamiento 34 (C)
  dimensión 217 (C)
  elección **32-45**
  envejecimiento 36 (T)
  formas y volúmenes 14, 59
  hielo 36 (C)
  mantenimiento 101 (T)
  para cada temporada 235
  «para fresales» 193 (B)
  recuperación 39
  ruedecillas 239 (C)
  soportes 15
  tipos de maceta **40-43**
Macetas 40
  cómo colocar 14 (C)
  de madera 37, 59
  de plástico 38, 59
  desplazamiento 43 (T)
  de hormigón 59
  formas y volúmenes 14
  mantenimiento 100 (C)
  vacaciones (durante las)
    112 (C)
Macetas con reserva de agua
  38 (T)
  balcón 183 (C)
  tierra 56-57
  vacaciones (durante las)
    113 (T)
Madera

decoración de las terrazas
  212-215
  mantenimiento 213 (C)
  mobiliario de jardín 27
  pavimentos de suelo 30
  pérgola 22 (C)
  recipientes 37
Madreselva 152, 153 (C),
  216, **368**
  véase también Lonicera
Madroño *(Arbustus)* 270
Magnolia *(Magnolia)* 216,
  370
Mahonia *(Mahonia)* **370**
Maíz **449**
Malope *(Malope)* **371**
  véase también manzano
    mandarino 190, 191 (C)
  véase también cítricos
Manchas negras 106
  rosal 231 (B)
Mandevilla *(Mandevillea)*
  372
Manettia *(Manettia)* 178,
  230, **372**
Mangueras 80
  empalmes 79 (T)
  manguera perforada 83
Mantenimiento **72-117,
  100-103**
Manzanilla dorada 142
Manzanilla silvestre **322**
Manzano 191, **371**
  véase también árboles
    frutales
Margarita **277**
  margarita pompón 201 (B)
Margarita Leñosa
  (Argyranthemum) 216,
  270
  véase también anthemis
Marsonia 231 (B)
Marzo **454-455**
Materiales
  alfarería 37
  fundición 39
  gres industrial barnizado
    39
  madera 37
  mobiliario de jardín 26
  pavimento **54-55**
  pérgola 23 (T), 27
  piedra 39
  plástico 38, 59
  recipientes 31, 35,
    36-39

recipientes con reserva de
  agua 38 (T)
recipientes de recuperación
  39 (T)
Matteucia **372**
Matthiola **373**
Mayo **458-459**
Mediterráneas (plantas)
  **186-189, 220-221,
  252-253**
Mejoras 54 (C)
  véase también abono
Melisa *(Melissa)* **373**
Melocotonero 409
  véase también árboles
    frutales
Melón **308**
Membrillero de Japón 152,
  292
  véase también árboles
    frutales
Menta *(Mentha)* **374**
Metrosideros **374**
Metrosideros **374**
Micro aspersor 83, 113
Microbiota *(Microbiota)* **374**
  véase también coníferas
Microclimas **76-77**
Mildíu 107
Milenrama *(Achillea)* 258
Mimosa 220
Mimosa de invierno *(Acacia)*
  257
Mímulo (Mimulus) **375**
Mirto *(Myrtus)* **377**
Miscanthus 156, 182,
  401
Mobiliario de jardín **26-27,
  203** (B)
Molucella **375**
Monopsis *(Monopsis)* **376**
Montbretia **306-307**
  véase también bulbos
Mosca blanca 104
Muebles para el aire libre
  202-203
Muebles para la terraza
  216-219
Muguete **302**
Mulcao 55
Multiplicación **96-99**
  véase también división de
    las matas
Murajes *(Anagallis)* 122,
  266
Muscari *(Muscari)* **377**

Musgo
  enlosado 234 (C)
  mantenimiento del suelo
    31 (T)
Myosotis *(Myosotis)* 152,
  377

Nandina *(Nandina)* **378**
Naranjo de México 212, **296**
  véase también Choisya
Narciso *(Narcissus)* 152, 178,
  378,
  véase también bulbos
Navaja 91
Navidad (balcón de)
  164-165
Nemesia *(Nemesia)* **379**
Nenúfar 247 (B), **381**
Nepeta *(Nepeta)* **379**
Nerine **380**
Nerium **406**
  véase también laurel rosa
Nevadillas 363
  véase también bulbos
Nicotiana **380**
  véase también tabaco
    decorativo
Nierembergia *(Nierembergia)*
  381
Nieve 114
Niños 29, **200-201**
Nitrógeno, el 84
Noviembre **494**
Nymphaea **381**
  véase también nenúfar

Octubre **466-467**
Ocultación 74 (T)
Ocymum **382**
  véase también albahaca
Ofiopogon (Ophiopogon) **383**
Oídio 106

Ojo morado 437
Olea 382
Olearia (*Olearia*) 244, **383**
Oligoelementos 84
Olivo **382**
Olmo **443**
Onoquiles 366
Orégano (*Origanum*) **384**
Oreja de oso 126
Organizar volúmenes,
  formas y colores 8-19
Ortiga (*Lamium*) 359
Orugas 105
Osmanto (*Osmanthus*)
  384
Osmarea (*Osmarea*) **385**
Osteospermum **385**
Otoño
  balcones de 160-163
  compra 51
  leyendas de 138-139

Pachysandra (*Pachysandra*)
  386
Paja 102, 103 (T), 112
Pájaros 165 (C)
Palma del sagú (*Cycas*) **310**
Palmera
  cochinillas (ataques de)
    239 (B)
  palmera datilera **424**
  palmito elevado **440**
  protección invernal 231
  véase también phoenix
Palmera de California **447**
Palmera enana 238, **294**
Pandorea (*Pandorea*) **386**
Panicum 202
Pantalla
  estanca 12 (C)
  parcial 13
  total 74 (T)
Papiro 184, 185 (C)
Pared
  celosía 24 (C)
  revestimiento 13 (T),
    246-247
Pasiflora (*Passiflora*) 196, **386**
Patios 226-239

Estilo natural **262-263**
Evádase **238-239**
Intimidad florida **230-231**
Líneas, volúmenes y formas
  260-261
Un remanso de verdor
  232-233
Pelargonium (*Pelargonium*)
  122, 130, 134, 230, 244,
  388-391
Pennisetum (*Pennisetum*)
  392
Pensamiento 128, 180, 248,
  446
  siembra 181 (B)
Penstemon **392**
Pensteom (*Penstemon*) 234,
  392
Pepino 192, **308**
Peral **410**
  véase también árboles
    frutales
Perejil 142, 143 (B), **393**
Pérgola 11 (T), **22-23**, 238,
  239 (C)
  sombra 77 (T)
Perifollo (*Anthriscus*) **268**
Perlite 55
Pernettya (*Pernettya*) 139,
  160, **392**
Perovskia (*Perovskia*) **393**
Persiana 76 (C)
Petroselinum **393**
Petunia (*Petunia*) 130, 144,
  172, 200, **394-395**
Phalaris 182
Phaseolus **396**
Philadelphus **396**
Phoenix **398**
Phormium (*Phormium*) 184,
  212, **398**
Photinia (*Photinia*) **399**
Phyllostachis **400**
Physalis **400**
Picea (*Picea*) 164, 232, **401**
  véase también coníferas
Picea albertiana 260
Pie de gato (*Anaphalis*) **266**
Pie de león (*Alchemilla*) 236,
  262
Piedra
  piedra reconstituida 31, 59
  recipientes de 38, 43
Pieris (*Pieris*) 126, 212, **402**
Pimiento 138, **288**
Pino de montaña **402**

véase también coníferas
Pinus **402**
Pinzamiento 102
  buganvilla 187 (B)
  plantas anuales 171
Pita (*Agave*) 261
Pitosporum (*Pittosporum*)
  220, 230 **402**
Planta de la piña **325**
  véase también bulbos
Plantación 46-71, **62-69**
  antemis 175 (C)
  bulbos 465 (T)
  cactus 221 (C)
  distancia de plantación 65
    (T)
  jardinera (de una) 459 (T)
  lis 239 (B)
  profundidad (de) 67
  sobre losas 209 (C)
  verbena 130 (B)
  vivaces 237 (C)
  véase también calendario de
    trabajo
Plantador 88
Plantas (el cuidado de las) 50
  (C)
Plantas anuales 171
  plantación 65 (T)
Plantas aromáticas 142-143
Plantas cobertoras 247 (B)
Plantas crasas **136**, 220
  riego 137 (C)
Plantas exóticas 250 (C),
  276 (B)
  véase también
    combinaciones exóticas,
    protección invernal, estilo
    exótico
Plantas mediterráneas
  186-189, **220-221**,
  252-253
Plantas rastreras 234
Plantas sensibles al frío 114
  (C), 115
Plantas sobre tallo 94 (T)
Plantas trepadoras 231 (B),
  247 (C)
  balcón **196-199**
  paredes 13 (T)
Plantas tropicales 249 (C)
  véase también plantas
    exóticas
Plantas vivaces 181, 236,
  237 (B) (C)
  plantación 65 (T)

Plantas volubles 197 (B)
Plástico
  macetas de 59
  recipientes de 38
Plectranto (*Plectranthus*)
  135, **403**
Pleione (*Pleione*) **404**
  véase también bulbos
Plumbago (*Plumbago*) 172,
  173 (B), **404**
Poda **92-95**
  arbustos 217 (B)
  boj 233 (B) (C)
  buddleia 217 (B)
  caryopteris 217 (B)
  en el balcón 93
  fucsias 167 (B)
  lantana 217 (B)
  laurel rosa 217 (B)
  maldevilla 175 (B)
  mantenimiento de 94
  rejuvenecimiento de 94
  retama 129 (B)
  verano en 462
  vid 247 (B)
  véase también calendario de
    trabajo
Poda con forma (arte) **92-95**
Podredumbre gris 107
Polenium caeruleum **405**
Polipodo (*Polypodium*) **406**
Polístico (*Polystichum*) **406**
Polygala (*Polygala*) **405**
Polygonum 234, **405**
Portulaca **407**
Potasio 85
Potentilla (*Potentilla*) **407**
Primavera
  balcón en **152-155**
  compras de 50
  esquejes 96 (T)
Primavera (*Primula*) 180,
  201 (B), **408**
Problemas de los cultivos
  108-109
Productos de tratamiento
  110-111
  almacenamiento 111 (T)
  pulverización 111 (T)
Programación del riego 83 (T)
Prostantera (*Prostanthera*)
  408
Protección invernal **114-115**
  balcón **164-165**, 165 (C)
  cítricos 191 (C)
  compra 51

cordilina 250 (B)
enredadera de Mauritania 173 (C)
fucsias 167 (C)
gunera 247
lianas 179 (C)
palmeras 250 (B)
papiro 185 (C)
phormium 250 (B)
plantas exóticas 250 (B)
Tolmiea 145 (B)
toma de agua 82 (C)
yuca 185 (B)
Prunus **409**
Puerro **279**
Pulgones 104
abutilón 129 (B)
capuchinas 141 (C)
dalias 129 (B)
fucsias 167 (B)
pulgones negros 129 (B)
Pulverización 81
Pulverizador, el 90
Punica **410**
Puzolana 55, 201 (B)
Pyrus **410**

Quamoclit **411**
Quemaduras del follaje 108 (T)

Rábano 192, **412**
Raíces 63, 67, 157 (B)
Ranúnculo 411
véase también bulbos
Ranunculus **411**
Raphanus **412**
véase también rábano
Raphiolepis (*Raphiolepis*) **412**
Rastrillo de mano 90
Recipientes 14, **34-39**
véase también macetas

gres industrial 39
Regadera, la 79
Reina Margarita **285**
Rejuvenecimiento
lavanda 223 (B)
poda 94
Reseda (*Reseda*) **412**
Resina (mobiliario de jardín) 27
Retama 337
poda 129 (B)
véase también
retama precoz 128
retama trepadora 128
Revestimiento de suelo 30
Rheum **413**
Rhodochiton (*Rhodochiton*) 137, **413**
rododendro «yak» 152
Rhus 250
Ribes **414**
véase también grosellero
Riego, el 78-83
acoples, los 79 (T)
automático, el 82-83
cactus y plantas crasas 137 (C)
el momento oportuno 78
exceso de 109
fucsias 167 (C)
jardineras 123 (C), 157 (B)
macetas floridas 157 (B)
manguera perforada 83
mangueras y terminales 80
manual 78-81
plantar correctamente (buenos hábitos para) 66-67
por absorción 80
programación, la 83 (T)
vacaciones (justo antes de salir de) 113
Riubarbo **413**
Robinia (*Robinia*) **441**
Roble Australiano (*Grevillea*) 184, **341**
Rododendro **414**
(*Rhododendron*) **208**, **414**
Romero **418**
Rosa 416-417
véase también rosal
Rosa rosal 231 (B), 273, **416-417**
rosal «Dame de coeur» 212
rosal «Iceberg» 174

rosal «Rimosa» 216
rosal «Sylvie Vartan» 236
rosal «The Garland» 244
rosal trepador 182
Roscoea (*Roscoea*) 418
Rosmarinus **418**
Rubus **418**
Ruda 234, **420**
véase también Ruta
Rudbeckia (*Rudbeckia*) 168, 170, 202, **419**
Ruedas 43 (T)
véase también recipientes
Rumex **420**
Russelia **420**
Ruta 222, **420**
véase también ruda

Salix **421**
Salpiglossis (*Salpiglossis*) **421**
Salvia (*Salvia*) **422**
Salvia coccinea 170
Salvia officinalis 126
Sambucus **422**
Santolina (*Santolina*) 232, **423**
Sanvitalia (*Sanvitalia*) 168, **424**
Saponaria (*Saponaria*) **424**
Sasa **424**
véase también bambú enano
Satureja **424**
Sauce 447
Saúco **422**
Saxifraga (*Saxifraga*) **425**
Scaevola (*Scaevola*) 130, 156, **425**
Schizanthus (*Schizanthus*) **426**
Schizostylis (*Schizostylis*) **426**
véase también bulbos
Schlumbergera **426**
Scilla (*Scilla*) **427**
véase también bulbos
Secador 89
Sedum (*Sedum*) 136, **427**
Sedum **427**
Seguridad **116-117**
Sempervivum **428**

Separador 24
Septiembre 464-465
Siembra **70-71**, 99
en el lugar definitivo 70 (C)
en terrinas 455 (T)
flores 463 (T)
papiro 185 (C)
pensamientos 181 (B)
perejil 143 (B)
tierra para 57
Siempreviva **454**
Siempreviva arbórea (*Aeonium*) 136, 260
Sierra 91
Sisyrinchium (*Sisyrinchium*) **429**
Sol 66, 74, 76 (C), 134 (C), **186-189**
Solanum (*Solanum*) 138, 196, 216, **430**
Soleirolia 161 (C), **431**
Sombra 77 (T), **238-239**
judía 77 (T)
terraza 221
tonos suaves 175
Sombrilla 27, 251 (C)
Soportes
de jardineras 45 (T)
de plantas 93 (T)
para macetas 15
Sparmannia **431**
Sphaeralcea **432**
Sprekelia **432**
Strelitzia **433**
Streptosolen (*Streptosolen*) **434**
Sustrato 53 (T), 54, **56-57**
sustrato seco 85 (T)
Suelo
calidad (del) **52-55**
véase también tierra
revestimiento (del) **30-31**
Surfinia 156, 157 (T)
Suspensiones 43, 193 (B)
con reserva de agua 58 (C)
véase también cestos en suspensión
Sustitución de temporada de las plantas 102 (T)
Sutera **434**
Syringa **434**

T

Tabaco decorativo **380**
Tagetes **437**
  véase también clavel de la India
Tallo (sobre) 94 (T)
Tanaceto *(Tanacetum)* **436**
Taxus 232, **436**
  véase también tejo
Tejo 164, **436**
  véase también Taxus
Temporada
  compras de **50-51**
  sustitución de las plantas 102 (T)
  véase también primavera, verano, otoño, invierno
Terminales de riego 80
Terrazas 57, 93, **204-225**
  baldosas 241 (B)
  césped 209 (B)
  cubierta 74 (C)
  decoración 10
  decorado de madera **212-215**
  decorado exótico **220-221**
  jardín en el tejado **208-211**
  muebles **216-219**
  ocultación 74 (T)
  paredes 13 (T), 24 (C)
  revestimiento del suelo 30 (C)
  terraza pequeña **222-225**
Teucrio **436**
Teucrium **436**
Thalia 246
Thrips 105
Thunbergia **437**
Thymophylla *(Thymophylla)* **438**
Thymus **438**
Tiarella *(Tiarella)* **438**
Tibuchina *(Tibouchina)* **436**
Tierra
  agotada 108
  aireamiento 101
  calidad 52-55
  compacta 109, 209 (C)
  véase también
  tierra de mantillo 56
  tierra de jardín 54
Tijeras de jardín 90
Tilo de tiesto **431**
Tinajas 42
Tolmiea *(Tolmiea)* 145 (B), **439**
Tomate 140, 141 (B), 192, **369**
  tomate *cherry* 192, 200
  tomate pera 140
Tomillo **438**
  véase también Thymus
  tomillo dorado 142
Trabajos (calendario de) **451-469**
Trachycarpus **440**
Tradescantia *(Tradescantia)* **440**
Transporte 49 (T)
Trasplante 69
  tierra de 57
Tratamientos **110-111**
  tratamientos preventivos 106 (C)
  véase también calendario de trabajo
Trenzado de metal 197 (B)
Trepadoras (plantas) 179 (C), **196-199**, 231 (B), 273 (C)
  anuales 197 (B)
  paredes 13 (T)
Tresillo de jardín (compra del) 26 (C)
  véase también muebles de jardín
Tropaeolum 134, **441**
  véase también capuchina
Tropicales (plantas) 253 (C)
  véase también plantas exóticas
Tulipán *(Tulipa)* 152, **442**
Turba 54
Tutores 68, 91
  dalias 171
  elección 95 (T)
  glicina 239 (C)
  hortalizas 141 (B)
  plantas herbáceas 203 (C)
Tuya *(Thuja)* **437**
  véase también coníferas

U-V

Ulmus **442**
Vacaciones (el balcón en) **112-113**
Vaccinium **443**
Valeriana griega **404**
Valla 74 (T)
Vallota **443**
Vaporización 81
Vasijas 43
  véase también recipientes
Vecindad 75, **116-117**
Ventanas con flores 124, 131 (C)
  niños 201 (B)
Ventanas floridas **118-147**
  Blancura radiante **126-127**
  Buenas hierbas **142-143**
  Cestos colgantes **144-147**
  Color rosa **130-131**
  Festival de colores **122-125**
  Gusto por lo exótico **136-137**
  Hojas de todos los colores **134-135**
  Leyendas de otoño **138-139**
  Oro en sus ventanas **128-129**
  Ventanas apetecibles **140-141**
  ¡Verde que te quiero verde! **132-133**
Verano
  balcón **156-159**
  compras de 51
  poda 462
  reproducción por esqueje 97 (T)
Verbena 130, 166, **444**
  plantación 130 (B)
  verbena limoncillo 142
  verbena «Tropic» 122
Verdolaga de flores grandes **407**
Verdolaga vivaz **314**
Vermiculita 55
Verónica *(Veronica)* **444**
Viburno **445**
  véase también Viburnum
Viburnum 242, **445**
Vid 250, 246-247, **446**
  poda 247 (B)
Vid virgen 250
Viento 75
  destrozos (del) 109
  invierno 114 (C)
Vinca **445**
Vinca pervinca (pequeña) **445**
Viola 126, **446**
Violeta **446**
  violeta persa 327
Virosis 107
Vista *véase también* ocultación
Vitis **446**
Vivaces (plantas) 181, 237 (B) (C)

W

Waldsteinia **447**
Washingtonia **447**
Wattakaka 345
Weigelia *(Weigelia)* **448**
Wisteria 238

Y

Yuca *(Yucca)* 184, **448**
  protección invernal 185 (B)

Z

Zantedeschia **449**
Zarzamora 418
Zea **449**
Zinia *(Zinnia)* 170, **449**

Algunas ideas de jardineras y decorados con flores para que los realice a su gusto

**Para una ventana
118 a 147**

Leyendas de otoño	138 -139
Festival de colores	
Blanco	126-127
Amarillo	128-129
Rosa	130-131
Verde	132-133
Hojas de todos	
los colores	134-135
Gusto por lo exótico	136-137
Ventanas apetecibles	
Buenas hierbas	142-143
Hortalizas	140-141
Cestos colgantes	144 a 147

**Para un balcón
148 a 203**

Jardineras de colores	
Fantasía azul	172-173
Destello de oro y sol	168-169
Ternura rosa	166-117
Rojo dominante	170-171
Dúo de colores	174 a 177
Profusión de colores	178-179

Bajo el sol del sur	186-189
Jardineras de temporada	
La primavera	
en fiesta	152 a 155
Cálidos colores	
de verano	156-157
Balcones de otoño	160 a 163
Balcones de invierno	164-165
Jardineras con estilo	
Sueño exótico	184-185
La exuberancia	
de las lianas	196 a 199
Un salón al aire libre	202-203
Toque de originalidad	180-181
Suavidad de las hojas	182-183
Jardineras apetecibles	
Balcón de golosinas	190-191
Jardineras de hortalizas	192-193
Jardineras para los niños	200-201

**Para una terraza
204 a 225**

Madera, tendencia para	
las terrazas	212 a 215
Composiciones para	
Terrazas grandes	208 a 211

Terrazas pequeñas	222 a 225
Una terraza convertida	
en salón	216-219

**Para un patio
252 a 265**

Combinaciones con	
Líneas, volúmenes	
y formas	234-235
Un remanso de verdor	232-233
Evádase	238-239
Intimidad florida	230-231
Gusto por lo natural	236-237

**Para una fachada
266 a 279**

Combinaciones de estilo	
Bienvenido al jardín	244-245
Paredes vestidas	
de verde	246-247
Una profusión	
de follaje	250-251
Ideas que vienen	
de lejos	252-253
La fiesta de las flores	248-249

Créditos fotográficos

Pierre Aversenq: *104, 106 (3), 167, 231, 239.* **- Anne Breuil:** *105-107.* **- Alizée Chopin:** *17, 102, 171, 222, 336, 402, 427.* **- Nicole Colin:** *65.* **- Alain Delavie:** *29, 170.* **- Arnaud Descat:** *13, 14, 16, 21, 27, 29 (2), 30, 31 (2), 34, 36, 37, 38, 41, 43, 59 (2), 74, 75 (2), 77, 97, 102, 104, 106, 117, 120, 132 (2), 138, 141 (2), 145, 152, 160, 166 (2), 174, 180, 190 (2), 191, 202, 204, 205, 207, 208 (2), 209 (2), 210, 211 (2), 212, 213 (2), 214, 215 (2), 216 (2), 217 (2), 218 (2), 219 (2), 221, 222 (2), 223, 224 (2), 225, 231, 232 (3), 233, 234 (2), 235, 236, 239, 243 (2), 247, 249, 252, 253 (2), 257 (3), 258 (2), 259, 260, 261, 262, 263, 264, 265 (2), 267, 268 (2), 269, 270, 271, 273, 274 (2), 276 (2), 278, 279, 280 (2), 282, 283 (2), 284, 286, 287, 291, 294, 296 (2), 297, 298 (2), 300, 301 (2), 302 (2), 304, 306, 307 (2), 309, 312, 316, 317 (2), 318 (2), 320, 322 (2), 325 (2), 326, 327, 329, 330 (2), 333 (2), 334 (7), 335, 338, 339 (2), 340 (3), 344 (3), 345, 346, 348 (2), 349, 350, 351, 352, 353, 354, 355 (2), 356 (2), 357, 359, 361, 363, 365, 367 (2), 369, 371, 373, 375, 376, 377 (2), 379 (2), 380, 381, 384 (3), 385, 386, 388, 390 (3), 391, 392, 395, 398 (2), 399, 401, 402, 404 (2), 405 (2), 408, 409 (3), 414, 416, 417 (2), 418 (3), 419 (2), 420, 422 (2), 423, 424 (2), 425, 428 (2), 432 (2), 433 (2), 434, 435, 437, 439, 440, 441, 442, 443, 444, 445, 446, 447, 448, 449, 450, 455.* **- Frédéric Didillon:** *35, 39 (2), 82, 123, 138, 143, 145, 152, 192 (2), 202, 209, 227, 228, 241, 242, 246 (2), 248, 259, 260, 270, 273, 295, 306, 310 (2), 312, 315, 324, 325, 327, 329, 330, 341, 342, 347, 350, 351, 352, 370, 372, 383, 389, 394, 396 (2), 409, 415 (2), 427, 430 (2), 434, 437, 439, 445, 446 (2).* **- M. Duyck:** *129.* **- François Gager:** *183.* **- Jean-Yves Grospas:** *470.* **- Alain Guerrier:** *128, 262, 278, 321, 327, 329, 391.* **- Fred Lamarque:** *23 (3), 26, 48, 49 (3), 51(3), 54 (5), 55 (7), 56 (4), 57 (4), 67 (2), 69 (2), 74 (3), 75 (3), 78, 81 (2), 83, 84, 85 (3), 87 (4), 89 (2), 90, 91 (4), 95 (2), 101, 102, 103 (6), 108, 113, 117 (3), 142, 208, 222, 236, 264, 265, 294, 364, 387, 403, 407 (2), 414, 425, 462 (2), 468.* **- Romain Mage:** *107, 213, 218.* **- Frédéric Marre:** *50, 282, 283, 393, 426.* **- Nicole et Patrick Mioulane:** *2, 6, 7, 8, 10 (3), 11, 12, 13, 17 (2), 18, 19 (2), 22, 23 (2), 24 (5), 25 (4), 27, 28, 29, 30, 31 (3), 35 (2), 36 (2), 37, 38 (3), 39, 40, 41 (2), 42, 43, 45 (5), 47, 48, 49, 50, 51, 52 (2), 53 (2), 59 (2), 62, 63 (3), 64 (3), 66 (5), 67, 68 (5), 69 (2), 70 (3), 71, 73, 75, 76, 77, 78, 79 (4), 80 (2), 81, 82, 83 (6), 84 (2), 86, 88 (2), 89 (3), 90 (2), 91, 92 (4), 93 (2), 94, 95 (2), 96 (4), 97 (4), 98 (5), 99 (6), 100 (3), 101 (2), 102, 103 (2), 104 (2), 105 (2), 106, 107 (2), 108 (4), 109 (2), 110 (2), 111 (5), 113, 115 (2), 116, 118, 119, 121, 122, 123 (3), 124, 125, 126 (3), 127 (3), 128 (2), 129 (3), 130 (2), 131 (3), 133 (2), 134, 135 (4), 136 (3), 137 (4), 139, 140, 141 (4), 142 (2), 143 (2), 144 (3), 145 (2), 146, 147, 156 (2), 157, 160, 161 (2), 164 (2), 167, 168, 169, 171 (2), 172 (2), 173 (2), 175 (2), 178, 180 (2), 182, 184 (2), 185 (2), 186 (2), 187, 192 (3), 195, 196 (2), 201 (4), 203 (2), 209, 212 (2), 213 (2), 217 (2), 220 (3), 221 (3), 223, 230, 231, 233, 234, 235, 237 (3), 238 (3), 239, 240 (2), 243, 244, 245, 246, 247 (2), 248 (2), 249 (2), 250 (2), 251, 254 (2), 255, 256, 257, 259, 260, 266 (2), 267, 268, 269, 270, 272, 275, 277, 278, 279, 280, 281, 283, 287, 288, 289, 290, 291, 292, 293, 294, 295, 296, 297 (2), 298, 299 (2), 301, 303 (2), 304, 305, 306, 308, 310 (2), 311 (2), 314, 319, 321, 322, 323, 324 (2), 326, 328, 331, 332, 333, 336, 337, 338, 340, 341, 343 (3), 345, 347, 349, 350 (2), 351, 352, 353, 354 (4), 357, 358, 359 (2), 362, 363, 364 (2), 365, 366, 368 (2), 369, 372 (2), 373, 374 (2), 376, 378, 380, 382, 383, 385, 386, 388 (3), 389 (3), 390 (2), 391 (3), 392 (4), 394, 396 (4), 397, 398, 399, 400, 401, 403 (2), 405, 406, 408 (2), 410 (3), 411, 412 (2), 413 (3), 416, 417 (2), 418 (2), 419, 421 (3), 422, 423 (2), 425, 426, 427, 429, 430, 431, 433, 435, 436, 437 (2), 438 (2), 440, 444, 447, 448, 449, 453, 456 (5), 458 (3), 459 (2), 460 (4), 461, 462 (2), 463, 464 (5), 466 (5), 468 (2), 470 (3).* **- Yann Monel:** *15, 16, 27, 39, 43, 45, 76, 77, 89,109, 112, 167, 170, 182, 202, 216, 248, 274, 277 (2), 291, 313, 342, 350, 369, 382, 400, 468.* **- Clive Nichols:** *8, 13, 34, 43, 70, 133, 144, 146, 205, 209, 233, 235, 236, 251, 253, 264, 346, 398, 431, 444, 447, 452.* **- Paul Nief:** *205, 285, 371, 400, 401, 447.-* **Noun:** *29, 198, 220, 407, 415.* **- Éric Ossart:** *33, 34, 182, 184, 221, 239, 289.* **- Bernard Rebouleau:** *105.* **- Friedrich Strauss:** *11, 12, 14, 15 (2), 16, 17, 18, 19, 20, 22, 26 (2), 27, 28, 29, 32, 35, 37 (2), 40 (2), 41 (2), 42, 43, 44 (2), 46, 58 (4), 59 (2), 69 (2), 61 (4), 62, 64 (2), 65, 67, 70, 71 (2), 72, 80, 87, 93, 94, 112, 114 (2), 115 (2), 116, 122, 130 (2), 132, 135, 138, 139 (3), 148, 149, 150, 151, 152, 153 (3), 154 (2), 155 (2), 156, 157 (3), 158 (2), 159 (2), 160, 161 (2), 161, 163 (2), 164, 165 (3), 166, 167 (2), 168, 169 (2), 170, 171, 172, 173 (2), 174 (2), 175 (2), 176 (2), 177 (2), 178 (2), 179 (3), 180, 181 (3), 183, 184, 185 (2), 186, 187 (2), 188 (2), 189 (2), 190, 191 (3), 192, 193 (2), 194 (2), 196, 197 (4), 198 (2), 199, 200, 201, 202, 203 (2), 206, 229, 231, 239, 258, 261 (2), 262 (2), 263 (2), 264, 267, 269, 271 (2), 272, 273, 275 (2), 276, 278, 279 (2), 281 (2), 282, 284, 285, 286, 287 (2), 288 (2), 289 (2), 290 (2), 292 (3), 293 (2), 294, 295, 299, 300 (2), 302, 303, 304, 305, 306, 307, 308 (2), 309, 311, 312, 313 (2), 314 (2), 316 (2), 317, 318, 319, 321, 323 (2), 324, 326, 328 (2), 331 (2), 332 (2), 334, 335 (2), 336, 337, 338 (2), 339, 340, 341, 342, 345, 346, 347, 348, 349, 353, 355, 356, 358 (2), 360 (3), 361, 362 (2), 363, 365, 366 (2), 367, 368, 369, 370 (2), 373, 374, 375 (2), 376, 377, 378 (2), 379, 380, 381 (2), 382, 385, 386, 387, 393 (2), 394, 395, 396, 397, 399, 402, 404, 406 (2), 408, 409, 411, 412, 414, 415 (2), 416, 417, 420 (2), 423 (2), 424, 426, 428, 429 (2), 431, 432, 434, 435, 436 (2), 437, 438, 439, 440, 441 (2), 442 (2), 443 (2), 445, 447, 448, 449 (2), 450, 451, 452, 453 (2), 454, 455, 457 (2), 458 (2), 459, 461, 462 (2), 463, 464, 465 (2), 467 (2), 468, 469 (2), 470.*

Agradecimientos

Queremos agradecer particularmente a los paisajistas, propietarios de jardines y a las empresas que nos han permitido realizar algunas ilustraciones de esta obra:

Barnsley House - M. Besson - Piet Blanckaert - Jill Billington - M. et Mme Biney (Jersey) - Jean Bishop - Alain-Frédéric Bisson - 75, Piet Blanckaert - Bousval (Belgique) - Butchart gardens (Canada) - Alain Charles - C. Caplin (GB) - Château de Beervelde (Belgique) - Chenies Manor - Chelsea Flower Show - Mme de Chauwer (Belgique) - Clos de la Meslerie - Clos du Peyronnet - Coton Manor - Didier Danet - Marie-José Degas - Fermob - Festival des jardins de Chaumont/Loire - Fiskars - .Gardena - M. et Mme de Geyter (Belgique) - Hampton Court Flower Show - E. Le Hardy - Jardin d'Anne-Marie (Lardy 91) - Jardin de Bagatelle - Journées des plantes de Courson - Jardin botanique de Dublin - Jardin MAP - Jardin de Gontrode (Belgique) - Jardin exotique de Monaco - Jardin d'ombre et lumière - Jardin privé de St Peter (Jersey) - Jardin de Ste Brelade (Jersey) - Jardin de Sardy - Jardin de Turn End - Jardiland Osny - Jenkyn Place - Keukenhof Garten - Lady Prudence Buchanan - La Florentaise - L'Art de Jardin - Marble Place - Marina de la Baie des Anges - J. Messin - La Mortola - M. et Mme Morne Vanhalle (Belgique) - Musée de l'outil de Wy-Dit-Joli-Village - Nortène - Origines (Houdan) - Outils Wolf - .Parc floral d'Apremont - Mme Poloy Bom - M. et Mme Renouf - Riviera - .Sicatec - Sissinghurst place Garden - Société Nationale d'Horticulture de France - Sofradécor - Sructures en bois Hillhout - Laurent Sustrac - Synon Park (GB) - Timothy Vaughan - The Old Rectory - Truffaut Herblay - Truffaut Servon - Truffaut La Ville-du-Bois - Truffaut Villeparisis - Julie Toll - M. et Mme Van Campenhout (Belgique) - Mme Verbiest-Bekker (Belgique) - Mme Van Campenhout (Belgique) - Mme Walda Pairon (Belgique) - Mme Weewarters (Belgique) - M. et Mme de Witte (Belgique).